MONOGRAFJE MATEMATYCZNE

KOMITET REDAKCYJNY:

S. BANACH, B. KNASTER, K. KURATOWSKI,
S. MAZURKIEWICZ, W. SIERPIŃSKI i H. STEINHAUS

TOM III

TOPOLOGIE I

ESPACES MÉTRISABLES, ESPACES COMPLETS

PAR

CASIMIR KURATOWSKI

PROFESSEUR À L'ÉCOLE POLYTECHNIQUE DE LWÓW

Z SUBWENCJI FUNDUSZU KULTURY NARODOWEJ

WARSZAWA — LWÓW 1933

3213

DRUK M. GARASIŃSKI, WARSZAWA, BRACKA 20.

DÉDIÉ À MONSIEUR WACŁAW SIERPIŃSKI.

PRÉFACE AU VOLUME I.

La Topologie traite des propriétés des ensembles de points, *invariantes* par rapports aux transformations bicontinues.

Une transformation (univoque) $y = f(x)$ est dite *continue*, lorsque la condition $x = \lim_{n=\infty} x_n$ entraîne $f(x) = \lim_{n=\infty} f(x_n)$. Elle est dite *bicontinue* ou une *homéomorphie*, lorsqu'elle admet, en outre, une transformation inverse $x = f^{-1}(y)$ continue.

Le terme „ensemble de *points*" exige quelques explications: on peut notamment se demander quel est *l'espace* dont on considère les points.

Comme on sait, la notion de point de l'espace euclidien à 3 dimensions a été étendue dans la Géométrie analytique sur l'espace à un nombre arbitraire des dimensions: un point p de l'espace euclidien $\mathcal{E}^k$ (à k dimensions) est par définition un système de k nombres réels $p^{(1)}, p^{(2)}, \dots, p^{(k)}$; la convergence $\lim_{n=\infty} p_n = p$ signifie que l'on a $\lim_{n=\infty} p_n^{(i)} = p^{(i)}$, quel que soit $i \leqslant k$.

Le développement récent de la Topologie et des autres branches des mathématiques modernes (surtout celui de la Théorie générale des fonctions et du Calcul fonctionnel) a montré que cette conception de l'espace était encore trop étroite: dans un grand nombre des problèmes on est conduit à considérer, outre l'espace $\mathcal{E}^k$, l'espace $\mathcal{E}^{\aleph_0}$ à une *infinité de dimensions* (nommé aussi „espace $\mathcal{E}_\omega$ de Fréchet") et dont les points p sont des suites infinies $p^{(1)}, p^{(2)}, \dots, p^{(i)}, \dots$ de nombres réels; la convergence $\lim_{n=\infty} p_n = p$ y signifie que l'on a $\lim_{n=\infty} p_n^{(i)} = p^{(i)}$, quel que soit i.

Or, c'est précisément l'étude des invariants des homéomorphies entre sous-ensembles de l'espace $\mathcal{E}^{\aleph_0}$ qui constitue le vrai domaine de la Topologie à l'état actuel de cette science. Ajoutons que le terme ensemble est entendu ici dans le sens le plus général: les ensembles de points que nous allons envisager ne se réduisent pas à des courbes ou surfaces de la Géométrie élémentaire ou analytique, ni même à des figures considérées en Analyse et définies par des expressions analytiques, mais ils sont complètement arbitraires (dans le sens de la Théorie des ensembles).

Dans la suite, nous n'allons pas admettre d'une manière explicite que l'espace considéré est un sous-ensemble de $\mathcal{E}^{\aleph_0}$, pas plus que dans la Géométrie du plan euclidien on n'étudie explicitement l'ensemble des nombres complexes, mais on déduit les conséquences d'un système d'axiomes qui caractérise cet ensemble au point de vue *géométrique.* Pareillement, nous allons baser ici la Topologie sur un système d'axiomes (I — V) tel que 1⁰ chaque espace satisfaisant à ce système est homéomorphe (donc équivalent au point de vue topologique) à un ensemble situé dans l'espace $\mathcal{E}^{\aleph_0}$ et 2⁰ chaque sous-ensemble de l'espace $\mathcal{E}^{\aleph_0}$ satisfait à ce système d'axiomes (cf. p. 105). Le seul *terme primitif* du système est le terme $\bar{A}$, désignant la *fermeture* de l'ensemble A (c. à d. l'ensemble A augmenté de tous ses points d'accumulation). La propriété d'appartenir à la fermeture d'un ensemble étant invariante par rapport aux homéomorphies de l'espace, *tout ce qui se laisse exprimer par l'opération* $\bar{A}$ (au moyen, s'il y a lieu, des opérations de la Logique et de la Théorie des ensembles) est également invariant par rapport à ces transformations et *appartient par conséquent à la Topologie* [1]).

L'avantage de la méthode axiomatique tient d'abord à des raisons méthodologiques. En particulier, elle permet de mieux se rendre compte des prémisses qui sont essentielles dans les démonstrations des théorèmes topologiques. Bien que G. Cantor, le fondateur de la Théorie des ensembles, et les autres mathématiciens qui s'occupaient de la „Théorie des ensembles de points", ne procédaient pas par la voie axiomatique, on s'est aperçu plus

---

[1]) Au lieu de la fermeture on pourrait employer comme termes primitifs de la Topologie: la limite d'une suite de points (Fréchet), l'entourage (Hausdorff), l'ensemble ouvert (Sierpiński) etc.

Par contre, la notion de distance entre deux points ne pourrait p. ex. servir au même but, puisqu'elle n'est pas invariante par rapport à l'homéomorphie.

tard (F r é c h e t) que, dans la majorité des problèmes topologiques, bien peu de propriétés de l'espace intervenaient dans les raisonnements. En admettant ces propriétés comme axiomes, on est parvenu aux „espaces abstraits". Tel est en particulier l'espace considéré dans ce livre; il équivaut topologiquement — comme nous l'avons dit — à un sous-ensemble arbitraire de $\mathcal{E}^{\aleph_0}$ ou, en d'autres termes, à un espace métrique séparable (dans le sens établi pp. 80 et 82).

Cependant la valeur de la méthode axiomatique n'est pas uniquement de nature méthodologique. Il y a, en effet, des problèmes où l'on est conduit à considérer une famille d'ensembles ou de fonctions comme formant elle-même un espace (nommé parfois „hyper-espace"), de démontrer que cet hyper-espace satisfait à certains axiomes et d'appliquer les théorèmes qui en résultent. Ainsi p. ex. le problème de l'existence des fonctions continues sans dérivée se ramène à un théorème (théorème de B a i r e) sur l'„espace des fonctions continues" (voir p. 209), qui est — comme on le montre — complet et séparable.

C'est là un des procédés caractéristiques des mathématiques modernes: pour démontrer un théorème concernant un espace donné, on définit un nouvel espace (en conférant ainsi le caractère g é o m é t r i q u e au problème considéré) et on opère ensuite sur ce dernier. On procède de la sorte dans maintes applications du Calcul fonctionnel aux équations intégrales, au Calcul des variations etc. Dans ce mode de procéder les différentes branches des mathématiques deviennent utiles les unes aux autres: dans des nombreux problèmes d'Analyse l'hyper-espace est un espace géométrique ou topologique, dans certains problèmes de Topologie il est d'une nature algébrique (il constitue un groupe).

*
* *

L'étude de l'espace assujetti aux axiomes I — V est divisée en deux chapitres, dont le premier ne concerne que les trois premiers axiomes (p. 15). Ces trois axiomes se distinguent par leur caractère „algébro-logique" [1]). En conséquence, le même caractère appartient aux méthodes de raisonnement du Chapitre I.

---

[1]) Sur l'importance de l'algorythme algébro-logique en Topologie a attiré l'attention S. J a n i s z e w s k i.

Le Chapitre III et les suivants (du vol. II) sont d'un caractère plus spécial. L'espace du Chap. III est supposé complet, celui du Chap. IV compact, celui du Chap. V connexe etc.

Au lieu de considérer les espaces spéciaux (tels que les espaces complets, compacts etc.), on pourrait, bien entendu, envisager des ensembles complets, compacts etc., situés dans un espace assujetti aux axiomes I — V, de sorte que la Topologie toute entière rentrerait dans le Chap. II (ou même dans le Chap. I !). Or, il est avantageux de formuler partout où c'est possible les propriétés d'un ensemble situé dans un espace comme des propriétés *intrinsèques* de cet ensemble, considéré comme formant un espace pour lui-même. Telle est, par exemple, la propriété d'être compact, d'être dense en soi, d'être de dimension n (par contre, la propriété d'être fermé ou d'être ouvert est une propriété extrinsèque: propriété de l'ensemble par rapport à l'espace).

Parmi les problèmes considérés dans ce volume, il y a qui se distinguent par leur caractère purement géométrique, il y en a d'autres qui se rapprochent par leur origine de la Théorie des fonctions de variables réelles. La majorité des §§ (4 — 10, 13 — 19, 23 — 25, 29, 30) embrasse les deux tendances. Comme exemples d'une section par excellence géométrique, citons les §§ 20 — 22 (théorie de la dimension): ils concernent un domaine où le succès des méthodes topologiques en Géométrie est particulièrement frappant. Un grand nombre de problèmes traités dans les §§ 26—28, 33—36 représente la deuxième tendance [1]). La théorie des fonctions mesurables B, qui n'était à son origine qu'une théorie des fonctions réelles de variable réelle, est devenue (dans sa partie la plus importante) une théorie des transformations des espaces topologiques (satisfaisant aux ax. I—V) en espaces topologiques, de sorte qu'il est juste de traiter cette théorie comme une section de la Topologie. Les §§ 25 et 33 concernent la notion d'ensemble borelien, notion purement topologique, dont l'origine est liée à la Théorie de la mesure. Les §§ 10, 34 et 35 concernent les généra-

[1]) Le lecteur qui ne s'intéresse qu'aux problèmes géométriques peut omettre la lecture des §§ précités. Il importe toutefois de remarquer qu'il n'y a pas de ligne de démarcation précise entre notions et problèmes des deux genres. Par exemple, la notion d'ensemble de I-re catégorie, introduite par Baire pour les besoins de l'étude des fonctions discontinues, est d'une grande importance dans maintes questions purement géométriques.

lisations plus récentes de cette notion; ces généralisations sont traitées dans le chapitre consacré aux espaces complets et donnent lieu à des applications importantes dans le Calcul fonctionnel. En outre, la notion d'ensemble projectif (§ 34) semble présenter un grand intérêt philosophique, grâce surtout aux liaisons avec la Logique mathématique. L'emploi des notations logiques s'impose d'une façon très naturelle dans l'étude de ces ensembles, ainsi que dans celle des ensembles boreliens et analytiques, où elle rend des services incontestables.

Les *méthodes de raisonnement* que j'emploie dans ce volume appartiennent à la Théorie des ensembles[1]), les méthodes de la Topologie combinatoire (homologies, groupes de Betti etc.) n'intervenant pas, en général, dans les questions traitées ici.

Sans prétendre de donner une bibliographie complète, j'ai tâché d'indiquer dans les *renvois bibliographiques* les ouvrages les plus importants parmi ceux qui se rattachent au sujet de ce volume. Le lecteur qui s'intéresse à la bibliographie consultera les excellents exposés de MM. Rosenthal-Zoretti, Encyklopädie d. Math. Wiss. II C 9a, Leipzig 1924 et de MM. Tietze-Vietoris, ibid. III AB 13, Leipzig 1931.

Parmi les livres sur la Topologie dont je me suis servi en rédigeant ce volume et dont la valeur ne se réduit pas seulement à leur intérêt historique, sont à citer: F. Hausdorff, *Grundzüge der Mengenlehre*, Leipzig, Veit 1914 et *Mengenlehre*, Berlin-Leipzig, Gruyter 1927, W. Sierpiński, *Zarys teorji mnogości* II, Warszawa 1928, M. Fréchet, *Les espaces abstraits*, Monographies Borel, Paris 1928. Le manuscrit de ce volume était déjà terminé, quand ont paru les livres: H. Hahn, *Reelle Funktionen* I, Leipzig 1932 et R. L. Moore, *Foundations of point set theory*, Coll. Publ., New York 1932.

En terminant, je tiens à exprimer ici mon affectueuse gratitude à MM. Čech, Hurewicz, Knaster, Otto, Posament, Szpilrajn et Zygmund, qui ont bien voulu contribuer à ma tâche soit par leurs précieux conseils, soit par la lecture des épreuves.

Casimir Kuratowski.

Lwów, Décembre 1933.

---

[1]) „point set theoretic method" selon la dénomination des mathématiciens américains.

ERRATA.

page	ligne	remplacer	par
25	10	$(1 - X) \cdot (1 - X)$	$(1 - X) \cdot (1 - Y)$
43	15	I_2	I_1
58	14	Z	$Z \supset X$
69	4	p	$f(p)$ (deux fois)
81	7	(r_2, s_2)	(r_1, s_2), (r_2, s_1), (r_2, s_2)
89	7*	$y \varepsilon B$	$x \varepsilon A$
»	»	$x \varepsilon A$	$y \varepsilon B$
106	15*	$[x, y]$	$[x = y]$
236	4	$2n - 2$	$n - 2$

* L'astérisque indique qu'il faut compter en remontant.

INTRODUCTION.

Nous rappellerons ici quelques notations et théorèmes élémentaires de la Théorie générale des ensembles et de l'Algèbre de la Logique. Les notions de la Théorie des ensembles seront d'emploi constant (excepté l'opération $(\mathscr{A})$, qui est d'un caractère plus spécial). L'Algèbre de la Logique, dans la majorité des §§ (surtout dans ceux de nature „géométrique") ne sera pas employée, tandis que nous en ferons usage dans certains problèmes (surtout liés à la Théorie des fonctions) où l'emploi des notations logiques s'impose d'une façon très naturelle et permet de simplifier les raisonnements (p. ex. aux §§ 27, 33—35).

A la première lecture, on peut omettre tout ce qui concerne l'Algèbre de la Logique.

§ 1. Opérations de la Logique et de la Théorie des ensembles.

I. Algèbre de la Logique. α et β étant deux propositions, α' désigne la *négation* de α (c'est à dire „non α"), $\alpha+\beta$ la *somme* logique („α ou β"), $\alpha\cdot\beta$ le *produit* logique („α et β"); $\alpha\rightarrow\beta$ veut dire que α entraîne β *(implication)*, $\alpha\equiv\beta$ veut dire que α équivaut à β.

Citons, à titre d'exemple, les théorèmes suivants: $\alpha''\equiv\alpha$ (loi de double négation), $(\alpha\rightarrow\beta)\equiv(\beta'\rightarrow\alpha')$ (loi de contraposition), $(\alpha\cdot\beta)'\equiv\alpha'+\beta'$, $(\alpha+\beta)'\equiv(\alpha'\cdot\beta')$ (lois de de Morgan), $(\alpha\rightarrow\beta)\equiv(\alpha'+\beta)$, $\alpha\cdot(\beta+\gamma)\equiv\alpha\cdot\beta+\alpha\cdot\gamma$.

Chaque proposition admet l'une des deux valeurs 0 (le „faux") ou 1 (le „vrai"). On a $\alpha\cdot\alpha'\equiv 0$ (principe de contradiction), $\alpha+\alpha'\equiv 1$ (principe du tiers exclu).

II. Algèbre de la Théorie des ensembles. Soit 1 un ensemble donné (ce sera dans la suite l'*espace* considéré). Les éléments de cet ensemble (les *points*) seront désignés par des minuscules latines $a, b, x, y, \ldots$; les sous-ensembles de l'ensemble 1 seront désignés par des majuscules $A, B, X, \ldots$; les familles de sous-ensembles (ensembles du deuxième rang) par $\boldsymbol{A}, \boldsymbol{B}, \boldsymbol{X}, \ldots$ [1]).

$x \varepsilon X$ signifie que x est un élément de l'ensemble X. On désigne respectivement par $X+Y$, $X\cdot Y$ (ou XY), $X-Y$: l'ensemble composé d'éléments qui appartiennent soit à X, soit à Y, l'ensemble formé par la partie commune de X et Y, l'ensemble des éléments qui appartiennent à X, mais pas à Y. L'ensemble vide est désigné par 0. On écrit $X \subset Y$, lorsque X est un sous-ensemble de Y. Le „complémentaire de X" $= X' = 1 - X$.

On a ainsi les équivalences suivantes:

$$(x \varepsilon A)' \equiv (x \varepsilon A'), \quad (x \varepsilon A)+(x \varepsilon B) \equiv x \varepsilon (A+B), \quad (x \varepsilon A)\cdot(x \varepsilon B) \equiv x \varepsilon A\cdot B,$$

$$1 \equiv (x \varepsilon 1), \qquad 0 \equiv (x \varepsilon 0),$$

$$(A \subset B) \equiv [(x \varepsilon A) \rightarrow (x \varepsilon B)], \qquad (A = B) \equiv [(x \varepsilon A) \equiv (x \varepsilon B)],$$

les symboles $'$, $+$, $\cdot$, 1, 0, ayant dans le membre gauche le sens logique et dans le membre droit le sens de la Théorie des ensembles.

Citons les formules suivantes:

$$A = AB + A - B, \quad AB \subset A \subset A + B, \quad (A+B)' = A'B', \quad (AB)' = A' + B',$$

$$(A = B) \equiv (A \subset B) \cdot (B \subset A),$$

$$(A \subset B) \equiv (A + B = B) \equiv (AB = A) \equiv (A - B = 0).$$

Deux ensembles A et B sont dits *disjoints*, lorsque $AB = 0$. L'ensemble composé d'un seul élément a est désigné par (a).

III. Fonctions propositionnelles. Soit $\varphi(x)$ une fonction propositionnelle dont la variable x parcourt l'espace 1, supposé $\neq 0$ ($\varphi(x)$ exprime une condition; elle devient une proposition vraie pour toute valeur de x satisfaisant à cette condition; elle devient

[1]) Les différents caractères mettent en évidence les différents *types logiques* des variables.

une proposition fausse dans le cas contraire; si, par ex. dans l'espace des nombres réels, on considère la propriété d'être un nombre positif, on a $\varphi(x) \equiv (x > 0)$).

$\sum\limits_x \varphi(x)$ veut dire: il existe un x tel que $\varphi(x)$ (c. à d. un x satisfaisant à la condition considérée).

$\prod\limits_x \varphi(x)$ veut dire: quel que soit x, on a $\varphi(x)$ (c. à d. que la condition est vérifiée par chaque x).

Par exemple: $\prod\limits_x (x+2 > x)$, $\sum\limits_x (x^2 = x)$.

On a les formules suivantes, faciles à vérifier:

$\left(\sum\limits_x \varphi(x)\right)' \equiv \prod\limits_x \varphi'(x)$ (formule de de Morgan généralisée),

$\left(\prod\limits_x \varphi(x)\right) \rightarrow \left(\sum\limits_x \varphi(x)\right)$, $\sum\limits_x \varphi(x) + \sum\limits_x \psi(x) \equiv \sum\limits_x [\varphi(x) + \psi(x)]$,

$\prod\limits_x \varphi(x) \cdot \prod\limits_x \psi(x) \equiv \prod\limits_x [\varphi(x) \cdot \psi(x)]$, $\sum\limits_x [\varphi(x) \cdot \psi(x)] \rightarrow \sum\limits_x \varphi(x) \cdot \sum\limits_x \psi(x)$,

$$\prod_x \varphi(x) + \prod_x \psi(x) \rightarrow \prod_x [\varphi(x) + \psi(x)].$$

Rien n'empèche de considérer toute proposition α comme une fonction propositionnelle (qui est soit identiquement vraie, soit identiquement fausse). On a $\sum\limits_x \alpha \equiv \alpha \equiv \prod\limits_x \alpha$, $\sum\limits_x [\alpha \cdot \varphi(x)] \equiv \alpha \cdot \sum\limits_x \varphi(x)$, $\alpha + \prod\limits_x \varphi(x) \equiv \prod\limits_x [\alpha + \varphi(x)]$.

IV. Opérateur $\underset{x}{E}\,\varphi(x)$. L'ensemble des x qui satisfont à la condition φ est désigné par $\underset{x}{E}\,\varphi(x)$. Par ex. $\underset{x}{E}\,(x > 0)$ est l'ensemble des nombres positifs, $\underset{x}{E}\,(x^2 = x)$ se compose de deux nombres: 0 et 1.

On a l'identité

1. $$t \,\varepsilon\, \underset{x}{E}\,\varphi(x) \equiv \varphi(t),$$

d'où on déduit facilement en vertu des équivalences du N⁰ II les formules:

2. $$\underset{x}{E}\,[\varphi(x)]' = [\underset{x}{E}\,\varphi(x)]'$$

3. $$\underset{x}{E}\,[\varphi(x) + \psi(x)] = \underset{x}{E}\,\varphi(x) + \underset{x}{E}\,\psi(x)$$

4. $$\underset{x}{E}\,[\varphi(x) \cdot \psi(x)] = \underset{x}{E}\,\varphi(x) \cdot \underset{x}{E}\,\psi(x).$$

Ainsi, par ex., on prouve la dernière égalité comme suit:

$$t \varepsilon \underset{x}{E}[\varphi(x)\cdot\psi(x)] \equiv \varphi(t)\cdot\psi(t) \equiv [t \varepsilon \underset{x}{E}\varphi(x)]\cdot[t \varepsilon \underset{x}{E}\psi(x)] \equiv$$
$$\equiv t \varepsilon \underset{x}{E}\varphi(x)\cdot\underset{x}{E}\psi(x).$$

En outre, $\underset{x}{E}\,0=0$, $\underset{x}{E}\,1=1$, les symboles du membre gauche ayant, comme toujours, le sens logique et ceux du membre droit le sens mathématique.

V. Opérations infinies. Soit A_ι un ensemble dépendant d'un paramètre ι (qui parcourt un ensemble donné)[1]. Les ensembles $\sum_\iota A_\iota$ („somme des ensembles A_ι") et $\prod_\iota A_\iota$ („produit des ensembles A_ι") sont définis par les identités:

$$\sum_\iota (t \varepsilon A_\iota) \equiv [t \varepsilon \sum_\iota A_\iota], \qquad \prod_\iota (t \varepsilon A_\iota) \equiv [t \varepsilon \prod_\iota A_\iota].$$

En remplaçant dans les formules du N⁰ III les fonctions propositionnelles $\varphi(x)$ et $\psi(x)$ par A_ι et B_ι, x par ι et $\rightarrow$ par $\subset$, on obtient des formules concernant les opérations $\sum_\iota A_\iota$ et $\prod_\iota A_\iota$ de la Théorie des ensembles; citons comme exemple la régle de de Morgan généralisée: $(\sum_\iota A_\iota)' = \prod_\iota A'_\iota$.

En cas où le paramètre n parcourt l'ensemble des nombres naturels, on emploie les symboles $\sum_{n=1}^{\infty} A_n$ et $\prod_{n=1}^{\infty} A_n$ par analogie aux séries et aux produits infinis de l'Analyse.

VI[2]. Opération ($\mathcal{A}$)[3]. Supposons qu'on a fait correspondre à chaque système fini d'entiers positifs $k_1, \ldots, k_n$ un ensemble

---

[1]) D'habitude l'indice ι parcourra un ensemble arbitraire, dénombrable ou non; cependant i, k, n etc. désigneront un nombre naturel variable.

[2]) La lecture du N⁰ VI peut être remise jusqu'à celle du § 11.

[3]) Voir les notes de MM. Souslin et Lusin dans les Comptes Rendus, Paris, t. 164 (1917), p. 88 ss.; voir aussi F. Hausdorff, *Mengenlehre*, § 19.

L'importance de l'opération ($\mathcal{A}$) tient surtout au fait que, malgré sa généralité, il y a des propriétés importantes (telles que la mesurabilité, la propriété de Baire, cf. § 11) qui en sont des invariants.

$A_{k_1 \dots k_n}$. L'ensemble-somme de tous les produits de la forme $\prod\limits_{n=1}^{\infty} A_{k_1 \dots k_n}$ est dit „résultat de l'opération ($\mathcal{A}$) effectuée sur le système des ensembles $A_{k_1 \dots k_n}$".

L'opération ($\mathcal{A}$) est une opération indénombrable (la sommation étant indénombrable). Les opérations dénombrables $\sum\limits_{n=1}^{\infty}$ et $\prod\limits_{n=1}^{\infty}$ en sont des cas particuliers, cas, où l'on pose soit $A_{k_1 \dots k_n} = B_{k_1}$, soit $A_{k_1 \dots k_n} = B_n$.

Soit $\mathfrak{z} = [\mathfrak{z}^1, \mathfrak{z}^2, \dots, \mathfrak{z}^n, \dots]$ une suite variable de nombres naturels (on peut considérer $\mathfrak{z}$ comme le nombre irrationnel dont le développement en fraction continue est $\frac{1|}{|\mathfrak{z}^1} + \frac{1|}{|\mathfrak{z}^2} + \dots + \frac{1|}{|\mathfrak{z}^n} + \dots$).

Le résultat de l'opération ($\mathcal{A}$) s'exprime alors par la formule

$$R = \sum_{\mathfrak{z}} \prod_{n=1}^{\infty} A_{\mathfrak{z}^1 \dots \mathfrak{z}^n}.$$

Le système d'ensembles $\{A_{\mathfrak{z}^1 \dots \mathfrak{z}^n}\}$ est dit *régulier*, lorsque

$$A_{\mathfrak{z}^1 \dots \mathfrak{z}^n \mathfrak{z}^{n+1}} \subset A_{\mathfrak{z}^1 \dots \mathfrak{z}^n}.$$

Citons les formules suivantes concernant l'opération ($\mathcal{A}$) effectuée sur un système régulier [1]):

1. $$\sum_{m=1}^{\infty} \sum_{\mathfrak{z}} \prod_{k=1}^{\infty} A_{m\, \mathfrak{z}^1 \dots \mathfrak{z}^k} = \sum_{\mathfrak{z}} \prod_{k=1}^{\infty} A_{\mathfrak{z}^1 \dots \mathfrak{z}^k}$$

et d'une façon plus générale:

1a. $$\sum_{m=1}^{\infty} \sum_{\mathfrak{z}} \prod_{k=1}^{\infty} A_{\mathfrak{y}^1 \dots \mathfrak{y}^i\, m\, \mathfrak{z}^1 \dots \mathfrak{z}^k} = \sum_{\mathfrak{z}} \prod_{k=1}^{\infty} A_{\mathfrak{y}^1 \dots \mathfrak{y}^i\, \mathfrak{z}^1 \dots \mathfrak{z}^k};$$

2. $A_{\mathfrak{z}^1 \dots \mathfrak{z}^k} \subset B_{\mathfrak{z}^1 \dots \mathfrak{z}^k}$ *entraîne* $\sum\limits_{\mathfrak{z}} \prod\limits_{k=1}^{\infty} A_{\mathfrak{z}^1 \dots \mathfrak{z}^k} \subset \sum\limits_{\mathfrak{z}} \prod\limits_{k=1}^{\infty} B_{\mathfrak{z}^1 \dots \mathfrak{z}^k}$;

3. *la sommation* $\sum\limits_{\mathfrak{z}} \sum\limits_{k=1}^{\infty} A_{\mathfrak{z}^1 \dots \mathfrak{z}^k}$ *est dénombrable*

[1]) Cf. N. Lusin et W. Sierpiński, *Sur quelques propriétés des ensembles* ($\mathcal{A}$), Bull. Acad. Sc. Cracovie 1918, p. 35.

(l'ensemble des systèmes finis de nombres naturels étant dénombrable);

4. $$A - \sum_{\mathfrak{z}} \prod_{k=1}^{\infty} A_{\mathfrak{z}^1 \dots \mathfrak{z}^k} \subset \sum_{\mathfrak{z}} \sum_{k=0}^{\infty} (A_{\mathfrak{z}^1 \dots \mathfrak{z}^k} - \sum_{m=1}^{\infty} A_{\mathfrak{z}^1 \dots \mathfrak{z}^k m}),$$

où l'on pose $A_{\mathfrak{z}^1 \dots \mathfrak{z}^k} = A$ pour $k = 0$.

Pour prouver cette dernière inclusion, supposons que $p \varepsilon A$ et que p n'appartienne pas au membre droit de l'inclusion; donc, en symboles logiques:

$$\prod_{\mathfrak{z}} \prod_{k=0}^{\infty} [(p \varepsilon A_{\mathfrak{z}^1 \dots \mathfrak{z}^k}) \rightarrow \sum_{m=1}^{\infty} (p \varepsilon A_{\mathfrak{z}^1 \dots \mathfrak{z}^k m})],$$

ce qui veut dire que, $m_1 \dots m_k$ étant un système fini ($k \geqslant 0$) d'indices tels que $p \varepsilon A_{m_1 \dots m_k}$, il existe un indice m tel que $p \varepsilon A_{m_1 \dots m_k m}$. Or, comme $p \varepsilon A$, on en conclut que, pour un certain indice m_1, $p \varepsilon A_{m_1}$; d'où pour la même raison $p \varepsilon A_{m_1 m_2}$ etc. Il existe par conséquent une suite infinie d'indices $m_1, m_2, \dots$ telle que $p \varepsilon \prod_{k=1}^{\infty} A_{m_1 \dots m_k}$, donc $p \varepsilon \sum_{\mathfrak{z}} \prod_{k=1}^{\infty} A_{\mathfrak{z}^1 \dots \mathfrak{z}^k}$, ce qui prouve que p n'appartient pas au membre gauche de l'inclusion 4, c. q. f. d.

5. *Si deux ensembles $A_{\mathfrak{z}^1 \dots \mathfrak{z}^n}$ et $A_{\mathfrak{y}^1 \dots \mathfrak{y}^n}$, pourvus de différents systèmes de n indices, sont toujours disjoints, on a*

$$\sum_{\mathfrak{z}} \prod_{n=1}^{\infty} A_{\mathfrak{z}^1 \dots \mathfrak{z}^n} = \prod_{n=1}^{\infty} \sum_{\mathfrak{z}} A_{\mathfrak{z}^1 \dots \mathfrak{z}^n}.$$

En effet, l'inclusion $\sum_{\mathfrak{z}} \prod_{n=1}^{\infty} A_{\mathfrak{z}^1 \dots \mathfrak{z}^n} \subset \prod_{n=1}^{\infty} \sum_{\mathfrak{z}} A_{\mathfrak{z}^1 \dots \mathfrak{z}^n}$ a lieu toujours (même si le système n'est pas régulier; v. d'ailleurs § 2, IV). Supposons donc que p appartienne au membre droit. Il existe alors un et un seul indice m_1 tel que $p \varepsilon A_{m_1}$; d'une façon analogue, il existe un couple d'indices l_1, m_2 tel que $A_{l_1 m_2}$. Comme $A_{l_1 m_2} \subset A_{l_1}$, il vient $p \varepsilon A_{l_1}$ et on en conclut que $l_1 = m_1$. On démontre de la même façon qu'il existe un indice m_3 tel que $p \varepsilon A_{m_1 m_2 m_3}$ etc. En désignant par $\mathfrak{z}$ la suite infinie $m_1, m_2, m_3, \dots$, on voit bien que pour chaque n on a $p \varepsilon A_{\mathfrak{z}^1 \dots \mathfrak{z}^n}$, d'où $p \varepsilon \sum_{\mathfrak{z}} \prod_{n=1}^{\infty} A_{\mathfrak{z}^1 \dots \mathfrak{z}^n}$.

§ 2. Produit cartésien.

I. Définitions [1]). *Le produit cartésien* (qu'il ne faut pas confondre avec le produit = partie commune) des ensembles A et B est l'ensemble $A \times B$ composé de tous les couples ordonnés a, b où $a \varepsilon A$ et $b \varepsilon B$. D'une façon analogue, étant donnée une suite finie ou infinie d'ensembles $A_1, \dots, A_n, \dots$, leur produit cartésien se compose de toutes les suites finies (formées de n termes) ou infinies dont les termes sont extraits successivement des ensembles donnés. On désigne ce produit par $\underset{k=1}{\overset{n}{P}} A_k$ et $\underset{n=1}{\overset{\infty}{P}} A_n$ respectivement.

En cas où $A_1 = \dots = A_n = A$, on pose $A_1 \times \dots \times A_n = A^n$. Si tous les termes du produit cartésien infini $\underset{n=1}{\overset{\infty}{P}} A_n$ sont identiques à A, on écrit

$$\underset{n=1}{\overset{\infty}{P}} A_n = A^{\aleph_0}.$$

Ainsi, par ex., le plan des nombres complexes est le „carré" de l'espace des nombres réels; $\mathcal{J}$ désignant l'intervalle 01, $\mathcal{J}^2$ désigne un carré, $\mathcal{J}^3$ un cube, $\mathcal{J}^{\aleph_0}$ le „cube fondamental" de Hilbert (voir § 14). On verra aussi que, en cas où A se compose de deux éléments, $A^{\aleph_0}$ peut être conçu comme l'ensemble non-dense de Cantor; si A désigne l'ensemble des nombres naturels, $A^{\aleph_0}$ est l'ensemble des nombres irrationnels (v. § 1, VI).

II. Formules de calcul. En s'appuyant sur les équivalences:

$$\{(xy) \varepsilon A \times B\} \equiv \{(x \varepsilon A) \cdot (y \varepsilon B)\}, \qquad \{(x_1, x_2, \dots) \varepsilon \underset{n}{P} A_n\} \equiv \prod_n (x_n \varepsilon A_n),$$

on prouve facilement que

1. $$(A + B) \times (C + D) = A \times C + A \times D + B \times C + B \times D$$

et d'une façon générale:

1a. $$(\sum_\iota A_\iota) \times (\sum_\varkappa B_\varkappa) = \sum_{\iota\varkappa} (A_\iota \times B_\varkappa);$$

2. $$(AC) \times (BD) = (A \times B) \cdot (C \times D),$$

2a. $$(\prod_\iota A_\iota) \times (\prod_\varkappa B_\varkappa) = \prod_{\iota\varkappa} (A_\iota \times B_\varkappa),$$

---

[1]) Cf. F. Hausdorff, *Grundzüge der Mengenlehre*, p. 37.

2b. $$\prod_{\iota} \underset{n}{P} A_{\iota, n} = \underset{n}{P} \prod_{\iota} A_{\iota, n};$$

3. $$(A - B) \times C = A \times C - B \times C;$$

4. $[A \subset B \text{ et } C \subset D] \equiv [A \times C \subset B \times D]$ (si $A \neq 0 \neq C$),

4a. *Si* $A \times C = B \times D$, *on a* $A = B$ *et* $C = D$ (à moins qu'un de ces ensembles ne soit vide),

4b. *Si* $\underset{n}{P} A_n = \underset{n}{P} B_n$, *on a* $A_n = B_n$ (si $A_k \neq 0 \neq B_k$ pour chaque k).

Si A est un sous-ensemble de l'espace $\mathcal{X}$ et B de l'espace $\mathcal{Y}$ (ou, plus généralement, si $A_n \subset \mathcal{X}_n$), on a les formules suivantes:

5. $$(A \times B)' = A' \times \mathcal{Y} + \mathcal{X} \times B',$$

5a. $$(\underset{n}{P} A_n)' = \sum_n \mathfrak{A}_n^*$$

où $$\mathfrak{A}_n^* = \mathcal{X}_1 \times \mathcal{X}_2 \times \ldots \times \mathcal{X}_{n-1} \times (\mathcal{X}_n - A_n) \times \mathcal{X}_{n+1} \times \ldots;$$

6. $$A \times B = (A \times \mathcal{Y}) \cdot (\mathcal{X} \times B),$$

6a. $$\underset{n}{P} A_n = \prod_n \mathfrak{A}_n$$

où $$\mathfrak{A}_n = \mathcal{X}_1 \times \mathcal{X}_2 \times \ldots \times \mathcal{X}_{n-1} \times A_n \times \mathcal{X}_{n+1} \times \ldots$$

III. Axes, coordonnées, projections. $\mathcal{X}$ et $\mathcal{Y}$ étant deux espaces donnés, nous les appelons (par analogie à la Géométrie analytique) *axes* du produit cartésien $\mathcal{X} \times \mathcal{Y}$. Chaque point $\mathfrak{z}$ du produit $\mathfrak{Z} = \mathcal{X} \times \mathcal{Y}$ étant de la forme (x, y), on appelle x et y les *coordonnées* de $\mathfrak{z}$ (l'abscisse et l'ordonnée). La projection „parallèle à l'axe $\mathcal{Y}$" d'un ensemble $\mathfrak{E}$ contenu dans $\mathcal{X} \times \mathcal{Y}$ est l'ensemble des abscisses des points de $\mathfrak{E}$; c'est donc l'ensemble $\underset{x}{E} \sum_y [(x, y) \varepsilon \mathfrak{E}]$.

Les définitions précédentes se généralisent aussitôt au cas du produit d'un nombre arbitraire de termes. En particulier, $\mathfrak{z}$ étant un point de l'ensemble $\underset{n}{P} \mathcal{X}_n$, la n-ème coordonnée de $\mathfrak{z}$ est désignée par $\mathfrak{z}^{(n)}$; de sorte que

$$\mathfrak{z} = \mathfrak{z}^{(1)}, \mathfrak{z}^{(2)}, \ldots, \mathfrak{z}^{(n)}, \ldots$$

(les parenthèses seront, d'ailleurs, souvent omises).

IV. Fonctions propositionnelles de plusieurs variables.

Une fonction propositionnelle $\varphi(x, y)$ de deux variables dont l'une parcourt l'espace $\mathcal{X}$ et l'autre l'espace $\mathcal{Y}$ peut être considérée comme fonction d'une seule variable $\mathfrak{z}$ qui parcourt le produit cartésien $\mathcal{X} \times \mathcal{Y}$. Les formules du § 1, III restent donc valables, lorsqu'on considère des fonctions de plusieurs variables et remplace la variable x par le système des variables. On a en outre:

$$\sum_{xy} \varphi(x, y) = \sum_x \sum_y \varphi(x, y) = \sum_y \sum_x \varphi(x, y),$$

$$\prod_{xy} \varphi(x, y) = \prod_x \prod_y \varphi(x, y) = \prod_y \prod_x \varphi(x, y),$$

$$\sum_x \varphi(x) \cdot \sum_x \psi(x) = \sum_{xx^*} [\varphi(x) \cdot \psi(x^*)],$$

$$\prod_x \varphi(x) + \prod_x \psi(x) = \prod_{xx^*} [\varphi(x) + \psi(x^*)],$$

$$\sum_x \varphi(x) + \prod_x \psi(x) = \sum_x \prod_{x^*} [\varphi(x) + \psi(x^*)] = \prod_{x^*} \sum_x [\varphi(x) + \psi(x^*)]$$

$$\sum_x \varphi(x) \cdot \prod_x \psi(x) = \sum_x \prod_{x^*} [\varphi(x) \cdot \psi(x^*)] = \prod_{x^*} \sum_x [\varphi(x) \cdot \psi(x^*)]$$

$$\sum_x \prod_y \varphi(x, y) \rightarrow \prod_y \sum_x \varphi(x, y).$$

Si les variables x et y parcourent le même espace ($\mathcal{X} = \mathcal{Y}$), on a la table suivante des inclusions:

$$\begin{array}{ccccccccc}
 & \nearrow & \sum_x \prod_y \varphi(x, y) & \longrightarrow & \prod_y \sum_x \varphi(x, y) & \searrow & & & \\
 & & & \searrow \nearrow & & & & & \\
\prod_{xy} \varphi(x, y) & \longrightarrow & \prod_x \varphi(x, x) & \longrightarrow & \sum_x \varphi(x, x) & \longrightarrow & \sum_{xy} \varphi(x, y). \\
 & & & \nearrow \searrow & & & & & \\
 & \searrow & \sum_y \prod_x \varphi(x, y) & \longrightarrow & \prod_x \sum_y \varphi(x, y) & \nearrow & & &
\end{array}$$

Exemple. Le fait qu'une fonction f de variable réelle est continue en chaque point s'exprime de cette façon:

$$\prod_\epsilon \prod_x \sum_\delta \prod_h \{[|h| < \delta] \rightarrow [|f(x+h) - f(x)| < \epsilon]\},$$

x et h parcourant l'ensemble des nombres réels et ϵ et δ étant > 0.

En renversant l'ordre des opérateurs $\prod_x$ et $\sum_\delta$, on obtient la définition de la continuité u n i f o r m e.

V. Relations entre les opérateurs $\underset{x}{E}$ et $\underset{x}{\sum}$.

1. $$\underset{x}{E}\,\underset{y}{\sum}\varphi(x,y)=\underset{y}{\sum}\,\underset{x}{E}\,\varphi(x,y).$$

En effet, d'après § 1, IV, 1, $t\,\varepsilon\,\underset{x}{E}\,\underset{y}{\sum}\varphi(x,y)\equiv\underset{y}{\sum}\varphi(t,y)$. En désignant par A_y l'ensemble $\underset{x}{E}\,\varphi(x,y)$, on a $\varphi(t,y)\equiv t\,\varepsilon\,\underset{x}{E}\,\varphi(x,y)\equiv t\,\varepsilon\,A_y$, d'où d'après § 1, V:

$$\underset{y}{\sum}\varphi(t,y)\equiv\underset{y}{\sum}(t\,\varepsilon\,A_y)\equiv t\,\varepsilon\,\underset{y}{\sum}A_y\equiv t\,\varepsilon\,\underset{y}{\sum}\,\underset{x}{E}\,\varphi(x,y).$$

D'une façon analogue:

2. $$\underset{x}{E}\,\underset{y}{\prod}\varphi(x,y)=\underset{y}{\prod}\,\underset{x}{E}\,\varphi(x,y).$$

3. *L'ensemble* $\underset{x}{E}\,\underset{y}{\sum}\varphi(x,y)$ *est la projection de l'ensemble* $\underset{xy}{E}\,\varphi(x,y)$ *parallèle à l'axe* $\mathcal{Y}$[1]).

En effet, si l'on pose $\mathfrak{E}=\underset{xy}{E}\,\varphi(x,y)$, on a l'équivalence $\varphi(x,y)\equiv\{(x,y)\,\varepsilon\,\mathfrak{E}\}$; donc l'ensemble $\underset{x}{E}\,\underset{y}{\sum}\varphi(x,y)$, comme identique à $\underset{x}{E}\,\underset{y}{\sum}\{(x,y)\,\varepsilon\,\mathfrak{E}\}$, est la projection de $\mathfrak{E}$ (voir III).

VI. Multiplication cartésienne par un axe.

On a l'identité:

$$\underset{xy}{E}\,\varphi(y)=\mathcal{X}\times\underset{y}{E}\,\varphi(y).$$

Ainsi, par exemple, $\underset{xy}{E}\,[\varphi(x)+\psi(y)]=\underset{xy}{E}\,\varphi(x)+\underset{xy}{E}\,\psi(y)=$ $=\left[\underset{x}{E}\,\varphi(x)\right]\times\mathcal{Y}+\mathcal{X}\times\underset{y}{E}\,\varphi(y)$ (cf. § 1, IV, 3). De même (cf. II, 6):

$$\underset{xy}{E}\,[\varphi(x)\cdot\psi(y)]=\{[\underset{x}{E}\,\varphi(x)]\times\mathcal{Y}\}\cdot\{\mathcal{X}\times\underset{y}{E}\,\psi(y)\}=\underset{x}{E}\,\varphi(x)\times\underset{y}{E}\,\psi(y).$$

Exemples. 1. Soient A l'ensemble des nombres entiers et R celui des nombres rationnels. On a, par définition:

$$R=\underset{x}{E}\,\underset{y}{\sum}\,\underset{z}{\sum}\{(y\,\varepsilon\,A)\cdot(z\,\varepsilon\,A)\cdot(x\,z=y)\cdot(z\neq 0)\}.$$

---

[1]) Ces énoncés se trouvent dans la note de M. A. Tarski et moi, *Les opérations logiques et les ensembles projectifs,* Fund. Math. 17 (1931), p. 243. L'importance de la proposition 3 tient au fait que la projection est une opération continue.

Posons $\mathfrak{E} = \underset{xyz}{E} \{(y \varepsilon A) \cdot (z \varepsilon A) \cdot (xz = y) \cdot (z \neq 0)\}$. D'après § 1, IV, 4, cet ensemble est la partie commune de quatre ensembles: 1⁰ de l'ensemble $\underset{xyz}{E}(y \varepsilon A) = \mathcal{X} \times \underset{y}{E}(y \varepsilon A) \times \mathcal{Z}$, c. à d. de l'ensemble des plans parallèles au plan $\mathcal{X} \times \mathcal{Z}$ et passant par les points entiers de l'axe $\mathcal{Y}$, 2⁰ de l'ensemble $\underset{xyz}{E}(z \varepsilon A)$, qui est également un ensemble constitué par des plans, 3⁰ du paraboloïde hyperbolique défini par l'équation $y = xz$, 4⁰ de l'ensemble $\underset{xyz}{E}(z \neq 0)$, c. à d. de l'espace $\mathcal{X} \times \mathcal{Y} \times \mathcal{Z}$ diminué du plan $z = 0$.

D'après V, 3, l'ensemble R s'obtient de $\mathfrak{E}$, en le projetant d'abord sur le plan $\mathcal{X} \times \mathcal{Y}$ et puis, en projetant cette projection sur l'axe $\mathcal{X}$.

2. Soit $f_1(x), f_2(x), \ldots$ une suite de fonctions continues. L'ensemble des points de convergence de cette suite est par définition:

$$C = \underset{x}{E} \prod_{k} \sum_{n} \prod_{m} \left\{ |f_{n+m}(x) - f_n(x)| \leqslant \frac{1}{k} \right\}.$$

En posant $A_{n,m,k} = \underset{x}{E} \left\{ |f_{n+m}(x) - f_n(x)| \leqslant \frac{1}{k} \right\}$, on a donc $C = \prod_{k=1}^{\infty} \sum_{n=1}^{\infty} \prod_{m=1}^{\infty} A_{n,m,k}$. L'ensemble $A_{n,m,k}$ étant fermé, on en conclut que C est un $F_{\sigma\delta}$.

§ 3. Fonctions.

I. Notations. Soit $f(x)$ une fonction dont les arguments appartiennent à l'espace $\mathcal{X}$ et dont les valeurs appartiennent à l'espace $\mathcal{Y}$. Posons: A = l'ensemble des *arguments*, V = l'ensemble des *valeurs*. On a donc $A \subset \mathcal{X}$ et $V \subset \mathcal{Y}$.

X étant un sous-ensemble de $\mathcal{X}$, $f(X)$ désigne l'ensemble des éléments de $\mathcal{Y}$ qui correspondent aux éléments de X. En symboles:

$$\{y \varepsilon f(X)\} \equiv \sum_{x} (x \varepsilon X) \; [y = f(x)].$$

Inversement, si $Y \subset \mathcal{Y}$, on désigne par $f^{-1}(Y)$ l'ensemble de tous les x dont les valeurs appartiennent à Y. En symboles:

$$\{x \varepsilon f^{-1}(Y)\} \equiv \{f(x) \varepsilon Y\}, \quad \text{d'où} \quad f^{-1}(Y) = \underset{x}{E} \{f(x) \varepsilon Y\}.$$

D'une façon analogue, $\boldsymbol{X}$ étant une *famille* d'ensembles (ensemble du deuxième rang), $f(\boldsymbol{X})$ désigne la famille qui s'en obtient, en remplaçant les ensembles X qui lui appartiennent par $f(X)$.

II. Formules de calcul. On prouve facilement que:

1. $f(X_1 + X_2) = f(X_1) + f(X_2)$ 1a. $f(\sum_\iota X_\iota) = \sum_\iota f(X_\iota)$

2. $f(X_1 \cdot X_2) \subset f(X_1) \cdot f(X_2)$ 2a. $f(\prod_\iota X_\iota) \subset \prod_\iota f(X_\iota)$

3. $f(X_1) - f(X_2) \subset f(X_1 - X_2)$ 4. *si* $X_1 \subset X_2$, $f(X_1) \subset f(X_2)$

5. $\{f(X) = 0\} \equiv \{XA = 0\}$

6. $f^{-1}(Y_1 + Y_2) = f^{-1}(Y_1) + f^{-1}(Y_2)$ 6a. $f^{-1}(\sum_\iota Y_\iota) = \sum_\iota f^{-1}(Y_\iota)$

7. $f^{-1}(Y_1 \cdot Y_2) = f^{-1}(Y_1) \cdot f^{-1}(Y_2)$ 7a. $f^{-1}(\prod_\iota Y_\iota) = \prod_\iota f^{-1}(Y_\iota)$

8. $f^{-1}(Y_1 - Y_2) = f^{-1}(Y_1) - f^{-1}(Y_2)$

9. $Y_1 \subset Y_2$ *entraîne* $f^{-1}(Y_1) \subset f^{-1}(Y_2)$

10. $\{f^{-1}(Y) = 0\} \equiv \{YV = 0\}$

11. $XA \subset f^{-1} f(X)$ 12. $ff^{-1}(Y) = YV$

13. $f(X) \cdot Y = f[X \cdot f^{-1}(Y)]$.

A titre d'exemple nous établirons la formule 13. Supposons que $y \varepsilon f(X) \cdot Y$, c. à d. qu'il existe un $x \varepsilon X$ tel que $y = f(x) \varepsilon Y$, donc que $x \varepsilon f^{-1}(Y)$. Par conséquent $y \varepsilon f[X \cdot f^{-1}(Y)]$. Ainsi, $f(X) \cdot Y \subset f[X \cdot f^{-1}(Y)]$. Inversement, d'après les formules 2 et 12 $f[X \cdot f^{-1}(Y)] \subset f(X) \cdot ff^{-1}(Y) = f(X) \cdot Y$, d'où la formule 13.

En restreignant les arguments de la fonction f à un sous-ensemble E de A, on obtient une *fonction partielle*, désignée par $f|E$ [1]). On a les propositions suivantes:

14. $g = f|E$ *entraîne* $g^{-1}(Y) = E \cdot f^{-1}(Y)$

15. *si* $\mathfrak{X} = \sum_\iota E_\iota$ *et* $f_\iota = f|E_\iota$, *on a* $f^{-1}(Y) = \sum_\iota f_\iota^{-1}(Y)$.

En effet, 14 résulte des équivalences

$$[x \varepsilon g^{-1}(Y)] \equiv [g(x) \varepsilon Y] \equiv [x \varepsilon E] \cdot [f(x) \varepsilon Y] \equiv [x \varepsilon E \cdot f^{-1}(Y)]$$

et, quant à 15, on a $f^{-1}(Y) = \sum_\iota f^{-1}(Y) \cdot E_\iota = \sum_\iota f_\iota^{-1}(Y)$.

---

[1]) ou bien par $f(x|E)$; v. F. Hausdorff, *Mengenlehre*, p. 194.

III. Fonctions biunivoques. Lorsque la condition $f(x_1)=f(x_2)$ entraîne l'égalité $x_1 = x_2$, la fonction f est dite *biunivoque*. La fonction inverse $x=f^{-1}(y)$ transforme alors d'une façon biunivoque l'ensemble V en A. On a évidemment:

$$f^{-1}f(x)=x \quad pour \quad x \,\varepsilon\, A \quad et \quad ff^{-1}(y)=y \quad pour \quad y \,\varepsilon\, V,$$

$$\{x_1=x_2\}\equiv\{f(x_1)=f(x_2)\} \quad et \quad \{x \,\varepsilon\, X\}\equiv\{f(x) \,\varepsilon\, f(X)\} \quad pour \quad X\subset A.$$

Dans les formules 2, 2a, 3 et 11, le signe d'inclusion peut être remplacé par celui d'identité.

IV. Fonctions topologiques. Dans la suite, nous emploierons, outre les fonctions propositionnelles primitives de la Logique et de la Théorie des ensembles: $x=y$, $x \,\varepsilon\, X$ (étendues à tous les types d'ordre des variables: $X \,\varepsilon\, \boldsymbol{X}$ etc.), la fonction propositionnelle primitive *topologique* $x \,\varepsilon\, \overline{X}$ (où $\overline{X}$, nommé *fermeture* de l'ensemble X, est un sous-ensemble de l'espace). Les trois opérations logiques $+$, $'$, et $\sum$, effectuées sur ces fonctions primitives, *suffisent pour construire la Topologie toute entière;* toute fonction propositionnelle ainsi obtenue sera dite *topologique*.

On a vu au N⁰ précédent que, $f(x)$ étant une transformation biunivoque de l'espace $\mathcal{X}$ en $\mathcal{Y}$, la relation $x_1=x_2$ équivaut à $f(x_1)=f(x_2)$ et la relation $x \,\varepsilon\, X$ à $f(x) \,\varepsilon\, f(X)$. Supposons, en outre, que la relation $x \,\varepsilon\, \overline{X}$ équivale à $f(x) \,\varepsilon\, \overline{f(X)}$. La transformation f est dite alors une *homéomorphie* [1].

On vérifie que, *f étant une homéomorphie, toute fonction propositionnelle topologique concernant l'espace $\mathcal{X}$, équivaut à la fonction propositionnelle qui s'en obtient, en substituant $f(x)$ à x, $f(X)$ à X etc.*

En d'autres termes: *tout ce qui se laisse exprimer à l'aide des fonctions propositionnelles topologiques est un invariant de l'homéomorphie.*

Ainsi, par ex., considérons la propriété de l'espace $\mathcal{X}$ d'être dense en soi. Elle s'exprime par la condition $\prod_x x \,\varepsilon\, \overline{\mathcal{X}-(x)}$. Posons $y=f(x)$. La fonction f étant supposée une homéomorphie, on en conclut que $\prod_y y \,\varepsilon\, \overline{f(\mathcal{X})-(y)}$, donc $\prod_y y \,\varepsilon\, \overline{\mathcal{Y}-(y)}$, ce qui signifie que l'espace $\mathcal{Y}$ est dense en soi.

La condition que l'ensemble X, situé dans l'espace $\mathcal{X}$, soit fermé s'exprime par l'égalité $X=\overline{X}$. Il vient $f(X)=\overline{f(X)}$, ce qui signifie que l'ensemble qui correspond à X est, dans l'espace $\mathcal{Y}$, fermé.

---

[1]) Nous reviendrons sur cette notion au § 13, VIII.

V. Notations auxiliaires. Les notations dont il était question jusqu'à présent suffisent théoriquement — comme nous l'avons dit — pour y fonder la Topologie. Mais pour des raisons pratiques on se sert en outre des autres notations, qui sont d'un caractère auxiliaire [1]).

C'est ainsi, par exemple, que l'on pourrait se passer de la notation $f(x)$ qui est employée pour désigner une fonction variable. Toute fonction est, en effet, un ensemble de *paires ordonnées* (satisfaisant à certaines conditions) et la paire ordonnée ab est par définition identique à l'ensemble $[(a, b), (a)]$; une fonction est donc un *ensemble* du 3-me ordre.

Le cas des notations des *nombres naturels* (ou réels) est analogue. Si l'on suppose que l'espace considéré est infini [2]) (ce qui est, en général, légitime), les nombres naturels se laissent définir dans cet espace d'une façon *intrinsèque*. Notamment, en classant les sous-ensembles finis de l'espace selon leur puissance, on définit une suite de classes qui peut être considérée comme la suite des „nombres naturels". A l'aide de l'ensemble des nombres naturels (ainsi conçus), on définit par des procédés classiques l'ensemble des nombres rationnels, réels, complexes etc. (ainsi, par exemple, la propriété d'un espace topologique d'être une image continue de l'intervalle 01 de nombres réels est — à ce point de vue — une propriété intrinsèque: pour être formulée sans variables auxiliaires, elle demanderait, bien entendu, l'emploi des variables d'ordre très élevé).

Quant à l'emploi des *nombres transfinis*, ils interviennent en Topologie toujours de façon qu'on peut les éliminer à l'aide de la méthode générale d'élimination des nombres transfinis des raisonnements mathématiques [3]).

---

[1]) Bien que, au point de vue logique, les notations auxiliaires ne soient pas indispensables, elles sont très utiles dans le développement d'un système mathématique.

[2]) Cette hypothèse peut s'exprimer ainsi: il existe une famille d'ensembles $\boldsymbol{X} \neq 0$ telle que, pour chaque $X \varepsilon \boldsymbol{X}$, il existe un ensemble Y satisfaisant aux conditions: $Y \varepsilon \boldsymbol{X}$, $Y \subset X$, $Y \neq X$. Voir A. Tarski, Fund. Math. 6 (1924), p. 49.

[3]) exposée dans mon ouvrage de Fund. Math. 3 (1922), p. 76—108.

PREMIER CHAPITRE.

Notions fondamentales. Calcul topologique.

§ 4. Système d'axiomes. Règles de calcul.

I. Axiomes. Nous considérons dans ce chapitre: 1⁰ un ensemble, que nous désignons par 1 et que nous appelons *espace*, 2⁰ une fonction $\overline{X}$ définie pour chaque sous-ensemble X de 1 de façon que $\overline{X} \subset 1$ et que nous appelons *fermeture de X.* Les éléments de l'espace sont dits des *points.*

Nous admettons les trois axiomes suivants: [1]

I) $$\overline{X+Y} = \overline{X} + \overline{Y}$$

II) *si X ne contient qu'un seul point ou n'en contient aucun, on a*

$$\overline{X} = X$$

III) $$\overline{\overline{X}} = \overline{X}.$$

II. Interprétation géométrique. [2]) En cas où 1 désigne l'espace *euclidien* (à n dimensions), $\overline{X}$ est l'ensemble X augmenté de ses points d'accumulation. Nous allons prouver que les trois axiomes sont réalisés.

Supposons d'abord que $p \varepsilon \overline{X+Y}$, donc que l'on a $p = \lim p_n$ où $p_n \varepsilon (X+Y)$. Il existe alors parmi les p_n une infinité de termes qui appartien-

---

[1]) Des axiomes analogues ont été introduits par M. F. Riesz, *Stetigkeitsbegriff und abstrakte Mengenlehre,* Atti del IV Congr. Int. dei Mat., vol. II, Roma 1909. Voir aussi ma note *Sur l'opération $\overline{A}$ de l'Analysis Situs,* Fund. Math. 3 (1922), pp. 182 — 199. M. M. Fréchet appelle „accessibles" les espaces assujettis aux axiomes I — III. Voir son livre *Espaces abstraits,* Paris 1928, p. 185.

[2]) Le N⁰ II n'intervient pas dans la suite: il ne sert que pour rendre les axiomes plus compréhensibles. Cf. aussi § 7, III.

nent soit tous à X, soit tous à Y; dans le premier cas on a $p \varepsilon \overline{X}$ et dans le second $p \varepsilon \overline{Y}$. Donc, en tout cas, $p \varepsilon \overline{X} + \overline{Y}$.

Il est, d'autre part, évident que, si p appartient à la fermeture de X, p appartient, à plus forte raison, à la fermeture de chaque sur-ensemble de X, donc à $\overline{X+Y}$. Par conséquent $\overline{X} + \overline{Y} \subset \overline{X+Y}$, d'où on conclut que l'axiome I est réalisé

L'axiome II étant manifestement vérifié, reste à démontrer l'axiome III. On a par définition $\overline{X} \subset \overline{\overline{X}}$. Afin de prouver que $\overline{\overline{X}} \subset \overline{X}$, supposons que $p \varepsilon \overline{\overline{X}}$ et que S est une sphère (à n dimensions) qui contient p à l'intérieur. Le point p appartenant à la fermeture de l'ensemble $\overline{X}$, il existe à l'intérieur de S un point $r \varepsilon \overline{X}$; cette dernière condition implique l'existence d'un point s appartenant à SX. Ainsi, chaque sphère qui contient p à l'intérieur, contient un point de X. Cela entraîne la formule $p \varepsilon \overline{X}$, c. q. f. d.

III. Règles du calcul topologique:

1. $$X \subset Y \textit{ implique } \overline{X} \subset \overline{Y}$$

2. $\overline{XY} \subset \overline{X} \cdot \overline{Y}$ 3. $\overline{X} - \overline{Y} \subset \overline{X - Y}$

4. $\overline{\prod_\iota X_\iota} \subset \prod_\iota \overline{X_\iota}$ 5. $\sum_\iota \overline{X_\iota} \subset \overline{\sum_\iota X_\iota}$

6. $$\textit{si } X \textit{ est fini, } \overline{X} = X$$

7. $X \subset \overline{X}$ 8. $\overline{1} = 1$ 9. $\overline{0} = 0$.

Les cinq premières règles résultent de l'axiome I.

En effet, pour prouver 1, remarquons que (selon § 1, II) l'inclusion $X \subset Y$ équivaut à l'égalité $Y = X + Y$, qui entraîne $\overline{Y} = \overline{X + Y}$, donc, selon l'ax. I, $\overline{Y} = \overline{X} + \overline{Y}$, ce qui équivaut à l'inclusion $\overline{X} \subset \overline{Y}$.

La règle 1 entraîne 2. Car les inclusions $XY \subset X$ et $XY \subset Y$ impliquent $\overline{XY} \subset \overline{X}$ et $\overline{XY} \subset \overline{Y}$, d'où $\overline{XY} \subset \overline{X} \cdot \overline{Y}$.

L'identité $X + Y = (X - Y) + Y$ entraîne en vertu de l'axiome I: $\overline{X} + \overline{Y} = \overline{X - Y} + \overline{Y}$ et, en multipliant les deux membres de cette égalité par $1 - \overline{Y}$, il vient $\overline{X} - \overline{Y} = \overline{X - Y} - \overline{Y} \subset \overline{X - Y}$, d'où la règle 3.

La règle 4 est une généralisation de la règle 2 (à une quantité arbitraire, dénombrable ou indénombrable de facteurs) et elle se démontre d'une façon analogue. On a, en effet, pour chaque indice $\varkappa$: $\prod_\iota X_\iota \subset X_\varkappa$, d'où $\overline{\prod_\iota X_\iota} \subset \overline{X_\varkappa}$, donc $\overline{\prod_\iota X_\iota} \subset \prod_\varkappa \overline{X_\varkappa}$.

D'une façon analogue, l'inclusion $X_\varkappa \subset \sum_\iota X_\iota$ implique que $\overline{X}_\varkappa \subset \overline{\sum_\iota X_\iota}$, d'où $\sum_\varkappa \overline{X}_\varkappa \subset \overline{\sum_\iota X_\iota}$. La règle 5 se trouve ainsi établie.

La règle 6 est une conséquence immédiate des axiomes I et II.

La règle 7 résulte de l'axiome II et de la règle 1. En effet, la formule $p \varepsilon X$ équivaut à l'inclusion $(p) \subset X$, qui entraîne $\overline{(p)} \subset \overline{X}$ et comme, selon l'ax. II, $\overline{(p)} = (p)$, il vient $(p) \subset \overline{X}$, donc $p \varepsilon \overline{X}$. Ainsi l'inclusion $p \varepsilon X$ entraîne $p \varepsilon \overline{X}$, c. q. f. d.

La règle 8 résulte directement de 7 et la règle 9 est implicitement contenue dans l'axiome II.

IV. Relativisation. E étant un ensemble de points fixe et X un sous-ensemble arbitraire de E, on appelle *fermeture de X relative à E* l'ensemble $E \cdot \overline{X}$. La fermeture relative satisfait aux axiomes I—III *relativisés* par rapport à E; c'est-à-dire que, X et Y étant des sous-ensembles arbitraires de E, on a:

I_E) $$E \cdot \overline{X + Y} = E \cdot \overline{X} + E \cdot \overline{Y}$$

II_E) *si X ne contient qu'un seul point ou n'en contient aucun, on a*

$$E \cdot \overline{X} = X$$

III_E) $$E \cdot \overline{E \cdot \overline{X}} = E \cdot \overline{X}.$$

En effet, les propositions I_E et II_E sont respectivement des conséquences directes des axiomes I et II. Quant à la proposition III_E, on a selon la règle 2 et l'axiome III:

$$\overline{E \cdot \overline{X}} \subset \overline{E} \cdot \overline{\overline{X}} \subset \overline{\overline{X}} = \overline{X}, \quad \text{d'où} \quad E \cdot \overline{E \cdot \overline{X}} \subset E \cdot \overline{X}$$

et, l'inclusion inverse étant une conséquence de la règle 7, on obtient l'identité III_E.

Il est ainsi établi que les axiomes I—III peuvent être relativisés par rapport à un ensemble arbitraire E. Il en est donc de même de tous les *théorèmes* qui résultent des axiomes I—III: ils restent valables, lorsqu'on considère comme espace un sous-ensemble arbitraire E de 1 (et que l'on relativise la fermeture).

Nous avons vu au N⁰ II que les axiomes I—III sont remplis dans l'espace euclidien. Il en résulte que ces axiomes sont aussi remplis, lorsqu'un sous-ensemble arbitraire d'un espace euclidien est considéré comme espace.

V. Analyse logique du système d'axiomes.

Les axiomes I—III sont *indépendants*. En effet, si on considère comme l'espace un ensemble composé de deux éléments a et b, et si l'on pose: $\overline{0} = 0$, $\overline{(a)} = (a)$, $\overline{(b)} = (b)$ et $\overline{(a, b)} = 0$, les axiomes II et III sont réalisés, tandis que I ne l'est pas. Si, pour un espace non vide, on pose $\overline{X} = 0$, quel que soit X, les axiomes I et III sont remplis, mais II ne l'est pas. Enfin, pour prouver l'indépendance de l'ax. III, considérons l'exemple bien instructif suivant [1]: l'espace se compose de toutes les fonctions réelles de variable réelle; X étant un sous-ensemble de cet espace, toute fonction-limite d'une suite de fonctions extraites de X appartient à $\overline{X}$. L'espace des fonctions, ainsi conçu, satisfait aux axiomes I et II, mais ne satisfait pas à l'ax. III. En effet, A désignant l'ensemble des fonctions continues, on a $\overline{\overline{A}} \neq \overline{A}$, puisque la fonction (de Dirichlet) égale à 1 aux points rationnels et à 0 aux points irrationnels appartient à $\overline{\overline{A}}$, mais n'appartient pas à $\overline{A}$.

Les axiomes I et III ne sont énoncés qu'à l'aide des opérations de l'Algèbre de la Théorie des ensembles et de l'opération $\overline{X}$. On pourrait se demander s'il n'existe d'autres axiomes de ce genre, indépendants des axiomes I — III et valables dans chaque espace euclidien. La solution d'un cas particulier de ce problème est fournie par la table suivante.

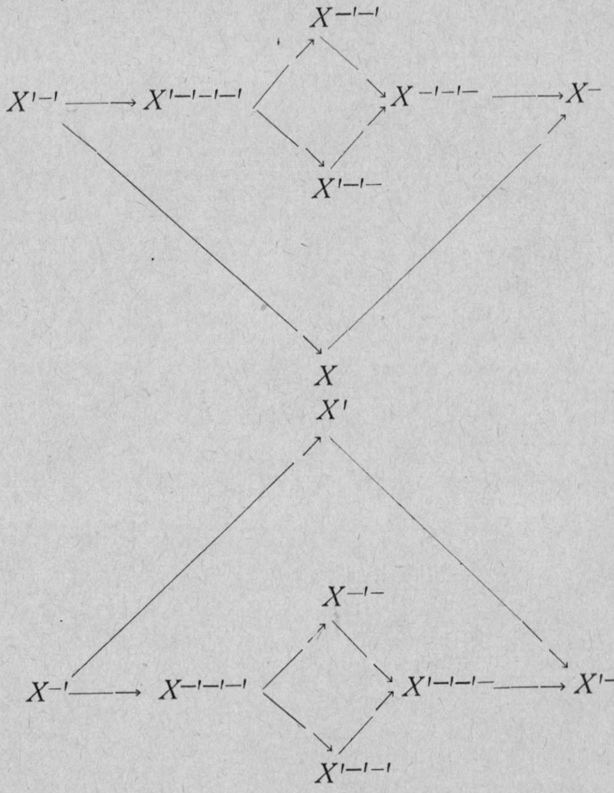

[1]) dû à M. Fréchet; voir sa Thèse, Rend. di Palermo 22 (1906), p. 15.

Supposons, notamment, que l'on opère sur un ensemble X à l'aide des deux opérations: $\overline{X}$ et X' $(=1-X)$. Quel est le nombre d'ensembles qui s'en obtiennent? On prouve que ce nombre est 14 [1]). Les 14 ensembles en question sont contenus dans la table ci-dessus [2]). La même table renferme *toutes* les inclusions valables pour chaque sous-ensemble de la droite.

§ 5. Ensembles fermés, ensembles ouverts.

I. Définitions. *X est un ensemble fermé, lorsque $\overline{X}=X$* [3]). *X est un ensemble ouvert, lorsque le complémentaire de X est fermé*, c. à d. lorsque $\overline{1-X}=1-X$, ou encore, lorsque $X=1-\overline{1-X}$.

Exemples. Dans l'espace des nombres réels les nombres naturels constituent un ensemble fermé; l'intervalle $a \leqslant x \leqslant b$ est fermé; l'intervalle $a<x<b$ est ouvert (non fermé); dans le plan ce dernier ensemble n'est pas ouvert.

Dans l'espace des nombres naturels chaque ensemble est fermé et ouvert simultanément.

$f(x)$ étant une fonction bornée définie dans l'intervalle $a \leqslant x \leqslant b$, son image géométrique, c. à d. l'ensemble $\underset{xy}{E}[y=f(x)]$, est fermée (dans le plan), lorsque la fonction f est continue et dans ce cas seulement (cf. § 23).

II. Opérations. *La somme de deux ensembles fermés est un ensemble fermé.* Cela résulte de l'axiome I, lorsqu'on pose $\overline{X}=X$ et $\overline{Y}=Y$.

Le produit (d'un nombre fini ou infini) *d'ensembles fermés est fermé.* En effet, en posant $\overline{X_\iota}=X_\iota$ dans la règle 4, on a $\overline{\prod_\iota X_\iota} \subset \prod_\iota X_\iota$ et comme on a $\prod_\iota X_\iota \subset \overline{\prod_\iota X_\iota}$, selon 7, il vient $\overline{\prod_\iota X_\iota}=\prod_\iota X_\iota$.

En vertu de la formule de de Morgan, d'après laquelle (voir § 1, II et V) on a $1-XY=(1-X)+(1-Y)$ et, en général, $1-\prod_\iota X_\iota=\sum_\iota(1-X_\iota)$, on conclut des propositions précédentes que *le produit de deux ensembles ouverts est ouvert* et que *la somme d'un nombre arbitraire d'ensembles ouverts est ouverte.*

---

[1]) Pour la démonstration, voir ma note citée de Fund. Math. 3, p. 196.

[2]) Pour des raisons typographiques nous écrivons X^{-} au lieu de $\overline{X}$; l'aiguille remplace ici le signe d'inclusion $\subset$.

[3]) Notion due à G. Cantor, Math. Ann. 21 (1883), p. 51.

D'après les règles 8 et 9, les ensembles 0 et 1 sont simultanément fermés et ouverts [1].

III. Propriétés. D'après l'ax. III, la fermeture est un ensemble fermé. On peut donc *définir* les ensembles fermés *comme les ensembles de la forme* $\overline{X}$. D'une façon analogue, les ensembles ouverts coïncident avec les ensembles de la forme $1-\overline{X}$.

Si G est ouvert, on a $G\overline{X} \subset \overline{GX}$, *quel que soit* X.

Car, par définition de l'ensemble ouvert, on a $G = 1 - \overline{1-G}$, donc $G \cdot \overline{X} = \overline{X} - \overline{1-G} \subset \overline{X-(1-G)} = \overline{GX}$ en vertu de la règle 3.

L'inclusion $G\overline{X} \subset \overline{GX}$ implique $\overline{G\overline{X}} \subset \overline{\overline{GX}}$ et, en tenant compte de la formule $X \subset \overline{X}$, on a $\overline{GX} \subset \overline{G\overline{X}}$, d'où

$$\overline{G\overline{X}} = \overline{GX}.$$

IV. Relativisation. Conformément à la terminologie adoptée au § précédent, un ensemble *X est fermé relativement à E,* lorsque $X = E \cdot \overline{X}$. L'ensemble X est *relativement ouvert,* lorsque $X \subset E$ et que $E - X$ est relativement fermé (par rapport à E), autrement dit, lorsque $X = E - \overline{E-X}$.

La condition nécessaire et suffisante pour qu'un ensemble soit fermé (ouvert) relativement à E est qu'il soit le produit de E et d'un ensemble fermé (ouvert).

En effet, la condition est nécessaire, car dans le cas où X est relativement fermé, on a $X = E \cdot \overline{X}$, et dans le cas où X est relativement ouvert, on a $X = E - \overline{E-X} = E \cdot (1 - \overline{E-X})$.

Pour prouver qu'elle est suffisante, supposons d'abord que l'on ait $X = EF$ et $F = \overline{F}$. Il s'agit de prouver que X est fermé relativement à E, c. à d. que $X = E \cdot \overline{X}$, donc que $EF = E \cdot \overline{EF}$.

---

[1] La notion d'ensemble fermé (ou celle d'ensemble ouvert) peut être admise comme *primitive* (au lieu de la fermeture); en admettant comme *axiomes* les énoncés du N⁰ II, on obtient un système analogue au système basé sur les ax. I—III. Cf. P. Alexandroff, Math. Ann. 94 (1925), p. 208 et W. Sierpiński, Math. Ann. 97 (1926), p. 335, *Topologja* (1928). Voir aussi plus loin § 7, III.

Or, selon la règle 1, $\overline{E\overline{F}} \subset \overline{F}$ et comme $\overline{F} = F$, il vient $E \cdot \overline{E\overline{F}} \subset EF$. L'inclusion inverse résulte directement de la règle 7.

Enfin, dans le cas où $X = EG$ et G est ouvert, l'ensemble $E - X$, comme égal à $E - EG = E \cdot (1 - G)$, est un produit de E et d'un ensemble fermé; il est donc fermé relativement à E. Par conséquent X est relativement ouvert, c. q. f. d.

En particulier, si E est fermé (ouvert), la propriété d'être fermé (ouvert) relativement à E entraîne la même propriété au sens absolu. Cela résulte du théorème précédent, en tenant compte du fait que le produit de deux ensembles fermés est fermé et que le produit de deux ensembles ouverts est ouvert (voir N⁰ II).

Le même théorème implique que la propriété d'être relativement fermé est *transitive*, c. à d. que si X est fermé dans Y et Y est fermé dans E, X est fermé dans E.

En effet, par hypothèse: $X = Y \cdot \overline{X}$ et $Y = E \cdot \overline{Y}$, donc $X = E \cdot \overline{X} \cdot \overline{Y}$ et, comme produit de E et d'un ensemble fermé, X est relativement fermé dans E.

Il en est de même de la propriété d'être relativement ouvert.

V. Ensembles F_σ, ensembles G_δ. *La somme d'une famille dénombrable* [1]) *d'ensembles fermés est dite* F_σ, *le produit d'une famille dénombrable d'ensembles ouverts est dit* G_δ [2]).

On voit aussitôt que le complémentaire d'un ensemble F_σ est un G_δ et que le complémentaire d'un G_δ est un F_σ. La somme d'une infinité dénombrable d'ensembles F_σ est évidemment un F_σ. Le produit de deux ensembles F_σ est un F_σ; soit, en effet, $A = \sum_{n=1}^{\infty} A_n$ et $B = \sum_{n=1}^{\infty} B_n$, donc $AB = \sum_{n,\, m=1}^{\infty} A_n B_m$ et, les ensembles A_n et B_m étant fermés, leur produit $A_n \cdot B_m$ est aussi fermé; l'ensemble AB est

---

[1]) Nous entendons par ensemble *dénombrable* un ensemble dont les éléments se laissent ranger en une suite finie ou infinie. Notons que, dans ce sens, *chaque ensemble fini est dénombrable.*

[2]) Ces deux notions, qui présentent une généralisation des notions d'ensemble fermé et d'ensemble ouvert ont été étudiées surtout pour les buts de la Théorie des fonctions. Cependant elles se sont montrées très utiles aussi dans les problèmes géométriques de la Topologie (v. surtout chap. III, §§ 29—32). Ces notions sont dues à M. W. H. Young, Ber. Ges. Wiss. Leipzig 55 (1903), p. 287.

donc un F_σ. Par raison de symétrie, le produit d'une infinité dénombrable d'ensembles G_δ est un G_δ et la somme de deux ensembles G_δ est un G_δ.

Tout ensemble F_σ est somme d'une suite d'ensembles fermés *croissants*. On a, en effet,

$$F_1 + F_2 + F_3 + ... = F_1 + (F_1 + F_2) + (F_1 + F_2 + F_3) + ...$$

et les ensembles en parenthèses sont fermés.

D'une façon analogue, tout ensemble G_δ est produit d'une suite d'ensembles ouverts décroissants.

Pour que X soit un ensemble F_σ (un ensemble G_δ) *relativement à E*, il faut et il suffit que X soit un produit de E et d'un F_σ (d'un G_δ).

Cela résulte des identités:

$$F_1 \cdot E + F_2 \cdot E + ... = (F_1 + F_2 + ...) \cdot E$$

et

$$(G_1 \cdot E) \cdot (G_2 \cdot E) \cdot ... = (G_1 \cdot G_2 \cdot ...) \cdot E.$$

En particulier, si E est un F_σ (un G_δ), X l'est également.

D'après l'ax. II, tout ensemble dénombrable est un F_σ.

Ainsi, par exemple, l'ensemble des nombres rationnels est, dans l'espace des nombres réels, un F_σ. L'ensemble des nombres irrationnels est donc un G_δ. Nous allons voir plus tard que ce dernier n'est pas un F_σ.

VI. Ensembles boreliens. En généralisant les notions d'ensemble fermé et d'ensemble ouvert à l'aide des opérations de la Théorie des ensembles (comme nous l'avons fait dans le N° précédent), on est conduit à considérer les ensembles qui s'obtiennent des ensembles fermés (ou ouverts) par les opérations d'addition et de multiplication dénombrables, ainsi que par celle de soustraction. On parvient ainsi à la définition suivante.

Définition [1]). *La famille **F** des ensembles boreliens est la plus petite famille assujettie aux conditions suivantes:*

1) *chaque ensemble fermé appartient à **F**,*
2) *si X appartient à **F**, $1 - X$ lui appartient également,*

---

[1]) Voir E. Borel, *Leçons sur la théorie des fonctions,* Paris 1898, p. 46 et F. Hausdorff, *Mengenlehre,* § 18 „Borelsche Systeme" et *Grundzüge,* p. 304.

3) *si* $X_n (n = 1, 2, ...)$ *appartient à* $\boldsymbol{F}$, *l'ensemble* $\prod_{n=1}^{\infty} X_n$ *lui appartient également.*

On voit aussitôt que la condition 1) peut être remplacée par

1') *chaque ensemble ouvert appartient à* $\boldsymbol{F}$

et que la condition 3), peut être remplacée par la condition 3'), qui s'obtient de 3), en y substituant $\sum$ à $\prod$.

L'étude plus détaillée des ensembles boreliens se trouve dans les chapitres II et III.

Les ensembles que l'on rencontre dans la majorité des applications de la Topologie sont boreliens. D'autre part, comme nous verrons, on connait des exemples d'ensembles non boreliens.

En ce qui concerne les ensembles *relativement boreliens*, on a le théorème suivant: *E étant un ensemble donné, les ensembles boreliens relativement à E coïncident avec les ensembles de la forme BE, où B est un ensemble borelien variable.*

En effet, la famille des ensembles X tels que XE est borelien relativement à E satisfait aux conditions 1)—3), car 1^0 si X est fermé, XE est fermé dans E, donc borelien relativement à E, 2^0 si XE est borelien dans E, $(1-X) \cdot E$ l'est également, puisque $(1-X) \cdot E = E - XE$, 3^0 si chacun des ensembles EX_n est borelien dans E, $E \cdot \prod_{n=1}^{\infty} X_n$ l'est également, puisque $E \cdot \prod_{n=1}^{\infty} X_n = \prod_{n=1}^{\infty} (EX_n)$.

Or, la famille des ensembles boreliens étant la plus petite famille satisfaisant aux conditions 1)—3), elle est contenue dans la famille des ensembles X en question. Autrement dit, si X est borelien, XE est borelien relativement à E.

Inversement, la famille des ensembles $X = BE$, où B est borelien, satisfait aux conditions 1)—3) relativisées par rapport à E, car 1^0 chaque ensemble fermé dans E appartient à cette famille, 2^0 si $X = BE$, l'ensemble $E - X = E(1 - B)$, comme produit de E et d'un ensemble borelien, appartient à la famille considérée, 3^0 si $X_n = EB_n$, on a $\prod_{n=1}^{\infty} X_n = E \cdot \prod_{n=1}^{\infty} B_n$, donc $\prod_{n=1}^{\infty} X_n$ appartient aussi à la famille considérée. Par conséquent cette famille contient la famille des ensembles boreliens relativement à E. En d'autres termes, si X est borelien relativement à E, X est un produit de E et d'un ensemble borelien.

§ 6. Frontière, intérieur d'ensemble.

I. Définitions [1]. *La frontière de X est l'ensemble* $\mathrm{Fr}(X) = \bar{X} \cdot \overline{1-X}$. *L'intérieur de X est l'ensemble* $\mathrm{Int}(X) = 1 - \overline{1-X}$.

Exemples. Sur le plan euclidien, X désignant le cercle $x^2+y^2 \leqslant 1$, $\mathrm{Fr}(X)$ est la circonférence du cercle, $\mathrm{Int}(X)$ est le reste. Rien ne change, si l'on remplace le signe $\leqslant$ par $<$.

Dans l'espace des nombres naturels la frontière de chaque ensemble est vide.

Dans l'espace des nombres réels l'ensemble des nombres rationnels a pour frontière l'espace entier.

X étant un ensemble arbitraire situé dans l'espace des nombres réels et $f(x)$ étant la fonction définie par les conditions: $f(x) = 1$ pour $x \varepsilon X$ et $f(x) = 0$ ailleurs, la frontière de X constitue l'ensemble des points de *discontinuité* de la fonction $f(x)$ (voir § 13).

II. Formules de calcul. Nous nous servirons dans la suite des formules suivantes [2]:

(1) $\mathrm{Int}(XY) = \mathrm{Int}(X) \cdot \mathrm{Int}(Y)$ (1') $X \subset Y$ *implique* $\mathrm{Int}(X) \subset \mathrm{Int}(Y)$

(2) $$\sum_\iota \mathrm{Int}(X_\iota) \subset \mathrm{Int}(\sum_\iota X_\iota)$$

(3) $$\mathrm{Int}(X) = X - \overline{1-X} = X - \mathrm{Fr}(X) \subset X$$

(4) $\mathrm{Fr}(1-X) = \mathrm{Fr}(X)$ (5) $\mathrm{Fr}(\bar{X}) \subset \mathrm{Fr}(X)$

(6) $\mathrm{Fr}(X) = X \cdot \overline{1-X} + \bar{X} - X$ (7) $X + \mathrm{Fr}(X) = \bar{X}$

(8) $\mathrm{Fr}(X+Y) \subset \mathrm{Fr}(X) + \mathrm{Fr}(Y)$ (9) $\mathrm{Fr}(XY) \subset \mathrm{Fr}(X) + \mathrm{Fr}(Y)$

(10) $\mathrm{Int}(X) \cdot \mathrm{Fr}(X) = 0$ (11) $\mathrm{Fr}[\mathrm{Int}(X)] \subset \mathrm{Fr}(X)$

(12) $$\overline{\mathrm{Int}[\mathrm{Fr}(X)]} = \overline{X \cdot \mathrm{Int}[\mathrm{Fr}(X)]} = \overline{\mathrm{Int}[\mathrm{Fr}(X)] - X}.$$

---

[1] Cf. G. Cantor, Göttinger Nachr. 1879, p. 128 et C. Jordan, Journ. de Math. (4) 8 (1892), p. 72.

[2] Quelques-unes se trouvent chez M. Zarycki, *Quelques notions fondamentales de l'Analysis Situs au point de vue de l'Algèbre de la Logique*, Fund. Math. 9 (1927), pp. 3—15. L'auteur étudie en outre d'autres fonctions d'ensemble, telles que le „bord" $= X \cdot \overline{1-X}$, l'„extérieur" $= 1 - \bar{X}$.

Les formules (1)—(3) se démontrent comme suit:

$$1-\overline{1-XY}=1-\overline{1-X+1-Y}=1-(\overline{1-X}+\overline{1-Y})=(1-\overline{1-X})\cdot(1-\overline{1-Y}).$$

$$\sum_\iota \mathrm{Int}(X_\iota)=1-\prod_\iota \overline{1-X_\iota}\subset 1-\overline{\prod_\iota (1-X_\iota)}=\mathrm{Int}(\sum_\iota X_\iota).$$

$1-\overline{1-X}\subset 1-(1-X)=X$, donc $\mathrm{Int}(X)=X\cdot(1-\overline{1-X})=X-\overline{1-X}=$

$$=X-X\cdot\overline{1-X}=X-X\cdot\bar{X}\cdot\overline{1-X}=X-\bar{X}\cdot\overline{1-X}=X-\mathrm{Fr}(X)\subset X.$$

Les formules (4) et (5) sont évidentes.

$\bar{X}\cdot\overline{1-X}=(\bar{X}\cdot\overline{1-X})\cdot X+(\bar{X}\cdot\overline{1-X})\cdot(1-X)$, d'où l'identité (6) en vertu des inclusions $X\subset\bar{X}$ et $1-X\subset\overline{1-X}$.

$$X+\mathrm{Fr}(X)=X+X\cdot\overline{1-X}+(\bar{X}-X)=X+(\bar{X}-X)=\bar{X}.$$

$$\mathrm{Fr}(X+Y)=\overline{X+Y}\cdot\overline{1-(X+Y)}=\overline{X+Y}\cdot\overline{(1-X)\cdot(1-X)}\subset$$
$$\subset\bar{X}\cdot\overline{1-X}\cdot\overline{1-Y}+\bar{Y}\cdot\overline{1-X}\cdot\overline{1-Y}\subset\bar{X}\cdot\overline{1-X}+\bar{Y}\cdot\overline{1-Y}=\mathrm{Fr}(X)+\mathrm{Fr}(Y).$$

$$\mathrm{Fr}(XY)=\mathrm{Fr}(1-XY)=\mathrm{Fr}[(1-X)+(1-Y)]\subset$$
$$\subset\mathrm{Fr}(1-X)+\mathrm{Fr}(1-Y)=\mathrm{Fr}(X)+\mathrm{Fr}(Y).$$

La formule (10) est évidente et la formule (11) résulte de (4) et (5).

L'inclusion $\mathrm{Fr}(X)\subset\bar{X}$ implique en vertu de (1') et (3) que $\mathrm{Int}[\mathrm{Fr}(X)]\subset\bar{X}$. En désignant par G l'ensemble (ouvert) $\mathrm{Int}[\mathrm{Fr}(X)]$, on a donc $G=G\bar{X}$, d'où, en raison de § 5, III: $\bar{G}=\overline{G\bar{X}}=\overline{GX}$, ce qui donne la première des égalités (12). La deuxième en résulte, en substituant $1-X$ à X et en tenant compte de (4).

Au point de vue du calcul topologique les formules suivantes, que nous citons sans démonstration, présentent un certain intérêt:

$$\mathrm{Int}[\mathrm{Int}(X)]=\mathrm{Int}(X),\quad \mathrm{Int}(X-Y)\subset\mathrm{Int}(X)-\mathrm{Int}(Y),$$

$$\mathrm{Fr}\{\mathrm{Fr}[\mathrm{Fr}(X)]\}=\mathrm{Fr}[\mathrm{Fr}(X)]\subset\mathrm{Fr}(X).$$

La formule $\overline{\mathrm{Int}(\overline{X+Y})}=\overline{\mathrm{Int}(\bar{X})}+\overline{\mathrm{Int}(\bar{Y})}$ sera établie au § 8.

III. Rapports avec les ensembles fermés et ouverts.

On voit aussitôt que *la frontière est fermée* et que *l'intérieur est ouvert* [1]. De plus, l'intérieur de X est *le plus grand* sous-ensemble ouvert de X; car, G étant un sous-ensemble ouvert de X, on a $1-X \subset 1-G = \overline{1-G}$, d'où $\overline{1-X} \subset 1-G$, donc $G \subset 1-\overline{1-X} = \mathrm{Int}\,(X)$.

Si X est fermé, on a $\mathrm{Fr}\,(X) = X\cdot\overline{1-X}$; *si X est ouvert, on a* $\mathrm{Fr}\,(X) = \overline{X}-X$. Chacune de ces égalités *caractérise* les ensembles fermés et ouverts respectivement, car on obtient en vertu de (6) dans le premier cas $\overline{X}-X=0$, d'où $\overline{X}=X$, et dans le second cas $X\cdot\overline{1-X}=0$, d'où $\overline{1-X}=1-X$.

En particulier, l'égalité $\mathrm{Fr}\,(X)=0$ équivaut à l'hypothèse que X est simultanément *fermé et ouvert.*

La condition nécessaire et suffisante pour que X soit une différence de deux ensembles fermés est que l'ensemble $\overline{X}-X$ soit fermé [2].

En effet, soient $X=E-F$, E et F deux ensembles fermés. On a

$$X=\overline{X}\cdot(E-F)=\overline{X}\cdot E-\overline{X}\cdot F$$

et comme $X\subset E$, il vient $\overline{X}\subset E$, d'où $\overline{X}\cdot E=\overline{X}$. Par conséquent $X=\overline{X}-\overline{X}\cdot F$, d'où $\overline{X}-X=\overline{X}\cdot F$; donc $\overline{X}-X$ est fermé.

Inversement, si $\overline{X}-X$ est fermé, l'ensemble X, comme égal à $\overline{X}-(\overline{X}-X)$, est une différence de deux ensembles fermés.

IV. Théorème sur l'additivité. On rapprochera à la formule (2) le théorème suivant (dont nous nous servirons au § 8):

$\{X_\iota\}$ étant une famille (de puissance arbitraire) d'ensembles ouverts relativement à la somme $\sum_\iota X_\iota$, on a

---

[1] Cette dernière proposition équivaut à l'ax. III; sous le nom de la „condition de M. Hedrick" elle a été considérée par certains auteurs comme axiome. Voir E. R. Hedrick, Trans. Amer. Math. Soc. 12 (1911), p. 285 et M. Fréchet, *Espaces abstraits,* p. 201.

[2] Voir la note de M. W. Sierpiński et moi, *Sur les différences de deux ensembles fermés,* Tôhoku Math. Journ. 20 (1921), p. 22.

(i) $$\mathrm{Int}\,(\sum_\iota X_\iota) = \sum_\iota \mathrm{Int}\,(X_\iota)$$

(ii) $$\overline{\mathrm{Int}\,(\overline{\sum_\iota X_\iota})} = \overline{\sum_\iota \mathrm{Int}\,(\overline{X}_\iota)}.$$

En effet, en posant $S = \sum_\iota X_\iota$, on a par hypothèse $X_\iota = S - \overline{S - X_\iota} \subset 1 - \overline{S - X_\iota}$, donc $S \subset \sum_\iota (1 - \overline{S - X_\iota})$. Il vient: $\mathrm{Int}(S) = S \cdot \mathrm{Int}(S) \subset \sum_\iota (1 - \overline{S - X_\iota}) \cdot (1 - \overline{1 - S}) = \sum_\iota (1 - \overline{S - X_\iota + 1 - S}) = \sum_\iota (1 - \overline{1 - SX_\iota}) = \sum_\iota (1 - \overline{1 - X_\iota}) = \sum_\iota \mathrm{Int}\,(X_\iota)$ et, en vertu de (2), on en tire l'égalité (i).

D'après le § 5, III on a $\mathrm{Int}\,(\bar{S}) = \mathrm{Int}\,(\bar{S}) \cdot \bar{S} \subset \overline{\mathrm{Int}\,(\bar{S}) \cdot S}$. Comme nous avons prouvé, $S \subset \sum_\iota (1 - \overline{S - X_\iota})$; il vient donc

$$\mathrm{Int}\,(\bar{S}) \subset \overline{\mathrm{Int}\,(\bar{S}) \cdot \sum_\iota (1 - \overline{S - X_\iota})} = \overline{\sum_\iota (\mathrm{Int}\,(\bar{S}) - \overline{S - X_\iota})}.$$

Or, $\mathrm{Int}\,(\bar{S}) - \overline{S - X_\iota} \subset \bar{S} - \overline{S - X_\iota} \subset \overline{S - (S - X_\iota)} = \bar{X}_\iota$ et, le premier membre de cette inclusion étant ouvert, il est contenu dans l'intérieur de $\bar{X}_\iota$; ainsi $\mathrm{Int}\,(\bar{S}) - \overline{S - X_\iota} \subset \mathrm{Int}\,(\bar{X}_\iota)$. En tenant compte de la formule précédente, on obtient $\mathrm{Int}\,(\bar{S}) \subset \overline{\sum_\iota \mathrm{Int}\,(\bar{X}_\iota)}$, donc $\overline{\mathrm{Int}\,(\bar{S})} \subset \overline{\sum_\iota \mathrm{Int}\,(\bar{X}_\iota)}$.

Reste à prouver l'inclusion inverse. Or, d'après (1'), $\mathrm{Int}\,(\bar{X}_\iota) \subset \mathrm{Int}\,(\bar{S})$. Donc $\sum_\iota \mathrm{Int}\,(\bar{X}_\iota) \subset \mathrm{Int}\,(\bar{S})$ et finalement $\overline{\sum_\iota \mathrm{Int}\,(\bar{X}_\iota)} \subset \overline{\mathrm{Int}\,(\bar{S})}$.

§ 7. Entourage d'un point. Localisation des propriétés.

I. Définition. *L'ensemble X est dit entourage du point p, lorsque* $p \in \mathrm{Int}\,(X)$, c. à d. lorsque p est un point intérieur de X; autrement dit, lorsque p n'appartient pas à $\overline{1 - X}$.

Un ensemble ouvert est un entourage de chacun de ses points. Un entourage de p contient un entourage *ouvert* de p, notamment l'intérieur de cet entourage.

Chaque *sur-ensemble* d'un entourage de p est un entourage de p. Le *produit* de deux entourages de p est un entourage de p. Car $\overline{1-XY}=\overline{1-X}+\overline{1-Y}$.

II. Equivalences. *Pour que $p \varepsilon \overline{X}$, il faut et il suffit que tout entourage E de p satisfasse à l'inégalité $XE \neq 0$.*

Supposons, en effet, que $p \varepsilon \overline{X}$ et soit E un entourage arbitraire de p. Cela veut dire que p n'appartient pas à $\overline{1-E}$ et il vient $p \varepsilon \overline{X}-\overline{1-E} \subset \overline{X-(1-E)}=\overline{XE}$. Par conséquent $XE \neq 0$.

Supposons, d'autre part, que chaque entourage E de p satisfait à l'inégalité $XE \neq 0$. Il en résulte que l'ensemble $1-X$ n'est pas un entourage de p, donc que $p \varepsilon \overline{1-(1-X)}=\overline{X}$.

Ce théorème entraîne directement le corollaire suivant:

Pour que $p \varepsilon \mathrm{Fr}(X)$, il faut et il suffit que tout entourage E de p satisfasse à la double inégalité $EX \neq 0 \neq E-X$.

Il est à remarquer que dans les deux énoncés précédents on peut remplacer le terme *entourage de p* par *ensemble ouvert contenant p*. Car chaque entourage de p contient un entourage ouvert de p.

III. Espace de Hausdorff. La notion d'entourage (ouvert) du point p est le terme primitif de l'espace de Hausdorff [1]). Cet espace est assujetti aux 5 axiomes suivants:

A. A chaque point p correspond au moins un entourage. Chaque entourage de p contient p.

B. U et V étant deux entourages du point p, il existe un entourage de p contenu dans UV.

C. Si U est un entourage de p et $q \varepsilon U$, il existe un entourage V de q contenu dans U.

D. Si $p \neq q$, il existe deux entourages U et V des points p et q respectivement, tels que $UV=0$.

E. A chaque point p correspond une suite (dénombrable) d'entourages telle que tout entourage de p est sur-ensemble d'un terme de cette suite [2]).

---

[1]) *Grundzüge der Mengenlehre,* p. 213; au point de vue historique il est intéressant de rapprocher le système de M. Hausdorff à celui de M. Hilbert, Göttinger Nachr. 1902 (reproduit par ex. dans *Grundlagen der Geometrie* Leipzig 1913, p. 165). Cf. aussi les espaces ($\mathcal{V}$) (= voisinage) de M. Fréchet (*Espaces abstraits,* p. 172).

[2]) „Das erste Abzählbarkeitsaxiom", F. Hausdorff, ib. p. 263.

On voit facilement que les entourages ouverts d'un espace qui satisfait aux axiomes I—III vérifient les propositions A, B et C, tandis que les propositions D et E peuvent être en défaut [1]). Inversement, si l'on définit la fermeture dans l'espace de Hausdorff par la condition exprimée dans la proposition du N⁰ II, les axiomes I—III se trouvent vérifiés [2]).

Ceci généralise le fait que chaque espace euclidien satisfait aux axiomes I—III (cf. § 4, II), car un espace euclidien est un espace de Hausdorff (lorsque p. ex. les sphères ouvertes de centre p sont considérées comme des entourages de p).

IV. Localisation. Etant donnée une propriété **P** d'ensembles, désignons par $\boldsymbol{P}$ la famille des ensembles jouissant de cette propriété.

Définition. L'ensemble X jouit de la propriété **P** *au point p, lorsqu'il existe un entourage E de ce point tel que $XE \varepsilon \boldsymbol{P}$. Le symbole X^* désigne l'ensemble des points p* (qu'ils appartiennent à X ou non) *auxquels X ne jouit pas de la propriété* **P**.

Ainsi, par exemple, si $\boldsymbol{P}$ est la famille composée de l'ensemble vide, on a, d'après le théor. du N⁰ II, $X^* = \bar{X}$. En localisant les propriétés d'être un ensemble fini et d'être un ensemble dénombrable, on parvient, comme nous verrons (§§ 9 et 18), aux notions de l'ensemble dérivé et de l'ensemble des points de condensation de X.

V. Familles héréditaires et additives.

Nous allons étudier l'opération X^*, en imposant à la famille $\boldsymbol{P}$ deux conditions qui seront réalisées dans plusieurs cas importants. Nous allons notamment supposer que la famille $\boldsymbol{P}$ est *héréditaire* et *additive*, c. à d. que

(i) *les conditions $X \varepsilon \boldsymbol{P}$ et $Y \subset X$ entraînent $Y \varepsilon \boldsymbol{P}$,*

(ii) *les conditions $X \varepsilon \boldsymbol{P}$ et $Y \varepsilon \boldsymbol{P}$ entraînent $X + Y \varepsilon \boldsymbol{P}$.*

Conséquences de (i). La condition (i) supposée remplie, on peut dans la définition du N⁰ précédent imposer à l'entourage E la condition d'être *ouvert*. En effet, d'après N⁰ I, chaque entourage E de p contient un entourage ouvert G de p; donc, si l'on suppose que $XE \varepsilon \boldsymbol{P}$, l'inclusion $XG \subset XE$ entraîne $XG \varepsilon \boldsymbol{P}$.

---

[1]) M. Fréchet, l. c., p. 212.

[2]) F. Hausdorff, l. c., pp. 223—4.

De là résulte que l'ensemble $1 - X^*$, comme somme d'ensembles ouverts, est ouvert. Par conséquent X^* *est fermé.*

Nous allons prouver que

(1) $X \subset Y$ *implique* $X^* \subset Y^*$ (2) $X^{**} \subset X^*$

(3) *si* G *est ouvert, on a* $GX^* = G \cdot (GX)^*$.

En effet, soient $X \subset Y$, $p \varepsilon X^*$ et G un ensemble ouvert contenant p. Donc XG *non-*ε $\boldsymbol{P}$ et, comme $XG \subset YG$, on conclut de (i) que YG *non-*ε $\boldsymbol{P}$. Il en résulte que $p \varepsilon Y^*$.

Supposons à présent que p *non-*ε X^*. Il existe par conséquent un entourage G de p tel que $XG \varepsilon \boldsymbol{P}$. Il vient selon (i) $0 \varepsilon \boldsymbol{P}$, d'où $X^* \cdot (1 - X^*) \varepsilon \boldsymbol{P}$. Or, l'ensemble X^* étant fermé, $1 - X^*$ est un entourage de p. On en conclut que p *non-*ε X^{**}, d'où l'inclusion (2).

Supposons enfin que $p \varepsilon GX^*$. Donc H étant un entourage de p, on a HGX *non-*ε $\boldsymbol{P}$ (puisque HG est un entourage de p). Il en résulte que $p \varepsilon (GX)^*$. Ainsi $GX^* \subset (GX)^*$. D'autre part, selon (1), l'inclusion $GX \subset X$ entraîne $(GX)^* \subset X^*$, d'où $G \cdot (GX)^* \subset GX^*$, ce qui implique l'égalité (3).

L'égalité (3) montre que le fait qu'un ensemble X possède ou non une propriété au point p dépend de l'entourage de ce point; c'est donc un fait „local".

Remarquons enfin que la proposition (1) entraîne (voir § 4, III) les formules suivantes:

(4) $(XY)^* \subset X^* \cdot Y^*$ (5) $(\prod_\iota X_\iota)^* \subset \prod_\iota X_\iota^*$

(6) $$\sum_\iota X_\iota^* \subset (\sum_\iota X_\iota)^*.$$

Conséquences de (i) *et* (ii):

(7) $(X + Y)^* = X^* + Y^*$ (8) $X^* - Y^* \subset (X - Y)^*$.

En effet, si p *non-*ε X^*, il existe un entourage G de p tel que $XG \varepsilon \boldsymbol{P}$. De même, si p *non-*ε Y^*, il existe un entourage H de p tel que $YH \varepsilon \boldsymbol{P}$. Selon (i): $XGH \varepsilon \boldsymbol{P}$ et $YGH \varepsilon \boldsymbol{P}$, d'où selon (ii) : $(X + Y) \cdot GH \varepsilon \boldsymbol{P}$, ce qui prouve que p *non-*ε $(X + Y)^*$. Donc $(X + Y)^* \subset X^* + Y^*$. L'inclusion inverse est un cas particulier de (6).

La formule (8) résulte de (7); cf. § 4, III, règle 3.

§ 8. Ensembles denses, frontières, non-denses.

I. Définitions. 1. *X est un ensemble dense, lorsque* $\overline{X}=1$ [1]).

2. *X est un ensemble frontière, lorsque son complémentaire est dense,* c. à d. lorsque $\overline{1-X}=1$.

3. *X est un ensemble non-dense, lorsque sa fermeture est un ensemble frontière,* c. à d. lorsque $\overline{1-\overline{X}}=1$ [2]).

Exemples. Dans l'espace des nombres réels, les nombres rationnels constituent un ensemble dense et frontière. Cependant, cet ensemble n'est pas non-dense.

Sur le plan, la circonférence d'un cercle est non-dense.

On voit aussitôt que tout sur-ensemble d'un ensemble dense est dense, tout sous-ensemble d'un ensemble frontière est frontière, tout sous-ensemble d'un ensemble non-dense est non-dense. La fermeture d'un ensemble non-dense est non-dense.

Tout ensemble non-dense est frontière. Inversement, tout ensemble frontière et fermé est non-dense.

Un ensemble frontière ne peut être ouvert que s'il est vide.

II. Conditions nécessaires et suffisantes. L'égalité $\overline{1-X}=1$ équivaut à la formule $\mathrm{Int}(X)=0$. Les ensembles frontières peuvent donc être définis par la condition qu'ils *ne contiennent aucun point intérieur* ou encore, qu'ils ne contiennent aucun ensemble ouvert non vide. L'égalité $\mathrm{Int}(X)=0$ étant équivalente à l'inclusion $X\subset \mathrm{Fr}(X)$ (voir § 6, II (3)), on peut aussi définir un ensemble frontière comme ensemble *contenu dans sa frontière* ou encore, comme ensemble satisfaisant à l'inclusion $X\subset\overline{1-X}$. On en conclut que pour que $\overline{X}$ soit un ensemble frontière, il faut et il suffit que l'on ait $\overline{X}\subset\overline{1-\overline{X}}$ ou, ce qui revient au même, que

$$X\subset\overline{1-\overline{X}}.$$

Cette dernière inclusion caractérise donc les ensembles non-denses.

---

1) G. Cantor, Math. Ann. 15 (1879), p. 2.

2) Cette notion remonte à P. du Bois-Reymond, *Die allgemeine Functionentheorie I,* Tübingen 1882.

Une autre condition nécessaire et suffisante pour qu'un ensemble X soit non-dense est la suivante: *chaque ensemble ouvert non vide contient un ensemble ouvert non vide et disjoint de X.*

En effet, si X est non-dense, l'ensemble $\overline{X}$, comme ensemble frontière, ne contient aucun ensemble ouvert non vide. Donc, G étant un ensemble ouvert $(\neq 0)$ arbitraire, l'ensemble $G - \overline{X}$ est non vide, ouvert et disjoint de X.

D'autre part, si X n'est pas non-dense, $\overline{X}$ n'est pas un ensemble frontière, donc $\mathrm{Int}(\overline{X}) \neq 0$. Or, G étant un sous-ensemble ouvert $(\neq 0)$ de $\mathrm{Int}(\overline{X})$, il vient $G \subset \mathrm{Int}(\overline{X}) \subset \overline{X}$, d'où $G \cdot \overline{X} \neq 0$, donc $GX \neq 0$ (voir § 5, III), ce qui prouve que l'ensemble ouvert non vide $\mathrm{Int}(\overline{X})$ ne contient aucun ensemble ouvert non vide qui soit disjoint de X.

III. Opérations. *La somme d'un ensemble frontière et d'un ensemble non-dense est un ensemble frontière* [1]).

Soit, en effet, $\overline{1 - X} = 1 = \overline{1 - \overline{Y}}$. En tenant compte de la règle 3 du § 4, on conclut que

$$1 - \overline{Y} = \overline{1 - X} - \overline{Y} \subset \overline{(1 - X) - Y} = \overline{1 - (X + Y)},$$

d'où $1 = \overline{1 - \overline{Y}} \subset \overline{1 - (X + Y)}$ et finalement $\overline{1 - (X + Y)} = 1$.

Il en résulte que *la somme de deux, donc d'un nombre fini d'ensembles non-denses est non-dense* [2]).

Car, X et Y étant non-denses, il en est de même des ensembles $\overline{X}$ et $\overline{Y}$. D'après ce qui précède l'ensemble $\overline{X} + \overline{Y}$ est frontière et, comme ensemble fermé, il est non-dense. Il en est de même de $X + Y$, puisque $X + Y \subset \overline{X} + \overline{Y}$.

$\{X_\iota\}$ étant une famille d'ensembles ouverts relativement à la somme $\sum_\iota X_\iota$, si chaque X_ι est un ensemble frontière, $\sum_\iota X_\iota$ l'est également; si chaque X_ι est non-dense, $\sum_\iota X_\iota$ l'est également.

---

[1]) tandis que la somme de deux ensembles frontières peut ne pas être un ensemble frontière: tel est le cas de l'ensemble des nombres rationnels et de celui des nombres irrationnels dans l'espace des nombres réels.

[2]) Cf. S. Janiszewski, Thèse (1911), p. 26.

C'est une conséquence des formules (i) et (ii) du § 6, IV, en y posant $\mathrm{Int}(X_\iota) = 0$ et $\mathrm{Int}(\overline{X}_\iota) = 0$ respectivement.

IV. Décomposition de la frontière. *La frontière d'un ensemble se compose de deux ensembles frontières, notamment des ensembles* $X \cdot \overline{1-X}$ *et* $\overline{X} - X$.

La formule $\mathrm{Fr}(X) = X \cdot \overline{1-X} + \overline{X} - X$ a été établie au § 6 (formule 6). Il suffit de prouver que l'ensemble $X \cdot \overline{1-X}$ est un ensemble frontière, car l'ensemble $\overline{X} - X$ s'en obtient par substitution de $1 - X$ à X. Or, on a $1 = \overline{1-X} + 1 - \overline{1-X} \subset \overline{1-X} + \overline{1-\overline{1-X}} =$ $= \overline{1 - X + 1 - \overline{1-X}} = \overline{1 - X \cdot \overline{1-X}}$, c. q. f. d.

Il est à remarquer que nous avons démontré, en même temps, que les ensembles frontières peuvent être définis comme les ensembles de la forme $X \cdot \overline{1-X}$ (donc aussi comme ceux de la forme $\overline{X} - X$).

V. Ensembles dont la frontière est non-dense. *Si l'un des ensembles* $X \cdot \overline{1-X}$ *ou* $\overline{X} - X$ *est non-dense, la frontière* $\mathrm{Fr}(X)$ *est non-dense*, car, d'après III, elle est alors un ensemble frontière, donc, comme ensemble fermé, elle est non-dense.

En particulier, si X est fermé, on a $\overline{X} - X = 0$. Par conséquent *la frontière d'un ensemble fermé est non-dense.* De même, *la frontière d'un ensemble ouvert est non-dense.*

Afin d'établir une condition nécessaire et suffisante pour que $\mathrm{Fr}(X)$ soit non-dense, remarquons d'abord, que *les ensembles dont la frontière est non-dense constituent un c o r p s*, c. à d. que la somme, le produit et la différence de deux ensembles de ce genre est encore un ensemble de ce genre [1]).

Cela résulte directement des formules 8, 9 et 4 du § 6, II et du fait que la somme de deux ensembles non-denses est non-dense.

---

[1]) Ainsi par exemple la frontière d'une différence de deux ensembles fermés est non-dense. Il en est encore de même des ensembles qui s'obtiennent des ensembles fermés par l'application itérée de la soustraction et de l'addition un nombre fini de fois. Une généralisation de ce fait aux opérations *infinies* sera traitée au § 12. Une autre famille importante d'ensembles ayant la frontière non-dense est celle des ensembles *clairsemés* (voir § 9). La notion d'ensemble à frontière non-dense correspond à celle de fonction *ponctuellement discontinue* (v. § 13, VI).

Pour que la frontière de X soit non-dense, il faut et il suffit que X soit une somme d'un ensemble ouvert et d'un ensemble non-dense.

Considérons, en effet, l'identité

$$X = X - \overline{1-X} + X \cdot \overline{1-X} = \mathrm{Int}(X) + X \cdot \overline{1-X}.$$

Si $\mathrm{Fr}(X)$ est non-dense, l'ensemble $X \cdot \overline{1-X}$ l'est à plus forte raison. La formule précédente montre donc que X est une somme d'un ensemble ouvert et d'un ensemble non-dense.

Remarquons, d'autre part, que N étant un ensemble non-dense, $\mathrm{Fr}(N)$ est aussi non-dense comme un sous-ensemble de l'ensemble $\bar{N}$, qui est non-dense. Par conséquent, si X est une somme d'un ensemble ouvert et d'un ensemble non-dense, donc de deux ensembles ayant la frontière non-dense, $\mathrm{Fr}(X)$ est aussi non-dense, c. q. f. d.

Il résulte du théorème précédent que *pour que* $\mathrm{Fr}(X)$ *soit non-dense, il faut et il suffit que X soit une différence d'un ensemble fermé et d'un ensemble non-dense.*

Car d'une part $\mathrm{Fr}(X) = \mathrm{Fr}(1-X)$ et d'autre part, si X est une somme d'un ensemble ouvert et d'un ensemble non-dense, $1-X$ est une différence d'un ensemble fermé et d'un ensemble non-dense et réciproquement, puisque $1-(G+N) = (1-G)-N$.

Dans le domaine des ensembles ayant la frontière non-dense les notions d'ensemble frontière et d'ensemble non-dense coïncident.

En effet, si X est un ensemble frontière de la forme $X = G + N$, l'ensemble ouvert G est vide, donc X est identique à l'ensemble non-dense N.

VI. Relativisation. Si $X \subset E$, X est par définition, *dense, frontière, non-dense relativement à* E, lorsqu'on a respectivement

$$\bar{X} \cdot E = E, \qquad \overline{E-X} \cdot E = E, \qquad \overline{E-\bar{X}} \cdot E = E,$$

c. à d. lorsque $E \subset \bar{X}$, $E \subset \overline{E-X}$, $E \subset \overline{E-\bar{X}}$ respectivement.

D'après II, la condition que X soit frontière (resp. non-dense) relativement à E, s'exprime aussi par l'inclusion

$$X \subset \overline{E-X} \qquad (\text{resp. } X \subset \overline{E-\bar{X}}).$$

On voit aussitôt que

1) *X est dense dans* $\bar{X}$; par conséquent $\bar{X} - X$ *est frontière dans* $\bar{X}$; d'après § 6, II (12), *l'ensemble* $X \cdot \mathrm{Int}\,[\mathrm{Fr}\,(X)]$ *est simultanément dense et frontière dans* $\mathrm{Int}\,[\mathrm{Fr}\,(X)]$;

2) *si X est dense dans E, X est dense dans chaque sous-ensemble de E* (qui contient X); *si X est frontière (ou non-dense) dans E, X l'est également relativement à chaque sur-ensemble de E;*

3) *si X est dense dans Y et Y dans Z, X est dense dans Z.* En particulier, *si X est dense dans Y, X est dense dans* $\bar{Y}$.

4) *si X est non-dense dans* $\bar{E}$, *XE est non-dense dans E.*

En effet, on a par hypothèse: $X \subset \overline{\bar{E} - \bar{X}}$. Donc en vertu de la formule $\bar{E} - \bar{X} = \bar{E} - \bar{\bar{X}} \subset \overline{E - \bar{X}}$, il vient $X \subset \overline{E - \bar{X}}$, d'où $XE \subset \overline{E - \bar{X}} \subset \overline{E - \overline{XE}}$, c. q. f. d.

5) *G étant un ensemble ouvert, si X est frontière (non-dense), il en est de même de XG relativement à G, et de* $X\bar{G}$ *relativement à* $\bar{G}$.

En effet, si X est un ensemble frontière, on a $X \subset \overline{1 - X}$, donc $XG \subset \overline{1 - X} \cdot G$ et, comme selon § 5, III, $\overline{1 - X} \cdot G \subset \overline{G - X}$, il vient $XG \subset \overline{G - X} = \overline{G - XG}$.

D'une façon analogue, si X est non-dense, on a $X \subset \overline{1 - \bar{X}}$, d'où $XG \subset \overline{1 - \bar{X}} \cdot G \subset \overline{G - \bar{X}} \subset \overline{G - \overline{XG}}$.

En outre, $X\bar{G} = XG + X \cdot (\bar{G} - G)$ et l'ensemble $\bar{G} - G$, donc $X \cdot (\bar{G} - G)$, étant selon 1) non-dense dans $\bar{G}$, le reste de notre énoncé résulte de III.

VII. Localisation. Par définition, X est *frontière (non-dense) au point p*, lorsqu'il existe un entourage G de p tel que l'ensemble XG est frontière (non-dense).

Ainsi p. ex., sur le plan, l'ensemble composé d'un cercle (l'intérieur y compris) et d'un segment n'ayant qu'un seul point p commun avec le cercle, est localement non-dense en chaque point du segment, sauf au point p, mais cet ensemble n'est non-dense en aucun point du cercle.

Chaque sous-ensemble d'un ensemble frontière (non-dense) l'étant également, on peut, dans la définition précédente, remplacer le terme *entourage* par *entourage ouvert* (cf. § 7, V).

Pour que X soit non-dense au point p, il faut et il suffit que $\bar{X}$ *soit un ensemble frontière en ce point.*

En effet, si X n'est pas non-dense au point p et si G est un ensemble ouvert contenant p, GX n'est pas non-dense; il existe, par conséquent, un ensemble ouvert H satisfaisant à la condition $0 \neq H \subset \overline{GX}$. Il vient (v. § 5, III): $H = H \cdot \overline{GX} \subset \overline{HGX}$, d'où $HG \neq 0$ et, comme $HG \subset G \cdot \overline{GX} \subset G \cdot \overline{X}$, l'ensemble $G \cdot \overline{X}$ n'est pas frontière, ce qui implique que $\overline{X}$ n'est pas frontière au point p.

Inversement, si $\overline{X}$ n'est pas frontière au point $p \in G$, il existe un ensemble ouvert H tel que $0 \neq H \subset G \cdot \overline{X}$. Donc $H \subset G \cdot \overline{X} \subset \overline{GX}$, ce qui montre que X n'est pas non-dense au point p.

$\overline{\mathrm{Int}\,(X)}$ *est l'ensemble des points en lesquels* X *n'est pas localement frontière;* $\overline{\mathrm{Int}\,(\overline{X})}$ *est celui où* X *n'est pas localement non-dense.*

Soient, en effet, $p \in \overline{\mathrm{Int}\,(X)}$ et G un entourage ouvert de p. L'inégalité $G \cdot \overline{\mathrm{Int}\,(X)} \neq 0$ entraîne $0 \neq G \cdot \mathrm{Int}\,(X) \subset GX$, ce qui prouve que X n'est pas frontière au point p.

Inversement, si $p \in 1 - \overline{\mathrm{Int}\,(X)}$, l'ensemble $G = 1 - \overline{\mathrm{Int}\,(X)}$ est un entourage ouvert de p tel que GX est frontière, car

$$\mathrm{Int}\,(GX) = \mathrm{Int}\,(G) \cdot \mathrm{Int}\,(X) = [1 - \overline{\mathrm{Int}\,(X)}] \cdot \mathrm{Int}\,(X) = 0\,.$$

La deuxième partie de notre proposition résulte de la première en vertu de la proposition précédente.

L'ensemble des points de X *où* X *est localement frontière (non-dense) est un ensemble frontière (non-dense).*

En particulier, *si* X *est en chacun de ses points localement frontière (non-dense),* X *est un ensemble frontière (non-dense).*

On a, en effet, $X - \overline{\mathrm{Int}\,(X)} \subset X - \mathrm{Int}\,(X) = X \cdot \overline{1 - X}$ et, l'ensemble $X \cdot \overline{1 - X}$ étant (selon N⁰ IV) un ensemble frontière, l'ensemble $X - \overline{\mathrm{Int}(X)}$ l'est également.

D'une façon analogue, $X - \overline{\mathrm{Int}(\overline{X})} \subset X - \mathrm{Int}(\overline{X}) = X \cdot \overline{1 - \overline{X}} \subset \overline{X} \cdot \overline{1 - \overline{X}}$ et, ce dernier ensemble étant fermé et frontière, donc non-dense, $X - \overline{\mathrm{Int}\,(\overline{X})}$ est non-dense.

Chaque sous-ensemble d'un ensemble non-dense étant non-dense et la somme de deux ensembles non-denses l'étant également, la famille des ensembles non-denses est héréditaire et additive. On peut donc, dans les formules (1)—(7) du § 7, V, substituer $\overline{\mathrm{Int}(\overline{X})}$ à X^*. Il vient, en particulier:

(i) $\overline{\mathrm{Int}(\overline{X})} + \overline{\mathrm{Int}(\overline{Y})} = \overline{\mathrm{Int}(\overline{X+Y})}$, $\sum_\iota \overline{\mathrm{Int}(\overline{X_\iota})} \subset \overline{\mathrm{Int}(\overline{\sum_\iota X_\iota})}$.

De la proposition 5 du N[0] précédent nous concluons que:

(ii) *G étant un ensemble ouvert et X un ensemble frontière (non-dense) dans un point p, XG l'est au point p relativement à G (si $p \in G$) et $X \cdot \overline{G}$ l'est relativement à $\overline{G}$ (si $p \in \overline{G}$).*

En effet, il existe par hypothèse un entourage H de p tel que HX est frontière (non-dense). Donc selon 5 (où l'on substitue HX à X), HGX est frontière (non-dense) relativement à G et $H\overline{G}X$ l'est relativement à $\overline{G}$; de plus, les ensembles HG et $H\overline{G}$ sont des entourages de p relatifs à G et à $\overline{G}$ respectivement.

VIII. Domaines fermés [1]). Un ensemble X est dit un *domaine fermé*, lorsqu'il est fermé et n'est localement non-dense en aucun de ses points; autrement dit (v. N[0] VII), lorsque $X = \overline{\mathrm{Int}(X)}$, ou encore, lorsque $X = \overline{1-\overline{1-X}}$.

Les domaines fermés peuvent être définis aussi comme les *fermetures des ensembles ouverts* [2]). En effet, la formule précédente montre que chaque domaine fermé est la fermeture d'un ensemble ouvert. Inversement, si G est ouvert et $X = \overline{G}$, G est un sous-ensemble ouvert de X. On a par conséquent $G \subset \mathrm{Int}(X) \subset X$, d'où $\overline{G} \subset \overline{\mathrm{Int}(X)} \subset \overline{X} = \overline{G}$, donc $X = \overline{\mathrm{Int}(X)}$.

L'inclusion $\mathrm{Fr}(X) \subset \overline{\mathrm{Int}(X)}$ *caractérise les domaines fermés* parmi les ensembles fermés.

Elle est, en effet, satisfaite, si X est un domaine fermé, puisque $\mathrm{Fr}(X) \subset X$. Inversement, si $\mathrm{Fr}(X) = X \cdot \overline{1-X} \subset \overline{\mathrm{Int}(X)}$, il vient $X \subset \overline{\mathrm{Int}(X)}$, puisque $X - \overline{1-X} \subset \overline{\mathrm{Int}(X)}$. Donc $X \subset \overline{\mathrm{Int}(X)} \subset X$.

---

[1]) Pour ce terme cf. H. Lebesgue, Fund. Math. 2 (1921), p. 273. Pour les théorèmes voir mes notes de Fund. Math. 3 (1922), pp. 192 — 5 et Fund. Math. 5 (1924) p. 117.

[2]) L'ensemble $\overline{\mathrm{Int}(X)}$ étant un domaine fermé, il en résulte que $\overline{\mathrm{Int}\,\overline{\mathrm{Int}(X)}} = \overline{\mathrm{Int}(X)}$, donc que $\overline{1-\overline{1-\overline{1-\overline{X}}}} = \overline{1-\overline{X}}$. Cette identité implique que le nombre d'ensembles qui s'obtiennent de X à l'aide des opérations $\overline{X}$ et $1-X$ est fini (voir § 4, V).

La somme de deux domaines fermés est un domaine fermé. Plus généralement: $\{D_\iota\}$ *étant une famille de domaines fermés, l'ensemble* $\overline{\sum_\iota D_\iota}$ *est un domaine fermé.* Ce sont des conséquences de VII (i).

X étant un sous-ensemble d'un domaine fermé D et p étant un point de D, la condition nécessaire et suffisante pour que X soit frontière (non-dense) au point p, est que X le soit relativement à D en ce point.

En effet, la condition est nécessaire, car on peut, dans VII (ii), remplacer $\overline{G}$ par D. Inversement, si G est ouvert et GX est frontière (non-dense) relativement à D, il l'est relativement à l'espace entier, ce qui prouve que la condition est suffisante.

On voit ainsi que, dans les mêmes hypothèses concernant X et D, la propriété de X d'être *un ensemble frontière, non-dense, un domaine fermé équivaut respectivement à la même propriété relativisée par rapport à D,* puisque la première (la deuxième) propriété signifie que X est en chacun de ses points localement frontière (non-dense) et la troisième propriété signifie que X n'est non-dense en aucun de ses points.

On en conclut aussi que *la propriété d'être un domaine fermé relatif est transitive,* c. à d. que, si X est un domaine fermé par rapport à Y et Y par rapport à Z, X l'est par rapport à Z.

IX. Domaines ouverts. Un *domaine ouvert* est le complémentaire d'un domaine fermé.

Les domaines ouverts peuvent être caractérisés aussi par l'égalité $X = \text{Int}(\overline{X})$. En effet, si l'on a $X = \text{Int}(\overline{X}) = 1 - \overline{1 - \overline{X}}$, l'ensemble X, comme complémentaire du domaine fermé $\overline{1 - \overline{X}}$, est un domaine ouvert. Inversement, si X est un domaine ouvert est si l'on pose $D = 1 - X$, il vient $1 - \overline{1 - \overline{X}} = 1 - \overline{1 - \overline{1 - \overline{D}}} = 1 - D = X$, puisque D est un domaine fermé.

On peut aussi définir les domaines ouverts comme les ensembles ouverts satisfaisant à l'inclusion $\text{Fr}(X) \subset \overline{\text{Int}(1 - X)}$. Car $\text{Fr}(X) = \text{Fr}(1 - X)$ et, pour que $1 - X$ soit un domaine fermé, il faut et il suffit que $\text{Fr}(1 - X) \subset \overline{\text{Int}(1 - X)}$.

La somme de deux domaines fermés étant un domaine fermé, on en conclut que le *produit* de deux domaines ouverts est un domaine ouvert.

§ 9. Points d'accumulation.

I. Définitions. *p est un point d'accumulation de l'ensemble X, lorsque* $p \varepsilon \overline{X - p}$. L'ensemble X' des points d'accumulation de X est dit l'ensemble *dérivé* de X.

p est un point *isolé* de X, lorsque $p \varepsilon X - X'$ [1]).

Exemples. Chaque nombre réel est point d'accumulation de l'ensemble de tous les nombres réels. Chaque nombre naturel est isolé dans l'ensemble de tous les nombres naturels; le dérivé de cet ensemble est vide. L'ensemble A des nombres $1/n + 1/m$ $(n = 1, 2, \ldots, m = 1, 2, \ldots)$ a pour dérivé l'ensemble composé de nombres $1/n$ et du nombre 0; le deuxième dérivé (c. à d. le dérivé du dérivé) se compose du nombre 0 seul; le troisième est vide.

Dans le Chapitre II nous allons étudier les dérivés d'ordre transfini.

II. Equivalences. *Pour que* $p \varepsilon X'$ *il faut et il suffit que tout entourage E de p satisfasse à l'inégalité* $XE - p \neq 0$.

Pour que p soit un point isolé de X, il faut et il suffit qu'il existe un entourage E de p tel que $XE = p$.

Car, d'après le § 7, II, la condition $p \varepsilon \overline{X - p}$ s'exprime par l'inégalité $(X - p) \cdot E \neq 0$.

D'après la même proposition on peut remplacer la terme *entourage* par *entourage ouvert.*

Les termes „l'inégalité $XE - p \neq 0$" peuvent être remplacés par la condition „*XE est infini*".

En effet, si E est un entourage de p tel que l'ensemble XE est fini, alors $XE - p$ est fermé et l'ensemble $A = E - (XE - p)$ est un entourage de p tel que $XA - p = 0$.

Ceci établi, on en conclut que $p \varepsilon X'$ veut dire: *X n'est pas localement fini au point p.*

III. Calcul [2]). La propriété d'être un ensemble fini étant héréditaire et additive (§ 7, V), on peut appliquer à l'opération X' les formules du § 7 concernant la localisation. Il vient, en particulier:

---

[1]) Notions dues à G. Cantor, Math. Ann. 5 (1872), p. 129.

Cantor employait en outre les termes „cohérence" et „adhérence" pour désigner les ensembles $X \cdot X'$ et $X - X'$ respectivement.

[2]) Des formules analogues concernant l'opération $X \cdot X'$ (la *cohérence* de X) ont été établies par M. Zarycki, *Allgemeine Eigenschaften der Cantorschen Kohärenzen*, Trans. Amer. Math. Soc. 30, p. 498.

1) $(X+Y)' = X' + Y'$ 2) $X' - Y' \subset (X-Y)'$ 3) $X'' \subset X'$

4) $(\prod_\iota X_\iota)' \subset \prod_\iota X'_\iota$ 5) $\sum_\iota X'_\iota \subset (\sum_\iota X_\iota)'$ 6) $\overline{X'} = X'$

7) $X \subset Y$ *implique* $X' \subset Y'$.

On a, en outre, la formule

$$\overline{X} = X + X'. \tag{8}$$

En effet, si $p \,\varepsilon\, \overline{X}$ et p *non*-$\varepsilon\, X$, on en tire $X - p = X$ et $p \,\varepsilon\, \overline{X-p}$; par conséquent $p \,\varepsilon\, X'$. Inversement, si $p \,\varepsilon\, X'$, on a $p \,\varepsilon\, \overline{X-p} \subset \overline{X}$.

En vertu de l'identité évidente $p' = 0$, on conclut de 1 que le dérivé de chaque ensemble fini est vide et que

$$(X-p)' = X' = (X+p)', \tag{9}$$

c. à d. qu'on n'altère pas le dérivé d'un ensemble, en ajoutant à cet ensemble ou en lui enlevant un nombre fini de points.

IV. Ensembles isolés. Un ensemble composé exclusivement de points isolés est dit *ensemble isolé*.

Tout ensemble fini est isolé. Tout sous-ensemble d'un ensemble isolé est isolé.

L'ensemble $X - X'$ est isolé, car chaque point de $X - X'$, comme point isolé de X, est un point isolé de $X - X'$.

La condition pour que p soit un point isolé de l'espace s'exprime par la formule p *non*-$\varepsilon\, \overline{1-p}$, qui veut dire que le point *p constitue un ensemble ouvert.* Pour que l'espace soit isolé, il faut et il suffit qu'on ait $1' = 0$.

V. Ensembles denses en soi. X est dit *dense en soi*, lorsque X ne contient aucun point isolé, c. à d. lorsque $X \subset X'$ [1]).

Si X est fermé et dense en soi, X est dit *parfait*; cette condition peut être exprimée par l'égalité $X = X'$ (puisque la condition pour que X soit fermé s'exprime d'après 8 par l'inclusion $X' \subset X$).

1. *Si X est dense en soi, $\overline{X}$ est parfait.*

---

[1]) G. Cantor, Math. Ann. 23 (1884), p. 471.

Car, par hypothèse, $X \subset X'$, d'où $X' = X + X' = \bar{X}$ d'après 8. En appliquant 1 et 3, il vient $(\bar{X})' = X' + X'' = X' = \bar{X}$, donc $(\bar{X})' = \bar{X}$.

2. *La somme d'un nombre arbitraire d'ensembles denses en soi est dense en soi* (en vertu de la formule 5).

3. *Si l'espace est dense en soi, chaque ensemble ouvert, ainsi que chaque ensemble dense, est dense en soi.*

Posons, en effet, $1 \subset 1'$. G étant ouvert, on a $G = 1 - F$ et $F' \subset F$. Il vient $1 - F \subset 1 - F' \subset 1' - F' \subset (1 - F)' = G'$.

Soit, d'autre part, $\bar{X} = 1$. Donc $X + X' = 1$, d'où $X' + X'' = 1'$ et, comme $X'' \subset X'$ et $1 \subset 1'$, on en tire $1 \subset X'$, donc $X \subset X'$.

4. *Si X est dense et frontière, l'espace est dense en soi.*

Par hypothèse $\bar{X} = \overline{1 - X} = 1$. Soit $p \in X$; donc $1 - X \subset 1 - p$, d'où $1 = \overline{1 - X} \subset \overline{1 - p}$ et par suite $p \in \overline{1 - p}$, donc $p \in 1'$. Ainsi $X \subset 1'$. Par raison de symétrie $1 - X \subset 1'$. Donc $1 \subset 1'$.

VI. Ensembles clairsemés. X est dit *clairsemé*[2]), lorsque X ne contient aucun ensemble dense en soi et non vide.

Tout ensemble isolé est clairsemé. Tout sous-ensemble d'un ensemble clairsemé et clairsemé.

La fermeture d'un ensemble clairsemé (même d'un ensemble isolé) peut ne pas être clairsemée. En effet, écrivons chaque nombre rationnel de l'intervalle 01 en fraction irréductible p/q; l'ensemble des points $(p/q, 1/q)$ du plan est isolé, bien que sa fermeture contienne l'intervalle 01 tout entier.

1. *Dans un espace dense en soi chaque ensemble clairsemé est non-dense. Son complémentaire est donc dense en soi.*

En effet, si X n'est pas non-dense, l'ensemble $G = \mathrm{Int}(\bar{X})$ est un ensemble ouvert non vide. Donc $G = G\bar{X} \subset \overline{GX}$, ce qui prouve que GX est dense dans l'ensemble G, qui — comme ensemble ouvert — est selon V, 3, dense en soi. Selon la II-ème partie de la même proposition, GX est dense en soi. Donc X n'est pas clairsemé. D'après la proposition V, 3, le complémentaire d'un ensemble frontière est dense en soi.

2. *La somme de deux ensembles clairsemés est clairsemée.*

Supposons, en effet, que X et Y soient clairsemés et que Z soit dense en soi et tel que $0 \neq Z \subset X + Y$. Donc $Z - ZX \subset Y$ et, Z étant dense en soi et ZX étant clairsemé, $Z - ZX \neq 0$. De

---

[2]) „*Separierte Menge*“ de G. Cantor, ibid.

plus, en vertu de la proposition précédente (où l'on pose $1 = Z$), $Z - ZX$ est dense en soi. Y ne peut donc être clairsemé.

3. *L'espace se compose de deux ensembles disjoints dont l'un* [1]) *est parfait et l'autre clairsemé* (bien entendu, l'un ou l'autre peut être vide).

Soit, en effet, P la somme de tous les ensembles denses en soi. Selon V, 2 et 1, P et $\bar{P}$ sont denses en soi; donc, chaque ensemble dense en soi étant sous-ensemble de P, il vient $\bar{P} \subset P$, ce qui prouve que P est fermé. Comme fermé et dense en soi, P est parfait. Enfin, $1 - P$ ne contient aucun ensemble dense en soi.

4. *La frontière d'un ensemble clairsemé est non-dense.*

D'après § 8, V, il suffit de prouver que l'ensemble $\bar{X} - X$ est non-dense. Or, supposons que G soit un ensemble ouvert tel que $0 \neq G \subset \overline{\bar{X} - X}$. Il vient $G \subset \overline{\bar{X} - X} \cdot G \subset \overline{G\bar{X} - GX} \subset \overline{\overline{GX} - GX}$, d'où $0 \neq GX \subset \overline{\overline{GX} - GX}$, ce qui prouve que GX est dense et frontière relativement à $\overline{GX}$. Selon V, 4, l'ensemble $\overline{GX}$ est dense en soi, d'où (en raison de V, 3) GX est dense en soi. L'ensemble X ne saurait donc être clairsemé.

Ceci établi, on conclut de § 8, V qu'*un ensemble clairsemé est une somme d'un ensemble ouvert et d'un ensemble non-dense* (ainsi qu'une différence d'un ensemble fermé et d'un ensemble non-dense); *si un ensemble clairsemé est un ensemble frontière, il est non-dense.*

5. *La condition nécessaire et suffisante pour que X soit clairsemé est que, pour tout ensemble parfait P, XP soit non-dense dans P* [2]).

Soit, en effet, X un ensemble clairsemé. D'après 1, si P est parfait (ou, plus généralement, dense en soi) et si P est considéré comme l'espace, l'ensemble XP y est non-dense. La condition est donc nécessaire.

Pour prouver qu'elle est suffisante, admettons que X ne soit pas clairsemé. Soit D un ensemble dense en soi et non vide,

---

[1]) nommé *noyau* de l'espace. Des règles du calcul concernant le noyau, analogues à celles de la fermeture, du dérivé etc. ont été établies par M. Zarycki, *Über den Kern einer Menge,* Jahresber. d. D. Math. Ver. 39 (1930), p. 154.

[2]) Cf. M. Fréchet, *Quelques propriétés des ensembles abstraits,* Fund. Math. 10 (1927), p. 330. Voir aussi A. Denjoy, Journ. de Math. 1916, où cette condition est admise comme définition des ensembles clairsemés.

contenu dans X. Posons $P = \bar{D}$. La condition du théorème supposée satisfaite, $X\bar{D}$ est non-dense dans $\bar{D}$. Donc (§ 8, VI, 4), XD est non-dense dans D, ce qui est impossible, car $XD = D \neq 0$.

Remarquons finalement que dans l'énoncé 5 le terme *parfait* peut être remplacé par *dense en soi.*

§ 10. Ensembles de I-re catégorie.

I. Définition. *Un ensemble et dit de I-re catégorie, lorsqu'il est somme d'une suite dénombrable d'ensembles non-denses* [1]).

Exemples. Dans l'ensemble des nombres réels, l'ensemble des nombres rationnels est évidemment de I-re catégorie. Cependant l'ensemble des nombres irrationnels ne l'est pas; cela résulte du fait que l'espace $\mathcal{E}$ des nombres réels n'est pas de I-re catégorie (par rapport à soi-même).

Ce dernier énoncé [2]) peut être établi comme suit: soit $Q = \sum_{n=1}^{\infty} N_n$ un ensemble de I-re catégorie (N_n non-dense). L'ensemble N_1 étant non-dense, il existe un intervalle fermé I_1 tel que $I_2^{\cdot} \cdot N_1 = 0$. Procédons par induction: étant donnée une suite finie d'intervalles, chacun emboîté dans le précédent, $I_1 \supset I_2 \supset \dots \supset I_{n-1}$, soit I_n un intervalle tel que l'on ait $I_n \subset I_{n-1}$ et $I_n \cdot N_n = 0$ (un intervalle de ce genre existe selon § 8, II, puisque N_n est non-dense). D'après un théorème classique d'A s c o l i, il existe un point commun à tous les I_n, $n = 1, 2, \dots$; ce point n'appartient donc pas à Q et par suite $\mathcal{E} \neq Q$.

La notion d'ensemble de I-re catégorie intervient fréquemment dans la théorie des fonctions; citons comme exemple le théorème suivant (voir § 27, X): étant donnée une suite convergente de fonctions continues $\{f_n(x)\}$, les points de discontinuité de la fonction $f(x) = \lim_{n=\infty} f_n(x)$ constituent un ensemble de I-re catégorie.

II. Propriétés. La famille des ensembles de I-re catégorie est *héréditaire* et *additive* (même au sens dénombrable), c. à d. que chaque sous-ensemble d'un ensemble de I-re catégorie est de I-re catégorie et que la somme d'une infinité dénombrable d'ensembles de I-re catégorie est encore de I-re catégorie.

---

[1]) Notion introduite par R. B a i r e, Ann. di Mat. (3) 3 (1899), p. 65. M. A. D e n j o y emploie le terme „gerbé" pour les ensembles de I-re catégorie et le terme „résiduel" pour leurs complémentaires. Voir Journ. de Math. (7), 1 (1915), p. 123—5.

[2]) C'est un cas particulier du théorème de B a i r e (voir plus loin Chap. III, § 30, IV).

Tout ensemble frontière F_σ est de I-re catégorie.

En effet, si l'ensemble $X=\sum_{n=1}^{\infty} F_n$ est un ensemble frontière, chacun des ensembles, F_n l'est également; comme ensemble frontière et fermé, F_n est non-dense.

Tout ensemble de I-re catégorie est contenu dans un ensemble F_σ de I-re catégorie.

On a, en effet, $X=\sum_{n=1}^{\infty} N_n \subset \sum_{n=1}^{\infty} \overline{N_n}$ et, l'ensemble N_n étant non-dense, $\overline{N_n}$ l'est également (voir § 8, I).

III. Théorème sur l'additivité. *$\{X_\iota\}$ étant une famille (de puissance arbitraire) d'ensembles ouverts relativement à la somme $S=\sum_\iota X_\iota$, si chaque X_ι est un ensemble de I-re catégorie, S l'est également* [1]).

Soit, en effet, $G_1, G_2, \dots, G_\alpha, \dots$ une suite (transfinie) bien ordonnée d'ensembles ouverts non vides et disjoints, assujettie aux deux conditions: 1° SG_α est de I-re catégorie, 2° la suite est *saturée*, c. à d. qu'il n'existe aucun ensemble G ouvert, non vide, disjoint de tous les termes de la suite considérée et tel que SG soit de I-re catégorie.

On a évidemment $S=\sum_\alpha SG_\alpha+(S-\sum_\alpha G_\alpha)$.

Le théorème sera démontré, lorsque nous aurons prouvé que: 1. $\sum_\alpha SG_\alpha$ est de I-re catégorie, 2. $S-\sum_\alpha G_\alpha$ est non-dense.

1) L'ensemble SG_α étant par hypothèse de I-re catégorie, on a $SG_\alpha=N_1^\alpha+N_2^\alpha+\dots+N_n^\alpha+\dots$, où les ensembles N_n^α $(n=1,2,\dots)$ sont non-denses. Posons $N_n=N_n^1+N_n^2+\dots+N_n^\alpha+\dots$ Par conséquent $\sum_\alpha SG_\alpha=N_1+N_2+\dots+N_n+\dots$

Il s'agit de prouver que N_n est non-dense. Or, les ensembles G_α étant disjoints, l'inclusion $N_n^\alpha \subset G_\alpha$ entraîne $N_n^\alpha \cdot G_\beta=0$ pour tout $\beta \neq \alpha$. Donc $N_n^\beta=N_n^\beta \cdot G_\beta=\sum_\alpha N_n^\alpha \cdot G_\beta=N_n \cdot G_\beta$, ce qui

---

[1]) S. Banach, *Théorème sur les ensembles de première catégorie*, Fund. Math. 16 (1930) p. 395.

prouve que l'ensemble N_n^β est ouvert dans N_n. En appliquant le théorème du § 8, III, d'après lequel la somme d'ensembles ouverts dans elle et non-denses est elle-même non-dense, on conclut que l'ensemble N_n est non-dense.

2) Pour montrer que $S - \sum_\alpha G_\alpha$ est non-dense, il suffit de prouver que $1 - \sum_\alpha G_\alpha$ est non-dense, donc, ce dernier ensemble étant fermé, que $1 - \sum_\alpha G_\alpha$ est un ensemble frontière.

Supposons, par contre, que H soit un ensemble ouvert tel que $0 \neq H \subset 1 - \sum_\alpha G_\alpha$. Par définition de la suite $\{G_\alpha\}$, l'ensemble SH n'est pas de I-re catégorie. Soit donc X_ι un ensemble tel que $HX_\iota \neq 0$. Considérons l'ensemble ouvert $G = H - \overline{S - X_\iota}$.

Or, SG est de I-re catégorie, car X_ι étant ouvert dans S, on a $X_\iota = S - \overline{S - X_\iota}$, donc $SG = SH - \overline{S - X_\iota} = HX_\iota \subset X_\iota$. D'autre part, $G \neq 0$, car, comme nous venons de prouver, $0 \neq HX_\iota \subset G$. Enfin, $G \cdot G_\alpha = 0$, quel que soit α, puisque $G \subset H \subset 1 - \sum_\alpha G_\alpha$.

On parvient ainsi à une contradiction avec la définition de la suite $\{G_\alpha\}$.

IV. Relativisation. 1) Si X est de I-re catégorie relativement à E, X l'est également relativement à chaque sur-ensemble de E.

2) Si X est de I-re catégorie relativement à $\overline{E}$, XE est de I-re catégorie relativement à E.

3) G étant un ensemble ouvert, si X est de I-re catégorie, XG l'est relativement à G et $X \cdot \overline{G}$ relativement à $\overline{G}$.

Ces trois propositions sont des conséquences immédiates des propositions § 8, VI, 2, 4 et 5.

V. Localisation. Par définition, X est *de I-re catégorie dans un point p*, lorsqu'il existe un entourage G de p tel que l'ensemble XG est de I-re catégorie.

L'ensemble des points où X n'est pas de I-re catégorie (points où X est de „deuxième" catégorie) *sera désigné par* $D(X)$.

La famille des ensembles de I-re catégorie étant héréditaire et additive, on peut substituer $D(X)$ à X^* dans le § 7, V. On en conclut d'abord que, dans la définition précédente, le terme *entourage* peut être remplacé par *entourage ouvert*. Puis, on a les relations suivantes:

1) $D(X+Y)=D(X)+D(Y)$ 2) $D(X)-D(Y)\subset D(X-Y)$

3) $D(\prod_\iota X_\iota)\subset\prod_\iota D(X_\iota)$ 4) $\sum_\iota D(X_\iota)\subset D(\sum_\iota X_\iota)$ [1]

5) $X\subset Y$ *implique* $D(X)\subset D(Y)$

6) *si* G *est ouvert*, $G\cdot D(X)=G\cdot D(GX)$.

D'après le théorème du N° III, *si* X *est en chacun de ses points de I-re catégorie*, X *est un ensemble de I-re catégorie*. En effet, par hypothèse, chaque point p de X appartient à un ensemble ouvert G_p tel que $X\cdot G_p$ est de I-re catégorie. X est donc une somme d'ensembles ouverts dans X qui sont de I-re catégorie et d'après le théorème précité, X est lui-même de I-re catégorie [2]. On parvient ainsi à l'équivalence:

7) $\{X \textit{ est de I-re catégorie}\}\equiv\{X\cdot D(X)=0\}\equiv\{D(X)=0\}$.

Car, l'égalité $D(X)=0$ entraîne $X\cdot D(X)=0$ et celle-ci implique, comme nous venons de voir, que X est de I-re catégorie. Inversement, il est évident que si X est de I-re catégorie, on a $D(X)=0$.

De là nous concluons que

8) $D[X-D(X)]=0$,

c. à d. que les points de X où X est de I-re catégorie constituent un ensemble de I-re catégorie. En effet, selon 5) on a $D[X-D(X)]\subset D(X)$,

---

[1]) L'égalité peut ne pas avoir lieu: soit par ex. dans l'intervalle $0\leqslant x\leqslant 1$, X_n l'intervalle $1/n\leqslant x\leqslant 1$. Comp. toutefois 13, p. 47.

[2]) Cette proposition se laisse établir d'une façon plus directe (sans avoir recours au théor. du N° III), lorsqu'on suppose que l'espace admet une *base* dénombrable composée d'ensembles ouverts $R_1, R_2, \dots$, c. à d. que chaque ensemble ouvert s'obtient par la réunion d'un certain nombre des R_n (nous ferons cette hypothèse au Chap. II, § 17). En effet, dans cette hypothèse, l'ensemble ouvert G_p peut être remplacé par un $R_{n(p)}$ et, $X\cdot R_{n(p)}$ étant de I-re catégorie, il en est de même de la somme dénombrable $\sum_{p\varepsilon X} X\cdot R_{n(p)}=X$.

donc $[X - D(X)] \cdot D[X - D(X)] \subset [X - D(X)] \cdot D(X) = 0$, d'où la formule 8) en raison de 7).

La formule 8), rapprochée de 2), implique aussitôt que $D(X) - D[D(X)] = 0$, donc que $D(X) \subset D[D(X)]$. L'inclusion inverse étant vraie selon § 7, V, (2), on en tire:

9) $$D[D(X)] = D(X).$$

L'ensemble des points où X n'est pas non-dense étant égal (selon § 8, VII) à $\overline{\mathrm{Int}(\overline{X})}$, il vient:

10) $$D(X) \subset \overline{\mathrm{Int}(\overline{X})} \subset \overline{X}.$$

En tenant compte du fait que $D(X)$ est fermé (§ 7, V), on déduit de 10) la double inclusion $D[D(X)] \subset \overline{\mathrm{Int}[D(X)]} \subset D(X)$, d'où en vertu de 9)

11) $$D(X) = \overline{\mathrm{Int}[D(X)]},$$

ce qui prouve que $D(X)$ est un *domaine fermé* (§ 8, VIII). Ainsi $D(X) \neq 0$ implique que X *n'est de I-re catégorie en aucun point de l'ensemble ouvert non vide* $\mathrm{Int}[D(X)]$.

12) *si* $D(Y) = 0$, *on a* $D(X + Y) = D(X) = D(X - Y)$,

c. à d. que X reste de I-re catégorie au point p, si on y ajoute ou en enlève un ensemble de points de I-re catégorie. Cette proposition est une conséquence immédiate des formules 1), 2) et 5).

13) *l'ensemble* $D(\sum_{n=1}^{\infty} X_n) - \sum_{n=1}^{\infty} D(X_n)$ *est non-dense.*

Il s'agit de prouver que, G étant un ensemble ouvert non vide, il existe un ensemble ouvert non vide H tel que $H \cdot D(\sum_{n=1}^{\infty} X_n) - \sum_{n=1}^{\infty} D(X_n) = 0$ et $H \subset G$.

Or, en cas où, pour chaque n, on a $G \cdot D(X_n) = 0$, il vient $GX_n \subset X_n - D(X_n)$, donc $G \cdot \sum_{n=1}^{\infty} X_n \subset \sum_{n=1}^{\infty} [X_n - D(X_n)]$, de sorte que $G \cdot \sum_{n=1}^{\infty} X_n$ est selon 8) de I-re catégorie. Par conséquent $D(G \cdot \sum_{n=1}^{\infty} X_n) = 0$, ce qui implique en vertu de 6) que $G \cdot D(\sum_{n=1}^{\infty} X_n) = 0$ et, en posant $H = G$, on obtient l'égalité demandée.

Supposons donc qu'il existe un n tel que $G \cdot D(X_n) \neq 0$. Posons $H = G \cdot \mathrm{Int}[D(X_n)]$. D'après 11) on a $H \neq 0$ (voir § 5, III) et comme $H \subset D(X_n)$, H satisfait à l'égalité demandée.

VI. Formules de décomposition:

14) $$X = [X - D(X)] + X \cdot D(X),$$

15) $$X = X \cdot \overline{X - D(X)} + [X - \overline{X - D(X)}].$$

Ces formules représentent une décomposition de X en deux parties disjointes dont la première est de I-re catégorie et la deuxième n'est de I-re catégorie en aucun de ses points; en outre, dans la formule 14) le premier sommande est ouvert relativement à X et dans la formule 15) il est fermé.

En effet, d'après la formule 8) l'ensemble $X - D(X)$ est de I-re catégorie, donc d'après 12): $D[X \cdot D(X)] = D(X)$, d'où $X \cdot D(X) \subset D(X) = D[X \cdot D(X)]$, ce qui prouve que l'ensemble $X \cdot D(X)$ n'est de I-re catégorie en aucun de ses points.

D'autre part, l'ensemble $X \cdot \overline{X - D(X)}$ est de I-re catégorie, comme somme des deux ensembles $X \cdot D(X) \cdot \overline{X - D(X)}$ et $[X - D(X)] \cdot \overline{X - D(X)}$, dont le premier est non-dense, en tant que sous-ensemble de l'ensemble non-dense $D(X) \cdot \overline{1 - D(X)} = \mathrm{Fr}[D(X)]$, et le deuxième est de I-re catégorie, en tant que sous-ensemble de l'ensemble $X - D(X)$ (cf. § 8, V et 8).

L'ensemble $X \cdot \overline{X - D(X)}$ étant de I-re catégorie, on conclut de 12) que $D[X - \overline{X - D(X)}] = D(X)$ et il vient:
$X - \overline{X - D(X)} \subset X - [X - D(X)] = X \cdot D(X) \subset D(X) = D[X - \overline{X - D(X)}]$,
ce qui prouve que l'ensemble $X - \overline{X - D(X)}$ n'est de I-re catégorie en aucun de ses points.

16) *Dans un espace dense en soi chaque ensemble Z de puissance $\aleph_1$ qui n'est pas de I-re catégorie se compose d'une famille indénombrable d'ensembles disjoints dont aucun n'est de I-re catégorie* [1]).

---

[1]) Théorème de M. S. Ulam, *Über gewisse Zerlegungen von Mengen*. Fund. Math. 20 (1933), p. 222.

En effet, d'après un théorème de la Théorie générale des ensembles [1]), *si Z est un ensemble de puissance $\aleph_1$ et N est une famille de sous-ensembles de Z telle que, pour chaque suite $A_1, A_2, \dots, A_n, \dots$ d'ensembles appartenant à N, la différence $Z - \sum_{n=1}^{\infty} A_n$ est indénombrable, il existe une infinité indénombrable de sous-ensembles de Z disjoints et n'appartenant pas à N.*

Désignons donc par N la famille des sous-ensembles de Z de I-re catégorie. Chaque point individuel étant un ensemble de I-re cat. (puisque l'espace est dense en soi), on conclut du théorème précédent qu'il existe une infinité indénombrable de sous-ensembles de Z, disjoints et dont aucun n'est de I-re catégorie. En augmentant l'un de ces sous-ensembles de tous les points de Z qui n'appartiennent pas aux autres, on obtient la décomposition demandée.

§ 11. Propriété de Baire.

I. Définition. *X jouit de la propriété de Baire (au sens large)*, en symboles: $X \varepsilon \boldsymbol{B}$, *lorsque X est de la forme*

$$X = G - P + R$$

où G est ouvert et P et R sont des ensembles de I-re catégorie [2]).

Les ensembles que l'on rencontre „pratiquement" jouissent toujours de la propriété de Baire; d'ailleurs, il en existent qui ne la possèdent pas, voir N° IVa. Le rôle de la propriété de Baire en Topologie est analogue à celui de la mesurabilité (d'ensembles ou de fonctions) en Analyse. Nous reviendrons sur ces questions au Chap. III, § 36.

Dans la définition précédente l'ensemble *ouvert* G peut être remplacé par l'ensemble *fermé* F.

En effet, si $X = G - P + R$ et si l'on pose $F = \overline{G}$ et $P_1 = P + \overline{G} - G$, il vient $X = F - P_1 + R$, où F est fermé et P_1 et R sont de I-re catégorie, puisque l'ensemble $\overline{G} - G$ est non-dense, comme frontière d'un ensemble ouvert (voir § 8, V).

Inversement, si $X = F - P + R$, on pose $G = \mathrm{Int}(F)$ et $R_1 = F - \mathrm{Int}(F) - P + R$ et il vient $X = G - P + R_1$, où R_1 est

---

[1]) Théorème de M. S. Ulam, Fund. Math. 16 (1930), p. 145. Ce théorème a été généralisé récemment par M. Sierpiński à tous les alefs inférieurs au premier alef „inaccessible", ce qui permet de généraliser d'une façon analogue le théorème du texte; v. W. Sierpiński, Fund. Math. 20, p. 214.

[2]) Cette notion se rattache à la Thèse de R. Baire, Ann. di mat. (3) 3 (1899). M. Lebesgue appelle les ensembles de ce genre *„ensembles Z"*; voir Journ. de math. s. 6, vol. 1, p. 186.

de I-re catégorie, puisque l'ensemble $F - \mathrm{Int}(F) = F \cdot \overline{1-F}$ est non-dense, comme frontière d'un ensemble fermé.

II. Généralités. Evidemment chaque *ensemble de I-re catégorie*, ainsi que chaque ensemble *ouvert* et chaque ensemble *fermé*, jouit de la propriété de Baire. Il en est de même de chaque *somme d'un ensemble ouvert et d'un ensemble non-dense*, donc (voir § 8, V) de chaque *ensemble ayant la frontière non-dense*. Chaque ensemble *clairsemé* étant un ensemble de ce genre (§ 9, VI, 4), les ensembles clairsemés jouissent aussi de la propriété de Baire.

III. Opérations. 1) *Si* $B \,\varepsilon\, \boldsymbol{B}$, *on a* $(1-B) \,\varepsilon\, \boldsymbol{B}$.

Car l'hypothèse $B = G - P + R$ entraîne $1 - B = (1 - G + P) - R = (1-G) - R + (P-R)$ et, l'ensemble $1-G$ étant fermé et l'ensemble $P - R$ étant de I-re catégorie, il résulte du N⁰ I que $(1-B) \,\varepsilon\, \boldsymbol{B}$.

2) *Si* $B_n \,\varepsilon\, \boldsymbol{B}$ *pour* $n = 1, 2, \ldots$, *on a* $(\sum_{n=1}^{\infty} B_n) \,\varepsilon\, \boldsymbol{B}$.

Posons, conformément à la définition: $B_n = G_n - P_n + R_n$. En tenant compte de l'identité

$$\sum_n B_n = \sum_n G_n - (\sum_n G_n - \sum_n B_n) + (\sum_n B_n - \sum_n G_n),$$

il suffit de prouver que $(\sum_n G_n - \sum_n B_n)$ et $(\sum_n B_n - \sum_n G_n)$ sont de I-re catégorie. Or, cela résulte des inclusions:

$$\sum_n G_n - \sum_n B_n \subset \sum_n (G_n - B_n) = \sum_n [G_n - (G_n - P_n + R_n)] \subset$$

$$\subset \sum_n [G_n - (G_n - P_n)] \subset \sum_n P_n,$$

$$\sum_n B_n - \sum_n G_n \subset \sum_n (B_n - G_n) = \sum_n (R_n - G_n) \subset \sum_n R_n .$$

3) *Si* $B_n \,\varepsilon\, \boldsymbol{B}$, *on a* $(\prod_{n=1}^{\infty} B_n) \,\varepsilon\, \boldsymbol{B}$.

C'est une conséquence directe des deux propositions précédentes (en vertu de la règle de de Morgan, § 1, V).

Chaque ensemble borelien jouit de la propriété de Baire [1]).

La famille $\boldsymbol{B}$ satisfait, en effet, aux trois conditions suivantes: 1^0 elle contient tous les ensembles fermés, 2^0 elle contient les complémentaires des ensembles qui lui appartiennent, 3^0 elle contient les produits dénombrables des ensembles qui lui appartiennent. Or, la famille des ensembles boreliens étant la plus petite famille assujettie à ces trois conditions (§ 5, VI), elle constitue une partie de la famille $\boldsymbol{B}$, c. q. f. d.

IV. Equivalences [2]). *Chacune des conditions suivantes est nécessaire et suffisante pour que X jouisse de la propriété de Baire:*

1. *il existe un ensemble de I-re catégorie P tel que $X-P$ est fermé et ouvert relativement à $1-P$;*

2. *X est une somme d'un ensemble $\boldsymbol{G}_\delta$ et d'un ensemble de I-re catégorie;*

3. *X est une différence d'un ensemble $\boldsymbol{F}_\sigma$ et d'un ensemble de I-re catégorie;*

4. *l'ensemble $D(X)\cdot D(1-X)$ est non-dense;* autrement dit, *dans chaque ensemble ouvert ($\neq 0$) il existe un point où soit X, soit $1-X$ est de I-re catégorie* [3]);

5. *l'ensemble $D(X)-X$ est de I-re catégorie.*

Supposons, en effet, que $X \varepsilon \boldsymbol{B}$. On a alors, d'après N^0 I:

$$X = G - P_1 + P_2 = F - P_3 + P_4,$$

où G est ouvert, F fermé et P_n de I-re catégorie. Si l'on pose $P = P_1 + P_2 + P_3 + P_4$, il vient $X - P = G - P = F - P$, ce qui prouve que $X - P$ est simultanément ouvert et fermé dans $1 - P$.

---

[1]) Théorème de M. Lebesgue, l. cit. p. 187. Le théorème inverse n'est pas vrai; voir plus loin § 35.

[2]) Cf. W. Sierpiński, *Sur l'invariance topologique de la propriété de Baire*, Fund. Math. 4 (1923), p. 319 et *La propriété de Baire des fonctions et de leurs images*, ibid. 11 (1928), p. 305, E. Szpilrajn, *O mierzalności i warunku Baire'a*, C. R. du I Congr. des math. des Pays Slaves, Varsovie 1929, p. 299; ma note *Sur la propriété de Baire dans les espaces métriques*, Fund. Math. 16 (1930), p. 390.

[3]) C'est bien cette condition qui a été admise primitivement comme définition de la propriété de Baire.

Ceci établi, posons $X - P = G \cdot (1 - P)$. Soit (conformément: à § 10, II) R un ensemble $\boldsymbol{F}_\sigma$ de I-re cat. et qui contient P. On a

$$X = X - R + XR = X - P - R + XR = G - P - R + XR = G - R + XR.$$

L'ensemble $G - R$ étant un $\boldsymbol{G}_\delta$ et XR étant de I-re catégorie, X se trouve décomposé en un $\boldsymbol{G}_\delta$ et un ensemble de I-re catégorie.

Si $X \varepsilon \boldsymbol{B}$, $1 - X$ est également un ensemble de la famille $\boldsymbol{B}$ (selon N° III, 1); on en conclut que $1 - X = M + N$, où M est un $\boldsymbol{G}_\delta$ et N est de I-re catégorie; il vient $X = (1 - M) - N$, ce qui prouve que X est une différence d'un $\boldsymbol{F}_\sigma$ et d'un ensemble de I-re cat.

Inversement, chaque $\boldsymbol{F}_\sigma$, chaque $\boldsymbol{G}_\delta$ et chaque ensemble de I-re catégorie étant un ensemble de la famille $\boldsymbol{B}$, on en conclut (en vertu de N° III) que les conditions 2 et 3 sont suffisantes.

Il est ainsi établi que chacune des conditions 1, 2, 3 est nécessaire et suffisante. Pour prouver que les deux autres le sont également, supposons que $X \varepsilon \boldsymbol{B}$ et posons, conformément à la définition, $X = G - P + R$. Il vient $1 - X = (1 - G) - R + (P - R)$.

Or, on n'altère pas l'ensemble $D(E)$, en ajoutant à E ou en enlevant de E un ensemble de I-re catégorie (voir § 10) V, 12). Par conséquent $D(X) = D(G)$ et $D(1 - X) = D(1 - G)$. Comme $D(G) \subset \overline{G}$ et $D(1 - G) \subset \overline{1 - G}$ (§ 10, V, 10), il vient $D(X) \cdot D(1 - X) \subset \overline{G} \cdot \overline{1 - G} = \overline{G} - G$ et, l'ensemble $\overline{G} - G$ étant non-dense, il en résulte que $D(X) \cdot D(1 - X)$ l'est également.

L'ensemble $D(X) - X$ est donc de I-re catégorie, car on a

$$D(X) - X = [D(X) - X] \cdot D(1 - X) + D(X) - X - D(1 - X) \subset$$
$$\subset D(X) \cdot D(1 - X) + (1 - X) - D(1 - X),$$

où $D(X) \cdot D(1 - X)$ est non-dense par hypothèse et $(1 - X) - D(1 - X)$, est de I-re catégorie selon § 10, V, 8.

Enfin, si l'on suppose que l'ensemble $D(X) - X$ est de I-re catégorie, on a $X \varepsilon \boldsymbol{B}$ en vertu de l'identité

$$X = D(X) - [D(X) - X] + [X - D(X)],$$

où $D(X)$ est fermé et les ensembles $[D(X) - X]$ et $[X - D(X)]$ sont de I-re catégorie.

Le théorème se trouve ainsi complètement démontré.

Corollaire 1. Chaque ensemble X est contenu dans un ensemble Z qui est un $\boldsymbol{F}_\sigma$ tel que la condition $X \subset B \varepsilon \boldsymbol{B}$ entraîne que $Z - B$ est de I-re catégorie [1]).

En effet, l'ensemble $X - D(X)$ étant de I-re catégorie (selon § 10, V, 8), il existe un $\boldsymbol{F}_\sigma$ de I-re catégorie W tel que $X - D(X) \subset W$. Par conséquent, l'ensemble $Z = W + D(X)$ est un $\boldsymbol{F}_\sigma$ contenant X. De plus, si $X \subset B$, il s'en suit (§ 10, V, 5) que $D(X) \subset D(B)$, d'où $Z - B = W - B + D(X) - B \subset W + D(B) - B$ et, l'ensemble $D(B) - B$ étant de I-re catégorie en vertu du théorème précédent, on conclut que $Z - B$ l'est également.

Corollaire 2. Si un ensemble X jouissant de la propriété de Baire n'est de I-re catégorie en aucun point de l'espace, l'ensemble $1 - X$ est de I-re catégorie; s'il n'est de I-re catégorie en aucun de ses points, il contient un point où $1 - X$ est de I-re catégorie (pourvu que $X \neq 0$).

En effet, l'hypothèse $1 = D(X)$ implique selon la condition 4, que $D(1 - X)$ est non-dense. D'autre part, selon § 10, V, 11 c'est un domaine fermé. Ces deux propriétés impliquent que $D(1 - X) = 0$, donc (§ 10, V, 7) que $1 - X$ est de I-re catégorie.

D'autre part, si $X \subset D(X)$, on ne peut pas avoir $X \subset D(1 - X)$, car l'ensemble X serait alors non-dense (d'après 4), contrairement à l'hypothèse.

IVa. Théorème d'existence. En tenant compte de la cond. 4, nous allons établir *l'existence des ensembles dépourvus de la propriété de Baire dans l'espace $\mathcal{E}$ des nombres réels.*

Décomposons, à ce but, l'ensemble $\mathcal{E}$ en sous-ensembles disjoints, en rangeant dans un même sous-ensemble deux nombres, lorsque leur différence est rationnelle. En vertu de l'axiome du choix, il existe un ensemble V_0 qui contient un et un seul élément de chacun de ces sous-ensembles. Nous allons prouver que V_0 ne possède pas la propriété de Baire [2]).

Soit $r_1, r_2, \dots, r_n, \dots$ la suite des nombres rationnels $\neq 0$. Désignons par V_n l'ensemble qui s'obtient de V_0 par la translation $y = x + r_n$. On voit aussitôt

---

[1]) Théorème de M. E. Szpilrajn, l. cit. p. 299.

[2]) C'est la construction qui a servi à G. Vitali (*Sul problema della misura dei gruppi di punti di una retta*, Bologna 1905) pour démontrer l'existence des ensembles non-mesurables au sens de Lebesgue.

Une démonstration de l'existence des ensembles dépourvus de la propriété de Baire a été donnée aussi par M. Lebesgue, *Contributions à l'étude des correspondances de M. Zermelo*, Bull. Soc. Math. de France 35 (1907), pp. 202—212.

que $\mathcal{E} = \sum_{n=0}^{\infty} V_n$. En outre, $V_0 \cdot V_n = 0$ (pour $n \neq 0$), car en cas contraire il existerait dans V_0 un nombre y de la forme $x + r_n$ où $x \varepsilon V_0$. Mais on aurait alors $y - x = r_n$, tandis que par définition V_0 ne contient aucun couple d'éléments dont la différence est rationnelle.

L'espace $\mathcal{E}$ n'étant pas de I-re catégorie sur lui-même (§ 10, I), on en conclut qu'un des ensembles V_n n'est nonplus de I-re catégorie. Il en résulte que V_0 n'est pas de I-re catégorie, car V_n s'obtenant de V_0 par translation, ces ensembles sont de la même catégorie. Il existe, par conséquent, un intervalle ab tel que V_0 n'est de I-re catégorie en aucun point de cet intervalle (§ 10, V, 11).

Or, supposons, par impossible, que V_0 jouisse de la propriété de Baire. D'après la cond. 4, ab contient un sous-intervalle cd ($a < c < d < b$) tel que l'ensemble $cd - V_0$ est de I-re catégorie. Soit r_n un nombre rationnel tel que $0 < r_n < c - a$.

La condition $V_0 \cdot V_n = 0$ implique que $V_n \cdot cd \subset cd - V_0$. L'ensemble $V_n \cdot cd$ est donc de I-re catégorie et il en est de même de la partie de V_0 contenue dans l'intervalle $c - r_n$, $d - r_n$ (puisqu'elle s'obtient de $V_n \cdot cd$ par une translation). Mais cela contredit l'hypothèse que V_0 n'est de I-re catégorie en aucun point de ab.

Remarques. 1) *Chaque ensemble de puissance* $\aleph_1$, *dépourvu de la propriété de Baire, contient une famille indénombrable de sous-ensembles disjoints, dépourvus de cette propriété.*

Pour s'en convaincre, on substitue à $\boldsymbol{N}$ dans le théorème de M. Ulam (§ 10, VI, p. 49) la famille des sous-ensembles de Z jouissant de la propriété de Baire.

2) La démonstration de l'existence des ensembles dépourvus de la propriété de Baire dans l'espace $\mathcal{E}$ est *non-effective*, c. à d. qu'elle ne donne aucun moyen de *nommer un ensemble individuel* de ce genre. Le problème d'en donner une démonstration effective reste ouvert [1]).

Il en est de même du problème de l'existence des ensembles non mesurables au sens de Lebesgue.

V. Relativisation. 1) *La propriété de Baire est transitive*, c. à d. que X jouissant de la propriété de Baire relativement à E, la condition $E \varepsilon \boldsymbol{B}$ entraîne $X \varepsilon \boldsymbol{B}$.

On a, en effet, $X = U + P$ où U est un $\boldsymbol{G}_\delta$ relativement à E et P est un ensemble de I-re catégorie relativement à E. Par conséquent $U = VE$, où V est un $\boldsymbol{G}_\delta$ (voir § 5, V). Comme produit de deux ensembles appartenant à $\boldsymbol{B}$, l'ensemble U appartient

---

[1]) Ce problème a été posé par R. Baire. Voir à ce sujet une indication de M. Lebesgue dans son Mémoire cité du Journ. de Math. p. 186.

également à $\boldsymbol{B}$. Enfin, P étant de I-re catégorie, on en conclut que l'ensemble $X = U + P$ appartient à $\boldsymbol{B}$.

2) *Si X jouit de la propriété de Baire relativement à $\bar{E}$, XE jouit de cette propriété relativement à E.*

Car on a $X = G - P + R$, où G est ouvert dans $\bar{E}$ et P et R sont de I-re catégorie dans $\bar{E}$. En multipliant par E, il vient $XE = GE - PE + RE$. L'ensemble GE étant ouvert dans E et les ensembles PE et RE étant (selon § 10, IV, 2) de I-re catégorie dans E, notre proposition se trouve démontrée.

VI. Propriété de Baire au sens restreint.

X jouit de la *propriété de Baire au sens restreint,* en symboles, $X \varepsilon \boldsymbol{B}_r$, lorsque, quel que soit E, l'ensemble XE jouit de la propriété de Baire relativement à E.

Nous allons prouver que, dans cette définition, le domaine de variabilité de E peut être restreint aux ensembles *parfaits*.

En effet, E étant un ensemble arbitraire, soit $\bar{E} = A + C$ la décomposition de $\bar{E}$ en un ensemble parfait et un ensemble clairsemé (voir § 9, VI, 3). Il vient $X \cdot \bar{E} = XA + XC$. Par hypothèse, XA jouit de la propriété de Baire relativement à A, donc selon N° V, 1 relativement à $\bar{E}$. L'ensemble XC étant clairsemé, il jouit aussi de la propriété de Baire relativement à $\bar{E}$ (voir N° II). Il en est donc de même de leur somme $XA + XC = X \cdot \bar{E}$. On en conclut en vertu de N° V, 2 que XE jouit de la propriété de Baire relativement à E, c. q. f. d.

Ceci établi, on voit que le domaine de variabilité de E peut être défini aussi comme celui des ensembles *fermés*.

La relativisation des théorèmes des N° N° précédents donne des énoncés concernant la famille $\boldsymbol{B}_r$. En particulier, si X est un *ensemble borelien,* XE est un ensemble borelien relativement à E (voir § 5, VI) et jouit par conséquent de la propriété de Baire relativement à E, de sorte qu'on a alors $X \varepsilon \boldsymbol{B}_r$. D'une façon analogue, chaque ensemble clairsemé appartient à $\boldsymbol{B}_r$.

Le théorème du N° IV implique que *la condition nécessaire et suffisante pour que $X \varepsilon \boldsymbol{B}_r$ est que chaque ensemble Z fermé dans X soit une somme d'un ensemble borelien et d'un ensemble de I-re catégorie dans Z* [1]).

---

[1]) Théorème de M. Sierpiński, *Sur l'invariance topologique de la propriété de Baire*, Fund. Math. 4 (1923), p. 319.

L'importance de cette condition tient au fait que, dans les espaces où la notion d'ensemble borelien est un invariant topologique, p. ex. dans les espaces métriques complets, elle implique directement l'invariance topologique de la propriété de Baire au sens restreint (voir § 31).

Dans les espaces métriques le terme *borelien* peut être remplacé par G_δ.

En effet, $X \cdot \bar{Z}$ ayant la propriété de Baire relativement à $\bar{Z}$, on a $Z = X \cdot \bar{Z} = M + P$, où M est un ensemble G_δ relativement à $\bar{Z}$ et P est un ensemble de I-re catégorie dans $\bar{Z}$. Comme produit d'un G_δ et de l'ensemble fermé $\bar{Z}$, l'ensemble M est donc borelien; comme un ensemble de I-re catégorie dans $\bar{Z}$, l'ensemble P est aussi de I-re catégorie dans Z (§ 10, IV, 2).

Supposons à présent que la condition du théorème soit satisfaite. Il s'agit de prouver que $X \in \boldsymbol{B}_r$, autrement dit que, F étant un ensemble fermé arbitraire, XF jouit de la propriété de Baire relativement à F. Or, par hypothèse $XF = M + P$, où M est un ensemble borelien (relativement à l'espace) et P est de I-re catégorie dans XF. Par conséquent M est borelien relativement à F et P est de I-re catégorie relativement à F (§ 10, IV, 1). L'ensemble XF jouit donc de la propriété de Baire relativement à F.

VII. Opération ($\mathcal{A}$). *La propriété de Baire est un invariant de l'opération* ($\mathcal{A}$) [1]).

Soit, en effet,

$$X = \sum_{\mathfrak{z}} \prod_{n=1}^{\infty} X_{\mathfrak{z}^1 \dots \mathfrak{z}^n}, \tag{1}$$

les ensembles $X_{\mathfrak{z}^1 \dots \mathfrak{z}^n}$ jouissant de la propriété de Baire (pour les notations et les propriétés de l'opération ($\mathcal{A}$) voir § 1, VI).

Le système des ensembles $X_{\mathfrak{z}^1 \dots \mathfrak{z}^n}$ peut être supposé „régulier", car, le produit d'un nombre fini d'ensembles à propriété de Baire étant un ensemble du même genre, on peut remplacer $X_{\mathfrak{z}^1 \dots \mathfrak{z}^n}$ par $X_{\mathfrak{z}^1} \cdot X_{\mathfrak{z}^1 \mathfrak{z}^2} \cdot \dots \cdot X_{\mathfrak{z}^1 \dots \mathfrak{z}^n}$.

D'après IV, il existe un ensemble Z qui est un $\boldsymbol{F}_\sigma$ tel que:

---

[1]) Voir: O. Nikodym, *Sur une propriété de l'opération* ($\mathcal{A}$), Fund. Math. 7 (1925), p. 149 et C. R. Soc. Sc. de Varsovie, voir 19 (1926), p. 294; N. Lusin et W. Sierpiński, *Sur quelques propriétés des ensembles* (*A*), Bull. Acad. Cracovie 1918, p. 35; E. Szpilrajn, l. cit.; N. Lusin, C. R. Paris vol. 164 (1917).

(2) $$X \subset Z$$

(3) si $B \varepsilon \boldsymbol{B}$ et $X \subset B$, l'ensemble $Z - B$ est de I-re catégorie.

D'une façon générale, il existe un $Z_{\mathfrak{y}^1 \ldots \mathfrak{y}^i}$ jouissant de la propriété de Baire et tel que

(2a) $$\sum_{\mathfrak{z}} \prod_{n=1}^{\infty} X_{\mathfrak{y}^1 \ldots \mathfrak{y}^i \mathfrak{z}^1 \ldots \mathfrak{z}^n} \subset Z_{\mathfrak{y}^1 \ldots \mathfrak{y}^i}$$

(3a) si $B \varepsilon \boldsymbol{B}$ et $\sum_{\mathfrak{z}} \prod_{n=1}^{\infty} X_{\mathfrak{y}^1 \ldots \mathfrak{y}^i \mathfrak{z}^1 \ldots \mathfrak{z}^n} \subset B$, l'ensemble $Z_{\mathfrak{y}^1 \ldots \mathfrak{y}^i} - B$ est de I-re catégorie.

On peut supposer, en outre, que

(4) $$Z_{\mathfrak{y}^1 \ldots \mathfrak{y}^i} \subset X_{\mathfrak{y}^1 \ldots \mathfrak{y}^i},$$

puisque l'ensemble $Z_{\mathfrak{y}^1 \ldots \mathfrak{y}^i} \cdot X_{\mathfrak{y}^1 \ldots \mathfrak{y}^i}$ satisfait évidemment aux conditions imposées à $Z_{\mathfrak{y}^1 \ldots \mathfrak{y}^i}$.

En tenant compte de l'identité $X = Z - (Z - X)$ et du fait que Z est un $\boldsymbol{F}_\sigma$, tout revient à prouver que $Z - X$ est de I-re catégorie. Or, en appliquant successivement les propositions (1), (4) et § 1, VI, 4, il vient

$$Z - X = Z - \sum_{\mathfrak{y}} \prod_{i=1}^{\infty} X_{\mathfrak{y}^1 \ldots \mathfrak{y}^i} \subset Z - \sum_{\mathfrak{y}} \prod_{i=1}^{\infty} Z_{\mathfrak{y}^1 \ldots \mathfrak{y}^i} \subset$$

$$\subset \sum_{\mathfrak{y}} \sum_{i=0}^{\infty} (Z_{\mathfrak{y}^1 \ldots \mathfrak{y}^i} - \sum_{m=1}^{\infty} Z_{\mathfrak{y}^1 \ldots \mathfrak{y}^i m}).$$

La sommation $\sum_{\mathfrak{y}} \sum_{i=0}^{\infty}$ étant dénombrable (§ 1, VI, 3), il reste à prouver que l'ensemble $(Z_{\mathfrak{y}^1 \ldots \mathfrak{y}^i} - \sum_{m=1}^{\infty} Z_{\mathfrak{y}^1 \ldots \mathfrak{y}^i m})$ est de I-re catégorie. Mais c'est une conséquence de (3a) où l'on peut poser $B = \sum_{m=1}^{\infty} Z_{\mathfrak{y}^1 \ldots \mathfrak{y}^i m}$ en vertu de la formule

$$\sum_{\mathfrak{z}} \prod_{n=1}^{\infty} X_{\mathfrak{y}^1 \ldots \mathfrak{y}^i \mathfrak{z}^1 \ldots \mathfrak{z}^n} = \sum_{m=1}^{\infty} \sum_{\mathfrak{z}} \prod_{n=1}^{\infty} X_{\mathfrak{y}^1 \ldots \mathfrak{y}^i m \mathfrak{z}^1 \ldots \mathfrak{z}^n} \subset \sum_{m=1}^{\infty} Z_{\mathfrak{y}^1 \ldots \mathfrak{y}^i m},$$

qui résulte des propositions § 1, VI, 1a et (2a).

Corollaire. La propriété de Baire au sens restreint est un invariant de l'opération $(\mathcal{A})$.

En effet, E étant un ensemble fixe, on a selon (1)

$$E \cdot X = \sum_{\mathfrak{z}} \prod_{n=1}^{\infty} (E \cdot X_{\mathfrak{z}^1 \dots \mathfrak{z}^n}).$$

Donc, si l'on suppose que $E \cdot X_{\mathfrak{z}^1 \dots \mathfrak{z}^n}$ jouit de la propriété de Baire relativement à E, il en est de même de $E \cdot X$ d'après le théorème précédent.

Remarques. L'invariance de la propriété de Baire est un cas particulier d'un théorème de la Théorie générale des ensembles.

Soit, notamment, $\boldsymbol{S}$ une famille de sous-ensembles d'un espace donné satisfaisant aux conditions suivantes: 1° la somme d'une infinité dénombrable d'ensembles appartenant à $\boldsymbol{S}$ appartient à $\boldsymbol{S}$, 2° le complémentaire d'un ensemble appartenant à la famille $\boldsymbol{S}$ lui appartient également, 3° à chaque ensemble X (de l'espace donné) correspond un ensemble Z de la famille $\boldsymbol{S}$ tel que les conditions $X \subset S \in \boldsymbol{S}$ et $Y \subset Z - S$ entraînent $Y \in \boldsymbol{S}$.

Dans ces hypothèses, la propriété d'appartenir à la famille $\boldsymbol{S}$ est un invariant de l'opération $(\mathcal{A})$ [1].

La famille des ensembles jouissant de la propriété de Baire est une famille $\boldsymbol{S}$ (d'après III et IV). Un autre exemple important d'une famille $\boldsymbol{S}$ fournit la famille des ensembles mesurables au sens de Lebesgue. En effet, les conditions 1° et 2° sont évidemment réalisées; la condition 3° l'est également, car on peut prendre comme Z un ensemble G_δ ayant la mesure égale à la mesure extérieure de X et l'ensemble $Z - S$ est alors de mesure nulle.

La mesurabilité au sens de Lebesgue est donc un invariant de l'opération $(\mathcal{A})$.

§ 12. Séries alternées d'ensembles fermés.

I. Formules de la Théorie générale des ensembles [2]. Soit

$$(1) \qquad X_0, X_1, \dots, X_\xi, \dots, X_\alpha$$

une suite transfinie d'ensembles décroissants, c. à d. tels que la condition $\xi > \zeta$ entraîne $X_\xi \subset X_\zeta$. Supposons, en outre, que:

$$(2) \qquad X_0 = 1$$

$$(3) \qquad X_\lambda = \prod_{\xi < \lambda} X_\xi, \text{ si } \lambda \text{ est un nombre-limite ou bien si } \lambda = \alpha.$$

---

[1] Théorème de M. Szpilrajn, loco cit. p. 300.

[2] Voir F. Hausdorff, *Mengenlehre*, p. 80.

On prouve facilement que

$$(4) \qquad 1 = X_0 - X_1 + X_1 - X_2 + \ldots + X_\xi - X_{\xi+1} + \ldots + X_\alpha = \\ = \sum_{\xi<\alpha} (X_\xi - X_{\xi+1}) + X_\alpha.$$

Les ensembles $(X_0 - X_1 + X_2 - X_3 + \ldots)$ et $(X_1 - X_2 + X_3 - X_4 + \ldots + X_\alpha)$ étant disjoints, il vient:

$$(4a) \quad 1 - (X_0 - X_1 + X_2 - X_3 + \ldots) = X_1 - X_2 + X_3 - X_4 + \ldots + X_\alpha.$$

II. Définition. *Un ensemble de la forme*

$$E = F_1 - F_2 + F_3 - F_4 + \ldots + F_\xi - F_{\xi+1} + \ldots$$

où les termes sont fermés décroissants, est dit développable en série alternée d'ensembles fermés décroissants ou, tout court, *ensemble développable.*

Dans les espaces complets séparables les ensembles développables coïncident avec les ensembles qui sont simultanément des F_σ et G_δ (Chap. III, § 33). Plusieurs propriétés importantes des ensembles F_σ et G_δ sont des conséquences de leur développabilité; c'est une des raisons pour laquelle les ensembles développables méritent une étude spéciale. Cf. aussi § 13, VI.

III. Théorème sur la séparation. Développement en série alternée. E et H étant deux ensembles arbitraires donnés, admettons que la suite (1) remplisse les conditions (2) et (3), ainsi que la condition suivante:

$$X_{\xi+1} = \overline{X_\xi \cdot E} \cdot \overline{X_\xi \cdot H}.$$

La suite (1) est évidemment composée d'ensembles fermés. Elle est, en outre, décroissante, puisque $X_{\xi+1} \subset \overline{X}_\xi = X_\xi$. Donc, à partir d'un certain indice, tous ses termes sont identiques; c'est cet indice que nous désignerons par $\alpha - 1$. Par conséquent

$$X_\alpha = \overline{X_\alpha \cdot E} \cdot \overline{X_\alpha \cdot H}.$$

Posons: $P_\xi = X_\xi - \overline{X_\xi \cdot E}$, $R_\xi = X_\xi - \overline{X_\xi \cdot H}$. Donc $X_\xi - X_{\xi+1} = P_\xi + R_\xi$, d'où, en vertu de (4), $1 = \sum_{\xi<\alpha} P_\xi + \sum_{\xi<\alpha} R_\xi + X_\alpha$, donc $1 - \sum_{\xi<\alpha} P_\xi \subset \sum_{\xi<\alpha} R_\xi + X_\alpha$.

D'autre part, $P_\xi = X_\xi - \overline{X_\xi \cdot E} \subset X_\xi - X_\xi \cdot E = X_\xi - E \subset 1 - E$, d'où $\sum\limits_{\xi<\alpha} P_\xi \subset 1 - E$, donc $E \subset 1 - \sum\limits_{\xi<\alpha} P_\xi \subset \sum\limits_{\xi<\alpha} R_\xi + X_\alpha$. D'une façon analogue, $\sum\limits_{\xi<\alpha} R_\xi \subset 1 - H$. On obtient ainsi: $E - X_\alpha \subset \sum\limits_{\xi<\alpha} R_\xi$, $H \cdot \sum\limits_{\xi<\alpha} R_\xi = 0$.

De plus, *l'ensemble*

$$\sum_{\xi<\alpha} R_\xi = \sum_{\xi<\alpha} (X_\xi - \overline{X_\xi \cdot H}) = 1 - \overline{H} + \overline{E}\cdot\overline{H} - \overline{\overline{\overline{E}}\cdot H} + \overline{E\cdot\overline{\overline{H}}}\cdot\overline{\overline{\overline{E}}\cdot H} - \dots$$

est la somme d'une série alternée d'ensembles fermés décroissants, car $X_{\xi+1} = \overline{X_\xi \cdot E} \cdot \overline{X_\xi \cdot H} \subset \overline{X_\xi \cdot H}$.

De là on conclut, en particulier, que

1⁰ *si l'équation* $X = \overline{XE} \cdot \overline{XH}$ *ne possède que la racine* $X = 0$, *il existe un ensemble développable* D (à savoir *l'ensemble* $D = \sum\limits_{\xi<\alpha} R_\xi$) *tel que* $E \subset D$ *et* $HD = 0$ [1]).

2⁰ *en posant* $H = 1 - E$, *on a*:

(5) $X_{\xi+1} = \overline{X_\xi \cdot E} \cdot \overline{X_\xi - E} =$ *la frontière de* $X_\xi \cdot E$ *relative à* X_ξ,

(6) $X_\alpha = \overline{X_\alpha \cdot E} \cdot \overline{X_\alpha - E}$ *et* $E - X_\alpha = \sum\limits_{\xi<\alpha} R_\xi$,

car $\sum\limits_{\xi<\alpha} R_\xi \subset 1 - H = E$ et $R_\xi \subset X_\xi - X_{\xi+1}$, de sorte que l'ensemble $\sum\limits_{\xi<\alpha} R_\xi$, comme sous-ensemble de $\sum\limits_{\xi<\alpha} (X_\xi - X_{\xi+1})$, est disjoint de X_α. On a donc $\sum\limits_{\xi<\alpha} R_\xi \subset E - X_\alpha$.

On voit ainsi qu'en retranchant de E le „reste" $X_\alpha \cdot E$, on obtient un ensemble développable. Par conséquent:

3⁰ *si le reste* $X_\alpha \cdot E$ *s'annule, on a* (en posant $H = 1 - E$):

(i) $E = \sum\limits_{\xi<\alpha} R_\xi = 1 - \overline{1 - \overline{E}} + \overline{E} \cdot \overline{1 - E} - \overline{\overline{\overline{E}} - E} + \overline{E \cdot \overline{1 - \overline{E}}} \cdot \overline{\overline{\overline{E}} - E} - \dots$

(ii) $E = 1 - H = 1 - \sum\limits_{\xi<\alpha} P_\xi = 1 - \sum\limits_{\xi<\alpha} (X_\xi - \overline{X_\xi \cdot E}) = \sum\limits_{\xi<\alpha} (\overline{X_\xi \cdot E} - X_{\xi+1}) =$

$= \overline{E} - \overline{E} \cdot \overline{1 - E} + \overline{\overline{E} \cdot \overline{1 - \overline{E}}} - \overline{\overline{E} \cdot \overline{1 - \overline{E}}} \cdot \overline{\overline{\overline{E}} - E} + \dots$ (d'après I (4a)).

---

[1]) Nous nous servirons de cet énoncé pour démontrer un théorème important de B a i r e sur les fonctions de I-re classe (voir Chap. II, § 27, X).

IV. Propriétés du „reste". L'ensemble X_α de la formule (6) est *le plus grand* ensemble satisfaisant à l'équation

$$(7) \qquad X = \overline{XE} \cdot \overline{X - E}.$$

En effet, si X satisfait à (7), on a d'abord $X \subset X_0 = 1$. Puis, si $X \subset X_\xi$, il vient $X \cdot E \subset X_\xi \cdot E$ et $X - E \subset X_\xi - E$, d'où $\overline{XE} \cdot \overline{X - E} \subset \subset \overline{X_\xi \cdot E} \cdot \overline{X_\xi - E}$, donc, selon (5) et (7), $X \subset X_{\xi+1}$. Enfin, si pour chaque $\xi < \lambda$ (λ nombre limite) on a $X \subset X_\xi$, il vient $X \subset \prod_{\xi<\lambda} X_\xi = X_\lambda$.

Ainsi, en vertu du principe de l'induction transfinie, X est un sous-ensemble de chaque X_ξ, donc de X_α.

Il est à remarquer que l'égalité (7) équivaut à

$$(8) \qquad \overline{XE} = X = \overline{X - E}.$$

Elle implique, en effet, que $X \subset \overline{XE}$ et $X \subset \overline{X - E}$ et, on a d'autre part $\overline{XE} \subset \overline{X}$ et $\overline{X - E} \subset \overline{X}$, d'où l'équivalence demandée, puisque, en vertu de (7), $X = \overline{X}$.

V. Conditions nécessaires et suffisantes. *Chacune des conditions suivantes est nécessaire et suffisante pour que l'ensemble E soit développable:*

1⁰ *l'égalité* (8) *implique que* $X = 0$; autrement dit, *quel que soit l'ensemble fermé $F \neq 0$, la frontière de FE relative à F*, c. à d. *l'ensemble $\overline{FE} \cdot \overline{F - E}$, est $\neq F$;*

2⁰ *quel que soit l'ensemble fermé F, la frontière de FE relative à F est non-dense dans F.*

3⁰ *le „reste" s'annule,* c. à d. $X_\alpha \cdot E = 0$.

Démonstration. 1. La condition 1⁰ est nécessaire. Supposons, en effet, que E soit développable en une série alternée d'ensembles fermés décroissants:

$$(9) \qquad E = F_1 - F_2 + F_3 - F_4 + \ldots + F_\xi - F_{\xi+1} + \ldots \quad (\xi + 1 < \alpha).$$

On peut évidemment supposer que les indices limites sont omis dans ce développement. Or, si l'on admet que $F_0 = 1$, $F_\lambda = \prod_{\xi<\lambda} F_\xi$ (pour λ limite) et $F_\alpha = \prod_{\xi<\alpha} F_\xi$, on conclut de (4) que

$$(10) \qquad 1 - E = F_0 - F_1 + F_2 - F_3 + \ldots + F_\alpha.$$

Nous allons prouver que l'égalité (8) entraîne $X \subset F_\xi$, quel que soit ξ. On a d'abord $X \subset F_0 = 1$. Admettons que $X \subset F_\xi$. Dans le cas où ξ est pair, on conclut de la formule (9) que $XE \subset F_{\xi+1}$ (car toutes les différences qui précèdent $F_{\xi+1}$ sont disjointes de F_ξ, donc de X, tandis que tous les termes qui suivent $F_{\xi+1}$ sont contenus dans $F_{\xi+1}$). Donc $X = \overline{XE} \subset F_{\xi+1}$. D'une façon analogue, si ξ est impair, on conclut de (10) que $X - E \subset F_{\xi+1}$, d'où $X = \overline{X-E} \subset F_{\xi+1}$. Finalement, si $X \subset F_\xi$ pour chaque $\xi < \lambda$, il vient $X \subset \prod_{\xi<\lambda} F_\xi = F_\lambda$.

Il est ainsi établi que $X \subset F_\xi$, quel que soit ξ. Par conséquent $X \subset F_\alpha$. Cela implique en raison de (10) que $X \subset 1 - E$, d'où $XE \doteq 0$, donc $X = \overline{XE} = 0$.

2. La condition 1^0 entraîne 2^0. En effet, d'après § 6, II (12), on a $\overline{\mathrm{Int}\,[\mathrm{Fr}\,(E)]} = \overline{\mathrm{Int}\,[\mathrm{Fr}\,(E)] \cdot E} = \overline{\mathrm{Int}\,[\mathrm{Fr}\,(E)] - E}$. On en conclut que l'on peut poser dans (8): $X = \overline{\mathrm{Int}\,[\mathrm{Fr}\,(E)]}$, en tenant compte du fait général que l'égalité $\overline{X} = \overline{XE}$ entraîne $\overline{X} = \overline{\overline{X}E}$ (puisque $\overline{XE} \subset \overline{\overline{X}E} \subset \overline{X}$). Or, si l'on suppose que l'égalité (8) entraîne $X = 0$, on en conclut que $\overline{\mathrm{Int}\,[\mathrm{Fr}\,(E)]} = 0$, donc que la frontière de E ne possède pas de points intérieurs, c. à d. qu'elle est non-dense.

De plus, si l'on considère FE à la place de E et la frontière de FE relative à F, à la place de la frontière de E, on parvient à la conclusion que cette frontière relative est non-dense dans F, car la condition 1^0 entraîne la même condition „relativisée" par rapport à F (cette dernière signifie notamment que la condition 1^0 est réalisée pour tout $X \subset F$).

3. La condition 2^0 entraîne 3^0. En effet, en posant $F = X_\alpha$ dans 2^0, on en conclut que la frontière de $X_\alpha \cdot E$ relative à X_α est non-dense dans X_α. Elle ne peut donc être identique à X_α que dans le seul cas où $X_\alpha = 0$. Ainsi en vertu de (6), on a $X_\alpha = 0$, d'où $X_\alpha \cdot E = 0$.

4. La condition 3^0 est suffisante selon III, 3^0.

Notre théorème est ainsi complètement démontré.

Comme nous l'avons prouvé au § 8, V, pour que la frontière d'un ensemble soit non-dense, il faut et il suffit que cet ensemble soit une somme d'un ensemble ouvert et d'un ensemble non-dense (ou encore qu'il soit une différence d'un ensemble fermé et d'un ensemble non-dense). On en conclut en vertu du th. précédent, que *la condition nécessaire et suffisante pour que E soit un ensemble développable est que, relativement à chaque ensemble fermé F, l'ensemble EF soit une somme d'un ensemble ouvert et d'un ensemble non-dense (ou, ce qui est équivalent, qu'il soit une différence d'un ensemble fermé et d'un ensemble non-dense).*

La condition 1⁰ du théorème précédent conduit à la suivante: *quel que soit l'ensemble fermé non vide F, il existe dans F un point où soit FE, soit $F-E$ est „localement vide" relativement à F,* [1]) c. à d. qu'il existe un entourage G de ce point tel qu'on ait soit $GFE=0$, soit $GF-E=0$.

En effet, si $\overline{FE}=F=\overline{F-E}$, l'inégalité $GF\neq 0$ entraîne $GFE\neq 0\neq GF-E$ (voir § 5, III); la condition en question implique donc 1⁰. Inversement, si $p\,\varepsilon\, F-\overline{FE}$, on pose $G=1-\overline{FE}$; donc $GFE=0$. Si $p\,\varepsilon\, F-\overline{F-E}$, on pose $G=1-\overline{F-E}$.

VI. Propriétés des ensembles développables.

1. *Les ensembles développables constituent un corps* [2]), c. à d. que la somme, le produit et la différence de deux ensembles développables sont des ensembles développables.

C'est une conséquence de la cond. 2⁰ du théorème du N⁰ V et du fait que les ensembles ayant la frontière non-dense constituent un corps (§ 8, V).

2. *Chaque ensemble développable jouit de la propriété de Baire au sens restreint.*

Car E étant un ensemble développable et F un ensemble fermé, l'ensemble EF est une somme d'un ensemble ouvert et d'un ensemble non-dense dans F (cf. N⁰ V).

3. *Si un ensemble frontière est développable, il est non-dense.*

Car dans le domaine des ensembles ayant la frontière non-dense les notions d'ensemble frontière et d'ensemble non-dense coïncident (§ 8, V).

4. *Chaque ensemble clairsemé est développable,* car la frontière d'un ensemble clairsemé est non-dense (§ 9, VI, 4).

---

[1]) Cf. § 7, IV et § 11, IV, 4.

[2]) Cf. F. Hausdorff, *Mengenlehre*, p. 82.

VII. Résidus [1]. L'ensemble $X\cdot\overline{\overline{X}-X}$ est dit le *résidu* de X (au sens de M. Hausdorff).

L'ensemble $X_\alpha\cdot E$ (le reste de E) est identique à son résidu.

Car E et X étant deux ensembles qui satisfont à la formule (8), XE est identique à son résidu: $X=\overline{X-E}=\overline{X-XE}=\overline{\overline{XE}-XE}$, puisque $X=\overline{XE}$; il en résulte que $XE=XE\cdot\overline{\overline{XE}-XE}$.

La condition nécessaire et suffisante pour que E soit un ensemble développable est qu'aucun ensemble $Y\,(\neq 0)$ fermé dans E ne soit identique à son résidu.

Supposons, en effet, que $Y=\overline{Y}\cdot E$ et $Y=Y\cdot\overline{\overline{Y}-Y}$. Par conséquent $\overline{Y}=\overline{\overline{Y}E}$ et, d'autre part, $\overline{Y}\subset\overline{\overline{Y}-Y}=\overline{\overline{Y}-\overline{Y}E}=\overline{\overline{Y}-E}\subset\overline{Y}$. Donc $\overline{\overline{Y}E}=\overline{Y}=\overline{\overline{Y}-E}$ et, en substituant $\overline{Y}$ à X dans V, 1°, on a $Y=0$. La condition est donc nécessaire. Elle est aussi suffisante, car elle implique en vertu de l'énoncé précédent que $X_\alpha\cdot E=0$, donc d'après V, 3°, que l'ensemble E est développable.

Il est à remarquer que *la condition nécessaire et suffisante pour qu'un ensemble soit une différence de deux ensembles fermés est que son résidu soit vide.*

En effet, d'après § 6, III, X est une différence de deux ensembles fermés, lorsque l'ensemble $\overline{X}-X$ est fermé, autrement dit, lorsque $\overline{\overline{X}-X}\subset\overline{X}-X\subset 1-X$, c. à d. lorsque $X\cdot\overline{\overline{X}-X}=0$.

VIII. Résidus d'ordre transfini. E étant un ensemble donné, on forme la suite des résidus de tout ordre de la façon suivante: $R_1=$ le résidu de E, $R_{\xi+1}=$ le résidu de R_ξ et $R_\lambda=\prod_{\xi<\lambda}R_\xi$ pour λ limite. La suite des résidus ainsi définis étant décroissante, on aboutit à un certain nombre β tel que $R_\beta=R_{\beta+1}=\dots$ D'après I (4), on a: $E-R_\beta=E-R_1+R_1-R_2+\dots$

Les termes de cette série alternée ne sont pas fermés, mais en vertu de l'identité $X-\overline{\overline{X}-X}=\overline{X}-\overline{\overline{X}-X}$ (puisque $\overline{X}-X-\overline{\overline{X}-X}=0$), on a $R_\xi-R_{\xi+1}=\overline{R_\xi}-\overline{\overline{R_\xi}-R_\xi}$, donc

$$(1)\quad E-R_\beta=\overline{E}-\overline{\overline{E}-E}+\overline{E\cdot\overline{\overline{E}-E}}-\dots+\overline{R_\xi}-\overline{\overline{R_\xi}-R_\xi}+\dots$$

---

[1] F. Hausdorff, *Grundzüge der Mengenlehre*, p. 280.

En particulier, *si E est développable, le „dernier résidu" R_β de E est vide* (voir N° VII) et la formule (1) présente un développement de E en une série d'ensembles fermés décroissants.

IX. Ensembles localement fermés dans les espaces réguliers. D'après la définition générale de la localisation, l'ensemble X est dit *localement fermé au point p*, lorsqu'il existe un entourage E de p tel que l'ensemble EX soit fermé.

Evidemment un ensemble fermé est localement fermé en chaque point. Tout ensemble est localement fermé en chaque point isolé. *Si X est fermé au point p et Y est fermé dans X, Y est fermé au point p*, car, l'ensemble EX étant fermé, la condition $Y = \overline{Y} \cdot X$ implique que EY est fermé.

Admettons à présent que l'espace satisfait à *l'axiome de „régularité"*, d'après lequel, *si p n'appartient pas à un ensemble fermé F, il existe un entourage E de p tel que $\overline{E} \cdot F = 0$* [1]).

Nous allons démontrer que, *dans cette hypothèse, l'ensemble des points où X n'est pas localement fermé est égal à $\overline{\overline{X} - X}$*, ce qui implique que le résidu de X coïncide avec l'ensemble des points de X où X n'est pas localement fermé.

Soit, d'abord $p \varepsilon 1 - \overline{\overline{X} - X}$. Soit, conformément à l'axiome de régularité, E un entourage fermé de p tel que $E \cdot \overline{\overline{X} - X} = 0$. Il en résulte que $E \cdot \overline{X} - X = 0$, d'où $E \cdot \overline{X} \subset X$, donc $E \cdot \overline{X} = E \cdot X$, ce qui prouve que l'ensemble EX est fermé, donc, que X est fermé au point p.

Supposons, réciproquement, que X soit fermé au point p, donc que $EX = \overline{EX}$ et $p \varepsilon 1 - \overline{1 - E}$. Il s'agit de prouver que $p \varepsilon 1 - \overline{\overline{X} - X}$. Il suffit évidemment d'établir l'inclusion $\overline{\overline{X} - X} \subset \overline{1 - E}$. Or, en tenant compte de la formule générale $\overline{X} - \overline{Y} \subset \overline{X - Y}$, on démontre en effet facilement que $\overline{X} - X \subset \overline{X} - EX = \overline{X} - \overline{EX} \subset \overline{X - EX} = \overline{X - E} \subset \overline{1 - E}$, et parsuite $\overline{\overline{X} - X} \subset \overline{1 - E}$.

Ceci établi, on en conclut en vertu des propositions du N° VII que:

1° *la condition nécessaire et suffisante pour qu'un ensemble E soit développable, est que chaque ensemble non vide fermé dans E contienne un point où il est localement fermé,*

2° *la condition nécessaire et suffisante pour qu'un ensemble E soit localement fermé en chacun de ses points est qu'il soit une différence de deux ensembles fermés* [2]), c. à d. *que le résidu de E soit vide, ou encore que $\overline{E} - E$ soit fermé* (voir § 6, III).

---

[1]) On prouve facilement que chaque espace métrique satisfait à cet axiome, de sorte que le contenu du N° IX reste valable pour les espaces métriques. Voir pour cet axiome L. Vietoris, Mon. f. Math. u. Ph. 31 (1921), p. 173 et H. Tietze, *Beiträge zur allgemeinen Topologie*, Math. Ann. 88 (1923), p. 301.

[2]) Voir la note de M. W. Sierpiński et de moi, *Sur les différences de deux ensembles fermés*, Tôhoku Math. Journ. 20 (1921), p. 22.

Le „dernier résidu“ R_β étant identique à son propre résidu, c'est un ensemble qui n'est localement fermé en aucun de ses points. Nous allons démontrer que, *parmi les ensembles fermés dans* X, *l'ensemble* R_β *est le plus grand qui ne soit localement fermé en aucun de ses points.*

Supposons, en effet, que l'ensemble Y soit fermé dans X et que $Y - R_\beta \neq 0$. Il s'agit de prouver que Y contient un point où il est localement fermé. Or on déduit, en tenant compte de la décomposition VIII (1), l'existence d'un indice ξ tel que $YR_\xi - R_{\xi+1} \neq 0$. Admettons que ξ désigne le plus petit indice de ce genre. Par conséquent $Y \subset R_\xi$, donc Y est fermé dans R_ξ et, l'ensemble $R_{\xi+1}$ étant le résidu de R_ξ, l'ensemble R_ξ est localement fermé en chaque point de $R_\xi - R_{\xi+1}$, donc en chaque point de l'ensemble non vide $YR_\xi - R_{\xi+1}$. Cela implique (comme nous l'avons démontré auparavant) que l'ensemble Y est aussi localement fermé en chaque point de ce dernier ensemble.

§ 13. Continuité. Homéomorphie.

I. Définition[1]. Soient $\mathcal{X}$ et $\mathcal{Y}$ deux espaces satisfaisant aux axiomes I—III. Soit $f(x)$ une fonction ayant $\mathcal{X}$ pour l'ensemble des arguments et dont les valeurs appartiennent à $\mathcal{Y}$. La fonction f est dite *continue au point* x, lorsque, pour chaque ensemble X, la condition $x \varepsilon \overline{X}$ entraîne $f(x) \varepsilon \overline{f(X)}$ [2].

En cas où $\mathcal{X}$ et $\mathcal{Y}$ désignent des ensembles de nombres réels, la notion de continuité considérée ici coïncide avec celle de l'Analyse classique.

II. Conditions nécessaires et suffisantes. *Pour qu'une fonction f soit continue au point x, il faut et il suffit que, Y étant un entourage arbitraire de $f(x)$, l'ensemble $f^{-1}(Y)$ soit un entourage de x*; en d'autres termes, que pour chaque Y

(1) $$f(x) \varepsilon \operatorname{Int}(Y) \quad \textit{entraîne} \quad x \varepsilon \operatorname{Int}[f^{-1}(Y)],$$

ou encore (en remplaçant Y par $\mathcal{Y} - Y$) que

(2) $$x \varepsilon \overline{f^{-1}(Y)} \quad \textit{entraîne} \quad f(x) \varepsilon \overline{Y}.$$

---

[1]) Cf. F. Hausdorff, *Grundzüge der Mengenlehre*, Chap. 9, § 1.

[2]) En cas où les espaces $\mathcal{X}$ et $\mathcal{Y}$ ont des points communs, il est désirable de distinguer entre la fermeture dans $\mathcal{X}$ et dans $\mathcal{Y}$. Pour simplifier les notations, nous omettons cette distinction.

En effet, on prouve en vertu de § 3, II, 12 que la condition (2) est nécessaire, en posant dans la définition $X=f^{-1}(Y)$. La suffisance résulte de § 3, II, 11, en posant dans (2): $Y=f(X)$ [1].

En tenant compte du fait qu'il existe dans chaque entourage d'un point un ensemble ouvert contenant ce point, on parvient à la condition suivante („définition de Cauchy"):

(3) *pour que f soit continue au point x, il faut et il suffit qu'à chaque ensemble ouvert H contenant $f(x)$ corresponde un ensemble ouvert G contenant x et tel que $f(G) \subset H$.*

III. L'ensemble D des points de discontinuité. Par définition on a $x \varepsilon D$ lorsqu'il existe un ensemble X tel que $x \varepsilon \overline{X}$ et $f(x)$ *non*-$\varepsilon \overline{f(X)}$, c. à d. tel que $x \varepsilon \overline{X} - f^{-1}[\overline{f(X)}]$. Il vient:

(1) $D = \sum_X \{\overline{X} - f^{-1}[\overline{f(X)}]\}$, d'où $f(D) = \sum_X [f(\overline{X}) - \overline{f(X)}]$,

la sommation s'étendant à tous les sous-ensembles X de $\mathcal{X}$.

En effet, $f(D) = \sum_X f\{\overline{X} - f^{-1}[\overline{f(X)}]\} = \sum_X f\{\overline{X} \cdot f^{-1}[\mathcal{Y} - \overline{f(X)}]\} =$
$= \sum_X [f(\overline{X}) \cdot (\mathcal{Y} - \overline{f(X)}] = \sum_X [f(\overline{X}) - \overline{f(X)}]$, d'après § 3, II, 13.

En vertu des propositions II (1) et (2), on a:

(2) $D = \sum_Y \{f^{-1}[\mathrm{Int}(Y)] - \mathrm{Int}[f^{-1}(Y)]\} = \sum_Y [\overline{f^{-1}(Y)} - f^{-1}(\overline{Y})]$,

car d'une part la condition $f(x) \varepsilon \mathrm{Int}(Y)$ équivaut à $x \varepsilon f^{-1}[\mathrm{Int}(Y)]$ et d'autre part $f(x) \varepsilon \overline{Y}$ équivaut à $x \varepsilon f^{-1}(\overline{Y})$.

On peut enfin supposer que dans la première des égalités (2) la variable Y parcourt la famille des *ensembles ouverts* et que dans la deuxième elle varie dans celle des *ensembles fermés.*

En effet, si l'on pose $\mathrm{Int}(Y) = G$, on a $f^{-1}[\mathrm{Int}(Y)] - \mathrm{Int}[f^{-1}(Y)] \subset$ $\subset f^{-1}(G) - [\mathrm{Int} f^{-1}(G)]$ et si l'on pose $\overline{Y} = F$, on a $\overline{f^{-1}(Y)} - f^{-1}(\overline{Y}) \subset$ $\subset \overline{f^{-1}(F)} - f^{-1}(F)$. Ainsi:

(3) $D = \sum_G \{f^{-1}(G) - \mathrm{Int}[f^{-1}(G)]\} = \sum_F [\overline{f^{-1}(F)} - f^{-1}(F)]$.

La première des égalités (3) implique que $D \subset \mathcal{X}'$ (dérivé de $\mathcal{X}$), car tout point *isolé* de l'espace, comme point intérieur de chaque ensemble qui le contient, n'appartient pas à $f^{-1}(G) - \mathrm{Int}[f^{-1}(G)]$.

Les deux égalités suivantes définissent deux classes importantes de fonctions: 1° $D = 0$ les fonctions *continues*, 2° $\overline{\mathcal{X} - D} = \mathcal{X}$ les fonctions *ponctuellement discontinues.*

---

[1]) Ici n'intervient que l'ax. I, qui est d'ailleurs superflu si f est biunivoque.

IV. Fonctions continues en chaque point. Les fonctions de ce genre s'appellent *continues*, tout court. On a dans ce cas $D = 0$ et $f(D) = 0$. Les formules III (1)—(3) fournissent aussitôt les conditions suivantes, nécessaires et suffisantes pour qu'une fonction f soit continue:

(1) $f(\overline{X}) \subset \overline{f(X)}$, *quel que soit* X,

(2) $\overline{f^{-1}(Y)} \subset f^{-1}(\overline{Y})$, *quel que soit* Y,

(3) $f^{-1}(G)$ *est ouvert, quel que soit l'ensemble ouvert* G,

(4) $f^{-1}(F)$ *est fermé, quel que soit l'ensemble fermé* F.

Les deux dernières conditions résultent de l'égalité III (3), car la condition $D = 0$ équivaut à l'hypothèse que, pour chaque ensemble ouvert G, on a $f^{-1}(G) - \mathrm{Int}\,[f^{-1}(G)] = 0$, donc que $f^{-1}(G)$ est ouvert; de même l'hypothèse $\overline{f^{-1}(F)} - f^{-1}(F) = 0$ signifie que $f^{-1}(F)$ est fermé.

En particulier, $f(x)$ étant une fonction continue à valeurs réelles et ab un intervalle, les ensembles $\underset{x}{E}\{a \leqslant f(x) \leqslant b\}$ et $\underset{x}{E}\{f(x) = a\}$ sont fermés; l'ensemble $\underset{x}{E}\{a < f(x) < b\}$ est ouvert.

En tenant compte du fait que l'opération f^{-1} est additive et multiplicative (§ 3, II, 6a et 7a), on déduit de (3) et (4) que

(5) *si* Y *est respectivement un* $\boldsymbol{F}_\sigma$ *ou un* $\boldsymbol{G}_\delta$, $f^{-1}(Y)$ *l'est également.*

V. Relativisation. Fonctions partielles. Rappelons que l'on désigne par $f(x|A)$ la fonction qui s'obtient de $f(x)$, en restreignant à A l'ensemble de ses arguments (§ 3, II). La fonction partielle $f(x|A)$ est dite *continue au point x relativement à A*, lorsque $x \varepsilon A$ et lorsque la condition $x \varepsilon \overline{XA}$ entraîne $f(x) \varepsilon \overline{f(XA)}$.

1) *La continuité d'une fonction dans un point p est une propriété locale*, c. à d. que, A étant un entourage de p, la continuité de la fonction partielle $f(x|A)$ dans un point p entraîne celle de la fonction f en ce point.

Soit, en effet, $p \varepsilon \overline{X}$. On a évidemment $X = XA + X - A$, d'où $\overline{X} = \overline{XA} + \overline{X - A} \subset \overline{XA} + \overline{\mathcal{X} - A}$ et, comme par hypothèse p n'appartient pas à $\overline{\mathcal{X} - A}$, il vient $p \varepsilon \overline{XA}$, d'où, par suite de la continuité de la fonction partielle: $f(p) \varepsilon \overline{f(XA)} \subset \overline{f(X)}$.

2) *Si* $\mathcal{X} = A + B$, $p \varepsilon AB$ *et les fonctions* $f(x|A)$ *et* $f(x|B)$ *sont continues au point* p, *la fonction* f *l'est également.*

En effet, si $p \varepsilon \overline{X} = \overline{XA} + \overline{XB}$, on a soit $p \varepsilon \overline{XA}$, soit $p \varepsilon \overline{XB}$. Donc $p \varepsilon f\overline{(XA)} \subset \overline{f(X)}$ ou bien $p \varepsilon f\overline{(XB)} \subset \overline{f(X)}$.

3) *Si* $\mathcal{X} = A + B$ *est une décomposition de* $\mathcal{X}$ *en deux ensembles fermés et si les fonctions* $f(x|A)$ *et* $f(x|B)$ *sont continues,* f *est continue sur* $\mathcal{X}$.

Car, dans le cas où $p \varepsilon AB$, la fonction f est continue en p selon la proposition 2) et dans le cas où p *non*-ε A, p est un point intérieur de B, de sorte qu'on arrive alors à la même conclusion en vertu de la proposition 1).

VI. Fonctions caractéristiques. On appelle *fonction caractéristique* d'un ensemble A une fonction qui admet deux valeurs (les nombres *0* et *1*, par ex.), l'une aux points de A et l'autre aux points du complémentaire de A. On a l'égalité suivante:

$$\text{(1)} \qquad \mathrm{Fr}(A) = D,$$

c. à d. que la frontière de A coïncide avec l'ensemble des points de discontinuité de la fonction caractéristique de A.

Soit, en effet, $f(x) = a$ pour $x \varepsilon A$ et $f(x) = b$ pour $x \varepsilon 1 - A$. Il suffit de considérer le cas où $x \varepsilon A$.

Si l'on suppose que $x \varepsilon \mathrm{Fr}(A)$, l'ensemble $A = f^{-1}(a)$ n'est pas un entourage de x, bien que l'ensemble composé du point a seul soit un entourage de $f(x)$. Il en résulte selon II que $x \varepsilon D$.

Inversement, si $x \varepsilon A - \mathrm{Fr}(A)$, on a $x \varepsilon \mathrm{Int}(A)$ et, en vertu de la même proposition, x est un point de continuité de la fonction f.

L'identité (1) implique que *la condition nécessaire et suffisante pour que la fonction caractéristique d'un ensemble* A *soit respectivement continue ou ponctuellement discontinue est que cet ensemble soit à la fois fermé et ouvert ou bien possède la frontière non-dense.*

Car la condition $D = 0$ équivaut à l'égalité $\mathrm{Fr}(A) = 0$, qui signifie que A est simultanément fermé et ouvert.

On en conclut en vertu de § 12, V, 2⁰ que *pour que la fonction caractéristique d'un ensemble* A *soit ponctuellement discontinue sur tout ensemble fermé, il faut et il suffit que l'ensemble* A *soit développable en série alternée d'ensembles fermés décroissants.*

Ajoutons aux propriétés topologiques des fonctions caractéristiques les formules suivantes, qui appartiennent à la Théorie générale des ensembles et dont la démonstration ne présente aucune difficulté [1]: $c(x, A)$ désignant la fonction caractéristique de A, on a:

1. $c(x, 1) = 1$ 2. $c(x, 0) = 0$ 3. $c(x, A') = 1 - c(x, A)$

4. $c(x, \sum_\iota A_\iota) = \max_\iota c(x, A_\iota)$ 5. $c(x, \prod_\iota A_\iota) = \min_\iota c(x, A_\iota)$

6. $c(x, AB) = c(x, A) \cdot c(x, B)$

7. $c(x, A - B) = c(x, A) - c(x, AB)$

8. $\mathrm{Limes}_{n=\infty} A_n$ *désignant l'ensemble* $\sum_{n=0}^{\infty} \prod_{k=0}^{\infty} A_{n+k} = \prod_{k=0}^{\infty} \sum_{n=0}^{\infty} A_{n+k}$ (dans le cas où cette égalité a lieu), *on a* $c(x, \mathrm{Limes}_{n=\infty} A_n) = \lim_{n=\infty} c(x, A_n)$.

VII. Fonctions biunivoques et continues. Supposons à présent que la fonction f, qui transforme l'espace $\mathcal{X}$ en $\mathcal{Y}$, soit biunivoque, c. à d. qu'à des arguments différents correspondent toujours des valeurs différentes de la fonction. Les propriétés suivantes sont des *invariants* des transformations biunivoques et continues:

1) *la propriété d'être un point d'accumulation de l'espace;* en effet, $x \,\varepsilon\, \overline{\mathcal{X} - x}$ entraîne $f(x) \,\varepsilon\, \overline{f(\mathcal{X} - x)} = \overline{\mathcal{Y} - f(x)}$, puisque $f(\mathcal{X} - x) = f(\mathcal{X}) - f(x)$ (voir § 3, III);

2) *la propriété d'être dense en soi* (c'est une conséquence immédiate de la proposition précédente);

3) *la propriété d'être un ensemble frontière dans l'espace,* car l'égalité $\mathcal{X} = \overline{\mathcal{X} - X}$ entraîne $\mathcal{Y} = f(\mathcal{X}) = f(\overline{\mathcal{X} - X}) \subset \overline{f(\mathcal{X} - X)} = \overline{\mathcal{Y} - f(X)}$.

VIII. Fonctions bicontinues. Homéomorphie.

La fonction $y = f(x)$ transformant l'espace $\mathcal{X}$ en l'espace $\mathcal{Y}$ (tout entier) est dite *bicontinue*, si elle est biunivoque et si la fonction $f(x)$, ainsi que la fonction inverse $f^{-1}(y)$, est continue. La transformation est dite alors une *homéomorphie* [2]) et les espaces $\mathcal{X}$ et $\mathcal{Y}$ s'appellent *homéomorphes* (ou du même *type topologique*; cf. aussi § 3, IV). Dans le cas où $\mathcal{X} = \mathcal{Y}$, l'homéomorphie peut être nommée *automorphie* (topologique).

---

[1]) Voir par ex. F. Hausdorff, *Mengenlehre*, p. 20.

[2]) selon une dénomination de H. Poincaré, Journ. Ec. Polyt. (2) 1 (1895), p. 9.

On voit aussitôt que l'homéomorphie est une relation *symétrique, transitive et réflexive.*

Chacune des conditions suivantes est nécessaire et suffisante pour qu'une fonction biunivoque f soit bicontinue:

(1) $f(\overline{X}) = \overline{f(X)}$, *quel que soit* X,

(2) $f^{-1}(\overline{Y}) = \overline{f^{-1}(Y)}$, *quel que soit* Y.

En effet, d'après IV, (1), l'inclusion $f(\overline{X}) \subset \overline{f(X)}$ équivaut à la continuité de la fonction f, tandis que l'inclusion $\overline{f(X)} \subset f(\overline{X})$ équivaut, d'après IV (2), à la continuité de la fonction f^{-1}. De là résulte la première partie du théorème. Par un raisonnement analogue on en démontre la deuxième [1]).

Une condition nécessaire et suffisante pour l'homéomorphie est aussi la suivante:

(3) $\overline{X} = f^{-1}[\overline{f(X)}]$, *quel que soit* X,

qui équivaut évidemment à la condition:

(3a) $\{x \varepsilon \overline{X}\} \equiv \{f(x) \varepsilon \overline{f(X)}\}$.

En effet, dans le cas où la fonction f est biunivoque, notre énoncé est vrai, car l'égalité (3) équivaut à (1). Il s'agit donc de prouver que toute fonction satisfaisant à la condition (3) est biunivoque. Posons $f(p) = f(q)$. Il vient: $\overline{p} = f^{-1}[\overline{f(p)}] = f^{-1}[\overline{f(q)}] = \overline{q}$, d'où $p = q$, c. q. f. d.

IX. Propriétés topologiques. Comme nous l'avons indiqué déjà au § 3, IV, *chaque propriété topologique de l'espace* (c. à d. propriété énoncée à l'aide de l'opération $\overline{X}$) *est invariante par rapport aux transformations bicontinues.*

D'une façon plus générale, si un point a (ou un ensemble A, ou une famille d'ensembles $\boldsymbol{A}$, etc.) possède relativement à l'espace $\mathcal{X}$ une propriété donnée et si la fonction f transforme l'espace $\mathcal{X}$ en l'espace $\mathcal{Y}$ d'une façon bicontinue, le point $f(a)$ possède la même propriété relativement à l'espace $\mathcal{Y}$.

---

[1]) Cette démonstration ne dépend d'aucun axiome *topologique*. Voir II, renvoi [1]).

Ainsi, *deux espaces homéomorphes ne peuvent être distingués l'un de l'autre par aucun moyen topologique.* D'une façon analogue, si A et B sont deux ensembles situés respectivement dans les espaces $\mathcal{X}$ et $\mathcal{Y}$ et s'il existe une transformation bicontinue de $\mathcal{X}$ en $\mathcal{Y}$ qui transforme A en B, les ensembles A et B sont dans leurs espaces, au point de vue topologique, indiscernables. Nous les appellerons *topologiquement équivalents* (par rapport aux espaces $\mathcal{X}$ et $\mathcal{Y}$).

Il importe de remarquer que deux ensembles peuvent être homéomorphes et, cependant, leur situation dans l'espace peut être différente, de sorte qu'il n'y ait pas d'équivalence entre eux. Par ex. dans l'espace des nombres réels, un ensemble composé d'un point, d'un segment et d'un second point (dans l'ordre indiqué) n'est pas équivalent (tout en étant homéomorphe) à un ensemble composé de deux points et d'un segment qui les suit. Les mêmes ensembles (considérés comme sous-ensembles du plan) sont équivalents par rapport au plan.

Toutes les propriétés de l'espace, de ses sous-ensembles, des points etc. considérées jusqu'ici sont des propriétés topologiques, donc des invariants des transformations homéomorphes de l'espace.

X. Rang topologique. L'espace $\mathcal{X}$ est dit *topologiquement contenu* [1]) dans l'espace $\mathcal{Y}$, s'il est homéomorphe à un sous-ensemble de $\mathcal{Y}$.

Si $\mathcal{X}$ est topologiquement contenu dans $\mathcal{Y}$ et $\mathcal{Y}$ dans $\mathcal{X}$, nous dirons que $\mathcal{X}$ et $\mathcal{Y}$ ont le même *rang topologique* [2]). Par contre, si cette relation n'a lieu que dans un seul sens, on dit que le rang topologique de l'un des espaces est supérieur à celui de l'autre.

Bien entendu, deux espaces peuvent avoir le même rang topologique sans qu'ils soient homéomorphes. Tels sont par ex. la droite illimitée et l'intervalle fermé. On a cependant, d'après un théorème de la Théorie des ensembles [3]), la proposition suivante: *$\mathcal{X}$ et $\mathcal{Y}$ ayant le même rang topologique, il existe un ensemble $A \subset \mathcal{X}$ et un ensemble $B \subset \mathcal{Y}$ tels que A est homéomorphe à B et $\mathcal{X} - A$ à $\mathcal{Y} - B$.*

Les rangs topologiques de deux espaces peuvent être *incomparables*. Tel est par exemple le cas d'une circonférence et d'un ensemble composé de trois segments n'ayant qu'une seule extrémité en commun.

---

[1]) d'après M. P. Alexandroff.

[2]) = „type de dimensions“ de M. Fréchet (voir Math. Ann. 68, 1910, p. 145—168) = „Homoïe“ de M. Mahlo.

[3]) S. Banach, Fund. Math. 6 (1924), p. 236—239.

XI. Ensembles homogènes. Un ensemble A est dit *homogène* dans l'espace, si pour chaque couple a, b de ses points, il existe une automorphie $f(x)$, c. à d. une transformation bicontinue de l'espace en lui-même telle que $f(a) = b$ et $f(A) = A$. En particulier, l'espace entier est homogène, si tous ses points sont topologiquement équivalents (dans le sens du N⁰ IX).

Tels sont par ex. une circonférence, un espace euclidien à n dimensions. Ces espaces sont, en outre, *bihomogènes*, c. à d. qu'il existe une transformation faisant correspondre b à a et a à b simultanément. Il est d'ailleurs à remarquer qu'un espace peut être homogène sans être bihomogène [1]).

Dans le même ordre d'idées, on prouve [2]) que A étant un ensemble fermé et ouvert simultanément, a et b deux points équivalents et tels que $a \varepsilon A$ et $b \varepsilon 1 - A$, les points a et b sont bi-équivalents, c. à d. qu'il existe une transformation bicontinue f de l'espace en lui-même telle que $f(a) = b$ et $f(b) = a$ [3]).

Un ensemble A peut ne pas être homogène dans l'espace qui le contient, bien qu'il soit homogène quand on le considère comme un espace pour lui-même.

Il résulte facilement de la définition que, *A étant un ensemble homogène, chaque propriété topologique qui appartient à un point de A appartient à tous les autres.* En particulier, si l'on envisage les propriétés d'être un point intérieur, un point d'accumulation, un point où l'ensemble donné est de I-re catégorie, on en conclut respectivement que *tout ensemble homogène A est*

1⁰ *soit un ensemble ouvert, soit un ensemble frontière;*

2⁰ *soit dense en soi, soit isolé;*

3⁰ *soit un ensemble de I-re catégorie, soit un ensemble qui n'est de I-re catégorie en aucun de ses points.*

Dans cet ordre d'idées on a le théorème suivant [4]):

---

[1]) Voir ma note *Un problème sur les ensembles homogènes,* Fund. Math. 3 (1922) p. 14—19 (problème de M. Knaster).

[2]) ibidem, p. 16.

[3]) Dans une note *Ueber topologisch homogene Kontinua,* Fund. Math. 15 (1930), p. 102, M. van Dantzig distingue d'autres genres de homogénéité, en particulier l'homogénéité *involutoire.* Ces notions peuvent aussi être localisées.

[4]) Ce théorème présente une extension aux espaces topologiques d'un théorème de M. Banach concernant les groupes topologiques (voir N⁰ suivant). Le théorème de M. Banach a trouvé des applications importantes dans le Calcul fonctionnel. Voir S. Banach, *Théorie des opérations linéaires,* cette Collection Tome I (1932), p. 20; v. aussi ma note, *Sur la propriété de Baire dans les groupes métriques,* Studia Math. 4 (1933).

Théorème. Soit $\mathfrak{H}$ *une famille d'automorphies de l'espace telle qu'à chaque couple de points* x, y *corresponde une automorphie* h *appartenant à cette famille et satisfaisant à l'égalité* $y = h(x)$. *Soit* Z *un ensemble tel que l'on ait pour chaque élément* h *de* $\mathfrak{H}$

$$(1) \qquad \text{soit } Z = h(Z), \quad \text{soit } Z \cdot h(Z) = 0.$$

Dans ces hypothèses, si Z *jouit de la propriété de Baire,* Z *est ou bien un ensemble de I-re catégorie ou bien un ensemble simultanément fermé et ouvert.*

Démonstration. Remarquons d'abord (cf. N⁰ IX) que, z étant un point de Z, si Z jouit d'une propriété (topologique) au point z, l'ensemble $h(Z)$ jouit de la même propriété au point $h(z)$. En outre, Z est homogène, car on peut faire correspondre au point $z_1 \varepsilon Z$ une automorphie h telle que $z_1 = h(z)$ et, comme $z_1 \varepsilon Z \cdot h(Z)$, il vient en raison de (1): $Z = h(Z)$.

Il en résulte, selon 3^0, que si Z n'est pas de I-re catégorie, Z n'est de I-re catégorie dans aucun de ses points. On en conclut en vertu de la propriété de Baire (§ 11, IV, cor. 2) qu'il existe un point $z \varepsilon Z$ dans lequel $1 - Z$ est de I-re catégorie. Soit donc G un ensemble ouvert tel que $z \varepsilon G$ et que $G - Z$ soit de I-re catégorie. Nous allons prouver que $G - Z = 0$.

Supposons, par contre, que $p \varepsilon G - Z$. Soit h une automorphie appartenant à $\mathfrak{H}$ et telle que $p = h(z)$. Comme $p \varepsilon h(Z) - Z$, il vient selon (1): $Z \cdot h(Z) = 0$, d'où $h(Z) \subset 1 - Z$, donc $G \cdot h(Z) \subset G - Z$, ce qui prouve que $G \cdot h(Z)$ est un ensemble de I-re catégorie. Par conséquent, $h(Z)$ est de I-re catégorie au point $p = h(z)$. Mais cela contredit la remarque faite au début de la démonstration, puisque Z n'est pas de I-re catégorie au point z.

L'inclusion $G \subset Z$ établie, il en résulte que z est un point intérieur de Z, donc, Z étant homogène, Z est ouvert (selon 1^0).

Reste à prouver que Z est fermé.

Soit $p \varepsilon \overline{Z}$ et $z \varepsilon Z$. Posons, comme auparavant, $p = h(z)$. L'ensemble Z étant ouvert et h étant une automorphie de l'espace, $h(Z)$ est aussi ouvert. Par conséquent les formules $p \varepsilon \overline{Z}$ et $p \varepsilon h(Z)$ entraînent $Z \cdot h(Z) \neq 0$, d'où $Z = h(Z)$, donc $p \varepsilon Z$, c. q. f. d.

XII. Applications aux groupes topologiques. Un espace topologique (satisfaisant aux ax. I—III) s'appelle *groupe topologique* [1]), lorsqu'on a fait correspondre à chaque couple de points x, y leur „somme“ $z = x \dot{+} y$ de façon que: 1⁰ $(x \dot{+} y) \dot{+} z = x \dot{+} (y \dot{+} z)$, 2⁰ il existe l'élément-zéro $\mathfrak{0}$ tel que $x \dot{+} \mathfrak{0} = x = \mathfrak{0} \dot{+} x$, 3⁰ il existe l'élément $(-x)$ tel que $x \dot{+} (-x) = \mathfrak{0}$, 4⁰ les opérations $x \dot{+} y$ et $-x$ sont continues [2]).

Posons $h_a(x) = a \dot{+} x$. On voit aussitôt que la condition $y = h_a(x)$ entraîne $x = h_{-a}(y)$. On en conclut que $h_a(x)$ est (pour a fixe) une automorphie de l'espace et que la famille $\mathfrak{H}$ de toutes les fonctions h_a satisfait à l'hypothèse du théorème du N⁰ XI.

On appelle *sous-groupe* chaque ensemble qui, avec x, contient $(-x)$ et, avec x et y, contient $x \dot{+} y$. On vérifie facilement que, Z étant un sous-groupe, la condition XI (1) est réalisée. D'après ce qui précède *chaque sous-groupe est homogène* (en particulier, chaque groupe topologique est homogène). En vertu du théorème du N⁰ XI, *tout sous-groupe qui jouit de la propriété de Baire est soit un ensemble de I-re catégorie, soit un ensemble à la fois fermé et ouvert.*

---

[1]) V. p. ex. D. van Dantzig, *Zur topologischen Algebra*, Math. Ann. 107 (1932), p. 587—626, où l'on trouvera de nombreux renvois bibliographiques.

[2]) Une fonction continue de deux variables est une fonction continue d'une seule variable parcourant un produit cartésien (voir § 23, I). Pour les applications dont il est question ici, il suffit de supposer la continuité selon chacune des variables séparément.

DEUXIÈME CHAPITRE.

Espaces métrisables et séparables.

A. Introduction de la limite, de la distance et des coordonnées (§§ 14—17).

Nous allons ajouter, à présent, aux axiomes I—III deux nouveaux axiomes (§§ 16 et 17). L'espace satisfaisant aux ax. I—V constitue, comme nous l'avons indiqué déjà dans la Préface, le vrai domaine de la Topologie. Il est d'après un théorème du § 17 homéomorphe à un sous-ensemble de l'espace $\mathcal{E}^{\aleph_0}$; c'est bien ce théorème fondamental, qui est un de nos buts les plus proches. Afin d'y parvenir d'une façon méthodique, nous étudierons d'abord deux genres d'espaces: espaces $\mathcal{L}^*$, munis de la notion de limite et espaces métriques, munis de la notion de distance. Les §§ 14 et 15 contiennent plusieurs définitions et théorèmes importants, liés à ces notions. Dès que le théorème fondamental sera établi, tous les théorèmes concernant les espaces $\mathcal{L}^*$, ainsi que les espaces métriques, pourront être considérés comme des théorèmes sur l'espace assujetti aux ax. I—V, puisque dans un espace de ce genre la limite et la distance se laissent introduire de façon que cet espace devienne $\mathcal{L}^*$ et métrique.

§ 14. Espaces $\mathcal{L}^*$ (pourvus de la notion de limite).

I. Définition. Un ensemble d'éléments arbitraires devient un espace $\mathcal{L}^*$, lorsqu'on a fait correspondre à certaines suites (dites *convergentes*) $p_1, p_2, \dots, p_n, \dots$ d'éléments de cet espace un élément $p = \lim\limits_{n=\infty} p_n$ de façon que les conditions suivantes soient réalisées [1]):

---

[1]) Les espaces abstraits ayant la notion de limite pour terme primitif ont été introduits par M. Fréchet dans sa Thèse, Paris 1906 et Rend. Circ. Mat. di Palermo 22 (1906), *Sur quelques points du Calcul fonctionnel.* Pour la cond. 3^0, voir P. Alexandroff et P. Urysohn, C. R. Paris, t. 177 (1923), p. 1274 et P. Urysohn *Sur les classes* ($\mathcal{L}$) *de M. Fréchet*, Ens. Math. 25 (1926), p. 77—83, où les espaces $\mathcal{L}^*$ sont désignés par $\mathcal{L}_t$.

1° *si* $\lim_{n=\infty} p_n = p$ *et* $k_1 < k_2 < \dots$, *on a* $\lim_{n=\infty} p_{k_n} = p$

2° *si, pour chaque n,* $p_n = p$, *on a* $\lim_{n=\infty} p_n = p$

3° *si la suite* $p_1, p_2, \dots$ *ne converge pas vers p, elle contient une suite partielle*[1] $p_{k_1}, p_{k_2}, \dots$ *dont aucune suite partielle ne converge vers p.*

Nous distinguons par l'astérisque les espaces $\mathcal{L}^*$ des espaces $\mathcal{L}$ de M. Fréchet, qui ne sont assujettis qu'aux conditions 1° et 2°. Ces deux conditions ne caractérisent pas d'une façon suffisante la notion de limite: par exemple, un ensemble composé de deux éléments a et b, où l'on suppose que seules les suites $a, a, a, \dots$ et $b, b, b, \dots$ sont convergentes (la suite $a, b, b, b, \dots$ diverge!) est un espace $\mathcal{L}$. Voir aussi N° II et N° III, ainsi que M. Fréchet, *Espaces abstraits*, p. 169.

II. Rapport aux axiomes I—III. X étant un ensemble situé dans un espace $\mathcal{L}^*$, on définit la fermeture $\overline{X}$ de X, en admettant que p appartient à $\overline{X}$, lorsque p est limite d'une suite extraite de X. On voit aussitôt que la condition 1° entraîne l'ax. I et la cond. 2° l'ax. II (voir d'ailleurs le raisonnement du § 4, II). L'ax. III peut ne pas être rempli, comme le prouve l'exemple de l'ensemble des fonctions, considéré au § 4, V[2]).

Pour que $p = \lim_{n=\infty} p_n$, *il faut et il suffit que, X désignant l'ensemble des éléments d'une sous-suite arbitraire* $p_{k_1}, p_{k_2}, \dots$, *on ait* $p \in \overline{X}$.

En effet, si $p = \lim_{n=\infty} p_n$, on a $p \in \overline{X}$ en vertu de 1°. Inversement, si la suite donnée ne converge pas vers p, elle contient selon 3° une sous-suite $p_{k_1}, p_{k_2}, \dots$ dont aucune sous-suite ne converge vers p. On peut supposer, de plus, que la suite $\{p_{k_n}\}$ ne contient pas l'élément p, car en vertu de 2° elle ne pourrait le contenir qu'un nombre fini de fois et dans ce dernier cas on la remplacerait par une sous-suite qui ne contient pas p. Or aucune suite (d'éléments différents ou non) $x_1, x_2, \dots$ extraite de X ne converge vers p, car en cas où elle admet une infinité d'éléments différents, elle contient une sous-suite de la suite $p_{k_1}, p_{k_2}, \dots$, donc une suite qui ne converge pas vers p, et en cas où la suite $x_1, x_2, \dots$

---

[1]) $p_{k_1}, p_{k_2}, \dots$ est une *suite partielle* (ou une *sous-suite*) de la suite $p_1, p_2, \dots$ lorsque $k_1 < k_2 < \dots$

[2]) Des conditions nécessaires et suffisantes pour qu'un espace satisfaisant aux ax. I—III devienne $\mathcal{L}^*$ ont été données par P. Urysohn dans l'ouvrage précité.

ne contient qu'un nombre fini de termes différents, il y en a un qui se répète une infinité de fois; ce terme étant différent de p, la suite ne pourrait converger vers p. Ainsi, en tout cas, p *non-*$\varepsilon\, \overline{X}$.

On prouve facilement que *la convergence, ainsi que la limite d'une suite, ne dépend pas de n premiers termes de cette suite*, c. à d. que l'on peut ajouter ou supprimer ou remplacer un nombre fini de termes, sans que la suite cesse d'être ou devienne convergente, ou bien que sa limite change de valeur. On prouve aussi (en s'appuyant toujours sur l'ax. 3⁰) que, *étant données deux suites telles que* $\lim_{n=\infty} p_n = p = \lim_{n=\infty} q_n$, *la suite* $p_1, q_1, p_2, q_2, \ldots$ *converge vers* p.

III. Notion de continuité. *Dans les espaces* $\mathfrak{L}^*$ *la condition pour qu'une fonction f soit continue au point x équivaut à la suivante* (dite condition de Heine) [1]:

$$x = \lim_{n=\infty} x_n \text{ entraîne } f(x) = \lim_{n=\infty} f(x_n).$$

Supposons, en effet, que la fonction soit continue au point x et que $x = \lim_{n=\infty} x_n$. Désignons par X l'ensemble des éléments d'une sous-suite arbitraire $x_{k_1}, x_{k_2}, \ldots$ Nous avons démontré au N⁰ précédent que $x \,\varepsilon\, \overline{X}$. Donc, par définition de la continuité (§ 13, I), $f(x) \,\varepsilon\, \overline{f(X)}$. La suite $f(x_{k_1}), f(x_{k_2}), \ldots$ étant une sous-suite arbitraire de la suite $f(x_1), f(x_2), \ldots$, cette dernière converge vers $f(x)$.

Supposons, d'autre part, que $x \,\varepsilon\, \overline{X}$. Il existe donc une suite $x_1, x_2, \ldots$ telle que $x = \lim_{n=\infty} x_n$ et $x_n \,\varepsilon\, X$. Si l'on suppose la condition de Heine vérifiée, on a $f(x) = \lim_{n=\infty} f(x_n)$ et comme $f(x_n) \,\varepsilon\, f(X)$, il vient $f(x) \,\varepsilon\, \overline{f(X)}$. La fonction est donc continue au point x.

De là, on conclut facilement que pour que la fonction f soit *bicontinue*, il faut et il suffit que les égalités $x = \lim_{n=\infty} x_n$ et $f(x) = \lim_{n=\infty} f(x_n)$ soient *équivalentes*.

---

[1]) L'hypothèse que l'espace des valeurs soit un $\mathfrak{L}^*$ est essentielle. Si, en effet, un espace est un $\mathfrak{L}$ sans être un $\mathfrak{L}^*$, il contient une suite $y_0, y_1, \ldots$ qui ne converge pas vers y_0, bien que chaque sous-suite contienne une sous-suite convergente vers y_0. Posons $f(0) = y_0$ et $f(1/n) = y_n$. La fonction f est continue dans le sens adopté au § 13, I, mais ne satisfait pas à la condition de Heine.

En général, si les espaces des arguments et des valeurs sont des espaces $\mathfrak{L}$ (mais pas nécessairement $\mathfrak{L}^*$), la continuité de f équivaut à la condition suivante: *si* $x = \lim_{n=\infty} x_n$, *il existe une sous-suite* $x_{k_1}, x_{k_2}, \ldots$ *telle que* $f(x) = \lim_{n=\infty} f(x_{k_n})$.

IV. Produit cartésien des espaces $\mathcal{L}^*$. Le produit cartésien $\mathcal{X} \times \mathcal{Y}$ des espaces $\mathcal{X}$ et $\mathcal{Y}$ est par définition (§ 2, I) l'ensemble des paires ordonnées (x, y) où $x \varepsilon \mathcal{X}$ et $y \varepsilon \mathcal{Y}$. On confère à l'ensemble $\mathcal{X} \times \mathcal{Y}$ le caractère d'un espace $\mathcal{L}^*$, en convenant que la suite de points $\mathfrak{z}_n = (x_n, y_n)$ converge vers $\mathfrak{z} = (x, y)$, lorsque $\lim_{n=\infty} x_n = x$ et $\lim_{n=\infty} y_n = y$.

D'une façon analogue, $\mathcal{X}_1, \mathcal{X}_2, \ldots$ étant une suite infinie d'espaces $\mathcal{L}^*$, on convient qu'une suite variable $\mathfrak{z}_n = \overset{1}{\mathfrak{z}}_n, \overset{2}{\mathfrak{z}}_n, \ldots$ converge (dans l'espace $\mathcal{X}_1 \times \mathcal{X}_2 \times \ldots$) vers la suite $\mathfrak{z} = \mathfrak{z}^1, \mathfrak{z}^2, \ldots$, lorsque pour chaque i, on a $\lim_{n=\infty} \overset{i}{\mathfrak{z}}_n = \mathfrak{z}^i$, c. à d. lorsque le i-ème terme de la suite variable tend vers le i-ème terme de la suite limite.

Soit $\mathfrak{z} = f(t)$ une fonction qui fait correspondre à chaque point t d'un espace T un point $\mathfrak{z}$ du produit cartésien $\mathcal{X}_1 \times \mathcal{X}_2 \times \ldots$ (ou, d'une façon moins générale, du produit $\mathcal{X} \times \mathcal{Y}$). Posons $g_i(t) = [f(t)]^i =$ la i-ème coordonnée du point $\mathfrak{z} = f(t)$.

La condition nécessaire et suffisante pour que la fonction $f(t)$ soit continue au point t est que chacune des fonctions $g_i(t)$, $i = 1, 2, \ldots$, soit continue en ce point.

Car, étant donnée une suite $t_1, t_2, \ldots$ convergente vers t, l'égalité $f(t) = \lim_{n=\infty} f(t_n)$ signifie que, quel que soit $i = 1, 2, \ldots$, l'égalité $[f(t)]^i = \lim_{n=\infty} [f(t_n)]^i$ est remplie.

V. Exemples fondamentaux des produits cartésiens.

1. $\mathcal{J}$ désignant l'intervalle $0 \leqslant x \leqslant 1$, $\mathcal{J}^n$, c. à d. le produit cartésien de n facteurs identiques à $\mathcal{J}$, est un cube à n dimensions. $\mathcal{J}^{\aleph_0}$ est l'ensemble de toutes les suites infinies extraites de l'intervalle $\mathcal{J}$ [1]).

2. $\mathcal{X}$ désignant un espace composé de deux éléments, considérons l'espace $\mathcal{C} = \mathcal{X}^{\aleph_0}$. Chaque point de l'espace $\mathcal{C}$ est donc une suite infinie composée de deux éléments. Désignons ces deux

---

[1]) On prouve facilement que l'espace $\mathcal{J}^{\aleph_0}$ est homéomorphe au *„cube fondamental de Hilbert“* („Fundamentalquader“), composé de toutes les suites $\mathfrak{z} = \mathfrak{z}^{(1)}, \mathfrak{z}^{(2)}, \ldots$, où $\mathfrak{z}^{(i)} \leqslant 1/i$ et où la distance de deux suites $\mathfrak{z}$ et $\mathfrak{y}$ est, par définition, égale à $\sqrt{\sum_{i=1}^{\infty} (\mathfrak{z}^{(i)} - \mathfrak{y}^{(i)})^2}$. Cf. D. Hilbert, Gött. Nachr, 1906, p. 200 et 439.

éléments par les chiffres 0 et 2 et faisons correspondre à la suite considérée le nombre réel de l'intervalle 01 dont elle constitue le développement dans le système de numération triadique. Ainsi $\mathfrak{z} = \mathfrak{z}^{(1)}, \mathfrak{z}^{(2)}, \ldots$ étant une suite composée de chiffres 0 et 2 et $x(\mathfrak{z})$ étant le nombre correspondant de l'intervalle 01, on a

$$x(\mathfrak{z}) = \frac{\mathfrak{z}^{(1)}}{3} + \frac{\mathfrak{z}^{(2)}}{3^2} + \ldots + \frac{\mathfrak{z}^{(i)}}{3^i} + \ldots$$

Cette correspondance est, comme on prouve facilement, une homéomorphie entre l'espace $\mathcal{C}$ et l'ensemble de tous les nombres de l'intervalle 01 qui se laissent écrire dans le système de numération triadique sans le chiffre 1. Ce dernier ensemble, appelé *ensemble parfait non-dense de Cantor* [1]), peut donc être identifié — au point de vue topologique — avec l'ensemble $\mathcal{C}$.

3. $\mathcal{X}$ désignant l'ensemble de tous les nombres naturels, considérons l'espace $\mathcal{N} = \mathcal{X}^{\aleph_0}$. Cet espace est homéomorphe à *l'ensemble des nombres irrationnels de l'intervalle* 01 [2]).

Faisons, en effet, correspondre à chaque suite infinie $\mathfrak{z} = \mathfrak{z}^{(1)}, \mathfrak{z}^{(2)}, \ldots$ de nombres naturels la fraction continue

$$x(\mathfrak{z}) = \frac{1|}{|\mathfrak{z}^{(1)}} + \frac{1|}{|\mathfrak{z}^{(2)}} + \ldots + \frac{1|}{|\mathfrak{z}^{(i)}} + \ldots$$

La fonction $x(\mathfrak{z})$ est bicontinue, car, d'après les propriétés élémentaires des fractions continues, pour que l'on ait $x(\mathfrak{z}) = \lim_{n=\infty} x(\mathfrak{z}_n)$, il faut et il suffit que $\lim_{n=\infty} \mathfrak{z}_n^{(i)} = \mathfrak{z}^{(i)}$, quel que soit i; or cette dernière condition exprime que $\lim_{n=\infty} \mathfrak{z}_n = \mathfrak{z}$.

VI. Espaces séparables. *Un espace est dit séparable* [3]), *lorsqu'il contient un ensemble dense dénombrable.* Si l'espace est un $\mathcal{L}^*$, cela revient à supposer qu'il existe une suite infinie $r_1, r_2, \ldots$

---

[1]) G. Cantor, Math. Ann. 21 (1883), p. 590.

[2]) L'espace $\mathcal{N}$ est dit aussi *„espace 0-dimensionnel de Baire"*, lorsqu'on le métrise d'une manière qu'il devienne un espace complet.

[3]) d'après M. Fréchet, Rend. Circ. Mat. di Palermo 22 (1906), p. 23. Pour les espaces *localement séparables* (notion due à P. Urysohn, Fund. Math. 9 (1927), p. 119), cf. W. Sierpiński, Fund Math. 21 (1933).

(composée d'éléments différents ou non) telle que chaque point de l'espace soit limite d'une sous-suite de la suite considérée.

Une image continue d'un espace séparable est séparable.

Le produit cartésien de deux espaces séparables est séparable. En effet, si $r_1, r_2, \ldots$ est une suite dense dans l'espace $\mathcal{X}$ et $s_1, s_2, \ldots$ est une suite dense dans l'espace $\mathcal{Y}$, il résulte du N° IV que la suite $(r_1, s_1), (r_2, s_2), \ldots$ est dense dans l'espace $\mathcal{X} \times \mathcal{Y}$.

D'une façon générale, *$\mathcal{X}_1, \mathcal{X}_2, \ldots$ étant une suite d'espaces séparables, l'espace $\mathcal{X}_1 \times \mathcal{X}_2 \times \ldots$ est séparable.*

Soient, en effet, R_i un ensemble dénombrable, dense dans $\mathcal{X}_i$ et r_i un élément fixe extrait de R_i. Soit $\mathfrak{R}$ la famille de toutes les suites $\mathfrak{r}$ telles que: 1° quel que soit i, on a $\mathfrak{r}^i \varepsilon R_i$, 2° à partir d'un certain indice m (variant avec $\mathfrak{r}$) on a constamment:

$$\mathfrak{r}^m = r_m, \quad \mathfrak{r}^{m+1} = r_{m+1}, \ldots$$

La famille $\mathfrak{R}$ est évidemment dénombrable. Afin de prouver qu'elle est dense dans l'espace $\mathcal{X}_1 \times \mathcal{X}_2 \times \ldots$, considérons, pour un point donné $\mathfrak{z} = [\mathfrak{z}^1, \mathfrak{z}^2, \ldots]$ de cet espace et pour chaque entier i, une suite $r_{i1}, r_{i2}, \ldots$ extraite de R_i et convergente vers $\mathfrak{z}^i$. Posons:

$$\mathfrak{r}_1 = r_{11}, r_2, r_3, \ldots$$

$$\mathfrak{r}_2 = r_{12}, r_{22}, r_3, r_4, \ldots$$

$$\cdots\cdots\cdots$$

$$\mathfrak{r}_n = r_{1n}, r_{2n}, r_{3n}, \ldots r_{nn}, r_{n+1}, \ldots$$

$$\cdots\cdots\cdots\cdots$$

Il vient $\mathfrak{r}_n \varepsilon \mathfrak{R}$ et, pour chaque i, $\mathfrak{z}^i = \lim\limits_{n=\infty} \mathfrak{r}_n^i$, donc $\mathfrak{z} = \lim\limits_{n=\infty} \mathfrak{r}_n$, ce qui prouve que l'ensemble $\mathfrak{R}$ est dense dans l'espace $\mathcal{X}_1 \times \mathcal{X}_2 \times \ldots$

Exemple. L'intervalle $\mathcal{I}$ est séparable, puisque l'ensemble des nombres rationnels y est dense. D'après le théorème précédent, *l'espace $\mathcal{I}^{\aleph_0}$ est également séparable* (un ensemble dense et dénombrable y est formé notamment de points ayant toutes les coordonnées rationnelles et n'ayant qu'un nombre fini de coordonnées différentes de zéro).

VII. Rapports aux espaces de Hausdorff. Dans un espace ayant pour terme primitif la notion d'entourage ouvert (§ 7, III) on admet que *le point* p *est la limite de la suite* $p_1, p_2, \ldots$ *lorsque, pour chaque entourage* U *de* p, *il existe un indice à partir duquel on a* $p_n \varepsilon U$. Les axiomes A — D de M. Hausdorff impliquent les conditions 1° — 3°.

En effet, on voit d'abord qu'une suite ne peut avoir deux limites différentes p et q, car il existe, en vertu de D, deux entourages U et V de p et q sans points communs. Les conditions 1° et 2° étant évidentes, supposons pour prouver 3° que la suite $p_1, p_2, \ldots$ ne converge pas vers p; cela veut dire qu'il existe un entourage U de p et une sous-suite $p_{k_1}, p_{k_2}, \ldots$ qui est située en dehors de U; par conséquent, aucune suite extraite de celle-ci ne pourrait converger vers p, c. q. f. d.

Dans les espaces de Hausdorff, on définit la fermeture $\overline{X}$ d'un ensemble X comme composée de tous les points p tels que chaque entourage de p contient des points de X (§ 7, III). Nous allons démontrer que cette définition est d'accord avec celle adoptée au § 14, IV, d'après laquelle $p \varepsilon \overline{X}$, lorsque p est un point-limite d'une suite de points extraite de X, c. à d. lorsque, quel que soit l'entourage U de p, tous les points de cette suite à partir d'un certain indice appartiennent à U.

Supposons, en effet, que chaque entourage de p contient des points de X. Soit $\{U_n\}$ la suite d'entourages de p mentionnée dans l'ax. E. D'après B l'ensemble $U_1 \cdot U_2 \cdot \ldots \cdot U_n$ contient un entourage de p et celui-ci contient par hypothèse un point p_n de X, d'où $p_n \varepsilon X \cdot U_1 \cdot \ldots \cdot U_n$. Soit U un entourage arbitraire de p. D'après l'ax. E, il existe un n_0 tel que $U_{n_0} \subset U$; de sorte que, pour $n > n_0$, on a $p_n \varepsilon U_1 \cdot \ldots \cdot U_n \subset U_{n_0} \subset U$. Donc $p = \lim_{n=\infty} p_n$.

Inversement, si $p = \lim_{n=\infty} p_n$ où $p_n \varepsilon X$ et si U est un entourage de p, on a, pour n suffisamment grand, $p_n \varepsilon U$, d'où $UX \neq 0$.

On voit ainsi que *tous les théorèmes concernant l'espace* $\mathfrak{L}^*$ *sont applicables aux espaces de Hausdorff.*

§ 15. Espaces métriques.

I. Définitions. Un ensemble est dit *espace métrique*, lorsqu'on a fait correspondre à chaque couple x, y de ses éléments un nombre réel $|x - y|$, dit leur *distance*, assujetti aux conditions:

(i) *l'égalité* $|x-y|=0$ *équivaut à l'égalité* $x=y$,
(ii) $|x-y|+|x-z| \geqslant |y-z|$ (loi du triangle) [1]).

En substituant dans (ii) respectivement y et x à z, on en conclut que $|x-y| \geqslant 0$ et que $|x-y|=|y-x|$, de sorte que la distance est une fonction non négative et symétrique par rapport aux deux variables [2]).

Un ensemble est dit *sphère* ouverte (sphère fermée) de centre p et de rayon r, lorsqu'il est composé de tous les points x tels que $|p-x|<r$ (tels que $|p-x| \leqslant r$).

Un espace ayant la fermeture pour notion primitive est dit *métrisable*, s'il est possible d'y définir la distance de façon que les conditions (i) et (ii) soient vérifiées et que l'ensemble $\bar{X}$ se compose des tous les points p tels que chaque sphère de centre p contienne des points de X.

Remarque. Si l'on remplace la condition (i) par $|x-x|=0$ (de sorte que la distance entre deux points différents ne soit pas nécessairement $\neq 0$), on peut décomposer l'espace en sous-ensembles disjoints, en rangeant dans un même sous-ensemble tous les points dont la distance deux à deux est 0 (on dit dans ce cas que les points à distance 0 sont *identifiés*). La distance entre deux ensembles X et Y de ce genre est définie comme $|x-y|$, où $x \varepsilon X$ et $y \varepsilon Y$. Le choix des points x et y est indifférent, car la condition $|x-x'|=0$ implique $|x'-y| \leqslant |x-x'|+|x-y|=|x-y|$.

On vérifie facilement que les sous-ensembles en question, considérés comme des points, constituent un espace métrique.

Exemples. Le cas le plus simple, dont nous avons emprunté les notations, est celui de l'ensemble des nombres réels, où la distance est définie, comme d'habitude, par le module de la différence. D'une façon plus générale, l'espace cartésien à n dimensions est un espace métrique, la distance des points $x_1, \dots, x_n$ et $y_1, \dots, y_n$ étant égale à $\sqrt{(x_1-y_1)^2+\dots+(x_n-y_n)^2}$.

---

[1]) La notion est due à M. Fréchet, Rend. Circ. Mat. di Palermo 22 (1906), p. 17. Le terme „espace métrique" provient de M. Hausdorff, *Grundzüge*, p. 211. Pour la définition du texte, voir M. Fréchet, *Relations entre les notions de limite et de distance*, Trans. Amer. Math. Soc. 19 (1918), p. 54 et A. Lindenbaum, *Contributions à l'étude de l'espace métrique I*, Fund. Math. 8 (1926), p. 211.

[2]) Pour les espaces munis d'une „distance" non symétrique, voir W. A. Wilson, *On quasi-metric spaces*, Amer. Journ. of Math. 53 (1931), p. 675.

La définition de la sphère coïncide alors avec celle de la sphère n-dimensionnelle, adoptée en Géométrie.

L'ensemble de toutes les *fonctions bornées* $f(x)$, $0 \leqslant x \leqslant 1$, devient un espace métrique, lorsqu'on définit la distance entre deux fonctions par la formule $|f_1 - f_2| = \max |f_1(x) - f_2(x)|$ [1].

L'ensemble des *fonctions de carrés sommables* avec la distance

$$|f_1 - f_2| = \left\{ \int_0^1 [f_1(x) - f_2(x)]^2 \, dx \right\}^{1/2}$$

est un espace métrique, si l'on identifie les fonctions qui ne diffèrent que sur un ensemble de mesure nulle.

Un ensemble de puissance arbitraire peut être considéré comme un espace métrique, lorsqu'on y définit la distance comme égale identiquement à 1.

II. Relations entre les espaces métriques et les autres espaces. Un espace métrique peut être considéré comme un espace de Hausdorff (§ 7, III), lorsque *toute sphère ouverte de centre p est admise comme un entourage du point p.* On vérifie facilement les axiomes A—D de M. Hausdorff. L'ax. E est aussi réalisé, car toute sphère ouverte contient une sphère concentrique de rayon rationnel.

On en conclut en vertu de § 14, VII et § 7, III que:

1° *un espace métrique peut être considéré comme un espace* $\mathfrak{L}^*$, *en convenant que la formule* $p = \lim\limits_{n=\infty} p_n$ *signifie que* $\lim\limits_{n=\infty} |p - p_n| = 0$, c. à d. que *chaque sphère de centre p contient, à partir d'un certain indice, tous les points* p_n,

2° *un espace métrique satisfait aux axiomes I—III, lorsqu'on convient que la formule* $p \varepsilon \overline{X}$ *exprime que chaque sphère de centre p contient des points de l'ensemble X,*

3° *en admettant les conventions* 1° *et* 2°, *la condition* $p \varepsilon \overline{X}$ *équivaut à l'existence d'une suite* $p_1, p_2, \ldots$ *extraite de X et convergente vers p,*

4° *pour que p soit un point intérieur de X, il faut et il suffit que p soit le centre d'une sphère contenue dans X.*

---

[1]) M. Fréchet, op. cit., Rend. di Palermo, p. 36. Cette définition de la distance entre les fonctions remonte (d'après M. Fréchet) à Weierstrass. Voir aussi plus loin N° VIII.

III. Diamètre. Continuité. Oscillation. Le *diamètre* d'un ensemble X, en symboles: $\delta(X)$, est la borne supérieure des distances de ses points. Si $\delta(X)$ est fini, l'ensemble X est dit *borné.*

On établit facilement les propositions suivantes:

(1) $\{\delta(X) = 0\} \equiv \{X$ *est vide ou se compose d'un seul point*$\}$

(2) *si* $X \subset Y$, *on a* $\delta(X) \leqslant \delta(Y)$ (3) $\delta(\overline{X}) = \delta(X)$

(4) *si* $XY \neq 0$, *on a* $\delta(X+Y) \leqslant \delta(X) + \delta(Y)$.

Si l'on transforme un espace arbitraire $\mathcal{X}$ en un espace métrique $\mathcal{Y}$, la condition de *continuité* de la fonction $f(x)$ au point p (cf. § 13, II (3)) peut être exprimée de cette façon: *à chaque* $\epsilon > 0$ *correspond un entourage E de p tel que la condition* $x \in E$ *entraîne l'inégalité* $|f(x) - f(p)| < \epsilon$. En admettant que ϵ est de la forme $1/n$, cela veut dire qu'il existe une suite d'entourages E_n de p tels que $\lim_{n=\infty} \delta[f(E_n)] = 0$. Ainsi, G_n désignant la somme de tous les ensembles ouverts $G \subset \mathcal{X}$ tels que $\delta[f(G)] < 1/n$, l'ensemble $C = G_1 \cdot G_2 \cdot \ldots$ constitue *l'ensemble des points de continuité de la fonction f; c'est donc un* $\boldsymbol{G_\delta}$.

Nous allons généraliser cet énoncé, en introduisant la notion d'oscillation (qui permet de „mesurer" la discontinuité). Notamment, étant donnée une fonction $f(x)$ définie aux points x d'un sous-ensemble A de $\mathcal{X}$, on appelle *oscillation de f dans un point p* (qu'il appartienne à A ou non) la borne inférieure des nombres $\delta[f(E)]$ où E désigne un entourage variable du point p. En formule:

$$\omega(p) = \min \delta[f(E)].$$

Ainsi par ex., pour $f(x) = \sin 1/x$, on a $\omega(0) = 2$.

Evidemment, si p n'appartient pas à $\overline{A}$, on a $\omega(p) = 0$, car pour $E = 1 - \overline{A}$ l'ensemble $f(E)$ est vide, donc $\delta[f(E)] = 0$.

En attribuant à G_n le même sens qu'auparavant, on voit aussitôt que G_n est l'ensemble des points où l'oscillation est $< 1/n$. Par conséquent *l'ensemble des points où l'oscillation s'annule est un* $\boldsymbol{G_\delta}$ (c'est précisément l'ensemble C). Enfin $A \cdot C$ étant l'ensemble des points de continuité de la fonction f, cet ensemble est un $\boldsymbol{G_\delta}$ *relatif à A.*

Il est à remarquer que dans le cas où les deux espaces $\mathcal{X}$ et $\mathcal{Y}$ sont métriques, la condition de continuité donnée au début de ce N° peut être exprimée dans sa forme classique: à chaque $\epsilon > 0$ correspond un $\delta > 0$ tel que la condition $|x - p| < \delta$ entraîne l'inégalité $|f(x) - f(p)| < \epsilon$ (la sphère de centre p et de rayon δ remplace ici l'entourage E).

IV. Ecart de deux ensembles. Sphère généralisée.

L'écart des ensembles A et B, en symboles: $\rho(A, B)$, est la borne inférieure des distances $|x - y|$ pour x parcourant A et y parcourant B (les ensembles A et B sont supposés non vides) [1].

On a les formules suivantes:

(1) $\rho(x, y) = |x - y|$ (2) $\rho(\bar{A}, \bar{B}) = \rho(A, B)$

(3) $\{\rho(x, A) = 0\} \equiv \{x \varepsilon \bar{A}\}$ (4) $\rho(A, C) \leqslant \rho(A, B) + \rho(B, C) + \delta(B)$

(5) *la fonction $\rho(x, A)$ est, pour A fixe, une fonction continue de x.*

Pour prouver la dernière proposition, considérons deux points x et x' tels que $|x - x'| < \epsilon$. Soit $a \varepsilon A$ et $|x - a| < \rho(x, A) + \epsilon$. Il vient $\rho(x', A) \leqslant |x' - a| < \rho(x, A) + 2\epsilon$, d'où la continuité de ρ.

Une *sphère généralisée ouverte de rayon r et de centre A (supposé non vide)* est, par définition, l'ensemble de tous les points x tels que $\rho(x, A) < r$. En remplaçant $<$ par $\leqslant$, on parvient à la définition de la sphère généralisée *fermée*.

La fonction $\rho(x, A)$ étant continue et l'ensemble des nombres réels $< r$ étant ouvert, la sphère généralisée ouverte est en effet un ensemble ouvert (cf. § 13, IV); de même la sphère généralisée fermée est un ensemble fermé. On voit, en outre, que la sphère généralisée ouverte est la somme des sphères ouvertes de rayon r et de centre appartenant à A.

D'après (2) on n'altère pas la sphère, en remplaçant A par $\bar{A}$.

A étant un ensemble fermé et S_n désignant la sphère ouverte de centre A et de rayon $1/n$, on a

$$A = \prod_{n=1}^{\infty} S_n. \tag{6}$$

---

[1]) M. Hausdorff désigne l'écart par $\delta(A, B)$ et le diamètre par $d(A)$. Voir *Mengenlehre*, p. 145.

Donc, *chaque ensemble fermé est un* G_δ [1]) et, par raison de symétrie, *chaque ensemble ouvert est un* F_σ.

V. Transformation limitative [2]). *Chaque espace métrique est homéomorphe à un espace borné.*

Définissons, en effet, une „nouvelle distance" par la formule

$$\| x-y \| = \frac{|x-y|}{1+|x-y|}.$$

La distance $\| x-y \|$ satisfait aux axiomes (i) et (ii), qui définissent la notion de l'espace métrique. En effet, l'égalité $\| x-y \| = 0$ équivaut à l'égalité $|x-y| = 0$. On a en outre:

$$\| x-y \| + \| x-z \| \geqslant \frac{|x-y|}{1+|x-y|+|x-z|} + \frac{|x-z|}{1+|x-y|+|x-z|} =$$

$$= \frac{|x-y|+|x-z|}{1+|x-y|+|x-z|} = \frac{1}{1+\dfrac{1}{|x-y|+|x-z|}} \geqslant \frac{1}{1+\dfrac{1}{|y-z|}} = \| y-z \|.$$

Les deux espaces métriques, l'un métrisé par la distance $|x-y|$ et l'autre par $\| x-y \|$, sont homéomorphes, c. à d. que l'on a l'équivalence $\{\lim_{n=\infty} |x_n - y| = 0\} \equiv \{\lim_{n=\infty} \| x_n - y \| = 0\}$.

Cela résulte directement du fait que la fonction $u = \dfrac{t}{1+t}$ est bicontinue dans le domaine des nombres non négatifs.

Enfin le diamètre de l'espace est $\leqslant 1$ (relativement à la distance $\| x-y \|$).

VI. Métrisation du produit cartésien. Soient $\mathcal{X}$ et $\mathcal{Y}$ deux espaces métriques. D'après § 14, IV, le produit cartésien $\mathcal{X} \times \mathcal{Y}$ de ces espaces se compose de tous les couples (x, y) où $x \in \mathcal{X}$ et $y \in \mathcal{Y}$, la limite étant définie par la convention que la suite

---

[1]) C'est une propriété importante des espaces métriques, qui est considérée par certains auteurs comme axiome topologique. Voir „propriété $\mathcal{F}$" chez P. Urysohn, Math. Ann. 94 (1925), p. 286.

[2]) Cf. „Schränkungstransformation" chez M. H. Hahn, *Theorie der reellen Funktionen I*, Berlin 1921, p. 115; cf. aussi R. Baire, Acta Math. 30 (1906), p. 6.

$\mathfrak{z}_n = (x_n, y_n)$ converge vers $\mathfrak{z} = (x, y)$, lorsque $\lim_{n=\infty} x_n = x$ et $\lim_{n=\infty} y_n = y$. Le produit $\mathcal{X} \times \mathcal{Y}$ peut être métrisé par la formule [1])

$$(1) \qquad |\mathfrak{z} - \mathfrak{z}_1| = \sqrt{|x - x_1|^2 + |y - y_1|^2}.$$

On voit, en effet, que, pour que $\mathfrak{z} = \lim_{n=\infty} \mathfrak{z}_n$, il faut et il suffit que $\lim_{n=\infty} |\mathfrak{z} - \mathfrak{z}_n| = 0$.

Soit, d'une façon plus générale, $\mathcal{X}_i$, $i = 1, 2, \dots$, un espace métrique de diamètre $\leqslant 1$ (cf. N° V). L'espace $\mathcal{X}_1 \times \mathcal{X}_2 \times \dots$ se compose de points $\mathfrak{z} = [\mathfrak{z}^1, \mathfrak{z}^2, \dots]$, le point $\mathfrak{z}_n$ tendant vers $\mathfrak{z}$, lorsque la i-ème coordonnée de $\mathfrak{z}_n$ tend vers la i-ème coordonnée de $\mathfrak{z}$. On pose

$$(2) \qquad |\mathfrak{z} - \mathfrak{y}| = \sum_{i=1}^{\infty} 2^{-i} |\mathfrak{z}^i - \mathfrak{y}^i| \text{ [2])}.$$

La distance ainsi définie satisfait aux conditions (i) et (ii), car l'équivalence $\{|\mathfrak{z} - \mathfrak{y}| = 0\} \equiv \{\mathfrak{z} = \mathfrak{y}\}$ est évidente et la règle du triangle résulte de la formule

$$|\mathfrak{z}-\mathfrak{y}| + |\mathfrak{z}-\mathfrak{w}| = \sum_{i=1}^{\infty} 2^{-i} [|\mathfrak{z}^i - \mathfrak{y}^i| + |\mathfrak{z}^i - \mathfrak{w}^i|] \geqslant \sum_{i=1}^{\infty} 2^{-i} |\mathfrak{y}^i - \mathfrak{w}^i| = |\mathfrak{y} - \mathfrak{w}|.$$

Il s'agit de prouver que, pour que $\mathfrak{z} = \lim_{n=\infty} \mathfrak{z}_n$, il faut et il suffit que $\lim_{n=\infty} |\mathfrak{z} - \mathfrak{z}_n| = 0$, c. à d. que l'on a l'équivalence:

$$\{\lim_{n=\infty} |\mathfrak{z} - \mathfrak{z}_n| = 0\} \equiv \{\lim_{n=\infty} |\mathfrak{z}^i - \mathfrak{z}_n^i| = 0, \text{ quel que soit } i\}.$$

Or, la condition $\lim_{n=\infty} |\mathfrak{z} - \mathfrak{z}_n| = 0$ entraîne pour chaque i $\lim_{n=\infty} |\mathfrak{z}^i - \mathfrak{z}_n^i| = 0$, car $|\mathfrak{z}^i - \mathfrak{z}_n^i| \leqslant 2^i |\mathfrak{z} - \mathfrak{z}_n|$. Supposons que, inver-

---

[1]) Il y a bien d'autres définitions de distance qui peuvent être admises. Ainsi par ex. rien ne change au point de vue topologique, si on admet comme la distance des points $\mathfrak{z}$ et $\mathfrak{z}_1$ le plus grand des deux nombres $|x - x_1|$ et $|y - y_1|$ ou bien la somme de ces nombres.

[2]) Si l'on ne fait pas l'hypothèse que $\delta(\mathcal{X}_i) \leqslant 1$, on pose

$$|\mathfrak{z} - \mathfrak{y}| = \sum_{i=1}^{\infty} 2^{-i} \frac{|\mathfrak{z}^i - \mathfrak{y}^i|}{1 + |\mathfrak{z}^i - \mathfrak{y}^i|}.$$

Cf. la formule de M. Fréchet, *Espaces abstraits*, p. 82.

sement, $\lim\limits_{n=\infty} |\mathfrak{z}^i - \mathfrak{z}_n^i| = 0$, quel que soit i. Soit, pour un $\epsilon > 0$ donné, m un entier positif tel que $2^{-m} < \epsilon$. Soit j un entier tel que l'on ait $|\mathfrak{z}^1 - \mathfrak{z}_n^1| < \epsilon, \ldots, |\mathfrak{z}^m - \mathfrak{z}_n^m| < \epsilon$, pour tout $n > j$. En tenant compte du fait que $|\mathfrak{z}^i - \mathfrak{z}_n^i| < \delta(\mathcal{X}_i) \leqslant 1$, on en tire l'inégalité $|\mathfrak{z} - \mathfrak{z}_n| \leqslant \sum\limits_{i=1}^{m} 2^{-i} |\mathfrak{z}^i - \mathfrak{z}_n^i| + \sum\limits_{i=m+1}^{\infty} 2^{-i} < 2\epsilon$, d'où $\lim\limits_{n=\infty} |\mathfrak{z} - \mathfrak{z}_n| = 0$.

La distance $|x - y|$, *considérée comme fonction de la variable* $\mathfrak{z} = (x, y)$, *est continue.* Soit, en effet, $\mathfrak{a} = (a, b)$ un point donné et posons $|\mathfrak{z} - \mathfrak{a}| < \epsilon$. Il vient $|x - a| \leqslant |\mathfrak{z} - \mathfrak{a}| < \epsilon$ et $|y - b| < \epsilon$. Par conséquent

$$|x - y| \leqslant |x - a| + |a - b| + |b - y| < |a - b| + 2\epsilon$$

et

$$|a - b| \leqslant |a - x| + |x - y| + |y - b| < |x - y| + 2\epsilon,$$

donc $\big||x - y| - |a - b|\big| < 2\epsilon$, d'où la conclusion demandée (v. N° III).

VII. Distance de deux ensembles fermés. Espace $2^{\mathcal{X}}$.

Nous désignons par le symbole $2^{\mathcal{X}}$ *la famille de tous les ensembles fermés, bornés et non vides*, situés dans l'espace métrique $\mathcal{X}$. La notion d'écart entre les ensembles ne peut servir à métriser cet „espace": en désignant, par ex., par A l'ensemble composé du nombre 0, par B l'intervalle 1, 2 et par C l'ensemble composé du nombre 3, on constate que l'écart ne satisfait pas à la loi du triangle (en outre, l'écart s'annule pour tout couple d'ensembles qui ont des points communs). Or, admettons la „métrique" suivante [1]): *la distance de deux ensembles A et B, en symboles:* dist (A, B), *est le plus grand des deux nombres:*

$$\max_{y \varepsilon B} \rho(x, B) \quad \textit{et} \quad \max_{x \varepsilon A} \rho(y, A).$$

L'ensemble $2^{\mathcal{X}}$ est un *espace métrique* (relativement à la notion de distance ainsi définie). En effet, on voit aussitôt que pour avoir dist $(A, B) = 0$, il faut et il suffit que $A = B$.

Quant à la loi du triangle, on a pour $x \varepsilon A$ et $y \varepsilon B$ (N° IV (4)):

---

[1]) F. Hausdorff, *Grundzüge der Mengenlehre*, Chap. VIII, § 6. Cf. aussi D. Pompéju, Ann. de Toulouse (2) 7 (1905).

$$\rho\,(x,\,C)\leqslant |x-y| + \rho\,(y,\,C)\leqslant |x-y| + \operatorname{dist}(B,\,C),$$

d'où $\rho\,(x,\,C)\leqslant \min\limits_{y\,\varepsilon\,B} |x-y| + \operatorname{dist}(B,\,C) = \rho\,(x,\,B) + \operatorname{dist}(B,\,C)\leqslant$

$\leqslant \operatorname{dist}(A,\,B) + \operatorname{dist}(B,\,C)$ et par raison de symétrie, pour $z\,\varepsilon\,C$:
$\rho(z,A)\leqslant\operatorname{dist}(B,A)+\operatorname{dist}(B,C)$, donc $\operatorname{dist}(A,C)\leqslant\operatorname{dist}(B,A)+\operatorname{dist}(B,C)$.

Observons, en outre, que:

(1) $$|a-b| = \operatorname{dist}[(a),\,(b)],$$

(2) $$\{\operatorname{dist}(A,\,B)\leqslant \epsilon\} \equiv \{A \subset R_\epsilon\,(B)\}\cdot\{B \subset R_\epsilon\,(A)\},$$

$R_\epsilon\,(X)$ désignant la sphère fermée de rayon ϵ et de centre X.

VIII. Espace fonctionnel.

$\mathcal{X}$ et $\mathcal{Y}$ étant deux espaces métriques donnés, considérons, dans la famille des fonctions $y=f(x)$ qui transforment l'espace $\mathcal{X}$ (tout entier) en un sous-ensemble de l'espace $\mathcal{Y}$, les fonctions *bornées*, en entendant par fonction bornée f une fonction telle que l'ensemble des distances $|f(x)-f(x')|$ est borné lorsque x et x' parcourent $\mathcal{X}$. *La famille des fonctions bornées peut être considérée comme un espace métrique lorsque la distance de deux fonctions est définie par la formule*

$$(^0)\qquad |f_1-f_2| = \max\limits_{x\,\varepsilon\,\mathcal{X}} |f_1(x)-f_2(x)|.$$

En effet, d'abord la distance ainsi définie est toujours finie, car x' étant un point fixe, on a

$$|f_1(x)-f_2(x)|\leqslant |f_1(x)-f_1(x')| + |f_1(x')-f_2(x')| + |f_2(x')-f_2(x)|.$$

Comme, en outre, la condition $|f_1-f_2| = 0$ équivaut évidemment à l'égalité $f_1=f_2$, reste à vérifier la loi du triangle. Or
$|f_1-f_2| + |f_1-f_3| = \max |f_1(x)-f_2(x)| + \max|f_1(x)-f_3(x)| \geqslant$
$\geqslant \max\{|f_1(x)-f_2(x)| + |f_1(x)-f_3(x)|\} \geqslant \max|f_2(x)-f_3(x)| = |f_2-f_3|$.

Par définition de la convergence dans les espaces métriques, une suite de fonctions f_n converge vers f dans l'espace fonctionnel considéré, lorsque $\lim |f_n-f| = 0$, c. à d. lorsqu'à chaque $\epsilon > 0$ correspond un $n(\epsilon)$ tel que l'on ait, pour $n > n(\epsilon)$, $\max\limits_{x\,\varepsilon\,\mathcal{X}} |f_n(x)-f(x)|\leqslant \epsilon$, donc que $|f_n(x)-f(x)|\leqslant \epsilon$, quel que soit x.

On voit ainsi que la convergence entendue dans le sens de la formule $(^0)$ coïncide avec la *convergence uniforme* entendue dans le sens habituel.

IX. Espaces totalement bornés. Un espace est dit *totalement borné*, lorsqu'il se laisse décomposer pour chaque $\epsilon > 0$ en un nombre fini d'ensembles de diamètre $< \epsilon$ [1]).

Pour qu'un espace soit totalement borné, il faut et il suffit qu'à chaque $\epsilon > 0$ *corresponde un ensemble fini* F_ϵ *tel que* $\rho(x, F_\epsilon) < \epsilon$, *quel que soit* x.

En effet, l'espace étant supposé totalement borné, on a

$$1 = A_1^n + \dots + A_{k_n}^n, \quad \delta(A_i^n) < 1/n \quad \text{pour} \quad i \leqslant k_n.$$

Soit p_i^n un point choisi de A_i^n. L'ensemble $F_{1/n}$ composé de points $p_1^n, \dots, p_{k_n}^n$ est l'ensemble demandé (pour $\epsilon > 1/n$).

Inversement, $F_{\epsilon/2}$ étant un ensemble satisfaisant à la condition du théorème, le système des sphères de rayon $\epsilon/2$ et de centre appartenant à $F_{\epsilon/2}$ présente le recouvrement demandé de l'espace.

La condition qui vient d'être établie peut s'exprimer à l'aide de la notion de distance des ensembles (N° VII) comme suit: *l'espace est la limite d'une suite d'ensembles finis* (notamment de la suite $F_1, F_{1/2}, \dots, F_{1/n}, \dots$).

Cela résulte aussi du théorème suivant: $\mathcal{X}$ *étant totalement borné,* $2^{\mathcal{X}}$ *l'est également.* Pour prouver ce dernier théorème, envisageons l'ensemble F_ϵ considéré auparavant; soit $H_{1,\epsilon}, \dots, H_{k,\epsilon}$ le système de tous les sous-ensembles de F_ϵ. A chaque ensemble fermé X faisons correspondre l'ensemble $H_{i,\epsilon}$ des points p de F_ϵ tels que $\rho(p, X) < \epsilon$; il vient $\operatorname{dist}(X, H_{i,\epsilon}) \leqslant \epsilon$.

L'espace $2^{\mathcal{X}}$ est donc totalement borné. Il est aussi *séparable*, puisque d'une façon générale *chaque espace totalement borné est séparable* (pour démontrer le dernier énoncé, on n'a qu'à considérer l'ensemble des points p_i^n, $n = 1, 2, \dots, i \leqslant k_n$, définis auparavant).

Remarques. 1. Dans un espace *métrique arbitraire*, à chaque $\epsilon > 0$, correspond un ensemble *fermé et isolé* (fini ou infini) F_ϵ tel que $\rho(x, F_\epsilon) < \epsilon$, quel que soit x. Rangeons, en effet, tous les points de l'espace en une suite transfinie $p_0, p_1, \dots, p_\alpha, \dots$ Posons $p_{\alpha_0} = p_0$ et d'une façon générale, pour $\gamma > 0$, soit p_{α_γ} le point à indice minimum tel que $|p_{\alpha_\gamma} - p_{\alpha_\xi}| \geqslant \epsilon$, quel que soit $\xi < \gamma$ (bien entendu, si un point p_{α_γ} de ce genre existe). F_ϵ est l'ensemble des p_{α_γ}.

2. Considérons comme l'espace $\mathcal{X}$ la courbe $y = \sin 1/x$, $0 < x \leqslant 1$, la distance de deux points p et q étant définie comme égale au diamètre de l'arc pq. Cet

---

[1]) F. Hausdorff, *Mengenlehre*, p. 108.

espace est évidemment séparable et borné (même complet), mais n'est pas totalement borné. La famille de ses sous-ensembles situés sur l'axe des abscisses est indénombrable et la distance entre deux éléments quelconques de cette famille dépasse l'unité; par conséquent cette famille et, à plus forte raison, *l'espace* $2^{\mathcal{X}}$ *est non séparable.*

Il est remarquable que la courbe $\mathcal{X}$ peut être transformée par homéomorphie (notamment par projection sur l'axe des x) de façon que l'espace $2^{\mathcal{X}}$ devienne séparable.

On voit ainsi que les propriétés topologiques de l'espace $2^{\mathcal{X}}$ ne sont pas nécessairement des propriétés topologiques de l'espace $\mathcal{X}$. Cela tient au fait que la définition de l'espace $2^{\mathcal{X}}$ n'a pas été topologique.

X. Produits cartésiens des espaces totalement bornés.

Soit $\{\mathcal{X}_i\}$ une suite (finie ou infinie) d'espaces totalement bornés et tels que $\delta(\mathcal{X}_i) \leqslant 1$. Nous allons prouver que leur *produit cartésien, métrisé par la formule* (2) *du* N° VI, *est totalement borné.*

Soient $\epsilon > 0$ et i un entier tel que $2^{-i} < \epsilon/2$. Pour chaque $l \leqslant i$, il existe par hypothèse un système fini de points: $r_{l1}, \dots, r_{lk_l}$ tels que chaque point de l'espace $\mathcal{X}_l$ se trouve situé à une distance $< \epsilon/2$ d'un point appartenant à ce système. Soit, pour $n > i$, r_n un point arbitrairement choisi de $\mathcal{X}_n$.

Considérons, pour i fixe, le système fini des suites de la forme

$$\mathfrak{y} = [r_{1j_1}, r_{2j_2}, \dots, r_{ij_i}, r_{i+1}, r_{i+2}, \dots] \qquad \text{où } j_1 \leqslant k_1, \dots, j_i \leqslant k_i.$$

Etant donné un point $\mathfrak{z} = [x_1, x_2, \dots]$ de l'espace $\mathcal{X}_1 \times \mathcal{X}_2 \times \dots$, il existe, pour $l \leqslant i$, un point r_{lj_l} tel que $|r_{lj_l} - x_l| < \epsilon/2$, d'où

$$|\mathfrak{y} - \mathfrak{z}| = \sum_{l=1}^{i} 2^{-l} |r_{lj_l} - x_l| + \sum_{n=i+1}^{\infty} 2^{-n} |r_n - x_n| < \frac{\epsilon}{2} + \frac{\epsilon}{2} = \epsilon.$$

L'espace $\mathcal{X}_1 \times \mathcal{X}_2 \times \dots$ est donc totalement borné.

L'intervalle $\mathcal{J} = 01$ *étant manifestement totalement borné, il en est donc de même du cube n-dimensionnel* $\mathcal{J}^n$, *ainsi que de* $\mathcal{J}^{\aleph_0}$.

XI. Transformations continues des espaces métriques en polytopes.

Citons d'abord quelques notions qui se rattachent à la Topologie combinatoire.

$p_0, \dots, p_n$ étant un système de points situés dans un espace euclidien, on appelle *simplexe* (géométrique ouvert) $p_0 \dots p_n$ l'ensemble des points p de la forme:

(1) $p = \lambda_0 p_0 + \ldots + \lambda_n p_n$ où $\lambda_0 + \ldots + \lambda_n = 1,\ 0 < \lambda_i,\ i = 0, 1, \ldots, n,$

les points p et p_i étant considérés comme des vecteurs [1]).

Les coefficients $\lambda_0, \ldots, \lambda_n$ portent le nom des *coordonnées barycentriques* du point p relatives aux points $p_0, \ldots, p_n$ [2]). Chaque simplexe de la forme $p_{i_0} \ldots p_{i_k}$ est dit *face* du simplexe $p_0 \ldots p_n$. Les faces „0-dimensionnelles", c. à d. les points $p_0, \ldots, p_n$ s'appellent *sommets* du simplexe. Evidemment, S désignant le simplexe $p_0 \ldots p_n$, $\bar{S}$ est la somme de toutes les faces $p_{i_0} \ldots p_{i_k}$ et se compose parsuite de tous les points p satisfaisant à la condition qui s'obtient de (1), lorsqu'on remplace l'inégalité $0 < \lambda_i$ par $0 \leqslant \lambda_i$. On peut aussi définir $\bar{S}$ comme le plus petit ensemble convexe contenant les points $p_0, \ldots, p_n$.

Si l'on a une relation de la forme (1), on dit que p dépend *linéairement* des points $p_0, \ldots, p_n$. Un simplexe dont les sommets sont linéairement indépendants les uns des autres est dit *simple*; dans le cas contraire il s'appelle *singulier*. Un simplexe simple S à $n+1$ sommets est dit n-dimensionnel; ainsi, en particulier, si $n = 0$, S se réduit à un seul point, si $n = 1$, le simplexe $p_0 p_1$ est un segment rectiligne sans extrémités, si $n = 2$, $p_0 p_1 p_2$ est l'intérieur d'un triangle etc.

Théorème [3]). *Etant donnés un système de points $p_0, \ldots, p_n$ d'un espace euclidien et un espace métrique $\mathcal{X}$ décomposé en $n+1$ ensembles ouverts:*

(2) $$\mathcal{X} = G_0 + \ldots + G_n,$$

il existe une fonction continue $y = f(x)$ qui transforme l'espace $\mathcal{X}$ en un sous-ensemble de la fermeture $\bar{S}$ du simplexe $S = p_0 \ldots p_n$ de façon que l'on ait, quel que soit le système d'indices $i_0, \ldots, i_k$:

(3) $$f[G_{i_0} \cdot \ldots \cdot G_{i_k} - \sum_{i \neq i_j} G_i] \subset p_{i_0} \ldots p_{i_k},$$

---

[1]) Etant donnés dans l'espace à k dimensions deux vecteurs $p = (x_1, \ldots, x_k)$ et $r = (y_1, \ldots, y_k)$, la somme $p + r$ est par définition le vecteur $(x_1 + y_1, \ldots, x_k + y_k)$; λ étant un nombre réel, on pose $\lambda p = (\lambda x_1, \ldots, \lambda x_k)$.

[2]) Le point p est bien le centre de gravité du système des points $p_0, \ldots, p_n$, quand le point p_i est porteur de la masse λ_i.

[3]) Cf. P. Alexandroff, C. R. Paris t. 183 (1926), p. 640, Math. Ann. 98 (1928), p. 635, Ann. of Math. 30 (1928), p. 6, ainsi que ma note *Sur un théorème fondamental concernant le nerf d'un système d'ensembles,* Fund. Math. 20 (1933), pp. 191—196.

où la sommation s'étend à tous les indices i qui n'appartiennent pas au système $i_0, \dots, i_k$.

Posons $F_i = \mathcal{X} - G_i$. Convenons que, pour $F = 0$, $\rho(x, F) = 1$ quel que soit x. L'égalité $\rho(x, F_i) = 0$ équivaut donc à la formule $x \varepsilon F_i$. En outre, la somme $\rho(x, F_0) + \dots + \rho(x, F_n)$ ne s'annule jamais, car elle ne pourrait s'annuler que si tous ses sommandes s'annulaient, mais alors x n'appartiendrait à aucun G_i, contrairement à (2).

La fonction $\lambda_i(x)$ qui suit est donc finie et continue:

$$\lambda_i(x) = \frac{\rho(x, F_i)}{\rho(x, F_0) + \dots + \rho(x, F_n)}.$$

Or, soit $f(x) = \lambda_0(x) \cdot p_0 + \dots + \lambda_n(x) \cdot p_n$. L'égalité évidente $\lambda_0(x) + \dots + \lambda_n(x) = 1$ implique que $f(x)$ est le point de $\bar{S}$ ayant les nombres $\lambda_0(x), \dots, \lambda_n(x)$ pour coordonnées barycentriques. L'espace $\mathcal{X}$ se trouve ainsi transformé d'une manière continue en un sous-ensemble de $\bar{S}$.

Afin d'établir l'inclusion (3), considérons un point x tel qu'on ait $x \varepsilon G_{i_j}$ pour $0 \leqslant j \leqslant k$ et x *non*-$\varepsilon\, G_i$ pour $i \neq i_j$. Il vient x *non*-$\varepsilon\, F_{i_j}$ et $x \varepsilon F_i$, d'où $\rho(x, F_{i_j}) \neq 0$ et $\rho(x, F_i) = 0$, par conséquent $\lambda_{i_j}(x) \neq 0$ et $\lambda_i(x) = 0$, ce qui implique finalement que le point $f(x)$ appartient au simplexe $p_{i_0} \dots p_{i_k}$.

Corollaire. Dans le cas où le simplexe S est simple, l'inclusion (3) *peut être remplacée par l'égalité*

$$(4) \qquad G_{i_0} \cdot \dots \cdot G_{i_k} - \sum_{i \neq i_j} G_i = f^{-1}(p_{i_0} \dots p_{i_k})\ ^{1)}.$$

Car les faces d'un simplexe simple sont deux à deux disjointes.

XII. Nerf d'un système d'ensembles. Etant donnés un système de points linéairement indépendants $p_0, \dots, p_n$ (dans un espace euclidien) et un système d'ensembles arbitraires $G_0, \dots, G_n$, on dit que le complexe formé de tous les simplexes $p_{i_0} \dots p_{i_k}$ tels que $G_{i_0} \cdot \dots \cdot G_{i_k} \neq 0$ *représente le nerf du système des ensembles*

---

[1]) Le membre gauche de cette égalité est nommé, d'après G. Boole (en Algèbre de la Logique), „*constituant* de l'univers du discours $\mathcal{X}$ relatif au système $G_0, \dots, G_n$". L'univers du discours se décompose en constituants; les constituants sont disjoints deux à deux.

considérés[1]). Soit P le polytope-somme des simplexes $p_{i_0} ... p_{i_k}$ en question. *La fonction f considérée dans le théorème précédent transforme l'espace $\mathfrak{X}$ en un sous-ensemble de P*, car en vertu de l'égalité (4) la condition $G_{i_0} \cdot ... \cdot G_{i_k} = 0$ entraîne $f^{-1}(p_{i_0} ... p_{i_k}) = 0$, ce qui veut dire qu'aucune valeur de la fonction f n'appartient au simplexe $p_{i_0} ... p_{i_k}$.

Il est à remarquer que chaque sous-ensemble d'un simplexe simple se laisse transformer d'une façon continue en un polytope-somme de certaines faces du simplexe sans qu'aucun point ne quitte la fermeture de la face à laquelle il appartenait[2]). Par conséquent, si $f(\mathfrak{X})$ est ce sous-ensemble et $g(p)$ en désigne la transformation en question, la fonction superposée $h(x) = gf(x)$ satisfait à la condition $h^{-1}(p_{i_0} ... p_{i_k}) \subset G_{i_0} \cdot ... \cdot G_{i_k}$.

§ 16. Axiome IV (de séparation).

I. Axiome IV[3]). *A et B étant deux ensembles fermés et disjoints, il existe un ensemble ouvert G tel que* $A \subset G$ *et* $\bar{G} \cdot B = 0$.

L'espace considéré dans ce § est assujetti aux axiomes I—IV.

II. Systèmes semblables au sens combinatoire. Deux systèmes finis d'ensembles $A_1, ..., A_n$ et $B_1, ..., B_n$ sont dits *semblables au sens combinatoire*[4]), lorsqu'on a l'équivalence

$$\{A_{i_1} \cdot ... \cdot A_{i_k} = 0\} \equiv \{B_{i_1} \cdot ... \cdot B_{i_k} = 0\},$$

---

[1]) Voir P. Alexandroff, C. R. Paris t. 184 (1927), p. 317. Cf. la notion de „polyèdre réciproque" de H. Poincaré, *Complément à l'analysis situs* § VII, Rendic. di Palermo 13 (1899).

[2]) Voir ma note citée, Fund. Math. 20, p. 193.

[3]) Cf. H. Tietze, *Beiträge zur allgemeinen Topologie I*, Math. Ann. 88 (1923), p. 301. L'axiome IV est aussi appelé de „normalité". M. E. Čech appelle *parfaitement normal* un espace topologique où, outre l'ax. IV, l'axiome suivant est réalisé: chaque ensemble fermé est un G_δ (cf. § 15, IV). En vertu du théorème du N° IV de ce §, les espaces parfaitement normaux présentent une généralisation des espaces métriques. Comme le prouve M. Čech (v. par ex. *Sur la dimension des espaces parfaitement normaux*, Bull. Acad. Bohème, 1932), un grand nombre de propriétés importantes des espaces métriques restent valables dans les espaces parfaitement normaux.

[4]) d'après P. Alexandroff, Annals of Math. 30 (1928), p. 16.

quel que soit le système d'indices ($\leqslant n$); autrement dit, lorsque le même complexe „représente le nerf" des deux systèmes (§ 15, XII).

Théorème [1]). *Etant donné un système fini d'ensembles fermés $F_1, \dots, F_n$, chaque F_i $(1 \leqslant i \leqslant n)$ est contenu dans un ensemble ouvert G_i tel que le système $\overline{G}_1, \dots, \overline{G}_n$ est semblable au sens combinatoire au système donné.*

Considérons, en effet, tous les produits de la forme $F_{i_1} \cdot \dots \cdot F_{i_k}$ où $F_1 \cdot F_{i_1} \cdot \dots \cdot F_{i_k} = 0$. Soit S leur somme. L'ensemble S étant fermé et disjoint de F_1, il existe d'après l'ax. IV un ensemble ouvert G_1 tel que $F_1 \subset G_1$ et $\overline{G}_1 \cdot S = 0$. Nous allons prouver que le système $\overline{G}_1, F_2, \dots, F_n$ est semblable au système $F_1, F_2, \dots, F_n$.

Considérons à ce but un produit vide dont les facteurs appartiennent au deuxième système; il s'agit de montrer que le produit des facteurs correspondants du premier système est également vide. On peut évidemment se borner au cas où F_1 se trouve parmi ces facteurs. Le produit considéré est alors de la forme $F_1 \cdot F_{i_1} \cdot \dots \cdot F_{i_k} = 0$. Il en résulte que $F_{i_1} \cdot \dots \cdot F_{i_k} \subset S$ et comme $\overline{G}_1 \cdot S = 0$, il vient $\overline{G}_1 \cdot F_{i_1} \cdot \dots \cdot F_{i_k} = 0$.

Ceci établi, procédons par induction. Nous supposons que le système $F_1, \dots, F_n$ est semblable au système $\overline{G}_1, \dots, \overline{G}_{k-1}, F_k, \dots, F_n$, où $F_1 \subset G_1, \dots, F_{k-1} \subset G_{k-1}$. Il existe alors, comme nous venons de prouver, un ensemble ouvert G_k tel que $F_k \subset G_k$ et que le système $\overline{G}_1, \dots, \overline{G}_{k-1}, F_k, \dots, F_n$ est semblable au système $\overline{G}_1, \dots, \overline{G}_{k-1}, \overline{G}_k, F_{k+1}, \dots, F_n$. Ce dernier est donc semblable à $F_1, \dots, F_n$, puisque la propriété d'être semblable est transitive.

Le théorème est ainsi démontré complètement.

Corollaire. Etant donné un système d'ensembles ouverts $G_1, \dots, G_n$ tel que $1 = G_1 + \dots + G_n$, il existe un système d'ensembles ouverts $H_1, \dots, H_n$ tel que $1 = H_1 + \dots + H_n$ et $\overline{H}_i \subset G_i$.

En appliquant le théorème précédent aux ensembles $F_i = 1 - G_i$, on en déduit l'existence des ensembles ouverts V_i tels que $F_i \subset V_i$ et que $\overline{V}_1 \cdot \dots \cdot \overline{V}_n = 0$. Posons $H_i = 1 - \overline{V}_i$. Il vient $\overline{H}_i = \overline{1 - \overline{V}_i} \subset \overline{1 - V_i} = 1 - V_i \subset 1 - F_i = G_i$ et $H_1 + \dots + H_n = 1 - (\overline{V}_1 \cdot \dots \cdot \overline{V}_n) = 1$.

---

[1]) Cf. W. Hurewicz, Math. Ann. 100 (1928). Ce théorème présente une généralisation de l'ax. IV.

III. Transformation de l'espace en ensemble linéaire.

A et B étant deux ensembles fermés et disjoints, il existe une fonction f (x) continue, définie sur l'espace $\mathcal{X}$ tout entier et telle que

$$0 \leqslant f(x) \leqslant 1, \quad f(x) = 0 \text{ pour } x \in A, \quad f(x) = 1 \text{ pour } x \in B\,^{1)}.$$

Au préalable, faisons correspondre à chaque fraction de la forme $r = k/2^n$ $(k = 0, 1, \dots, 2^n)$ un ensemble ouvert $G(r)$ de façon que

1⁰ $A \subset G(0)$, $\mathcal{X} - B = G(1)$,

2⁰ *la condition* $r < r'$ *entraîne* $\overline{G(r)} \subset G(r')$.

Nous procédons par induction suivant l'exposant n. En identifiant $G(0)$ avec l'ensemble G de l'ax. IV, les conditions 1⁰ et 2⁰ se trouvent réalisées pour $n = 0$. Supposons qu'elles le soient encore pour $n - 1$; il s'agit de définir $G(k/2^n)$ pour k impair. Par hypothèse $\overline{G[(k-1)/2^n]} \subset G[(k+1)/2^n]$. Il existe donc, d'après l'ax. IV, un ensemble ouvert, que nous désignons par $G(k/2^n)$, tel que $\overline{G[(k-1)/2^n]} \subset G(k/2^n)$ et $\overline{G(k/2^n)} \subset G[(k+1)/2^n]$.

La fonction $G(r)$ est ainsi définie pour chaque r.

Posons $f(x) = 0$ pour $x \in G(0)$ et $f(x) =$ borne supérieure des r tels que $x \in \mathcal{X} - G(r)$ pour x non-$\in G(0)$. D'après 1⁰ on a $f(x) = 0$ pour $x \in A$ et $f(x) = 1$ pour $x \in B$.

Il reste à prouver que la fonction f est continue, c. à d. (§ 13, II (3)) qu'à chaque point x_0 et à chaque nombre naturel n vient correspondre un ensemble ouvert H contenant x_0 et tel que la condition $x \in H$ entraîne $|f(x_0) - f(x)| < 1/2^n$.

Soit r une fraction (diadique finie) telle que

$$f(x_0) < r < f(x_0) + 1/2^{n+1}.$$

Posons $H = G(r) - \overline{G(r - 1/2^n)}$ [en convenant que $G(s) = 0$ pour $s < 0$ et $G(s) = \mathcal{X}$ pour $s > 1$]. Or on a d'abord $x_0 \in H$. Car l'inégalité $f(x_0) < r$ implique $x_0 \in G(r)$, tandis que l'inégalité $r - 1/2^{n+1} < f(x_0)$ implique $x_0 \in \mathcal{X} - G(r - 1/2^{n+1}) \subset \mathcal{X} - \overline{G(r - 1/2^n)}$. En outre, l'hypothèse $x \in H$ entraîne $x \in G(r)$, d'où $f(x) \leqslant r$; comme elle entraîne aussi $x \in \mathcal{X} - \overline{G(r - 1/2^n)} \subset \mathcal{X} - G(r - 1/2^n)$, il vient $r - 1/2^n \leqslant f(x)$. Donc

$$f(x_0) - 1/2^n < f(x) < f(x_0) + 1/2^n.$$

---

[1]) P. Urysohn, *Ueber die Mächtigkeit der zusammenhängenden Mengen*, Math. Ann. 94 (1925), p. 290.

IV. Rapports à l'espace métrique.

Chaque espace métrique satisfait à l'axiome IV.

Nous allons démontrer la proposition plus générale suivante [1]):

(1) *A et B étant deux ensembles arbitraires situés dans un espace métrique, il existe deux ensembles fermés A^* et B^* tels que*

$$1 = A^* + B^*, \quad A \subset A^*, \quad B \subset B^*, \quad A^* \cdot B^* \cdot (\bar{A} + \bar{B}) = \bar{A} \cdot \bar{B}.$$

Soient, pour $A \neq 0 \neq B$, A^* l'ensemble des x tels que $\rho(x, A) \leqslant \rho(x, B)$ et B^* celui des x tel que $\rho(x, B) \leqslant \rho(x, A)$.

Les ensembles A^* et B^* sont fermés, car, la fonction $\rho(x, A)$ étant continue (§ 15, IV (5)), la fonction $\rho(x, B) - \rho(x, A)$ l'est aussi; l'ensemble $\underset{x}{E}[\rho(x, B) - \rho(x, A) \geqslant 0]$ est donc fermé (§ 13, IV).

Si $x \varepsilon A$, on a $\rho(x, A) = 0$, donc $\rho(x, A) \leqslant \rho(x, B)$, d'où $x \varepsilon A^*$. De même $B \subset B^*$. Reste à prouver que $A^* \cdot B^* \cdot (\bar{A} + \bar{B}) = \bar{A} \cdot \bar{B}$.

Supposons que $x \varepsilon A^* \cdot B^*$. Donc $\rho(x, A) = \rho(x, B)$. Si, en outre, $x \varepsilon \bar{A}$, il vient $\rho(x, A) = 0$ et, comme l'égalité $\rho(x, B) = 0$ implique $x \varepsilon \bar{B}$ (§ 15, IV (3)), on a $A^* \cdot B^* \cdot \bar{A} \subset \bar{B}$, d'où $A^* \cdot B^* \cdot (\bar{A} + \bar{B}) \subset \bar{A} \cdot \bar{B}$. L'inclusion inverse résulte du fait que, si $x \varepsilon \bar{A} \cdot \bar{B}$, on a $\rho(x, A) = 0 = \rho(x, B)$, d'où $x \varepsilon A^* \cdot B^*$.

La proposition (1) entraîne l'axiome IV. En effet, dans l'hypothèse que A et B sont deux ensembles fermés et disjoints, il suffit de poser $G = 1 - B^*$. Il vient $A^* \cdot B^* \cdot (A + B) = 0$, d'où $AB^* = 0 = BA^*$. La première égalité donne $A \subset G$ et la deuxième implique en vertu de la formule $G = 1 - B^* \subset A^*$ que $\bar{G} \cdot B = 0$, puisque $\bar{G} \subset A^* \subset 1 - B$.

Il est à remarquer que dans le cas d'un espace métrique le théorème du N^0 III se laisse démontrer d'une façon plus directe, en posant [2]):

$$f(x) = \frac{\rho(x, A)}{\rho(x, A) + \rho(x, B)}.$$

Ceci est un cas particulier de l'énoncé plus général suivant [3]):

---

[1]) Cf. L. Vietoris, Fund. Math. 19 (1932), p. 271. La démonstration est due à M. W. Hurewicz.

[2]) P. Urysohn, Math. Ann. 94 (1925), p. 294.

[3]) Cf. W. Hurewicz, Mon. f. Math. u. Phys. 37 (1930), p. 202. Comp. aussi le théorème du § 15, XI.

(2) *étant donné dans un espace métrique un système de $n+1$ ensembles fermés (non vides) $F_0, \ldots, F_n$ tels que $F_0 \cdot \ldots \cdot F_n = 0$, il existe une transformation continue de cet espace en un sous-ensemble d'un simplexe n-dimensionnel (fermé) telle que l'image de l'i-ème ensemble vienne se placer sur la i-ème face du simplexe.*

On fait, notamment, correspondre à x le point du simplexe dont la i-ème coordonnée barycentrique est égale à $\dfrac{\rho(x, F_i)}{\rho(x, F_0) + \ldots + \rho(x, F_n)}$.

V. Ensembles séparés. Deux ensembles X et Y sont dits *séparés* [1]) lorsque $\overline{X} \cdot Y = 0 = X \cdot \overline{Y}$.

On a les propositions suivantes:

1. *X et Y étant deux ensembles séparés,* 1° *l'ensemble $\overline{X} \cdot \overline{Y}$ est non-dense,* 2° *les conditions $V \subset X$ et $W \subset Y$ impliquent que V et W sont séparés.*

2. *A et B étant deux ensembles fermés, les ensembles $A - B$ et $B - A$ sont séparés.*

3. *Deux ensembles disjoints qui sont tous les deux fermés ou bien tous les deux ouverts sont séparés.*

4. *X étant séparé de Y et de Z, X est séparé de $Y + Z$.*

5. *Pour que X et Y soient des ensembles séparés, il faut et il suffit qu'ils soient disjoints et fermés dans leur somme.*

6 [2]). *A et B étant deux ensembles séparés* (situés dans un espace métrique), *il existe un ensemble ouvert G tel que $A \subset G$ et $\overline{G} \cdot B = 0$.* On peut de plus supposer que G est situé dans une sphère généralisée de centre A et de rayon aussi petit que l'on veut.

D'une façon plus générale:

7. *$A_1, \ldots, A_n$ étant un système d'ensembles séparés deux à deux* (et situés dans un espace métrique), *il existe un système d'ensembles ouverts $G_1, \ldots, G_n$ tels que: $A_i \subset G_i$ et $\overline{A_i} \cdot \overline{A_j} = \overline{G_i} \cdot \overline{G_j}$ pour $i \neq j$* (ce qui implique en vertu de 1, 1° que les ensembles G_i sont *disjoints*).

---

1) d'après M. Mazurkiewicz, Fund. Math. 1 (1920), p. 66. Cf. dans le même ordre d'idées l'ouvrage de M. Knaster et de moi, Fund. Math. 2 (1921), p. 206, où l'opérateur $X \cdot \overline{Y} + \overline{X} \cdot Y$, nommé *jonction* de X et Y, est étudié.

2) H. Tietze, Math. Ann. 88 (1923), p. 301; P. Alexandroff et P. Urysohn, Math. Ann. 92 (1924), pp. 258—266; P. Urysohn, Math. Ann. 94 (1925), pp. 262—295.

Démonstrations: ad 1) On a $\bar{X}\cdot\bar{Y}=\bar{X}\cdot\bar{Y}\cdot Y+\bar{X}\cdot\bar{Y}-Y=$ $=\bar{X}\cdot\bar{Y}-Y\subset\bar{Y}-Y$ et l'ensemble $\bar{Y}-Y$ est un ensemble frontière (§ 8, IV). On a, en outre, l'inclusion $\bar{V}\cdot\bar{W}\subset\bar{X}\cdot\bar{Y}=0$.

ad 2) $\overline{A-B}\subset\bar{A}=A$, d'où $\overline{A-B}\cdot(B-A)=0$.

ad 3) Si A et B sont fermés, la proposition 3 résulte de 2. Si A et B sont ouverts, on a (§ 5, III): $\bar{A}\cdot B\subset\overline{AB}=0$.

ad 4) $\bar{X}\cdot(Y+Z)=\bar{X}\cdot Y+\bar{X}\cdot Z=0$ et $X\cdot\overline{Y+Z}=X\cdot\bar{Y}+X\cdot\bar{Z}=0$.

ad 5) Si X et Y sont séparés, ils sont à plus forte raison disjoints; en outre, $X=X+\bar{X}\cdot Y=\bar{X}\cdot(X+Y)$, ce qui prouve que X est fermé dans $X+Y$. D'autre part, les conditions $XY=0$ et $\bar{X}\cdot(X+Y)=X$ entraînent $\bar{X}\cdot Y\subset XY=0$.

ad 6) On considère les ensembles A^* et B^* du N°IV (1) et on pose $G=1-\bar{B^*}$ (voir d'ailleurs la démonstration de IV (1)). Pour établir le reste de la proposition 6, on remplace G par sa partie commune avec la sphère considérée (supposée ouverte).

ad 7) Considérons d'abord le cas où $n=2$ [1]). La proposition 6, appliquée aux ensembles $A=\bar{A}_1-\bar{A}_2$ et $B=\bar{A}_2-\bar{A}_1$ (qui sont séparés selon 2), entraîne l'existence d'un ensemble ouvert G tel que

$$\text{(i)}\qquad \bar{A}_1-\bar{A}_2\subset G \qquad\text{et}\qquad \text{(ii)}\quad \bar{G}\cdot\bar{A}_2\subset\bar{A}_1.$$

En vertu de la même proposition, appliquée aux ensembles $\bar{A}_2-\bar{G}$ et $\bar{G}-\bar{A}_2$, il existe un ensemble ouvert H tel que

$$\text{(iii)}\qquad \bar{A}_2-\bar{G}\subset H \qquad\text{et}\qquad \text{(iv)}\quad \bar{H}\cdot\bar{G}\subset\bar{A}_2.$$

Les ensembles A_1 et A_2 étant séparés, on a $A_1=A_1-\bar{A}_2$ et $A_2=A_2-\bar{A}_1$. Donc, d'après (i), $A_1\subset G$ et d'après (ii) et (iii):

$$A_2=A_2-\bar{A}_1\subset A_2-\bar{G}\cdot\bar{A}_2=A_2-\bar{G}\subset H, \text{ d'où } \bar{A}_1\cdot\bar{A}_2\subset\bar{G}\cdot\bar{H}.$$

L'inclusion inverse résulte de (iv) et (ii): $\bar{H}\cdot\bar{G}\subset\bar{G}\cdot\bar{A}_2\subset\bar{A}_1\cdot\bar{A}_2$.

Ceci établi, procédons par induction. En supposant le théorème vrai pour $n-1$, il en résulte l'existence des ensembles ouverts $G_1, \dots, G_{n-2}, H$ tels que

$$A_1\subset G_1, \;\dots\;, A_{n-2}\subset G_{n-2}, \qquad A_{n-1}+A_n\subset H,$$

$$\bar{A}_i\cdot\bar{A}_j=\bar{G}_i\cdot\bar{G}_j, \qquad \bar{A}_i\cdot\overline{A_{n-1}+A_n}=\bar{G}_i\cdot\bar{H} \qquad \text{pour } j<i\leqslant n-2.$$

[1]) Voir K. Menger, Ergebnisse Math. Koll. 1, Wien 1931, p. 16.

D'après ce qui précède, il existe deux ensembles ouverts H_1 et H_2 satisfaisant aux conditions

$$A_{n-1} \subset H_1, \quad A_n \subset H_2, \quad \overline{H}_1 \cdot \overline{H}_2 = \overline{A}_{n-1} \cdot \overline{A}_n .$$

Or posons $G_{n-1} = H \cdot H_1$ et $G_n = H \cdot H_2$. Le système $G_1, \dots, G_n$ ainsi défini est le système demandé. Car, pour $i \leqslant n-2$ on a $\overline{G}_i \cdot \overline{G}_{n-1} \subset \overline{G}_i \cdot \overline{H} \cdot \overline{H}_1 = \overline{A}_i \cdot \overline{A_{n-1} + A_n} \cdot \overline{H}_1 \subset \overline{A}_i \cdot \overline{A}_{n-1} + \overline{A}_i \cdot \overline{H}_2 \cdot \overline{H}_1 = \overline{A}_i \cdot \overline{A}_{n-1} + \overline{A}_i \cdot \overline{A}_{n-1} \cdot \overline{A}_n = \overline{A}_i \cdot \overline{A}_{n-1} \subset \overline{G}_i \cdot \overline{G}_{n-1}$, d'où $\overline{A}_i \cdot \overline{A}_{n-1} = \overline{G}_i \cdot \overline{G}_{n-1}$ et $\overline{G}_{n-1} \cdot \overline{G}_n \subset \overline{H}_1 \cdot \overline{H}_2 = \overline{A}_{n-1} \cdot \overline{A}_n \subset \overline{G}_{n-1} \cdot \overline{G}_n$, d'où $\overline{A}_{n-1} \cdot \overline{A}_n = \overline{G}_{n-1} \cdot \overline{G}_n$.

VI. Séparation d'ensembles. On dit que *l'ensemble C sépare les ensembles A et B*, lorsque le complémentaire de C se décompose en deux ensembles séparés dont l'un contient A et l'autre B.

Ainsi par ex. *la frontière d'un ensemble ouvert G sépare chaque couple de points dont l'un est situé dans G et l'autre à l'extérieur de G*, c. à d. dans $1 - \overline{G}$. Car $1 - \mathrm{Fr}(G) = G + (1 - \overline{G})$.

D'après l'axiome de séparation, *chaque couple d'ensembles fermés et disjoints A et B peut être séparé par un ensemble fermé.* Car il existe un ensemble ouvert G tel que $A \subset G$ et $\overline{G} \cdot B = 0$, d'où $B \subset 1 - \overline{G}$. La frontière de G sépare donc A et B.

Dans un espace métrique, en raison de V, 6, *chaque couple d'ensembles séparés peut être séparé par un ensemble fermé.*

§ 17. Axiome V (de la base).

I. Axiome V [1]. *Il existe une suite $R_1, R_2, \dots$ d'ensembles ouverts (non vides) tels que chaque ensemble ouvert (non vide) est une somme de certains termes de cette suite.*

Une suite de ce genre est dite *base de l'espace.*

Conformément à l'axiome V, *si p est un point d'un ensemble ouvert G, il existe un indice n tel que $p \in R_n \subset G$.* En tenant compte de l'axiome IV, cette formule peut être remplacée par

$$(1) \qquad p \in R_n, \quad \overline{R}_n \subset G.$$

---

[1] Voir F. Hausdorff, *Grundzüge der Mengenlehre*, p. 263 („das zweite Abzählbarkeitsaxiom").

En effet, d'après l'axiome IV (en y posant $A = p$ et $B = 1 - G$), il existe un ensemble ouvert H tel que $p \varepsilon H$ et $\overline{H} \subset G$; il existe donc selon l'axiome V un n tel que $p \varepsilon R_n \subset H$, d'où $\overline{R_n} \subset \overline{H} \subset G$.

Une conséquence immédiate de l'axiome V est le suivant

Théorème de M. Lindelöf[1]. *Chaque famille (indénombrable) d'ensembles ouverts* $\{G_\iota\}$ *contient une suite (dénombrable)* $G_{\iota_1}, G_{\iota_2}, \ldots$ *telle que* $\sum_{n=1}^{\infty} G_{\iota_n} = \sum_{\iota} G_\iota$.

Soit, en effet, $R_{k_1}, R_{k_2}, \ldots$ la suite de tous les ensembles contenus dans des ensembles de la famille $\{G_\iota\}$. A chaque indice k_n vient correspondre (en vertu de l'axiome du choix) un indice ι_n tel que $R_{k_n} \subset G_{\iota_n}$. Donc $\sum_{n=1}^{\infty} R_{k_n} \subset \sum_{n=1}^{\infty} G_{\iota_n} \subset \sum_{\iota} G_\iota$.

D'autre part, si $p \varepsilon G_\iota$, il existe un indice j tel que $p \varepsilon R_j \subset G_\iota$. L'indice j appartenant à la suite $k_1, k_2, \ldots$, il vient $p \varepsilon \sum_{n=1}^{\infty} R_{k_n}$ d'où $\sum_{\iota} G_\iota \subset \sum_{n=1}^{\infty} R_{k_n}$, c. q. f. d.

Le théorème suivant nous apprend qu'en introduisant l'ax. V on peut en même temps remplacer l'ax. IV par l'axiome de „*régularité*" (p. 65), qui est moins restrictif.

Théorème de M. Tychonoff[2]. *Si un espace régulier satisfait aux axiomes I, II, III et V, il satisfait aussi à l'axiome IV.*

Soient, en effet, A et B deux ensembles fermés disjoints. En vertu de l'ax. de régularité (et de l'ax. du choix), à chaque point a de A correspond un ensemble ouvert G_a tel que $a \varepsilon G_a$ et $\overline{G}_a \cdot B = 0$. Par conséquent $A \subset \sum_{a \varepsilon A} G_a$ et d'après le théorème de M. Lindelöf on peut poser $A \subset G_{a_1} + G_{a_2} + \ldots$

D'une façon analogue, il existe une suite d'ensembles ouverts $\{H_{b_n}\}$ tels que $B \subset H_{b_1} + H_{b_2} + \ldots$ et $A \cdot \overline{H}_{b_n} = 0$.

Posons $U_1 = G_{a_1}$, $V_1 = H_{b_1} - \overline{U}_1$ et d'une façon générale:

$$U_n = G_{a_n} - (\overline{V}_1 + \ldots + \overline{V}_{n-1}), \quad V_n = H_{b_n} - (\overline{U}_1 + \ldots + \overline{U}_n).$$

---

[1] C. R. Paris, t. 137 (1903), p. 697. Cf. aussi W. H. Young, Proc. London Math. Soc. (1) 35 (1903), p. 384.

[2] *Ueber einen Metrisationssatz von P. Urysohn,* Math. Ann. 95 (1925), pp. 139—142.

Les ensembles ouverts $G=\sum_{n=1}^{\infty} U_n$ et $H=\sum_{n=1}^{\infty} V_n$ contiennent A et B. En effet, comme $A\subset\sum_{n=1}^{\infty} G_{a_n}$ et $A\cdot\overline{V}_n\subset A\cdot\overline{H}_{b_n}=0$, il vient $A\subset G$. D'une façon analogue $B\subset H$. Reste à démontrer que $GH=0$, c. à d. que $U_n\cdot V_m=0$. Or, si $m\leqslant n-1$, on a (par définition de U_n) l'égalité $U_n\cdot\overline{V}_m=0$; si, au contraire, $n\leqslant m$, il vient $\overline{U}_n\cdot V_m=0$. Donc en tout cas $U_n\cdot V_m=0$.

II. Rapports aux espaces métriques séparables.

Chaque espace métrique séparable satisfait à l'axiome V. De plus, *ϵ étant un nombre positif donné, on peut supposer que $\delta(R_n)<\epsilon$.*

En effet, par définition de l'espace séparable, il existe un ensemble dénombrable S dense dans l'espace. Soit $R_1, R_2, \ldots$ la suite de toutes les sphères ouvertes ayant pour centre un point arbitraire de S et pour rayon un nombre rationnel arbitraire (que l'on peut, d'ailleurs, supposer inférieur à $\epsilon/2$).

Soit G un ensemble ouvert et $p\,\varepsilon\,G$. Il existe un $\eta>0$ tel que

(i) $$|x-p|<\eta \quad \text{entraîne} \quad x\,\varepsilon\,G.$$

L'ensemble S étant dense, il existe un point $s\,\varepsilon\,S$ et un nombre rationnel ρ tels que

(ii) $$|s-p|<\rho<\eta/2.$$

R_n étant la sphère ouverte de centre s et de rayon ρ, on a d'après (ii): $p\,\varepsilon\,R_n$. En outre, si $x\,\varepsilon\,R_n$, on a $|x-s|<\rho$, donc selon (ii): $|x-p|\leqslant|x-s|+|s-p|<\eta$, ce qui implique en raison de (i) que $x\,\varepsilon\,G$. Ainsi $R_n\subset G$, c. q. f. d.

Remarques. 1) En particulier, dans un espace cartésien, les sphères dont le rayon et les coordonnées du centre sont rationnels constituent une base.

2) *Tout espace satisfaisant à l'ax. V est séparable.* Car, en choisissant un point dans chaque R_n, on obtient un ensemble dense dans l'espace.

3) Selon § 15, II, § 16, IV et § 17, II, *chaque espace métrique séparable satisfait aux axiomes I—V.* Nous allons voir qu'au point de vue topologique il y a *équivalence* entre espace métrique séparable et espace satisfaisant aux ax. I—V. Nous montrerons notamment que ce dernier est toujours *métrisable.*

III. Conséquences de l'axiome V.

1. *Chaque sous-ensemble d'un espace satisfaisant à l'ax. V satisfait également à cet axiome.* En effet, $XR_1, XR_2, \ldots$ est une base relative à l'ensemble X, puisque chaque ensemble ouvert dans X est de la forme XG, où G est ouvert (dans l'espace entier).

2. *Chaque espace satisfaisant aux ax. I—V est un espace de Hausdorff, donc un espace $\mathfrak{L}^*$.* Plus précisément, si le terme „entourage ouvert du point p (au sens de M. Hausdorff)" signifie „ensemble ouvert contenant p" et si l'égalité $p = \lim p_n$ veut dire que chaque entourage ouvert de p contient tous les p_n à partir d'un indice suffisamment grand, alors les axiomes A — E de M. Hausdorff (§ 7, III), ainsi que les axiomes 1^0—3^0, qui définissent l'espace $\mathfrak{L}^*$ (§ 14, I), se trouvent vérifiés.

En effet, les ax. I—III entraînent les ax. A — C (§ 7, III), l'ax. IV entraîne D (en posant dans l'ax. IV: $A = p$, $B = q$, $G = U$ et $1 - G = V$) et l'ax. V entraîne évidemment E. Enfin, chaque espace de Hausdorff est un espace $\mathfrak{L}^*$ (§ 14, VII).

Ainsi, tous les théorèmes concernant l'espace $\mathfrak{L}^*$ s'appliquent à l'espace satisfaisant aux axiomes I—V. C'est, comme nous verrons, un cas particulier du théorème général qui va suivre.

IV. Métrisation de l'espace et introduction des coordonnées.

Théorème d'Urysohn [1]. *Chaque espace satisfaisant aux axiomes I—V est topologiquement contenu dans le cube fondamental $\mathcal{J}^{\aleph_0}$ de Hilbert;* autrement dit [2], il existe une suite de fonctions $f^1(x)$, $f^2(x), \ldots$ (les „coordonnées" du point x), définies sur l'espace entier, ayant leurs valeurs situées dans l'intervalle 01 et telles qu'en définissant la distance entre les suites (de nombres réels) $y = [y^{(1)}, y^{(2)}, \ldots]$ et $z = [z^{(1)}, z^{(2)}, \ldots]$ par la formule

$$\text{(i)} \qquad |y - z| = \sum_{n=1}^{\infty} 2^{-n} \cdot |y^{(n)} - z^{(n)}|,$$

la fonction $f(x) = [f^1(x), f^2(x), \ldots]$ est bicontinue.

---

[1] *Zum Metrisationsproblem,* Math. Ann. 94 (1925), p. 310.

[2] Voir § 14, V et § 15, VI.

Extrayons en effet de la suite $R_1, R_2, \ldots$ (qui forme la base de l'espace) tous les couples (R_{k_n}, R_{m_n}) tels que $\overline{R}_{k_n} \subset R_{m_n}$. D'après le théorème § 16, III, il existe une fonction continue $f^n(x)$ telle que

(ii) $0 \leqslant f^n(x) \leqslant 1, f^n(x)=0$ pour $x \varepsilon \overline{R}_{k_n}$ et $f^n(x)=1$ pour x *non*-$\varepsilon\ R_{m_n}$.

Chacune des fonctions $f^n(x)$ étant continue, il en est de même de la fonction $f(x) = [f^1(x), f^2(x), \ldots]$ (§ 14, IV). Pour prouver que la fonction $f(x)$ est bicontinue, il reste à démontrer (voir § 13, VIII, 3a) que la condition p *non*-$\varepsilon\ \overline{X}$ entraîne $f(p)$ *non*-$\varepsilon\ \overline{f(X)}$.

Or, d'après l'ax. V, il existe un indice m_n tel que $p \varepsilon R_{m_n} \subset 1 - \overline{X}$ et, en vertu de I (1), il existe un k_n tel que $p \varepsilon \overline{R}_{k_n} \subset R_{m_n}$.

Soit $x \varepsilon X$. Donc x *non*-$\varepsilon\ R_{m_n}$ et, d'après (ii), $f^n(x) = 1$. D'après la même formule on a $f^n(p) = 0$, d'où selon (i): $|f(x) - f(p)| \geqslant 1/2^n$. Cela veut dire que dans la sphère de centre $f(p)$ et de rayon $1/2^n$ il n'y a aucun point de l'ensemble $f(X)$. Donc $f(p)$ *non*-$\varepsilon\ \overline{f(X)}$.

Corollaire I. L'espace $\mathcal{I}^{\aleph_0}$ a le rang topologique le plus élevé parmi les espaces satisfaisant aux ax. I—V, ou, ce qui revient au même, parmi les espaces métriques séparables.

Car l'espace $\mathcal{I}^{\aleph_0}$, comme un produit d'espaces métriques séparables, est lui-même métrique séparable (§ 14, VI) et satisfait par conséquent aux ax. I—V (on peut d'ailleurs définir directement la base de $\mathcal{I}^{\aleph_0}$ comme constituée par les ensembles de la forme $R_1 \times \ldots \times R_n \times \mathcal{I} \times \mathcal{I} \times \mathcal{I} \times \ldots$, où R_i désigne un intervalle variable à extrémités rationnelles et situé dans l'intervalle $\mathcal{I}$).

Il résulte du théorème d'Urysohn et du corollaire précédent que tous les théorèmes concernant l'espace métrique séparable sont applicables à l'espace satisfaisant aux ax. I—V. On en conclut aussi que *l'étude des espaces topologiques assujettis aux axiomes I—V n'est rien d'autre (au point de vue topologique) que celle des sous-ensembles de $\mathcal{I}^{\aleph_0}$ ou encore celle des sous-ensembles de l'espace $\mathcal{E}^{\aleph_0}$ de Fréchet (puisque $\mathcal{I}^{\aleph_0}$ et $\mathcal{E}^{\aleph_0}$ ont évidemment le même rang topologique).*

Corollaire II. Chaque espace métrique séparable est homéomorphe à un espace totalement borné.

Car l'espace $\mathcal{I}^{\aleph_0}$, ainsi que chaque sous-ensemble de cet espace, est totalement borné (§ 15, X).

Corollaire III. Chaque sous-ensemble d'un espace satisfaisant aux axiomes I—V leur satisfait aussi [1]).

Remarques. 1) Il est intéressant de rapprocher le théorème d'Urysohn (et le corollaire I) au théorème suivant de MM. Banach et Mazur [2]): *chaque espace métrique séparable est isométrique à un sous-ensemble de l'espace C de toutes les fonctions réelles continues dans l'intervalle* $0 \leqslant x \leqslant 1$, la distance entre deux fonctions-éléments de cet espace étant définie par la formule $|f_1 - f_2| = \max |f_1(x) - f_2(x)|$.

Ainsi l'espace *C* possède également le rang topologique le plus élevé parmi les espaces métriques séparables. Au point de vue topologique il a, envers l'espace $\mathcal{I}^{\aleph_0}$, le désavantage d'être non compact; au point de vue géométrique, il a l'avantage d'avoir non seulement le plus grand rang topologique mais aussi *le plus grand rang géométrique* parmi les espaces métriques séparables.

2) D'après le théorème d'Urysohn l'axiome V constitue une condition *suffisante* pour qu'un espace satisfaisant aux axiomes I—IV soit métrisable. Bien entendu, cette condition n'est pas *nécessaire* (lorsqu'on n'exige pas d'avance que l'espace soit séparable).

Je dois à M. Aronszajn la condition suivante, qui est *nécessaire et suffisante pour qu'un espace satisfaisant aux axiomes I—III soit métrisable* [3]): c'est notamment *l'existence d'une suite infinie de familles* $\boldsymbol{F}_n$ $(n = 1, 2, ...)$ *composées d'ensembles ouverts tels que:* 1^0 *quel que soit n, l'espace est une somme des ensembles-éléments de* $\boldsymbol{F}_n$, 2^0 *étant donnés un point p, deux suites d'ensembles* G_n *et* G_n^* $(n = 1, 2, ...)$ *tels que* $p \varepsilon G_n$, $G_n \cdot G_n^* \neq 0$, $G_n \varepsilon \boldsymbol{F}_n$, $G_n^* \varepsilon \boldsymbol{F}_n$, *et un entourage quelconque E de p, il existe un indice k tel que* $G_k + G_k^* \subset E$.

Citons encore, dans le même ordre d'idées, le théorème suivant de M. Chittenden [4]). Supposons qu'on ait défini dans l'espace une fonction non négative de deux variables (l'„écart") $\varphi(x, y)$ telle que $\varphi(x, y) = \varphi(y, x)$ et $[\varphi(x, y) = 0] \equiv [x, y]$ (la loi du triangle n'est pas supposée vérifiée); dans ces hypothèses, s'il existe une fonction $f(t)$ réelle de variable réelle, tendant vers 0 avec t et telle que les inégalités $\varphi(x, y) < t$ et $\varphi(y, z) < t$ entraînent $\varphi(x, z) < f(t)$, l'espace est métrisable (la notion de limite étant définie d'une façon évidente à l'aide de l'écart $\varphi(x, y)$).

---

[1]) Pour une démonstration plus directe, voir P. Urysohn, Math. Ann. 94 (1925), p. 285.

[2]) S. Banach, *Théorie des opérations linéaires*, p. 187. Cf. aussi P. Urysohn, *Sur un espace métrique universel*, Bull. Sc. Math. 151 (1927), pp. 1—38.

[3]) Une condition analogue a été donnée par MM. Alexandroff et Urysohn, *Une condition nécessaire et suffisante pour qu'une classe* $(\mathcal{L})$ *soit une classe* $(\mathcal{D})$, C. R. Paris t. 177 (1923), p. 1274. Cf. aussi M. Fréchet, *Espaces abstraits*, p. 220.

[4]) *On the equivalence of écart and voisinage*, Trans. Amer. Math. Soc. 18 (1917), p. 161.

B. Problèmes de la puissance (§§ 18, 19).

Nous supposons dans les §§ 18 et 19 que l'espace satisfait aux ax. I—V.

§ 18. Puissance de l'espace. Points de condensation.

I. Puissance de l'espace. *La puissance de l'espace est* $\leqslant \mathfrak{c}$.

En effet, d'après § 17, II, 2, l'espace est séparable. Il existe par conséquent (§ 14, VI) une suite (finie ou infinie) de points $r_1, r_2, \ldots$ telle que chaque point de l'espace est un point-limite d'une sous-suite de cette suite. La puissance de l'espace ne dépasse donc pas celle de l'ensemble de toutes les suites extraites d'un ensemble dénombrable, c. à d. celle du continu.

II. Partie dense. *Chaque sous-ensemble de l'espace contient une partie dense dénombrable.* En effet, considéré comme espace, ce sous-ensemble satisfait aux ax. I—V (§ 17, IV, corollaire III); il est donc séparable.

III. Points de condensation. *Le point p est dit point de condensation de l'ensemble X, lorsque chaque entourage de p contient une infinité indénombrable de points de X* [1], autrement dit, lorsque X n'est pas localement dénombrable au point p (§ 7, IV). *L'ensemble des points de condensation de X sera désigné par $X^{\odot}$.*

En vertu de l'ax. V la formule $p \in X - X^{\odot}$ implique que p est situé dans un ensemble ouvert R_n appartenant à la base de l'espace et tel que l'ensemble XR_n est dénombrable. Il s'ensuit que *l'ensemble $X - X^{\odot}$ est dénombrable.* Car, en faisant correspondre à chaque p de $X - X^{\odot}$ un indice $n(p)$ de façon que $XR_{n(p)}$ soit dénombrable, il vient $X - X^{\odot} \subset \sum_p XR_{n(p)}$ et cette dernière somme, comme somme dénombrable d'ensembles dénombrables, est dénombrable (d'après un théorème de la Théorie des ensembles, basé sur l'axiome du choix).

IV. Règles de calcul.

(1) $(X+Y)^{\odot} = X^{\odot} + Y^{\odot}$ (2) $X^{\odot} - Y^{\odot} \subset (X-Y)^{\odot}$

(3) $(\prod_\iota X_\iota)^{\odot} \subset \prod_\iota X_\iota^{\odot}$ (4) $\sum_\iota X_\iota^{\odot} \subset (\sum_\iota X_\iota)^{\odot}$

(5) $X \subset Y$ *implique* $X^{\odot} \subset Y^{\odot}$ (6) $(X - X^{\odot})^{\odot} = 0$ (7) $X^{\odot} \subset X' \subset \overline{X}$

(8) $X^{\odot} = X^{\odot\odot} = X^{\odot'} = \overline{X^{\odot}} = (XX^{\odot})^{\odot}$ (9) $XX^{\odot} \subset (XX^{\odot})'$.

---

[1]) E. Lindelöf, Acta math. 29 (1905), p. 183. Cf. aussi W. H. Young, Quart. Journ. of Math. 35 (1903), p. 103.

Les formules (1)—(5) résultent directement du fait que la somme de deux ensembles dénombrables est dénombrable et qu'un sous-ensemble d'un ensemble dénombrable est dénombrable (§ 7, V). La formule (6) résulte du N° III (puisqu'un ensemble dénombrable n'admet évidemment aucun point de condensation). Chaque point de condensation étant un point d'accumulation (§ 9, II), on en déduit la formule (7). En vertu de (3) on a $(XX^{\odot})^{\odot} \subset X^{\odot} \cdot X^{\odot\odot} \subset X^{\odot\odot}$; comme, en outre, l'ensemble $X^{\odot}$ est fermé (§ 7, V), on a selon (7): $X^{\odot\odot} \subset X^{\odot\prime} \subset \overline{X^{\odot}} = X^{\odot}$ et la formule (8) se trouve établie, car l'identité $X = XX^{\odot} + X - X^{\odot}$ donne en raison de (1) et (6) $X^{\odot} = (XX^{\odot})^{\odot}$. Enfin, les formules (8) et (7) entraînent (9): $XX^{\odot} \subset X^{\odot} = (XX^{\odot})^{\odot} \subset (XX^{\odot})'$.

V. Ensembles clairsemés.

Tout espace clairsemé est dénombrable.

L'ensemble $1^{\odot}$ étant selon IV (9) dense en soi, l'hypothèse que l'espace est clairsemé implique que $1^{\odot} = 0$, d'où $1 = 1 - 1^{\odot}$ et, cette différence étant d'après N° III dénombrable, le théorème est démontré.

En le rapprochant de § 9, VI, 3, on en déduit le *théorème de Cantor-Bendixson*[1]: *chaque espace se compose de deux ensembles dont l'un est parfait et l'autre dénombrable (et clairsemé).*

VI. Sommes d'ensembles clairsemés. *Tout espace qui est une somme d'une famille monotone*[2]) *d'ensembles clairsemés est dénombrable*[3]).

Supposons que $1 = \sum_{\iota} C_{\iota}$ où C_{ι} est clairsemé (l'indice ι parcourant un ensemble de puissance arbitraire) et que 1 soit indénombrable. D'après le théorème précédent, l'espace contient alors un ensemble dense en soi, qui, à son tour, contient (selon II) une partie dense dénombrable $D = [p_1, p_2, ...]$. L'ensemble D est donc dense en soi.

Faisons correspondre à chaque p_n un indice ι_n tel que $p_n \varepsilon C_{\iota_n}$ et posons

$$S = \sum_{n=1}^{\infty} C_{\iota_n}.$$

---

[1]) G. Cantor, Math. Ann. 21 (1883), p. 575; I. Bendixson, Acta math. 2 (1883), p. 415; E. Lindelöf, l. cit.

[2]) Une famille d'ensembles est dite *monotone*, si, quels que soient les ensembles X et Y appartenant à cette famille, on a soit $X \subset Y$, soit $Y \subset X$.

[3]) Théorème de M. Sierpiński, *Sur une propriété des ensembles clairsemés*, Fund. Math. 3 (1922), pp. 46—49.

Il vient $D \subset S$. L'ensemble S étant dénombrable, comme somme dénombrable d'ensembles dénombrables, il suffit de prouver que $S = 1$.

Or supposons par contre que $q \varepsilon 1 - S$. Il existe alors un C_0 tel que $q \varepsilon C_0$. Il s'ensuit que C_0 n'est contenu dans aucun des ensembles C_{ι_n}. La famille des ensembles C_ι étant monotone, on en conclut que $C_{\iota_n} \subset C_0$, quel que soit n. Donc $S \subset C_0$, d'où $D \subset S \subset C_0$, ce qui est impossible, puisque C_0 est clairsemé et D est dense en soi (non vide).

VII. Points d'ordre $\mathfrak{m}$. L'énoncé du N^0 III, d'après lequel tout espace indénombrable contient des points de condensation (c. à d. des points d'„ordre indénombrable") peut être précisé comme suit: *si la puissance* $\mathfrak{m} > \aleph_0$ *de l'espace est non confinale avec* ω (c. à d. qu'elle n'est pas somme d'une série dénombrable de nombres cardinaux inférieurs à $\mathfrak{m}$), *il existe dans l'espace un point d'ordre* $\mathfrak{m}$ (point dont chaque entourage est de la puissance $\mathfrak{m}$). On a aussi l'énoncé suivant: *l'espace se compose d'un ensemble clairsemé et d'une suite d'ensembles tels que tous les points d'un même ensemble sont d'un même ordre* [1]).

VIII. Notion d'effectivité. Cette notion est de nature *méta-mathématique*: elle concerne le mode de démonstration des théorèmes d'existence. On dit notamment qu'un théorème d'existence, c. à d. théorème de la forme $\sum_x \varphi(x)$ où $\varphi(x)$ est une fonction propositionnelle (voir § 1, III), est démontré d'une façon *effective*, lorsqu'on a *défini* un individu a et on a démontré que a satisfait au théorème considéré, c. à d. que $\varphi(a)$ [2]).

Dans la Topologie fondée sur le système d'ax. I—V *nous allons considérer la base de l'espace comme définie* (ce qui est justifié par le fait que dans l'espace euclidien on sait définir une base: la suite des sphères dont le rayon et les coordonnées du centre sont rationnels). Cela donne lieu à d'autres définitions: on peut en effet définir des différents objets (ensembles, fonctions etc.) à l'aide de la base de l'espace.

Dans les problèmes de la puissance il s'agit, en général, de démontrer qu'un ensemble est de telle ou telle puissance; la démonstration est effective, si l'on *définit* la correspondance en question.

Ainsi, par ex., la démonstration donnée au N^0 III pour le fait que l'ensemble $X - X^{\odot}$ est dénombrable n'est pas effective: nous n'avons pas défini une suite individuelle contenant tous les points de cet ensemble; nous avons démontré seulement que des suites de ce genre existent.

---

[1]) Voir W. Sierpiński, *Sur la décomposition des ensembles de points en parties homogènes*, Fund. Math. 1 (1920). Cf. G. Cantor, Acta Math. 7 (1885), p. 118.

[2]) Comp. la notion d'effectivité chez MM. Borel et Lebesgue, ainsi que chez M. F. Bernstein (qui distingue entre „Existenz" et „Herstellung", Leipz. Ber. 60, 1908). Des nombreuses recherches de M. Sierpiński ont été consacrées à ce sujet, voir surtout *Les exemples effectifs et l'axiome du choix*, Fund. Math. 2 (1921). Cf. aussi les remarques sur l'effectivité dans une note de M. Knaster et moi dans Fund. Math. 2, p. 251.

Par contre, il est facile d'établir d'une façon *effective* que *l'ensemble* $X - X^{\backprime}$ *est dénombrable*. En effet, si $p \varepsilon X - X^{\backprime}$, il existe un indice n tel que $p = XR_n$ (où R_n est un ensemble appartenant à la base de l'espace). Désignons par $n(p)$ le premier indice de ce genre. A deux points différents correspondent évidemment deux indices différents. Ainsi, les points de l'ensemble $X - X^{\backprime}$ se trouvent rangés en une suite (finie ou infinie).

Une démonstration effective de la dénombrabilité de l'ensemble $X - X^{\odot}$ sera donnée dans le § suivant.

§ 19. Puissance de diverses familles d'ensembles.

I. Familles d'ensembles ouverts.

1) *La famille de tous les ensembles ouverts est de la puissance* $\leqslant \mathfrak{c}$.

En effet, chaque ensemble ouvert étant selon l'ax. V une somme de certains ensembles R_n, la puissance de la famille de tous les ensembles ouverts ne peut dépasser celle de la famille de toutes les suites extraites de la base de l'espace.

Chaque ensemble fermé étant le complémentaire d'un ensemble ouvert, *la famille de tous les ensembles fermés est aussi de la puissance* $\leqslant \mathfrak{c}$.

2) *Chaque famille d'ensembles ouverts disjoints est (effectivement) dénombrable.*

En effet, G étant un ensemble (non vide) de la famille considérée, il existe d'après l'ax. V un indice n tel que $R_n \subset G$. Soit $n(G)$ le premier indice de ce genre. Les ensembles ouverts en question étant disjoints par hypothèse, à deux ensembles différents correspondent toujours deux indices différents, de sorte que la famille de ces ensembles se trouve rangée en une suite (finie ou infinie).

En particulier, sur la ligne droite chaque famille d'*intervalles* n'empiétant pas les uns sur les autres est dénombrable.

II. Familles monotones bien ordonnées [1].

1) *Chaque famille bien ordonnée d'ensembles ouverts décroissants est (effectivement) dénombrable.*

Soit, en effet, $G_1 \supset G_2 \supset \ldots \supset G_\xi \supset G_{\xi+1} \supset \ldots$ une suite transfinie d'ensembles ouverts (différents). Si α n'est pas le dernier

[1] Voir R. Baire, Thèse, Ann. di Math. (3) 3 (1899), p. 51.

indice, il existe un point $p_\alpha \varepsilon G_\alpha - G_{\alpha+1}$; il existe donc un indice n tel que $p_\alpha \varepsilon R_n \subset G_\alpha$, donc que

$$\text{(i)} \qquad R_n \subset G_\alpha \quad \text{et} \quad R_n - G_{\alpha+1} \neq 0.$$

Soit $n(\alpha)$ le plus petit indice qui satisfait à la condition (i). A deux nombres transfinis différents correspondent deux indices différents, car la condition $\alpha < \beta$ implique $R_{n(\beta)} \subset G_\beta \subset G_{\alpha+1}$, tandis que, selon (i), l'inclusion $R_{n(\alpha)} \subset G_{\alpha+1}$ n'a pas lieu. Ainsi, tous les indices α (sauf, peut-être, le dernier) se trouvent rangés en une suite dénombrable.

2) *Chaque famille bien ordonnée d'ensembles fermés décroissants est (effectivement) dénombrable.*

Soit $F_1 \supset F_2 \supset ... \supset F_\xi \supset F_{\xi+1} \supset ...$ cette suite. Si α n'est pas le dernier indice, il existe un point $p_\alpha \varepsilon F_\alpha - F_{\alpha+1}$; soit $n(\alpha)$ le plus petit indice tel que $R_{n(\alpha)} \cdot F_\alpha \neq 0 = R_{n(\alpha)} \cdot F_{\alpha+1}$. Il vient pour $\alpha < \beta$: $F_\beta \subset F_{\alpha+1}$; l'inégalité $R_{n(\beta)} \cdot F_\beta \neq 0$ entraîne donc $R_{n(\beta)} \cdot F_{\alpha+1} \neq 0$, d'où $n(\alpha) \neq n(\beta)$. L'ensemble des indices α est par conséquent (effectivement) dénombrable.

En tenant compte du fait que les ensembles ouverts sont les complémentaires des ensembles fermés, on parvient à l'énoncé suivant, qui généralise les deux précédents:

3) *Chaque famille bien ordonnée d'ensembles croissants ou décroissants qui sont tous fermés ou bien tous ouverts est (effectivement) dénombrable.*

Remarques. 1. *Chaque ensemble de nombres réels bien ordonnés selon la grandeur est dénombrable.* Car une suite transfinie de nombres réels $x_0 < x_1 < ... < x_\xi < x_{\xi+1} < ...$ détermine une famille bien ordonnée d'ensembles fermés croissants $\{F_\xi\}$ où F_ξ est la demi-droite $x \leqslant x_\xi$.

2. La démonstration des énoncés 1) et 2) reste valable, lorsqu'on considère au lieu du bon ordre un *ordre où chaque élément* (sauf le dernier, s'il existe) *admet un élément qui le suit immédiatement.* Ainsi l'énoncé 3) peut être généralisé sur un ordre de ce genre.

Une autre généralisation sera établie dans le N° suivant.

III. Ensembles développables. Un ensemble E est par définition (p. 59) *développable*, s'il est de la forme

$$E = F_1 - F_2 + F_3 - F_4 + \dots + F_\xi - F_{\xi+1} + \dots,$$

les termes de la série (transfinie) étant fermés décroissants.

D'après le théorème II, 2, cette série est *dénombrable* (autrement dit, tous les indices ξ sont inférieurs à un nombre de la première ou deuxième classe).

(1) *Les ensembles développables sont à la fois des* $\boldsymbol{F_\sigma}$ *et des* $\boldsymbol{G_\delta}$.

En effet, une différence de deux ensembles fermés est un $\boldsymbol{F_\sigma}$ comme un produit d'un ensemble fermé et d'un ensemble ouvert (qui est un $\boldsymbol{F_\sigma}$ selon § 15, IV). Un ensemble développable, comme formé d'une infinité dénombrable de différences d'ensembles fermés, est donc aussi un $\boldsymbol{F_\sigma}$. Il est en outre un $\boldsymbol{G_\delta}$, car le complémentaire d'un ensemble développable, étant lui-même développable (§ 12, VI, 1), est un $\boldsymbol{F_\sigma}$.

(1a) *Les ensembles clairsemés sont des* $\boldsymbol{F_\sigma}$ *et des* $\boldsymbol{G_\delta}$ [1]), car chaque ensemble clairsemé est développable (§ 12, VI, 4).

Remarques. 1. Les ensembles développables sont des ensembles $\boldsymbol{F_\sigma}$ et $\boldsymbol{G_\delta}$ *effectifs*: nous pouvons, notamment, faire correspondre à chaque ensemble développable une suite bien déterminée d'ensembles fermés dont cet ensemble est la somme (ainsi qu'une suite d'ensembles ouverts dont cet ensemble est le produit).

En effet, si E est développable, on a d'après § 12, V, 3⁰: $E = \sum_{\xi<\alpha} (A_\xi - B_\xi)$ où les ensembles A_ξ et B_ξ désignent les termes du développement § 12, III, 3⁰ (i).

Or, la suite A_ξ étant selon II, 2 effectivement dénombrable, les indices $\xi < \alpha$ peuvent être imaginés rangés en une suite simple infinie $\xi_1, \xi_2, \dots$ (qui n'est pas nécessairement une suite croissante). D'autre part, nous avons fait correspondre (§ 15, IV) à chaque ensemble fermé une suite d'ensembles ouverts dont il est le produit. Il vient ainsi: $B_\xi = \prod_{k=1}^{\infty} G_\xi^k$ et $E = \sum_{n,k=1}^{\infty} \left[A_{\xi_n} - G_{\xi_n}^k\right]$.

La série double se transformant facilement en une série simple, on *définit* ainsi une suite simple infinie d'ensembles fermés dont la somme constitue l'ensemble E. Cela veut dire que E est un $\boldsymbol{F_\sigma}$ *effectif*.

Le complémentaire d'un ensemble développable étant développable (§ 12, VI, 1), tout ensemble développable est un $\boldsymbol{G_\delta}$ effectif.

---

[1]) Théorème de M. W. H. Young, *The Theory of Sets of Points*, Cambridge 1906, p. 65.

2. Le *théorème inverse* à (1) est vrai — comme on le verra au § 33 — dans les espaces complets, mais ne subsiste pas dans des espaces arbitraires. Notamment, dans l'espace des nombres rationnels, tout ensemble qui est simultanément dense et frontière est un F_σ et G_δ (puisque l'espace est dénombrable), mais n'est pas développable, car sa frontière n'est pas non-dense (elle est en effet identique à l'espace entier, cf. § 12, V, 2⁰).

Passons à présent à la démonstration de l'énoncé suivant, qui constitue une généralisation du théorème N⁰ II, 3):

(2) *Chaque famille bien ordonnée d'ensembles développables croissants (ou décroissants) est dénombrable.*

En tenant compte du fait que la fonction caractéristique d'un ensemble développable est ponctuellement discontinue sur tout ensemble fermé (§ 13, VI), l'énoncé (2) résulte [1]) du théorème plus général suivant, que nous allons démontrer [2]).

Théorème. Chaque famille bien ordonnée de fonctions (à valeurs réelles) ponctuellement discontinues sur tout ensemble fermé: $f_1(x) \leqslant f_2(x) \leqslant \dots \leqslant f_\xi(x) \leqslant f_{\xi+1}(x) \leqslant \dots$ $(\xi < \Omega)$ [3]), *est dénombrable.*

Il s'agit d'établir l'existence d'un indice α tel qu'on ait, pour chaque x et ξ, $f_{\alpha+\xi}(x) = f_\alpha(x)$.

Soit, pour n fixe, $R_{n,1}, R_{n,2}, \dots, R_{n,i}, \dots$ la suite des ensembles appartenant à la base de l'espace et tels qu'il existe un nombre ordinal $\alpha_{n,i}$ satisfaisant à la condition:

$$x \in R_{n,i} \text{ entraîne } f_{\alpha_{n,i}+\xi}(x) - f_{\alpha_{n,i}}(x) < 1/n, \text{ quel que soit } \xi.$$

Posons $R^n = R_{n,1} + R_{n,2} + \dots$ Soit $\alpha_n > \alpha_{n,i}$, $i = 1, 2, \dots$ Il vient $f_{\alpha_n+\xi}(x) - f_{\alpha_n}(x) < 1/n$ pour $x \in R^n$. Par conséquent, si l'on pose $\alpha > \alpha_n$, $n = 1, 2, \dots$, on a pour $x \in R^1 \cdot R^2 \cdot \dots$: $f_{\alpha+\xi}(x) - f_\alpha(x) < 1/n$, quel que soit n, d'où $f_{\alpha+\xi}(x) = f_\alpha(x)$. Notre théorème sera donc démontré dès que l'égalité $R^n = 1$ sera établie pour chaque n.

Supposons, par impossible, qu'il existe un n tel que l'ensemble fermé $F = 1 - R^n$ soit non vide. Soit $[a_1, a_2, \dots]$ un ensemble dénombrable dense dans F. Il existe un γ tel que

---

[1]) Pour une démonstration plus directe, voir F. Hausdorff, *Mengenlehre*, p. 171. Cf. aussi Z. Zalcwasser, *Un théorème sur les ensembles qui sont à la fois F_σ et G_δ*, Fund. Math. 3 (1922), p. 44.

[2]) Je dois cette démonstration à M. Zalcwasser.

[3]) Ω désigne, comme d'habitude, le plus petit nombre ordinal indénombrable.

(i) $\xi \geqslant \gamma$ entraîne $f_\xi(a_m) = f_\gamma(a_m)$, quel que soit m,

car à chaque m correspond un γ_m tel que $f_\xi(a_m) = f_{\gamma_m}(a_m)$ pour $\xi \geqslant \gamma_m$ (cf. remarque 1 du N^0 II); il suffit donc que γ soit supérieur à tous les γ_m où $m = 1, 2, \ldots$ On peut admettre en outre que $\gamma > \alpha_n$.

Le point a_m étant situé en dehors de R^n, il existe dans chaque entourage de a_m un point x et un indice $\beta_m > \gamma$ tels que $f_{\beta_m}(x) - f_\gamma(x) \geqslant 1/n$; il existe donc un b_m tel que $|b_m - a_m| < 1/n$ et $f_{\beta_m}(b_m) - f_\gamma(b_m) \geqslant 1/n$. L'inégalité $\gamma > \alpha_n$ implique d'autre part que $f_{\alpha_n}(b_m) \leqslant f_\gamma(b_m)$, donc que $f_{\beta_m}(b_m) - f_{\alpha_n}(b_m) \geqslant 1/n$, d'où $b_m \varepsilon F$.

Soit β un nombre supérieur à tous les β_m, $m = 1, 2, \ldots$ Il vient

(ii) $$f_\beta(b_m) - f_\gamma(b_m) \geqslant 1/n, \quad m = 1, 2, \ldots$$

La fonction $f_\beta(x)$ étant ponctuellement discontinue sur chaque ensemble fermé, il existe un point de continuité de la fonction partielle $f_\beta(x|F)$. Soit donc G ($\neq 0$) un ensemble ouvert dans F et tel qu'on ait $|f_\beta(x) - f_\beta(x')| < 1/2n$ pour x et x' appartenant à G. D'une façon analogue, il existe dans G un point de continuité de la fonction $f_\gamma(x|\overline{G})$; soit H ($\neq 0$) un ensemble ouvert dans F tel que $|f_\beta(x) - f_\beta(x')| < 1/2n$ et $|f_\gamma(x) - f_\gamma(x')| < 1/2n$ pour $x \varepsilon H$ et $x' \varepsilon H$.

Pour m convenablement choisi on peut substituer dans ces inégalités a_m à x et b_m à x'. En vertu de (i), on a $f_\beta(a_m) = f_\gamma(a_m)$; il vient ainsi $|f_\beta(a_m) - f_\beta(b_m)| < 1/2n$ et $|f_\beta(a_m) - f_\gamma(b_m)| < 1/2n$, d'où $|f_\beta(b_m) - f_\gamma(b_m)| < 1/n$, contrairement à (ii).

(2a) *Chaque famille bien ordonnée d'ensembles clairsemés croissants (ou décroissants) est dénombrable* [1]).

Car chaque ensemble clairsemé est développable (§ 12, VI, 4).

IV. Dérivé d'ordre α [2]). Le dérivé d'ordre α de X est défini par les conditions: $X^{(1)} = X'$, $X^{(\alpha+1)} = (X^\alpha)'$ et $X^{(\lambda)} = \prod_{\alpha<\lambda} X^{(\alpha)}$ si λ est un nombre limite.

Le dérivé X' étant fermé et le produit d'ensembles fermés étant fermé, on prouve facilement (par l'induction tranfinie) que

---

[1]) Dans ma note de Fund. Math. 3 (1922), p. 42, se trouve une démonstration directe de cet énoncé. Une démonstration effective résulte d'ailleurs du théorème § 18, VI de M. Sierpiński (voir sa note citée).

[2]) G. Cantor, Math. Ann. 17 (1880), p. 357.

$X^{(\alpha)}$ est fermé, quel que soit α. En outre, tout ensemble fermé contenant son dérivé, la famille des dérivés est décroissante:

$$X^{(1)} \supset X^{(2)} \supset \ldots \supset X^{(\alpha)} \supset \ldots$$

Par conséquent (selon II, 2), *il n'y a qu'un ensemble dénombrable de dérivés de l'ensemble X qui soient différents;* autrement dit, à partir d'un certain nombre β ($< \Omega$) tous les dérivés sont identiques: $X^{(\beta)} = X^{(\beta+1)} = \ldots$

L'ensemble $X^{(\beta)}$, comme identique à son dérivé, est *parfait.*

En particulier, si l'on pose $X = 1$ et $1^{(0)} = 1$, on a (§ 12, I):

$$1 = \sum_{\alpha<\beta} (1^{(\alpha)} - 1^{(\alpha+1)}) + 1^{(\beta)}. \tag{i}$$

Or, chacun des ensembles $1^{(\alpha)} - 1^{(\alpha+1)}$ étant dénombrable, en tant que composé de points isolés (§ 18, VIII), leur somme dénombrable $\sum_{\alpha<\beta} (1^{(\alpha)} - 1^{(\alpha+1)})$ est encore un ensemble dénombrable.

On retrouve ainsi dans la formule (i) le théorème de Cantor-Bendixson (§ 18, V): *en enlevant de l'espace un ensemble dénombrable, on parvient à un ensemble parfait.*

C'est précisément par cette voie que ce théorème a été démontré pour la première fois. L'avantage de ce raisonnement vis à vis du raisonnement exposé au § précédent est de ne pas faire intervenir l'axiome du choix et de pouvoir énumérer *effectivement* les éléments de chaque ensemble clairsemé: car la suite des dérivés et l'ensemble $X - X^1$ sont effectivement dénombrables (§ 18, VIII) [1]).

V. Analyse logique [2]). Les relations entre les propositions suivantes ont été étudiées dans les espaces $\mathcal{L}$:

(1) *toute infinité bien ordonnée d'ensembles fermés croissants est dénombrable,*

(2) *toute infinité bien ordonnée d'ensembles fermés décroissants est dénombrable,*

(3) *tout ensemble contient un ensemble dense dénombrable,*

(4) *tout ensemble clairsemé est dénombrable,*

(5) *tout ensemble indénombrable contient un point de condensation.*

---

[1]) Cf. W. Sierpiński, *Une démonstration du théorème sur la structure des ensembles des points,* Fund. Math. I, pp. 1—6.

[2]) Cf. W. Sierpiński, *Sur l'équivalence de trois propriétés des ensembles abstraits,* Fund. Math. 2 (1921), pp. 179—188, et ma note *Une remarque sur les classes* $\mathcal{L}$ *de M. Fréchet,* Fund. Math. 3 (1922), pp. 41—43. Voir aussi (pour le cas de l'espace métrique) W. Gross, *Zur Theorie der Mengen in denen ein Distanzbegriff definiert ist,* Wiener Ber. 123 (1914), p. 801.

On prouve que les propositions (4) et (5) sont équivalentes, que (4) entraîne (2) et que (3) entraîne (1). Les implications inverses subsistent dans les espaces $\mathcal{L}$ dans lesquels la fermeture est toujours un ensemble fermé, mais elles peuvent être en défaut dans des espaces $\mathcal{L}$ plus généraux.

VI. Familles de fonctions continues. Soit $f(x)$ une fonction continue qui transforme l'espace $\mathcal{X}$ en sous-ensemble de l'espace $\mathcal{Y}$. L'espace $\mathcal{X}$ étant séparable, il existe une suite de points $x_1, x_2, \ldots$ telle que chaque point p de $\mathcal{X}$ en est limite d'une sous-suite: $p = \lim x_{k_n}$. Or, la fonction f étant continue, ses valeurs sont déterminées par celles aux points x_n, car $f(p) = \lim f(x_{k_n})$. Autrement dit, si $f(x_n) = g(x_n)$ pour chaque n, les fonctions f et g sont identiques. Il en résulte que la puissance de la famille de toutes les fonctions continues qui transforment l'espace $\mathcal{X}$ en sous-ensembles de l'espace $\mathcal{Y}$ ne peut dépasser la puissance de la famille des suites (dénombrables) extraites de l'espace $\mathcal{Y}$, c. à d. la puissance $\mathfrak{c}^{\aleph_0}$, qui est égale à $\mathfrak{c}$. *La famille considérée est donc de puissance* $\leqslant \mathfrak{c}$.

Ainsi, la famille des sous-ensembles de l'espace $\mathcal{Y}$ qui sont des images continues d'un sous-ensemble fixe de l'espace $\mathcal{X}$ est de puissance $\leqslant \mathfrak{c}$. Il en résulte que dans un espace ayant la puissance du continu il y a autant des *types topologiques* (§ 13, VIII) que des sous-ensembles, à savoir $2^{\mathfrak{c}}$.

C. Problèmes de la dimension (§§ 20—22).

L'espace est supposé assujetti aux axiomes I—V. On peut donc admettre qu'une distance $|x - y|$ entre les points de cet espace est définie; autrement dit, qu'on est en présence d'un espace métrique séparable.

§ 20. Définitions. Propriétés générales.

I. Définition de la dimension [1]. On assigne à l'espace $\mathcal{X}$ un entier $\geqslant -1$ ou ∞ que l'on appelle *dimension de* $\mathcal{X}$; en symboles: $\dim \mathcal{X}$. Le symbole $\dim_p \mathcal{X}$ désigne la *dimension de* $\mathcal{X}$ *au point* p. Les trois conditions suivantes définissent ces notions par induction:

---

[1]) L'idée de la définition de la dimension remonte à H. Poincaré, Revue de métaph. et de mor. 20 (1912) et *Dernières pensées*, p. 65, Paris 1926 (édition posthume). La définition a été ensuite précisée par M. L. E. J. Brou-

1) $\dim \mathcal{X} = -1$ *veut dire que l'espace* $\mathcal{X}$ *est vide,*

2) *si* $\mathcal{X} \neq 0$, $\dim \mathcal{X} =$ *borne supérieure de* $\dim_p \mathcal{X}$ *pour* $p \in \mathcal{X}$.

3) $\dim_p \mathcal{X} \leqslant n+1$ *veut dire qu'il existe des entourages ouverts de* p *aussi petits que l'on veut et dont la frontière est de dimension* $\leqslant n$.

Afin d'éviter l'emploi des notions métriques, on peut formuler la proposition 3) de la façon équivalente suivante:

3') $\dim_p \mathcal{X} \leqslant n+1$ *veut dire qu'il existe dans chaque entourage de* p *un entourage ouvert de* p *dont la frontière est de dimension* $\leqslant n$.

La dimension de l'espace est ainsi définie d'une façon purement topologique; elle est donc *invariante relativement aux transformations homéomorphes de l'espace.*

Exemples. Par définition, un espace (non vide) est *de dimension* 0, lorsqu'il existe pour chaque point des entourages ouverts aussi petits que l'on veut dont la frontière est vide. Tel est par exemple l'espace des nombres rationnels, chaque intervalle à extrémités irrationnelles ayant dans cet espace la frontière vide. Il en est de même de l'espace des nombres irrationnels et, en général, de chaque *ensemble frontière situé sur la ligne droite.*

L'espace des nombres réels est de dimension $\leqslant 1$, car la frontière d'un intervalle, comme composée de deux points, est de dimension 0. D'une façon analogue, le plan est de dimension $\leqslant 2$ (car la circonférence est de dimension $\leqslant 1$) et, en général, l'espace cartésien à n dimensions (au sens classique) est de dimension $\leqslant n$. La démonstration que la dimension de cet espace est précisément n est moins élémentaire. Nous y reviendrons plus tard.

II. Dimension des sous-ensembles. Etant donnés un ensemble $E\,(\subset \mathcal{X})$ et un point p de E, l'inégalité $\dim_p E \leqslant n+1$ signifie d'après 3) qu'il existe un entourage ouvert de p *relatif à* E, aussi petit que l'on veut et dont la frontière relative à E est de dimension $\leqslant n$; autrement dit, qu'il existe un ensemble ouvert G aussi petit que l'on veut, contenant p et tel que $\dim (E \cdot \overline{EG} - G) \leqslant n$. Car la frontière relative à E de l'ensemble EG est $E \cdot \overline{EG} - EG = E \cdot \overline{EG} - G$.

---

wer, *Ueber den natürlichen Dimensionsbegriff*, Journ. f. Math. 142 (1913), p. 146 et Proc. Akad. Amsterdam, 26 (1923), p. 795. La théorie de la dimension, basée sur une définition bien rapprochée de celle de Poincaré-Brouwer, a été créée et développée indépendamment par M. K. Menger et P. Urysohn dans plusieurs ouvrages à partir de l'année 1922. Voir surtout K. Menger, *Dimensionstheorie*, Leipzig-Berlin 1928 et P. Urysohn, *Mémoire sur les multiplicités Cantoriennes*, Fund. Math. 7—8 (1925—26).

(1) *la dimension d'un ensemble ne dépasse jamais la dimension de l'espace entier;* en symboles: *si* $p \varepsilon E$, *on a* $\dim_p E \leqslant \dim_p \mathfrak{X}$.

En raisonnant par induction, on peut, en effet, admettre que cet énoncé est vrai pour l'espace n-dimensionnel et que $\dim_p \mathfrak{X} \leqslant n+1$. Soit donc G un entourage ouvert de p tel que $\dim [\mathrm{Fr}(G)] \leqslant n$. Il s'agit de prouver que la frontière relative à E de l'ensemble EG est de dimension $\leqslant n$. Or, cette frontière relative étant égale à $E \cdot \overline{EG} - G \subset \overline{G} - G = \mathrm{Fr}(G)$, on a par hypothèse la double inégalité $\dim (E \cdot \overline{EG} - G) \leqslant \dim [\mathrm{Fr}(G)] \leqslant n$.

(2) *pour que* $\dim_p E \leqslant n+1$, *il faut et il suffit qu'il existe un entourage ouvert* G *de* p *aussi petit que l'on veut et tel que* $\dim [E \cdot \mathrm{Fr}(G)] \leqslant n$.

Supposons, en effet, que $\dim_p E \leqslant n+1$. Soit donc H un ensemble ouvert dans E et tel que $\dim (E\overline{H} - H) \leqslant n$. Les ensembles H et $E - \overline{H}$ étant séparés (§ 16, V, 3), il existe un ensemble ouvert G tel que $H \subset G$ et $\overline{G} \cdot E - \overline{H} = 0$ (§ 16, V, 6). Par conséquent $E \cdot \overline{G} - G \subset E \cdot \overline{H} - H$, d'où selon (1): $\dim (E \cdot \overline{G} - G) \leqslant \dim (E \cdot \overline{H} - H) \leqslant n$. Comme en outre, selon § 16, V, 6, le diamètre de G diffère aussi peu que l'on veut de celui de H, la nécessité de la condition se trouve établie.

Pour prouver que la condition est suffisante, considérons l'ensemble G en question et posons $H = EG$. Il vient $E \cdot \overline{H} - H = E \cdot \overline{EG} - G \subset E \cdot \overline{G} - G = E \cdot \mathrm{Fr}(G)$, d'où $\dim (E \cdot \overline{H} - H) \leqslant \dim [E \cdot \mathrm{Fr}(G)] \leqslant n$, donc $\dim_p E \leqslant n+1$.

Un cas particulier de l'énoncé (2) est le suivant:

(2_0) *pour que* $\dim_p E = 0$, *il faut et il suffit qu'il existe un entourage* G *de* p *aussi petit que l'on veut et tel que* $E \cdot \mathrm{Fr}(G) = 0$.

III. L'ensemble $E_{(n)}$. *Définition:* p *appartient à l'ensemble* $E_{(n)}$, *lorsque* $\dim_p (E+p) \leqslant n$, c. à d. lorsqu'il existe un entourage G de p aussi petit que l'on veut et tel que $\dim [E \cdot \mathrm{Fr}(G)] \leqslant n-1$.

En particulier, si E constitue l'espace entier, $E_{(n)}$ désigne l'ensemble des points où l'espace est de dimension $\leqslant n$.

L'inclusion $E \subset E_{(n)}$ équivaut à l'inégalité $\dim E \leqslant n$.

D'après II (1) l'inclusion $A \subset B$ entraîne $B_{(n)} \subset A_{(n)}$.

1. *On a* $\dim (E \cdot E_{(n)}) \leqslant n$. En effet, si $p \varepsilon E \cdot E_{(n)}$, on a par définition $\dim_p E \leqslant n$, donc, selon II (1), $\dim_p (E \cdot E_{(n)}) \leqslant n$.

D'ailleurs, la dimension de $E_{(n)}$ peut être supérieure à n. Si par exemple E se compose d'un seul point, $E_{(0)}$ est identique à l'espace entier.

2. *L'ensemble* $E_{(n)}$ *est un* G_δ [1]). En effet, on a $p \varepsilon E_{(n)}$, lorsqu'il existe, pour chaque k, un ensemble ouvert G contenant p et tel que $\dim [E \cdot \mathrm{Fr}(G)] \leqslant n-1$ et $\delta(G) < 1/k$. Désignons par H_k la somme de tous les ensembles G de ce genre. On a donc $E_{(n)} = H_1 \cdot H_2 \cdot \ldots$

3. *Etant donnés un ensemble E et un entier n, il existe une suite* $D_1, D_2, \ldots$ *d'ensembles ouverts tels que* 1° $\dim [E \cdot \mathrm{Fr}(D_i)] \leqslant n-1$, 2° *les ensembles* $E_{(n)} \cdot D_i$, $i = 1, 2, \ldots$, *constituent une base pour l'ensemble* $E_{(n)}$, autrement dit, pour chaque point $p \varepsilon E_{(n)}$, il existe parmi les ensembles D_i un qui contient p et qui est de diamètre aussi petit que l'on veut, 3° *en posant* $S = \sum_{i=1}^{\infty} \mathrm{Fr}(D_i)$, *on a* $E_{(n)} \subset (E-S)_{(0)}$ *et* $\dim [E_{(n)} - S] \leqslant 0$.

En effet, pour k fixe, faisons correspondre à chaque point $p \varepsilon E_{(n)}$ un ensemble ouvert $G(p)$ contenant p et tel que $\delta [G(p)] < 1/k$ et $\dim \{E \cdot \mathrm{Fr}[G(p)]\} \leqslant n-1$. D'après le théorème de Lindelöf (p. 102) on peut trouver une suite dénombrable $D_{k,1}, D_{k,2}, \ldots$ d'ensembles $G(p)$ dont la somme soit égale à celle de tous les $G(p)$. En transformant la suite double $\{D_{k,m}\}$ en une suite simple, on obtient la suite $\{D_i\}$ demandée.

Car chaque point p de $E_{(n)}$ étant contenu dans un ensemble $G(p)$ arbitrairement petit, il existe un D_i tel que $p \varepsilon D_i \subset G(p)$, d'où la condition 2°.

La condition 3° en est une conséquence en vertu de la formule évidente: $(E-S) \cdot \mathrm{Fr}(D_i) = 0 = (E_{(n)} - S) \cdot \mathrm{Fr}(D_i)$.

On déduit comme cas particulier de l'énoncé précédent que.

4. *Tout espace n-dimensionnel contient une base dénombrable composée d'ensembles ouverts à frontières de dimension* $\leqslant n-1$. *En enlevant de l'espace ces frontières, on obtient un ensemble* 0-*dimensionnel (ou vide).*

5. *La condition* $\dim X \leqslant n$ *entraîne* $E_{(0)} \subset (E+X)_{(n+1)}$.

En effet, si $p \varepsilon E_{(0)}$, il existe un entourage G de p tel que $E \cdot \mathrm{Fr}(G) = 0$. Donc $(E+X) \cdot \mathrm{Fr}(G) = X \cdot \mathrm{Fr}(G) \subset X$, d'où $\dim [(E+X) \cdot \mathrm{Fr}(G)] \leqslant n$, ce qui prouve que $p \varepsilon (E+X)_{(n+1)}$.

---

[1]) Voir K. Menger, *Ueber die Dimension von Punktmengen II Teil*, Mon. f. Math. u. Phys. 34 (1924), p. 141, P. Urysohn, Fund. Math. 8, p. 277 et L. Tumarkin, Fund. Math. 8, p. 360.

§ 21. Espace de dimension 0 [1]).

I. Base de l'espace. Un espace est par définition de dimension 0, lorsque chaque point est situé dans un entourage aussi petit que l'on veut et qui est à la fois fermé et ouvert (ce qui équivaut à l'hypothèse que la frontière de cet entourage est vide). On en déduit le théorème suivant, qui résulte d'ailleurs directement de § 20, III, 4:

Théorème I. Tout espace 0-dimensionnel contient une base dénombrable composée d'ensembles à la fois fermés et ouverts.

On peut supposer, en outre, que *le diamètre de ces ensembles ne dépasse pas un nombre positif donné d'avance.*

Corollaires. Dans un espace 0-dimensionnel: 1) *Chaque ensemble ouvert (en particulier, l'espace tout entier) est somme d'une suite d'ensembles disjoints, à la fois fermés et ouverts (et de diamètre aussi petit que l'on veut);* 2) *chaque ensemble fermé est produit d'une suite d'ensembles à la fois fermés et ouverts.*

Pour prouver le cor. 1, posons conformément au théor. I:

$$G = F_1 + F_2 + ... = F_1 + (F_2 - F_1) + (F_3 - F_1 - F_2) + ...$$

où G est l'ensemble ouvert donné et $F_1, F_2, ...$ sont des ensembles à la fois fermés et ouverts. Le dernier membre de la formule représente la décomposition demandée.

Le cor. 2 est une conséquence immédiate du cor. 1.

Théorème I' [2]). *Dans un espace 0-dimensionnel, chaque ensemble G_δ qui est à la fois dense et frontière est le résultat de l'opération ($\mathcal{A}$) effectuée sur un système régulier d'ensembles $\{A_{k_1 ... k_n}\}$ n o n v i d e s, fermés, ouverts et tels que: 1° $\delta(A_{k_1 ... k_n}) < 1/n$, 2° deux ensembles $A_{k_1 ... k_n}$ et $A_{l_1 ... l_n}$ pourvus des différents systèmes de n indices sont toujours disjoints.*

Soit Q l'ensemble G_δ en question: $Q = G_1 \cdot G_2 \cdot ...$, où G_n est ouvert et $G_n \supset G_{n+1}$. L'ensemble Q n'étant pas fermé, il existe un indice j_1 tel que G_{j_1} n'est pas fermé. On peut donc poser en vertu du corollaire 1: $G_{j_1} = A_1 + A_2 + ...$, $\delta(A_i) < 1$, les ensembles A_i étant fermés, ouverts, disjoints et n o n v i d e s.

Procédons par induction. Les ensembles $A_{k_1 ... k_n}$ supposés définis et assujettis à l'inclusion

(i) $$A_{k_1 ... k_n} \subset G_n$$

pour un entier $n \geqslant 1$, les ensembles $A_{k_1 ... k_n k_{n+1}}$ seront définis comme il suit:

---

[1]) La plupart des théorèmes de ce § seront généralisés par induction dans le § suivant, où l'on trouvera aussi les renvois bibliographiques.

[2]) Ce théorème interviendra dans l'étude des espaces complets (§ 32).

L'ensemble $A_{k_1 \ldots k_n}$ étant ouvert, il existe un indice $j_{n+1} \geqslant n+1$ tel que l'ensemble $A_{k_1 \ldots k_n} \cdot G_{j_{n+1}}$ n'est pas fermé; car autrement l'ensemble $Q \cdot A_{k_1 \ldots k_n}$ serait fermé, contrairement à l'hypothèse qu'il est dense et frontière dans $A_{k_1 \ldots k_n}$. On peut donc poser comme auparavant: $A_{k_1 \ldots k_n} \cdot G_{j_{n+1}} = \sum_{i=1}^{\infty} A_{k_1 \ldots k_n i}$, $\delta(A_{k_1 \ldots k_n i}) < 1/n+1$, les ensembles $A_{k_1 \ldots k_n i}$ étant fermés, ouverts, disjoints et non vides. En outre, on peut remplacer dans (i) n par $n+1$ en vertu de l'inégalité $j_{n+1} \geqslant n+1$, qui implique que $G_{j_{n+1}} \subset G_{n+1}$.

Les ensembles $A_{k_1 \ldots k_n}$ étant ainsi définis pour chaque n, nous allons démontrer que Q coïncide avec le résultat de l'opération $(\mathcal{A})$ effectuée sur ces ensembles.

Soit, d'une part, $p \varepsilon Q$. Donc $p \varepsilon G_{j_1}$. Il existe par conséquent un indice k_1 tel que $p \varepsilon A_{k_1}$. Supposons que $p \varepsilon A_{k_1 \ldots k_n}$. Comme en outre $p \varepsilon G_{j_{n+1}}$, il existe un k_{n+1} tel que $p \varepsilon A_{k_1 \ldots k_n k_{n+1}}$. On parvient ainsi à la formule $p \varepsilon A_{k_1} \cdot A_{k_1 k_2} \cdot A_{k_1 k_2 k_3} \cdot \ldots$

D'autre part, si cette dernière formule est vérifiée, l'inclusion (i) implique que $p \varepsilon G_1 \cdot G_2 \cdot \ldots = Q$.

II. Séparation des ensembles fermés. Nous allons montrer que dans les espaces 0-dimensionnels l'axiome de séparation peut être énoncé sous une forme plus avantageuse. Nous établirons à ce but un lemme de la Théorie générale des ensembles.

Lemme. Etant donnés deux produits infinis d'ensembles décroissants $A = A_1 \cdot A_2 \cdot \ldots$ et $B = B_1 \cdot B_2 \cdot \ldots$ tels que $AB = 0$, l'ensemble

$$F = A_1 \cdot (1 - B_1) + A_2 \cdot (B_1 - B_2) + \ldots + A_n \cdot (B_{n-1} - B_n) + \ldots$$

remplit les formules: $A \subset F$, $FB = 0$, $1 - F = 1 - A_1 + A_1 B_1 - A_2 B_1 + \ldots$

En effet, si $p \varepsilon A$, on a p *non*-εB. Par conséquent: ou bien p n'appartient à aucun B_n et alors $p \varepsilon A_1 \cdot (1 - B_1)$, ou bien il existe un indice n tel que $p \varepsilon B_{n-1} - B_n$ et alors $p \varepsilon A_n \cdot (B_{n-1} - B_n)$. Donc, en tout cas, $p \varepsilon F$, d'où $A \subset F$.

Chacun des sommandes du développement de F étant disjoint du produit $B_1 \cdot B_2 \cdot \ldots$, on en conclut que $FB = 0$.

Enfin, dans le développement de F en série alternée

$$F = A_1 - A_1 B_1 + A_2 B_1 - A_2 B_2 + \ldots + A_n B_{n-1} - A_n B_n + \ldots$$

les termes sont décroissants et leur produit s'annule; le développement demandé de $1 - F$ en résulte directement (§ 12, I (4a)).

Théorème II. A et B étant deux sous-ensembles fermés et disjoints d'un espace de dimension 0, *il existe un ensemble fermé et ouvert F tel que* $A \subset F$ *et* $FB = 0$.

D'après le corollaire 2 on a en effet $A = A_1 \cdot A_2 \cdot \ldots$, où les ensembles A_n sont fermés et ouverts. On peut supposer, en outre, que ces ensembles sont décroissants, car autrement on pourrait les remplacer par leurs produits partiels. Des remarques analogues s'appliquent à l'ensemble $B = B_1 \cdot B_2 \cdot \ldots$ L'ensemble F du lemme précédent est alors l'ensemble demandé: il est ouvert comme une somme d'ensembles ouverts, il est fermé, car son complémentaire est une somme d'ensembles ouverts.

Théorème III. Etant donnée une décomposition d'un espace 0-*dimensionnel en un système fini d'ensembles ouverts:* $1 = G_1 + \ldots + G_k$, *il existe un système d'ensembles disjoints, fermés, ouverts et tels que* $1 = F_1 + \ldots + F_k$ *et* $F_i \subset G_i$.

En effet, chaque G_i peut être remplacé par un sous-ensemble fermé H_i de façon que $1 = H_1 + \ldots + H_k$ (d'après le cor. du § 16, II). Appliquons le théorème précédent au couple d'ensembles fermés et disjoints H_i et $(1 - G_i)$. On en déduit l'existence d'un ensemble fermé et ouvert K_i tel que $H_i \subset K_i$ et $K_i \cdot (1 - G_i) = 0$, d'où $1 = K_1 + \ldots + K_k$ et $K_i \subset G_i$. Les ensembles $F_1 = K_1$, $F_2 = K_2 - K_1, \ldots$, $F_k = K_k - (K_1 + \ldots + K_{k-1}), \ldots$ satisfont à la thèse du théorème.

III. Addition des ensembles 0-dimensionnels.

Théorème IV. Si un espace se laisse décomposer en une série (finie ou infinie) d'ensembles fermés: $1 = A_1 + A_2 + \ldots$ *dont tous, sauf peut-être le premier, sont de dimension* 0, *tandis que le premier est de dimension* 0 *dans un point donné p, l'espace entier est de dimension* 0 *au point p.*

Soit S une sphère ouverte de centre p. Il s'agit de construire un ensemble fermé et ouvert G tel que $p \varepsilon G \subset S$.

L'ensemble G sera défini comme la somme d'une série d'ensembles ouverts croissants G_n. Ces derniers seront définis par induction simultanément à des ensembles ouverts croissants H_n, de façon que les deux conditions suivantes soient satisfaites:

$$\text{(i)} \quad \overline{G}_n \cdot \overline{H}_n = 0 \qquad \text{et} \qquad \text{(ii)} \quad A_n \subset G_n + H_n.$$

L'ensemble A_1 étant de dimension 0 au point p, il existe un ensemble F_1 qui contient ce point et qui est fermé et ouvert relativement à A_1. L'ensemble A_1 étant fermé, les ensembles F_1 et $A_1 - F_1$ sont donc fermés. On peut supposer de plus que F_1 est contenu dans la sphère S, de sorte que les ensembles F_1 et $(A_1 - F_1 + 1 - S)$ soient fermés et disjoints. En appliquant l'axiome de séparation (voir d'ailleurs § 16, II), on en déduit l'existence de deux ensembles ouverts G_1 et H_1 tels que

$$F_1 \subset G_1, \; A_1 - F_1 + 1 - S \subset H_1 \quad \text{et} \quad \overline{G}_1 \cdot \overline{H}_1 = 0.$$

Les conditions (i) et (ii) sont donc satisfaites pour $n = 1$. Supposons qu'elles le soient pour n; nous allons les établir pour $n+1$.

Les ensembles $A_{n+1} \cdot \overline{G}_n$ et $A_{n+1} \cdot \overline{H}_n$ étant fermés et disjoints et A_{n+1} étant de dimension 0, il existe d'après le théorème II un ensemble F_{n+1} fermé et ouvert dans A_{n+1} et tel que: $A_{n+1} \cdot \overline{G}_n \subset F_{n+1}$, $F_{n+1} \cdot \overline{H}_n = 0$. Les ensembles F_{n+1} et $A_{n+1} - F_{n+1}$ étant fermés (puisque $A_{n+1} - F_{n+1}$ est fermé relativement à l'ensemble A_{n+1}, qui est lui-même fermé), les ensembles $(\overline{G}_n + F_{n+1})$ et $(\overline{H}_n + A_{n+1} - F_{n+1})$ sont fermés et disjoints. En vertu de l'axiome de séparation, il existe deux ensembles ouverts G_{n+1} et H_{n+1} tels que:

$$\overline{G}_n + F_{n+1} \subset G_{n+1}, \; \overline{H}_n + A_{n+1} - F_{n+1} \subset H_{n+1} \quad \text{et} \quad \overline{G}_{n+1} \cdot \overline{H}_{n+1} = 0.$$

Les conditions (i) et (ii) se trouvent donc satisfaites pour l'indice $n+1$.

En outre, les ensembles G_n et H_n étant croissants, la condition $G_n \cdot H_n = 0$, qui résulte de (i), entraîne $G_n \cdot H_m = 0$, quels que soient n et m (puisque $G_n \cdot H_{n+k} \subset G_{n+k} \cdot H_{n+k} = 0$). Par conséquent, si l'on pose $G = \sum_{n=1}^{\infty} G_n$ et $H = \sum_{n=1}^{\infty} H_n$, il vient $GH = 0$. D'autre part, selon (ii), $1 = \sum_{n=1}^{\infty} A_n \subset \sum_{n=1}^{\infty} (G_n + H_n) = G + H$ et on en conclut que $H = 1 - G$. Les ensembles G et H étant ouverts, l'ensemble G est donc à la fois fermé et ouvert.

Reste à prouver que $p \in G \subset S$. Or par définition de G_1 on a $p \in F_1 \subset G_1 \subset G$. D'autre part, par définition de H_1 on a $1 - S \subset H_1$, d'où $1 - H_1 \subset S$ et, les ensembles G et H_1 étant disjoints, il vient $G \subset 1 - H_1 \subset S$.

Corollaires. 1. *La somme d'une suite dénombrable d'ensembles* 0-*dimensionnels fermés* (ou, plus généralement, d'ensembles F_σ 0-dimensionnels) *est un ensemble* 0-*dimensionnel.*

2. *La somme de deux ensembles* 0*-dimensionnels dont un est à la fois un* F_σ *et un* G_δ *est* 0*-dimensionnelle.*

3. *En ajoutant à un ensemble* 0*-dimensionnel un seul point, on n'altère pas sa dimension;* en symboles: *si* $\dim A = 0$, *on a* $A_{(0)} = 1$.

4. *G étant un ensemble ouvert, la condition* $\dim(EG) \leqslant 0$ *entraîne* $E_{(0)} = (E - G)_{(0)}$.

Pour prouver le corollaire 1 on n'a qu'à considérer la somme des ensembles en question comme l'espace. Le corollaire 2 en résulte, car les deux ensembles envisagés sont des ensembles F_σ relativement à leur somme. Le corollaire 3 est un cas particulier du corollaire 2. Enfin, pour établir le corollaire 4, posons $p \varepsilon (E - G)_{(0)}$, c. à d. $\dim_p(p + E - G) = 0$. L'ensemble $p + E$ étant considéré comme l'espace et l'ensemble EG étant, dans cet espace, une somme dénombrable d'ensembles fermés de dimension 0, on conclut du théorème IV que l'ensemble $(p + E - G) + EG = p + E$ est de dimension 0 au point p, c. à d. que $p \varepsilon E_{(0)}$, d'où le cor. 4.

Remarques. Le théorème IV serait en défaut, si l'on supposait seulement que $\dim_p A_n = 0$. Divisons, en effet, l'intervalle 01 en une suite d'intervalles convergeant vers 0. Soit A_1 l'ensemble composé du point 0 et des intervalles pairs; soit A_2 l'ensemble composé de 0 et des intervalles impairs. Evidemment $\dim_p A_1 = 0 = \dim_p A_2$, tandis que $\dim_p(A_1 + A_2) = 1$.

On ne peut remplacer non plus l'hypothèse que A_1 est fermé par celle que A_1 est un F_σ, comme le prouve l'exemple suivant: A_2 est une suite de points convergeant vers 0 (= le point p) et A_1 = (l'intervalle 01 — A_2).

IV. Prolongement des ensembles 0-dimensionnels.

Théorème V. Chaque ensemble 0*-dimensionnel est contenu dans un* G_δ 0*-dimensionnel.*

En effet, selon § 20, III, 3, à chaque ensemble E correspond un ensemble S qui est un F_σ tel que $ES = 0$ et $\dim [E_{(0)} - S] \leqslant 0$. Or, si l'on suppose que $\dim E = 0$, on a selon N° III, cor. 3, $E_{(0)} = 1$. $1 - S$ est donc un G_δ 0-dimensionnel qui contient l'ensemble E.

Théorème VI [1]. *Chaque espace* 0*-dimensionnel est topologiquement contenu dans l'ensemble parfait non-dense* $\mathcal{C}$ *de Cantor.*

L'ensemble $\mathcal{C}$ de Cantor est par définition (§ 14, V, 2) l'ensemble des suites $\mathfrak{z} = [\mathfrak{z}^1, \mathfrak{z}^2, ...]$ où $\mathfrak{z}^i$ admet une des deux valeurs:

---

[1]) P. Urysohn, Fund. Math. 7, p. 77.

0 ou 2. Il s'agit de définir une fonction bicontinue $\mathfrak{z}(x)$ dont l'argument parcourt l'espace 0-dimensionnel considéré.

Or, $R_1, R_2, \dots, R_i, \dots$ étant la base de l'espace composée d'ensembles qui sont à la fois ouverts et fermés (th. I, p. 120), posons $\mathfrak{z}^i(x) = 2$ lorsque $x \varepsilon R_i$ et $\mathfrak{z}^i(x) = 0$ dans le cas contraire.

La fonction $\mathfrak{z}(x)$ ainsi définie est continue, car (§ 14, IV) la fonction $\mathfrak{z}^i(x)$ est, pour i fixe, continue, comme fonction caractéristique d'un ensemble fermé et ouvert (§ 13, VI). Pour prouver que la fonction $\mathfrak{z}(x)$ est bicontinue, reste à démontrer (§ 13, VIII (3a)) que la condition $p \varepsilon 1 - \bar{X}$ entraîne $\mathfrak{z}(p) \varepsilon \mathcal{C} - \overline{\mathfrak{z}(X)}$.

Or, par définition de la base, il existe un indice i tel que $p \varepsilon R_i \subset 1 - \bar{X} \subset 1 - X$. Donc $\mathfrak{z}^i(p) = 2$, tandis que pour $x \varepsilon X$ on a $\mathfrak{z}^i(x) = 0$; par conséquent $|\mathfrak{z}(p) - \mathfrak{z}(x)| \geqslant 1/3^i$ (nous identifions ici la suite $\mathfrak{z} = [\mathfrak{z}^1, \mathfrak{z}^2, \dots, \mathfrak{z}^i, \dots]$ avec le nombre $\frac{\mathfrak{z}^1}{3} + \frac{\mathfrak{z}^2}{3^2} + \dots + \frac{\mathfrak{z}^i}{3^i} + \dots$). Le nombre $\mathfrak{z}(p)$ ne peut donc appartenir à la fermeture de l'ensemble des nombres $\mathfrak{z}(x)$, c. à d. que $\mathfrak{z}(p) \varepsilon \mathcal{C} - \overline{\mathfrak{z}(X)}$.

Corollaire. L'ensemble parfait non-dense $\mathcal{C}$ de Cantor a le rang topologique le plus élevé parmi tous les espaces 0-*dimensionnels.*

Car l'ensemble $\mathcal{C}$ est lui-même 0-dimensionnel, comme sous-ensemble frontière de la ligne droite (voir, § 20, I, exemples).

Remarque. La même propriété appartient aussi à *l'ensemble $\mathcal{N}$ des nombres irrationnels* (de l'intervalle 01). Car l'ensemble $\mathcal{N}$, comme l'espace de toutes les suites infinies formées de nombres naturels, contient l'ensemble des suites formées de deux nombres 1 et 2, qui est homéomorphe à $\mathcal{C}$. Inversement $\mathcal{N}$, comme ensemble frontière dans un intervalle, est 0-dimensionnel; il est donc contenu topologiquement dans $\mathcal{C}$.

On pourrait dire aussi: l'ensemble $\mathcal{C}$, ainsi que $\mathcal{N}$, ont le rang topologique le plus élevé parmi les ensembles frontières de l'espace des nombres réels.

V. Espaces dénombrables. *Chaque espace de puissance inférieure à celle du continu est* 0-*dimensionnel.*

D'une façon plus générale, *si l'espace est d'ordre inférieur à* $\mathfrak{c}$ *au point* p (voir § 18, VII), *l'espace est* 0-*dimensionnel en ce point.*

En effet, parmi les sphères de rayon $< \epsilon$, décrites du point p, il y en a qui ont la frontière (la „surface") vide (puisque les frontières de deux sphères différentes sont disjointes). Une sphère de ce genre est donc à la fois fermée et ouverte.

Chaque espace dénombrable est topologiquement contenu dans l'ensemble $\mathcal{R}$ des nombres rationnels.

Soit, en effet, A un espace dénombrable. A étant topologiquement contenu dans $\mathcal{C}$, on peut l'imaginer comme sous-ensemble de l'espace des nombres réels.

D'après un théorème classique de la théorie des ensembles ordonnés, les ensembles $A+\mathcal{R}$ et $\mathcal{R}$ ont le même type d'ordre, c. à d. qu'il existe une fonction croissante $f(x)$ qui transforme $A+\mathcal{R}$ en $\mathcal{R}$. Cette fonction est continue, car, étant donnée une suite $x_1 < x_2 < \ldots$ qui converge vers x (les points x_n et x étant supposés points de $A+\mathcal{R}$), x est dans l'ensemble $A+\mathcal{R}$ le premier point qui succède à tous les points x_n et, en vertu de la similitude des ensembles $A+\mathcal{R}$ et $\mathcal{R}$, le point $f(x)$ a dans l'ensemble $\mathcal{R}$ la même propriété par rapport à la suite $f(x_1)$, $f(x_2)$, ... Or, si l'on supposait que $f(x) \neq \lim_{n=\infty} f(x_n)$, il existerait un nombre rationnel à la fois supérieur à tous les $f(x_n)$ et inférieur à $f(x)$, ce qui est évidemment impossible.

Il est ainsi établi que la fonction $f(x)$ est continue. Pour les mêmes raisons la fonction inverse $x = f^{-1}(y)$ est continue; f est donc une homéomorphie qui transforme A en une partie de $\mathcal{R}$.

Ajoutons qu'une méthode analogue permet de prouver facilement que *tous les espaces dénombrables denses en soi constituent un seul type topologique* (c. à d. qu'ils sont homéomorphes) [1].

§ 22. Espace de dimension *n*.

I. Addition des ensembles.

(+) *La somme d'un ensemble n-dimensionnel et d'un ensemble* 0*-dimensionnel est de dimension* $\leqslant n+1$.

Autrement dit, les formules $\dim(1-Q)=n$ et $\dim Q=0$ entraînent $\dim 1 \leqslant n+1$.

L'ensemble $Q+p$ étant 0-dimensionnel, quel que soit p (§ 21, III, 3), il existe un entourage G de p aussi petit que l'on veut et tel que $Q\cdot \mathrm{Fr}(G)=0$ (d'après § 20, II, 2_0), c. à d. que $\mathrm{Fr}(G) \subset 1-Q$, d'où $\dim \mathrm{Fr}(G) \leqslant n$. Donc $\dim 1 \leqslant n+1$.

Théorème 1 [2]. *Si un espace se laisse décomposer en une série (finie ou infinie) d'ensembles fermés n-dimensionnels:* $1 = A_1 + A_2 + \ldots$, *il est lui-même de dimension n.*

---

[1]) W. Sierpiński, Fund. Math. 1 (1920), p. 11 et Wektor 1915.

[2]) Voir W. Hurewicz, *Normalbereiche und Dimensionstheorie,* Math. Ann. 96 (1927), p. 760 et L. Tumarkin, *Ueber die Dimension nicht abgeschlos-*

Le théorème étant vrai pour $n=0$ (§ 21, III, théor. IV), supposons qu'il soit vrai pour $n-1$. Posons $B_1 = A_1$ et, en général, $B_k = A_k - (B_1 + \ldots + B_{k-1})$. Les ensembles B_k sont donc des $\boldsymbol{F}_\sigma$ disjoints et l'on a: $1 = B_1 + B_2 + \ldots$, $\dim B_k \leqslant n$.

D'après § 20, III, 3 (en y posant $B_k = E \subset E_{(n)}$ et $S_k = E \cdot S$), il existe un ensemble S_k, somme d'une infinité dénombrable d'ensembles de dimension $\leqslant n-1$ fermés dans B_k, et tel que $\dim(B_k - S_k) \leqslant 0$. Les ensembles fermés dans B_k étant des $\boldsymbol{F}_\sigma$, puisque B_k est un $\boldsymbol{F}_\sigma$, et la somme d'une infinité dénombrable d'ensembles $\boldsymbol{F}_\sigma$ de dimension $n-1$ étant par hypothèse $(n-1)$-dimensionnelle, on a $\dim S_k \leqslant n-1$, d'où pour la même raison $\dim(S_1 + S_2 + \ldots) \leqslant n-1$.

Les ensembles B_k étant disjoints, il vient:

$$B_i \cdot \sum_{k=1}^{\infty}(B_k - S_k) = \sum_{k=1}^{\infty}(B_i \cdot B_k - S_k) = B_i - S_i.$$

On voit ainsi que l'ensemble $B_i - S_i$, comme produit d'un $\boldsymbol{F}_\sigma$ et de $\sum_{k=1}^{\infty}(B_k - S_k)$, est un $\boldsymbol{F}_\sigma$ dans ce dernier. Donc l'ensemble $\sum_{k=1}^{\infty}(B_k - S_k)$, considéré comme l'espace, est somme d'une série d'ensembles $\boldsymbol{F}_\sigma$ de dimension $\leqslant 0$. Par conséquent $\dim \sum_{k=1}^{\infty}(B_k - S_k) \leqslant 0$.

L'identité $1 = \sum_{k=1}^{\infty} B_k = \sum_{k=1}^{\infty} S_k + \sum_{k=1}^{\infty}(B_k - S_k)$ représente donc l'espace comme une somme d'un ensemble de dimension $\leqslant n-1$ et d'un ensemble de dimension $\leqslant 0$. D'après (+) l'espace est de dimension $\leqslant n$.

Corollaires. 1. *La somme d'une suite dénombrable d'ensembles* $\boldsymbol{F}_\sigma$ *n-dimensionnels est n-dimensionnelle.*

2. *La somme de deux ensembles n-dimensionnels dont un est à la fois un* $\boldsymbol{F}_\sigma$ *et un* $\boldsymbol{G}_\delta$ *est n-dimensionnelle.*

3. *En ajoutant à un ensemble (non vide) un seul point on n'altère pas sa dimension.*

---

sener Mengen, Math. Ann. (1928), p. 641. Pour le cas de l'espace compact, voir K. Menger, Monatsh. 34, p. 147 et P. Urysohn, Fund. Math. 8, p. 316.

4. *Etant donnés un ensemble E et un entier n, il existe un ensemble S qui est un $\boldsymbol{F}_\sigma$ tel que*

$$\dim ES \leqslant n-1, \quad E_{(n)} \subset (E-S)_{(0)} \quad et \quad \dim [E_{(n)} - S] \leqslant 0.$$

En particulier, *chaque espace n-dimensionnel se compose d'un $\boldsymbol{F}_\sigma$ $(n-1)$-dimensionnel et d'un $\boldsymbol{G}_\delta$ 0-dimensionnel.*

5. *G étant un ensemble ouvert, la condition* $\dim (EG) \leqslant n$ *entraîne* $E_{(n)} = (E-G)_{(n)}$.

6. *Etant donné:* $1 = A_1 + A_2 + \ldots$, *où A_k fermé,* $\dim_p A_1 \leqslant n$, $\dim A_k \leqslant n$ *pour* $k > 1$, *alors* $\dim_p 1 \leqslant n$.

Les cor. 1—3 sont des conséquences faciles du théor. 1 (cf. d'ailleurs la démonstration des corollaires du th. IV, p. 122). En envisageant l'ensemble S du § 20, III, 3 et en considérant l'ensemble ES comme l'espace, on déduit du cor. 1 que $\dim ES \leqslant n-1$.

En particulier, si E désigne l'espace n-dimensionnel tout entier, il vient $E_{(n)} = 1$ et $1 = (1-S)_{(0)}$, d'où $\dim (1-S) = 0$.

Le cor. 4 se trouve ainsi établi. En y substituant respectivement $E-G$ et EG à E, on en déduit l'existence de deux ensembles $\boldsymbol{F}_\sigma$: S et W tels que l'on ait: $\dim (SE-G) \leqslant n-1$, $(E-G)_{(n)} \subset (E-G-S)_{(0)}$, $\dim (WEG) \leqslant n-1$ et $\dim (EG-W) \leqslant 0$, puisque par hypothèse $EG \subset (EG)_{(n)}$. Or, l'ensemble $E-G-S$ s'obtenant de $(E-G-S+EG-W)$ par soustraction de l'ensemble ouvert G, dont le produit avec ce dernier est 0-dimensionnel, on conclut de § 21, III, cor. 4 que $(E-G-S+EG-W)_{(0)} = (E-G-S)_{(0)}$.

Les ensembles $SE-G$ et WEG étant de dimension $\leqslant n-1$ et, en outre, des $\boldsymbol{F}_\sigma$ relativement à E, il résulte du corollaire 1 que leur somme est aussi de dimension $\leqslant n-1$. Par conséquent (§ 20, III, 5): $(E-G-S+EG-W)_{(0)} \subset (E-G-S+EG-W+SE-G+WEG)_{(n)} = E_{(n)}$, donc $(E-G)_{(n)} \subset (E-G-S)_{(0)} \subset E_{(n)}$, d'où le cor. 5.

Pour prouver le cor. 6, posons $E=1$ et $G = 1 - A_1$. D'après le cor. 1 on a $\dim (A_2 + A_3 + \ldots) \leqslant n$, donc $\dim G \leqslant n$. L'hypothèse $p \,\varepsilon\, (1-G)_{(n)}$ implique donc en vertu du cor. 5 que $\dim_p 1 \leqslant n$.

Théorème 2 [1]. *Pour qu'un espace (non vide) soit de dimension $\leqslant n$, il faut et il suffit qu'il soit une somme de $n+1$ ensembles 0-dimensionnels.*

---

[1]) W. Hurewicz, l. c. p. 761 et L. Tumarkin, l. c. p. 641.

Le théorème étant évident pour $n=0$, supposons qu'il soit vrai pour $n-1$. D'après le cor. 4, un espace n-dimensionnel se compose d'un ensemble 0-dimensionnel et d'un ensemble $(n-1)$-dimensionnel. En décomposant ce dernier en n ensembles 0-dimensionnels, on obtient une décomposition de l'espace en $n+1$ ensembles 0-dimensionnels.

Le fait que la somme de $n+1$ ensembles 0-dimensionnels est de dimension $\leqslant n$ est une conséquence immédiate de (+).

Corollaire [1]. *Si* $\dim A = n$ *et* $\dim B = m$, *on a* $\dim(A+B) \leqslant n+m+1$.

II. Séparation des ensembles fermés.

Théorème 3 [2] *(généralisation du th. II). A et B étant deux ensembles fermés et disjoints, situés dans un espace n-dimensionnel, il existe un ensemble ouvert G tel que*

$$A \subset G, \quad \overline{G} \cdot B = 0 \quad \textit{et} \quad \dim[\mathrm{Fr}(G)] \leqslant n-1.$$

Soient, conformément à l'axiome de séparation, U et V deux ensembles ouverts tels que: $A \subset U$, $B \subset V$ et $\overline{U} \cdot \overline{V} = 0$. Soit, conformément au cor. 4 du N⁰ précédent, Q un ensemble 0-dimensionnel tel que $\dim(1-Q) = n-1$. Les ensembles $Q \cdot \overline{U}$ et $Q \cdot \overline{V}$ étant disjoints et fermés dans Q, il existe selon le th. II (§ 21, II) un ensemble F fermé et ouvert relativement à Q et tel que $Q \cdot \overline{U} \subset F$ et $Q \cdot \overline{V} \cdot F = 0$, d'où $\overline{V} \cdot F = 0$ (puisque $F \subset Q$).

L'inclusion $B \subset V$ entraîne $B \cdot \overline{F} \subset V \cdot \overline{F}$ et l'égalité $\overline{V} \cdot F = 0$ donne $V \cdot F = 0$. Or, V étant ouvert, cette égalité implique que $V \cdot \overline{F} = 0$, donc que $B \cdot \overline{F} = 0$. Les ensembles B et F sont donc séparés. Par raison de symétrie il en est de même des ensembles A et $Q-F$. Comme, en outre, les ensembles A et B, ainsi que F et $Q-F$, sont séparés par hypothèse (voir § 16, V, 3), on en conclut (§ 16, V, 4) que $A+F$ et $B+Q-F$ le sont aussi.

Il existe par conséquent (§ 16, V, 6) un ensemble ouvert G tel que $A+F \subset G$ et $\overline{G} \cdot (B+Q-F) = 0$. Donc $A \subset G$ et $\overline{G} \cdot B = 0$.

---

[1] Ce corollaire peut d'ailleurs être déduit par l'induction complète directement de la définition de la dimension (plus précisément de § 20, II (2)). Voir K. Menger, *Dimensionstheorie*, p. 114.

[2] W. Hurewicz, l. c. p. 763 et L. Tumarkin, l. c. p. 653. Comp. P. Urysohn, l. c. p. 316.

En outre, $F \subset G$ et $\bar{G} \cdot Q \subset F$, d'où $(\bar{G} - G) \cdot Q = 0$, de sorte que $\mathrm{Fr}(G) = \bar{G} - G \subset 1 - Q$ et $\dim [\mathrm{Fr}(G)] \leqslant \dim (1 - Q) = n - 1$.

En rapprochant le th. 3 de l'ax. de séparation, on voit que ce théorème présente — dans le cas d'un espace n-dimensionnel — une condition plus avantageuse que cet axiome. On a vu que l'ax. de séparation pouvait être formulé aussi comme il suit: chaque couple d'ensembles fermés et disjoints peut être séparé par un ensemble fermé. A cet énoncé correspond le

Corollaire 1. Chaque couple d'ensembles fermés et disjoints situés dans un espace n-dimensionnel peut être séparé par un ensemble fermé de dimension $\leqslant n - 1$.

Notamment, la frontière de l'ensemble G du th. 3 est un ensemble de dimension $\leqslant n - 1$ qui sépare les ensembles A et B.

Corollaire 2. La condition énoncée dans le th. 3 est nécessaire et suffisante pour que l'espace soit $\leqslant$ *n-dimensionnel.*

La condition est nécessaire en vertu du th. 3. Inversement, en identifiant A avec un point p donné et B avec le complémentaire d'un entourage ouvert de ce point, la condition considérée implique que $\dim_p 1 \leqslant n$.

III. Décomposition d'un espace n-dimensionnel.

Théorème 4 [1]) *(généralisation du th. III). Etant donnée une décomposition d'un espace n-dimensionnel en un système fini d'ensembles ouverts:* $1 = G_1 + \ldots + G_k$, *il existe un système d'ensembles ouverts* $H_1, \ldots, H_k$ *tel que l'on a*

$$\text{(i)} \qquad 1 = H_1 + \ldots + H_k, \quad H_i \subset G_i \quad \text{et} \quad H_{i_1} \cdot \ldots \cdot H_{i_{n+2}} = 0$$

pour chaque système de $n+2$ *indices différents:* $i_1, \ldots, i_{n+2}$.

Conformément au th. 2 l'espace se compose, en effet, de $n+1$ ensembles 0-dimensionnels: $1 = Q_1 + \ldots + Q_{n+1}$. Chaque Q_j se laisse décomposer (th. III, p. 122, où Q_j est considéré comme l'espace) en k ensembles disjoints, contenus respectivement dans les ensembles G_i

---

[1]) Dans le Chap. IV nous établirons le théorème inverse: si à chaque décomposition $1 = G_1 + \ldots + G_k$ correspond une décomposition $1 = H_1 + \ldots + H_k$ satisfaisant aux conditions du th. 4, l'espace est de dimension $\leqslant n$. On y trouvera aussi quelques généralisations du th. 4.

Le th. 4 est dû à M. Menger, voir *Dimensionstheorie*, p. 158; cf. P. Urysohn, l. c. p. 292.

et relativement ouverts dans Q_j. En formules: $Q_j = H_{j1} + \dots + H_{jk}$ et $H_{ji} \subset G_i$.

Les ensembles $H_{j1}, \dots, H_{jk}$, comme disjoints et relativement ouverts dans Q_j, sont deux à deux séparés; il existe donc (d'après § 16, V, 7) un système d'ensembles ouverts et disjoints $V_{j1}, \dots, V_{jk}$ tels que $H_{ji} \subset V_{ji}$. Posons $H_i = (V_{1i} + \dots + V_{n+1,i}) \cdot G_i$. Il vient:

$$1 = \sum_{j=1}^{n+1} Q_j = \sum_{j=1}^{n+1} \sum_{i=1}^{k} H_{ji} = \sum_{j=1}^{n+1} \sum_{i=1}^{k} H_{ji} \cdot G_i \subset \sum_{i=1}^{k} \sum_{j=1}^{n+1} V_{ji} \cdot G_i = \sum_{i=1}^{k} H_i.$$

Enfin, si l'on supposait que $p \varepsilon H_{i_1} \cdot \dots \cdot H_{i_{n+2}}$, il existerait nécessairement un indice $j \leqslant n+1$ et deux indices différents i et i' tels que $p \varepsilon V_{ji} \cdot V_{ji'}$. Mais cela contredit l'hypothèse que les ensembles $V_{j1}, \dots, V_{jk}$ sont disjoints.

Remarque. En vertu du corollaire du § 16, II, chaque H_i contient un domaine fermé $\overset{*}{H}_i$ tel que $1 = \overset{*}{H}_1 + \dots + \overset{*}{H}_k$. Ainsi, les *ensembles ouverts* H_i peuvent être remplacés dans l'énoncé du théorème 4 par des *domaines fermés*.

Corollaire 1. Etant donnée une décomposition d'un espace n-dimensionnel en un système fini d'ensembles fermés: $1 = F_1 + \dots + F_k$, *il existe pour chaque* $\epsilon > 0$ *un système de domaines fermés* $H_1, \dots, H_k$ *assujettis aux conditions* (i), *où* G_i *désigne la sphère généralisée ouverte de centre* F_i *et de rayon* ϵ.

Corollaire 1 généralisé. Etant donnés dans un espace (de dimension arbitraire) un ensemble fermé F de dimension n et une décomposition de l'espace en un système fini d'ensembles fermés: $1 = F_1 + \dots + F_k$, *il existe pour chaque* $\epsilon > 0$, *un système d'ensembles ouverts tels que:* $1 = Q_1 + \dots + Q_k$, $F \cdot \overline{Q}_{i_1} \cdot \dots \cdot \overline{Q}_{i_{n+2}} = 0$ *pour chaque système de* $n+2$ *indices différents et que* Q_i *soit situé dans la sphère généralisée ouverte* G_i *de centre* F_i *et de rayon* ϵ.

Appliquons, en effet, le corollaire 1 (qui est une conséquence directe du th. 4) à l'ensemble $F = F \cdot F_1 + \dots + F \cdot F_k$, considéré comme l'espace. D'après le théorème du § 16, II, il existe un système d'ensembles ouverts $V_1, \dots, V_k$ tels que $H_i \subset V_i$ et que les systèmes $H_1, \dots, H_k$ et $\overline{V}_1, \dots, \overline{V}_k$ soient semblables au sens combinatoire. On a donc $\overline{V}_{i_1} \cdot \dots \cdot \overline{V}_{i_{n+2}} = 0$ pour chaque système d'indices différents. On peut, de plus, supposer que $V_i \subset G_i$, car on peut remplacer V_i par $V_i \cdot G_i$.

On a $F = H_1 + ... + H_k \subset V_1 + ... + V_k$. Il existe donc, conformément à l'ax. de séparation, un ensemble ouvert K tel que $F \subset K \subset \bar{K} \subset V_1 + ... + V_k$. Par suite $F_i - (V_1 + ... + V_k) \subset G_i - \bar{K}$.

Or, posons $Q_i = V_i + G_i - \bar{K}$. Il vient:

$$1 = \sum_{i=1}^{k} F_i = \sum_{i=1}^{k} V_i + \sum_{i=1}^{k} \left[F_i - \sum_{j=1}^{k} V_j \right] \subset \sum_{i=1}^{k} V_i + \sum_{i=1}^{k} (G_i - \bar{K}) = \sum_{i=1}^{k} Q_i.$$

En outre, comme $F \cdot \overline{1 - \bar{K}} = F - K = 0$, on a $F \cdot \overline{G_i - \bar{K}} = 0$, d'où $F \cdot \bar{Q}_{i_1} \cdot ... \cdot \bar{Q}_{i_{n+2}} = F \cdot \bar{V}_{i_1} \cdot ... \cdot \bar{V}_{i_{n+2}} = 0$.

Corollaire 2 [1]. *Etant donné un espace n-dimensionnel totalement borné, à chaque* $\varepsilon > 0$ *correspond une transformation continue* $y = f(x)$ *de cet espace en un sous-ensemble d'un polytope à* **n** *dimensions* [2] *et telle que l'on ait* $\delta[f^{-1}(y)] < \varepsilon$, *quel que soit* y.

En effet, l'espace étant totalement borné, on peut supposer que les ensembles $G_1, ..., G_k$ du th. 4 soient de diamètre $< \varepsilon$. Or, le „nerf" N du système $H_1, ..., H_k$ étant (d'après (i)) composé de simplexes de dimension $\leqslant n$ (§ 15, XI), il existe une transformation continue $y = f(x)$ de l'espace en sous-ensemble de la somme des simplexes de N telle que $f^{-1}(p_{i_0} ... p_{i_m}) \subset H_{i_0} \cdot ... \cdot H_{i_m}$, quel que soit le simplexe $p_{i_0} ... p_{i_m}$ dont N est formé (voir § 15, XI et XII); y étant une valeur donnée de la fonction f, posons $y \varepsilon p_{i_0} ... p_{i_m}$. Il vient $\delta[f^{-1}(y)] \leqslant \delta[f^{-1}(p_{i_0} ... p_{i_m})] \leqslant \delta(H_{i_0}) \leqslant \delta(G_{i_0}) < \varepsilon$.

IV. Prolongement des ensembles *n*-dimensionnels.

Théorème 5 (généralisation du th. V) [3]. *Chaque ensemble n-dimensionnel est contenu dans un* $\boldsymbol{G}_\delta$ *n-dimensionnel.*

En effet, E étant un ensemble n-dimensionnel, on a $E = Q_1 + ... + Q_{n+1}$ où les ensembles Q_i sont 0-dimensionnels (th. 2). D'après le th. V (p. 124), l'ensemble Q_i est contenu dans un $\boldsymbol{G}_\delta$ 0-dimensionnel: $Q_i \subset Q_i^*$. On a donc $E \subset Q_1^* + ... + Q_{n+1}^*$ et cette dernière somme est un $\boldsymbol{G}_\delta$ de dimension n (d'après le même th. 2).

---

[1]) P. Alexandroff, C. R. Paris, t. 183 (1926), p. 640, Math. Ann. 98 (1928), p. 635 et Ann. of Math. 30 (1928), p. 6. Voir aussi ma note de Fund. Math. 20 (1933), p. 193. Les termes „sous-ensemble d'un polytope" peuvent être remplacés par „polytope" (voir § 15, XII).

[2]) La „dimension" est entendue ici dans son sens classique.

[3]) Théorème de M. Tumarkin, l. c. p. 653.

V. Noyau dimensionnel.

Théorème 6 [1]. *Dans un espace n-dimensionnel l'ensemble des points où l'espace est précisément de la dimension n, c. à d. l'ensemble* $1 - 1_{(n-1)}$ *(dit „noyau dimensionnel") est de dimension* $\geqslant n-1$.

D'après le cor. 4 du N° I, il existe un ensemble S qui est un F_σ tel que $\dim S \leqslant n-2$ et $\dim (1_{(n-1)} - S) \leqslant 0$. L'ensemble $1 - 1_{(n-1)}$ étant selon § 20, III, 2 un F_σ, le cor. 1 du N° I et l'hypothèse $\dim (1 - 1_{(n-1)}) \leqslant n-2$ entraînent $\dim (1 - 1_{(n-1)} + S) \leqslant n-2$. Mais alors l'identité $1 = [1 - 1_{(n-1)} + S] + [1_{(n-1)} - S]$ donne $\dim 1 \leqslant n-1$, car en ajoutant un ensemble 0-dimensionnel, on augmente la dimension d'une unité au plus (cor. du th. 2, p. 129).

On démontre de plus que chaque ensemble (non vide) qui est ouvert dans le noyau est d'une dimension $\geqslant n-1$ [2]. La fermeture du noyau est en chaque point du noyau de dimension n [3].

VI. Espaces faiblement n-dimensionnels. Un espace n-dimensionnel dont le noyau n'est pas n-dimensionnel (il est alors selon le th. 6 de dimension $n-1$) est dit *faiblement n-dimensionnel.*

Comme exemple d'un ensemble faiblement 1-dimensionnel considérons l'ensemble des points du plan $(x, f(x))$ où x appartient à l'ensemble $\mathcal{C}$ de Cantor:

$$x = \frac{2}{3^{n_1}} + \frac{2}{3^{n_2}} + \dots, \qquad n_1 < n_2 < \dots$$

et

$$f(x) = \frac{(-1)^{n_1}}{2} + \frac{(-1)^{n_2}}{2^2} + \dots + \frac{(-1)^{n_k}}{2^k} + \dots, \qquad f(0) = 0.$$

Le noyau de cet ensemble se compose de points dont l'abscisse est une extrémité droite d'un intervalle contigu [4]. Comme ensemble dénombrable, le noyau est donc 0-dimensionnel.

On prouve [5] qu'il existe des ensembles faiblement n-dimensionnels, quel que soit n.

---

[1] Théorème de M. Menger, *Das Hauptproblem über die dimensionelle Struktur der Räume*, Proc. Akad. Amsterdam 30, 1926, p. 141.

[2] Ibid.

[3] W. Hurewicz, l. c. p. 762 et L. Tumarkin, l. c. p. 652. Cf. K. Menger, Monatsh. 34, p. 144 et P. Urysohn, l. c. p. 270.

[4] Voir ma note *Une application des images de fonctions à la construction de certains ensembles singuliers,* Mathematica 6 (1932), p. 120. Le premier exemple d'un ensemble qui est de dimension 0 en chaque point, excepté une infinité dénombrable, a été donné par M. Sierpiński, Fund. Math. 2 (1921), pp. 81—95.

[5] Théorème de M. Mazurkiewicz, *Sur les ensembles de dimension faible,* Fund. Math. 13 (1929), p. 212.

VII. Familles dimensionnantes. La propriété de l'espace d'être de dimension $\leqslant n$ dans un point p est un cas particulier de la propriété suivante: F étant une famille d'ensembles, convenons de dire qu'elle *dimensionne* l'espace dans un point p, si p est situé dans des entourages aussi petits que l'on veut dont la frontière appartient à F [1]).

Dans le cas particulier, où F désigne la famille des ensembles de dimension $\leqslant n-1$, les points où l'espace est dimensionné par F coïncident avec ceux où l'espace est de dimension $\leqslant n$.

Imposons à la famille F les deux propriétés suivantes (qui appartiennent à la famille des ensembles de dimension $\leqslant n-1$): 1^0 *l'hérédité*, c. à d. que la formule $X \subset Y \varepsilon F$ entraîne $X \varepsilon F$; 2^0 *la F_σ-additivité*, c. à d. que les conditions: $X_n \varepsilon F$ et X_n fermé dans $S = X_1 + X_2 + \ldots$ entraînent $S \varepsilon F$ [2]).

Comme l'a montré M. Hurewicz (dans son ouvrage précité), une grande partie de la théorie de la dimension peut être réduite à l'étude des ensembles 0-dimensionnels et des familles héréditaires F_σ-additives. Ce mode de procéder (qui est plus abstrait que celui du texte) a l'avantage d'être applicable aussi à des problèmes qui n'entrent pas dans le domaine de la théorie de la dimension.

Citons sans démonstration (qui est d'ailleurs tout-à-fait analogue à celle des théorèmes correspondants du § 22) quelques théorèmes fondamentaux sur les familles F héréditaires et F_σ-additives:

1) Pour que l'espace soit dimensionné (en chaque point) par F, il faut et il suffit qu'il se compose d'un ensemble appartenant à F et d'un ensemble de dimension $\leqslant 0$.

2) Pour que l'espace soit dimensionné par F, il faut et il suffit que chaque couple d'ensembles fermés et disjoints se laisse séparer par un ensemble fermé appartenant à F.

---

[1]) M. Menger se place à un point de vue plus général encore: un point est dit un „E-point", s'il appartient à des entourages aussi petits que l'on veut et qui jouissent de la propriété E. Voir Math. Ann, 95 (1925), p. 281. Le terme suggestif „dimensionner l'espace", que je dois à M. Knaster, remplace ici la dénomination „Unstetigkeitspunkt" de M. Hurewicz, employée par cet auteur dans l'ouvrage *Normalbereiche und Dimensionstheorie*, Math. Ann. 96 (1927).

Une propriété analogue (mais non équivalente) à celle d'être un point où l'espace se trouve dimensionné a été étudiée par M. G. T. Whyburn: il s'agit des points p de la forme $p = G_1 \cdot G_2 \cdot \ldots$, où G_n est un entourage de p et $\mathrm{Fr}(G_n) \varepsilon F$. Voir Fund. Math. 16 (1930), p. 169.

[2]) Une famille héréditaire et F_σ-additive est nommée par M. Hurewicz „Normalbereich".

Les familles qui satisfont aux conditions 1^0 et 2^0 et qui, en outre, contiennent tous les ensembles homéomorphes à leurs éléments, ont été étudiées par M. K. Kunugui dans ses recherches sur les relations entre les notions de dimension et de rang topologique („dimension au sens de M. Fréchet"). Voir sa Thèse, *Sur la Théorie du nombre de dimensions*, Paris 1930, p. 41.

3) F et F_1 étant deux familles héréditaires et F_σ-additives, la famille des sommes $X+Y$ où $X \varepsilon F$ et $Y \varepsilon F_1$ est héréditaire et F_σ-additive.

4) La famille des ensembles dimensionnés par F est héréditaire et F_σ-additive.

5) Si l'espace se laisse décomposer en une série dénombrable d'ensembles fermés dont tous, sauf un peut-être, sont dimensionnés par F, tandis que l'ensemble exceptionnel est dimensionné par F au point p, l'espace entier se trouve aussi dimensionné par F au point p.

6) L'ensemble des points où l'espace n'est pas dimensionné par F (le „noyau" de l'espace) est un F_σ. S'il n'est pas vide, il n'appartient pas à F.

D. Produits cartésiens. Suites d'ensembles (§§ 23—25).

Les espaces considérés dans les §§ 23—25 sont supposés métriques, mais pas nécessairement séparables. L'hypothèse de la séparabilité sera faite explicitement partout où il en est question.

§ 23. Produits cartésiens.

I. Règles de calcul. Le produit cartésien $\mathcal{X} \times \mathcal{Y}$ des espaces $\mathcal{X}$ et $\mathcal{Y}$, que nous allons étudier de plus près dans ce §, a été défini comme l'ensemble de tous les couples (x, y) où $x \varepsilon \mathcal{X}$ et $y \varepsilon \mathcal{Y}$, la convergence de la suite $\mathfrak{z}_n = (x_n, y_n)$ vers le couple (x, y) étant équivalente à la réunion des conditions $\lim x_n = x$ et $\lim y_n = y$ (§ 14, IV)[1]. On a vu aussi (§ 15, VI) que $\mathcal{X}$ et $\mathcal{Y}$ étant deux espaces métriques, la distance dans l'espace $\mathcal{X} \times \mathcal{Y}$ peut être définie par la formule

(i) $$|\mathfrak{z} - \mathfrak{z}_1| = \sqrt{|x - x_1|^2 + |y - y_1|^2}.$$

Nous allons établir à présent les règles de calcul suivantes:

(1) $$\overline{A \times B} = \overline{A} \times \overline{B}$$

(2) $$\mathrm{Int}\,(A \times B) = \mathrm{Int}\,(A) \times \mathrm{Int}\,(B)$$

(3) $$\mathrm{Fr}\,(A \times B) = \mathrm{Fr}\,(A) \times \overline{B} + \overline{A} \times \mathrm{Fr}\,(B)$$ [2]

---

[1]) On peut aussi considérer la notion de produit cartésien dans un espace *satisfaisant aux axiomes* I—III: on convient à ce but que, $\mathfrak{Z}$ étant un ensemble situé dans $\mathcal{X} \times \mathcal{Y}$, on a $(x, y) \varepsilon \overline{\mathfrak{Z}}$ lorsque l'inégalité $(A \times B) \cdot \mathfrak{Z} \neq 0$ se présente pour chaque couple d'ensembles ouverts A et B contenant x et y respectivement. Plusieurs théorèmes de ce § sont valables pour le produit cartésien ainsi conçu. Cf. *Enzyklopädie* III, 1, 10, p. 176.

[2]) Cf. K. Menger, *Dimensionstheorie*, p. 246.

(4) $$(A \times B)' = A' \times \bar{B} + \bar{A} \times B'$$

(5) $$\delta(A \times B) = \sqrt{[\delta(A)]^2 + [\delta(B)]^2}\,.$$

ad (1) (*fermeture* du produit). La condition $(x, y) \varepsilon \overline{A \times B}$ équivaut à l'existence de deux suites $x_n \varepsilon A$ et $y_n \varepsilon B$ telles que $\lim x_n = x$ et $\lim y_n = y$. Cela revient à dire que $x \varepsilon \bar{A}$ et $y \varepsilon \bar{B}$.

ad (2) (*intérieur* du produit). Par définition de l'intérieur (p. 24) on a $\operatorname{Int}(A \times B) = \mathcal{X} \times \mathcal{Y} - \overline{\mathcal{X} \times \mathcal{Y} - A \times B}$, de sorte qu'en appliquant l'identité (§ 2, II, 5): $\mathcal{X} \times \mathcal{Y} - (A \times B) = (\mathcal{X} - A) \times \mathcal{Y} + \mathcal{X} \times (\mathcal{Y} - B)$, il vient $\operatorname{Int}(A \times B) = [\mathcal{X} \times \mathcal{Y} - \overline{(\mathcal{X} - A) \times \mathcal{Y}}] \cdot [\mathcal{X} \times \mathcal{Y} - \overline{\mathcal{X} \times (\mathcal{Y} - B)}] = [\mathcal{X} \times \mathcal{Y} - \overline{\mathcal{X} - A} \times \bar{\mathcal{Y}}] \cdot [\mathcal{X} \times \mathcal{Y} - \bar{\mathcal{X}} \times \overline{\mathcal{Y} - B}] = [(\mathcal{X} - \overline{\mathcal{X} - A}) \times \mathcal{Y}] \cdot [\mathcal{X} \times (\mathcal{Y} - \overline{\mathcal{Y} - B})] = [\operatorname{Int}(A) \times \mathcal{Y}] \cdot [\mathcal{X} \times \operatorname{Int}(B)] = \operatorname{Int}(A) \times \operatorname{Int}(B)$ en vertu de § 2, II, 6.

ad (3) (*frontière* du produit). On a d'une façon analogue: $\operatorname{Fr}(A \times B) = \overline{A \times B} \cdot \overline{\mathcal{X} \times \mathcal{Y} - A \times B} = (\bar{A} \times \bar{B}) \cdot [\overline{\mathcal{X} - A} \times \bar{\mathcal{Y}} + \bar{\mathcal{X}} \times \overline{\mathcal{Y} - B}] = \operatorname{Fr}(A) \times \bar{B} + \bar{A} \times \operatorname{Fr}(B)$.

ad (4) (*dérivé* du produit). On a les équivalences suivantes: $(a, b) \varepsilon (A \times B)' \equiv (a, b) \varepsilon \overline{A \times B - (a, b)} \equiv (a, b) \varepsilon \overline{(A - a) \times B + A \times (B - b)} \equiv (a, b) \varepsilon [\overline{A - a} \times \bar{B} + \bar{A} \times \overline{B - b}] \equiv \{$soit $(a \varepsilon \overline{A - a}$ et $b \varepsilon \bar{B})$, soit $(a \varepsilon \bar{A}$ et $b \varepsilon \overline{B - b})\} \equiv \{$soit $(a, b) \varepsilon A' \times \bar{B}$, soit $(a, b) \varepsilon \bar{A} \times B'\}$.

ad (5) (*diamètre* du produit). On a en vertu de la formule (i): $[\delta(A \times B)]^2 = \left[\max \sqrt{|x - x_1|^2 + |y - y_1|^2}\right]^2 = \max |x - x_1|^2 + \max |y - y_1|^2 = [\delta(A)]^2 + [\delta(B)]^2$, où x et x_1 varient dans A et y et y_1 varient dans B.

II. Invariants de la multiplication cartésienne.

1. *Pour que le produit $A \times B$ (de deux ensembles non vides), soit respectivement fermé, ouvert, dense, il faut et il suffit que les deux ensembles A et B le soient également. Pour qu'un point (a, b) soit un point isolé de l'espace $\mathcal{X} \times \mathcal{Y}$, il faut et il suffit que a soit un point isolé de $\mathcal{X}$ et b de $\mathcal{Y}$.*

Car on a selon (1) et (2) les équivalences suivantes:

$$\{\overline{A \times B} = A \times B\} \equiv \{\bar{A} \times \bar{B} = A \times B\} \equiv \{\bar{A} = A \text{ et } \bar{B} = B\} \text{ (cf. § 2, II, 4a)}$$

$$\{\operatorname{Int}(A \times B) = A \times B\} \equiv \{\operatorname{Int}(A) \times \operatorname{Int}(B) = A \times B\} \equiv \{\operatorname{Int}(A) = A \text{ et } \operatorname{Int}(B) = B\}$$

$$\{\overline{A \times B} = \mathcal{X} \times \mathcal{Y}\} \equiv \{\bar{A} \times \bar{B} = \mathcal{X} \times \mathcal{Y}\} \equiv \{\bar{A} = \mathcal{X} \text{ et } \bar{B} = \mathcal{Y}\}.$$

La condition que le point (a, b) soit un point isolé de l'espace $\mathcal{X} \times \mathcal{Y}$ signifie que l'ensemble composé de ce point est ouvert. Cela équivaut à dire (comme nous venons de montrer) que les points a et b constituent deux ensembles ouverts, c. à d. que a est isolé dans $\mathcal{X}$ et b dans $\mathcal{Y}$.

2. *Pour que le produit $A \times B$ soit respectivement un ensemble frontière, non-dense, dense en soi, il faut et il suffit qu'un de deux ensembles A ou B le soit également.*

Cela résulte des équivalences suivantes:

$$\{\mathrm{Int}(A \times B) = 0\} \equiv \{\mathrm{Int}(A) \times \mathrm{Int}(B) = 0\} \equiv \{\mathrm{Int}(A) = 0 \text{ ou } \mathrm{Int}(B) = 0\}$$

$$\{\mathrm{Int}(\overline{A \times B}) = 0\} \equiv \{\mathrm{Int}(\bar{A} \times \bar{B}) = 0\} \equiv \{\text{soit } \mathrm{Int}(\bar{A}) = 0, \text{ soit } \mathrm{Int}(\bar{B}) = 0\}.$$

Enfin, la dernière partie de 2 résulte de 1, car, pour que le produit $A \times B$ ne contienne aucun point isolé, il faut et il suffit que soit A, soit B n'en contienne aucun.

Il résulte des théorèmes précédents que les propriétés suivantes sont des *invariants* de la multiplication cartésienne: d'être fermé, ouvert, dense, frontière, non-dense, dense en soi. On conclut facilement (du § 2, II, 1a et 2a) qu'il en est de même des propriétés d'être un $\boldsymbol{F}_\sigma$ et d'être un $\boldsymbol{G}_\delta$. Il en est encore de même— comme nous allons voir—des notions d'ensemble clairsemé, d'ensemble de I-re catégorie, de la propriété de Baire.

III. Ensemble $\mathcal{Y}^x$. Désignons, pour abréger, par $\mathcal{Y}^x$ l'ensemble $(x) \times \mathcal{Y}$, c. à d. l'ensemble de tous les points du produit $\mathcal{X} \times \mathcal{Y}$ à l'„abscisse" x. Dans le cas où $\mathcal{X}$ et $\mathcal{Y}$ désignent les axes rectangulaires du plan, $\mathcal{Y}^x$ est donc la droite d'abscisse x, parallèle à l'axe $\mathcal{Y}$.

L'ensemble $\mathcal{Y}^x$ est évidemment homéomorphe à $\mathcal{Y}$, la projection (voir § 2, III) de $\mathcal{Y}^x$ sur $\mathcal{Y}$ étant une homéomorphie (même plus: une isométrie). Par conséquent, *si un ensemble situé dans $\mathcal{Y}^x$ jouit d'une propriété topologique relativement à $\mathcal{Y}^x$, sa projection sur l'axe $\mathcal{Y}$ jouit de la même propriété relativement à $\mathcal{Y}$.*

IV. Ensembles clairsemés [1]). *Soient Z un ensemble dense en soi situé dans le produit $\mathcal{X} \times \mathcal{Y}$ et A la projection de Z sur l'axe $\mathcal{X}$. Si a est un point isolé de A, l'ensemble $Z \cdot \mathcal{Y}^a$ est dense en soi.*

---

[1]) Voir la note de M. Ulam et de moi *Quelques propriétés topologiques du produit combinatoire*, Fund. Math. 19 (1932), p. 248.

Soit, en effet, (a, b) un point arbitraire de $Z \cdot \mathcal{Y}^a$. L'ensemble Z étant dense en soi, on a $(a, b) = \lim (a_n, b_n)$ et $(a, b) \neq (a_n, b_n) \varepsilon Z$. Il vient $a = \lim a_n$ et, a étant un point isolé de A, on a pour n suffisamment grand $a_n = a$, d'où $(a_n, b_n) \varepsilon Z \cdot \mathcal{Y}^a$. De plus $b_n \neq b$, car autrement on aurait $(a_n, b_n) = (a, b)$. Par conséquent (a, b) est un point d'accumulation de l'ensemble $Z \cdot \mathcal{Y}^a$, c. q. f. d.

Dans les mêmes hypothèses sur A et Z, si A n'est pas dense en soi, la projection de Z sur l'axe $\mathcal{Y}$ contient un ensemble dense en soi (non vide). Car elle contient un ensemble homéomorphe à $Z \cdot \mathcal{Y}^a$ où a est un point isolé de A.

Il en résulte que, *pour que le produit de deux espaces (non vides) soit clairsemé, il faut et il suffit que les deux espaces soient clairsemés.*

Car, si $\mathcal{X}$ ou $\mathcal{Y}$ contient un sous-ensemble dense en soi (non vide), le produit $\mathcal{X} \times \mathcal{Y}$ en contient également un (N°II, 2). Inversement, si $\mathcal{X} \times \mathcal{Y}$ contient un sous-ensemble dense en soi (non vide) Z, la projection de Z soit sur $\mathcal{X}$, soit sur $\mathcal{Y}$, contient un ensemble dense en soi (non vide).

V. Ensembles de I-re catégorie.

Théorème [1]). *Z étant un ensemble non-dense situé dans le produit des espaces $\mathcal{X}$ et $\mathcal{Y}$ (dont le deuxième est séparable* [2])*), il existe dans l'espace $\mathcal{X}$ un ensemble P de I-re catégorie tel que pour chaque point x de $\mathcal{X} - P$ l'ensemble $Z \cdot \mathcal{Y}^x$ est non-dense dans $\mathcal{Y}^x$.*

Soit $R_1, R_2, \ldots$ la base de l'espace séparable $\mathcal{Y}$. Soit E_n l'ensemble des x tels que $x \times R_n \subset \overline{Z \cdot \mathcal{Y}^x}$. Il vient $E_n \times R_n \subset \overline{Z \cdot \mathcal{Y}^x}$.

L'ensemble E_n est non-dense. Car, dans le cas contraire, en désignant par G un ensemble ouvert contenu dans $\overline{E}_n$, on aurait $0 \neq G \times R_n \subset \overline{E}_n \times \overline{R}_n = \overline{E_n \times R_n} \subset \overline{Z \cdot \mathcal{Y}^x} \subset \overline{Z}$, contrairement à l'hypothèse que Z est non-dense. L'ensemble $P = E_1 + E_2 + \ldots$ est donc de I-re catégorie.

---

[1]) Ibidem, théor. 1. En tenant compte de l'analogie avec les axes rectangulaires du plan, ce théorème peut être énoncé comme suit: un ensemble superficiellement non-dense est linéairement non-dense sur „presque toute" droite parallèle à l'axe $\mathcal{Y}$.

[2]) Cette hypothèse est essentielle. Voir ibid. p. 248, renvoi [2]).

Supposons par impossible que $x \varepsilon \mathcal{X} - P$ et que $Z \cdot \mathcal{Y}^x$ ne soit pas non-dense dans $\mathcal{Y}^x$. L'ensemble $\overline{Z \cdot \mathcal{Y}^x}$ contiendrait alors un ensemble ouvert dans $\mathcal{Y}^x$, donc un ensemble $x \times R_n$ (puisque les ensembles $x \times R_n$, $n = 1, 2, \dots$, constituent une base de $\mathcal{Y}^x$). Or, l'inclusion $x \times R_n \subset \overline{Z \cdot \mathcal{Y}^x}$ implique par définition de E_n que $x \varepsilon E_n \subset P$, contrairement à l'hypothèse.

Corollaire 1. Z étant un ensemble de I-re catégorie situé dans le produit $\mathcal{X} \times \mathcal{Y}$ (où $\mathcal{Y}$ est séparable), l'ensemble $Z \cdot \mathcal{Y}^x$ est de I-re catégorie dans $\mathcal{Y}^x$, abstraction faite d'un ensemble des x de I-re catégorie.

Soit, en effet, $Z = Z_1 + Z_2 + \dots$ où les ensembles Z_n sont non-denses. Soit (en vertu du théorème précédent) P_n un ensemble de I-re catégorie tel que pour $x \varepsilon \mathcal{X} - P_n$ l'ensemble $Z_n \cdot \mathcal{Y}^x$ soit non-dense dans $\mathcal{Y}^x$. Posons $P = P_1 + P_2 + \dots$ Or, pour $x \varepsilon \mathcal{X} - P$, chacun des ensembles $Z_n \cdot \mathcal{Y}^x$ est non-dense dans $\mathcal{Y}^x$. Leur somme $Z \cdot \mathcal{Y}^x$ y est donc de I-re catégorie.

Corollaire 2. Pour que le produit $Z = A \times B$ soit de I-re catégorie dans le produit $\mathcal{X} \times \mathcal{Y}$ (où $\mathcal{Y}$ est séparable), il faut et il suffit qu'un des ensembles A ou B soit de I-re catégorie.

En effet, si Z est de I-re catégorie tandis que A ne l'est pas, A contient en vertu du cor. 1 un point x tel que $Z \cdot \mathcal{Y}^x$ est de I-re catégorie dans $\mathcal{Y}^x$. Donc B est de I-re catégorie dans $\mathcal{Y}$, comme projection de $Z \cdot \mathcal{Y}^x$ sur l'axe $\mathcal{Y}$ (voir N° III).

Ainsi la condition est nécessaire. Pour prouver qu'elle est suffisante, posons $A = N_1 + N_2 + \dots$ où N_n sont non-denses. Il vient $A \times B = (N_1 \times B) + (N_2 \times B) + \dots$ Les ensembles $N_n \times B$ étant non-denses (N° II, 2), $A \times B$ est de I-re catégorie.

VI. Propriété de Baire [1]).

Théorème. Z étant un ensemble jouissant de la propriété de Baire relativement au produit $\mathcal{X} \times \mathcal{Y}$ (où $\mathcal{Y}$ est séparable), l'ensemble $Z \cdot \mathcal{Y}^x$ jouit de la propriété de Baire relativement à $\mathcal{Y}^x$, abstraction faite d'un ensemble des x de I-re catégorie.

En effet, comme jouissant de la propriété de Baire, Z est de la forme $U + V$ où U est de I-re catégorie et V est un $\boldsymbol{G_\delta}$ (§ 11,

---

[1]) Ibidem, p. 250.

IV, 2). Soit, conformément au cor. 1, P un ensemble de I-re catégorie dans $\mathcal{X}$ et tel que pour $x \varepsilon \mathcal{X} - P$ l'ensemble $U \cdot \mathcal{Y}^x$ soit de I-re catégorie dans $\mathcal{Y}^x$. Or, $V \cdot \mathcal{Y}^x$ étant évidemment un $\boldsymbol{G}_\delta$ relativement à $\mathcal{Y}^x$, l'identité $Z \cdot \mathcal{Y}^x = U \cdot \mathcal{Y}^x + V \cdot \mathcal{Y}^x$ prouve (§ 11, IV, 2) que $Z \cdot \mathcal{Y}^x$ jouit de la propriété de Baire relativement à $\mathcal{Y}^x$.

Corollaire. Pour que le produit de deux ensembles jouisse de la propriété de Baire relativement au produit $\mathcal{X} \times \mathcal{Y}$ (où $\mathcal{Y}$ est séparable), il faut qu'un des deux ensembles en jouisse et il suffit que les deux en jouissent.

En effet, si l'ensemble $Z = A \times B$ jouit de la propriété de Baire tandis que A n'en jouit pas, A n'est pas de I-re catégorie et il existe d'après le théorème précédent un point x dans A tel que $Z \cdot \mathcal{Y}^x$ jouit de la propriété de Baire dans $\mathcal{Y}^x$, donc (N⁰ III) B en jouit relativement à $\mathcal{Y}$.

Pour prouver la deuxième partie du corollaire, supposons que A et B jouissent de la propriété de Baire, donc que $A = P + Q$ et $B = U + V$ où P et U sont de I-re catégorie et Q et V sont des $\boldsymbol{G}_\delta$. Il vient $A \times B = P \times U + P \times V + Q \times U + Q \times V$. Les trois premiers sommandes étant des ensembles de I-re catégorie (d'après le cor. 2 du N⁰ V) et le quatrième, comme produit de deux $\boldsymbol{G}_\delta$, étant un $\boldsymbol{G}_\delta$ (N⁰ II), $A \times B$ est la somme d'un ensemble de I-re catégorie et d'un $\boldsymbol{G}_\delta$ et jouit par conséquent (§ 11, IV, 2) de la propriété de Baire.

Remarque. L'analogie entre la propriété de Baire et la mesurabilité (dont il était déjà question au § 11, VII) concerne aussi les énoncés établis tout à l'heure. En effet, en remplaçant dans le théorème du N⁰ VI et dans les corollaires des NN⁰ V et VI la notion d'ensemble de I-re catégorie par celle d'ensemble de mesure nulle et la propriété de Baire par la mesurabilité, on parvient à des théorèmes connus de la théorie de la mesure [1]).

VII. Multiplication par un axe. En tenant compte des résultats précédents, on vérifie facilement que, *si A est un ensemble respectivement fermé, ouvert, dense, frontière, non-dense, dense en soi, de I-re catégorie, à propriété de Baire* [2]) *— l'ensemble $A \times \mathcal{Y}$ l'est également.* En d'autres termes: *étant donnée une fonction pro-*

---

[1]) Cf. S. Saks, *Théorie de l'intégrale*, cette Collection t. 2, p. 261.

[2]) Le même problème concernant la propriété de Baire *au sens restreint* (p. 55) reste ouvert, même pour le cas où $\mathcal{X} = \mathcal{Y} =$ l'ensemble des nombres réels.

positionnelle $\varphi(x)$, *si l'ensemble* $\underset{x}{E}\,\varphi(x)$ *jouit d'une des propriétés précitées, l'ensemble* $\underset{xy}{E}\,\varphi(x)$ *en jouit également.*

En cas où $\mathcal{X}$ et $\mathcal{Y}$ désignent les axes du plan et A est un ensemble situé sur l'axe $\mathcal{X}$, l'ensemble $A \times \mathcal{Y}$ s'obtient de A, en traçant une droite parallèle à l'axe $\mathcal{Y}$ par chaque point de A.

VIII. Base de l'espace. $R_1, R_2, \ldots$ *étant une base de l'espace* $\mathcal{X}$ *et* $S_1, S_2, \ldots$ *en étant une de l'espace* $\mathcal{Y}$, *la suite des produits* $R_m \times S_n$ $(m = 1, 2, \ldots, n = 1, 2, \ldots)$ *constitue une base de l'espace* $\mathcal{X} \times \mathcal{Y}$.

Soient, en effet, G un ensemble ouvert situé dans $\mathcal{X} \times \mathcal{Y}$ et $(a, b) \varepsilon G$. Il existe donc un $\epsilon > 0$ tel que la sphère de centre (a, b) et de rayon ϵ est contenue dans G. Par définition de la base il existe un R_m tel que $a \varepsilon R_m$ et $\delta(R_m) < \epsilon/2$; de même il existe un S_n tel que $b \varepsilon S_n$ et $\delta(S_n) < \epsilon/2$. Selon N°I (5) on a donc $\delta(R_m \times S_n) < \epsilon$, d'où $(a, b) \varepsilon (R_m \times S_n) \subset G$, c. q. f. d.

On voit ainsi que *chaque ensemble ouvert situé dans le produit de deux espaces métriques séparables est une somme dénombrable d'ensembles ouverts dont chacun est un produit de deux ensembles ouverts.*

En cas où les espaces $\mathcal{X}$ et $\mathcal{Y}$ ne possèdent pas de base, on ne peut qu'affirmer (en raisonnant comme auparavant) qu'*un sous-ensemble ouvert du produit est une somme (dénombrable ou non) de produits d'ensembles ouverts.*

IX. Dimension du produit [1]. $\mathcal{X}$ *et* $\mathcal{Y}$ *étant deux espaces métriques séparables, on a* $\dim(\mathcal{X} \times \mathcal{Y}) \leqslant \dim \mathcal{X} + \dim \mathcal{Y}$.

En outre, si $\dim_a \mathcal{X} = 0 = \dim_b \mathcal{Y}$, *on a* $\dim_{(a,b)}(\mathcal{X} \times \mathcal{Y}) = 0$.

Posons $\dim_a \mathcal{X} = m$ et $\dim_b \mathcal{Y} = n$. Il existe donc deux ensembles ouverts R et S tels que

$$a \varepsilon R, \quad \delta(R) < \epsilon/2, \quad \dim[\mathrm{Fr}(R)] \leqslant m - 1,$$

$$b \varepsilon S, \quad \delta(S) < \epsilon/2, \quad \dim[\mathrm{Fr}(S)] \leqslant n - 1.$$

D'après N°I (3) et (5) il vient:

(i) $\quad \mathrm{Fr}(R \times S) = \mathrm{Fr}(R) \times \bar{S} + \bar{R} \times \mathrm{Fr}(S) \quad$ et $\quad \delta(R \times S) < \epsilon.$

[1]) K. Menger, *Dimensionstheorie*, p. 246.

En outre, en cas où $m = 0 = n$, on a $\dim [\mathrm{Fr}(R)] = -1 = \dim [\mathrm{Fr}(S)]$, d'où $\mathrm{Fr}(R) = 0 = \mathrm{Fr}(S)$, donc $\mathrm{Fr}(R \times S) = 0$. Ainsi, $R \times S$ étant un entourage du point (a, b) de diamètre arbitrairement petit et dont la frontière est vide, on a $\dim_{(a,b)}(\mathcal{X} \times \mathcal{Y}) = 0$, ce qui prouve la deuxième partie du théorème.

La première partie en étant une conséquence dans le cas où $\dim \mathcal{X} = 0 = \dim \mathcal{Y}$, procédons par induction. Admettons que notre théorème soit vrai pour chaque couple d'ensembles X et Y tels que $\dim X + \dim Y < \dim \mathcal{X} + \dim \mathcal{Y} = k$. Comme $\dim [\mathrm{Fr}(R)] + \dim \bar{S} \leqslant \leqslant (m-1) + n \leqslant k-1$, on a par hypothèse $\dim [\mathrm{Fr}(R) \times \bar{S}] \leqslant k-1$ et, d'une façon analogue, $\dim [\bar{R} \times \mathrm{Fr}(S)] \leqslant k-1$. Il en résulte (§ 22, I, cor. 1) que $\dim [\mathrm{Fr}(R) \times \bar{S} + \bar{R} \times \mathrm{Fr}(S)] \leqslant k-1$, d'où en vertu de (i) $\dim_{(a,b)}(\mathcal{X} \times \mathcal{Y}) \leqslant k$. Donc $\dim (\mathcal{X} \times \mathcal{Y}) \leqslant k$.

Remarques. 1) Dans le théorème précédent *l'inégalité* ne peut pas être remplacée par *l'égalité*. M. L. Pontrjagin[1]) a défini, en effet, deux ensembles 2-dimensionnels dont le produit cartésien est de dimension 3.

Dans le même ordre d'idées, on a le théorème de M. Hurewicz, d'après lequel le produit de n espaces compacts 1-dimensionnels est n-dimensionnel[2]).

2) La deuxième partie du théorème ne se laisse pas généraliser sur $n > 0$[3]). Considérons, en effet, le produit de l'ensemble des nombres réels par un ensemble formé du nombre 0 et d'une suite d'intervalles disjoints convergeant vers 0 du côte gauche. La dimension de ce dernier ensemble s'annule au point 0, tandis que le produit est à l'origine des axes de dimension 2.

X. Projection. En faisant correspondre à chaque point (x, y) du produit $\mathcal{X} \times \mathcal{Y}$ son „ordonnée" y, on définit une fonction dite *projection parallèle à l'axe* $\mathcal{X}$ (cf. § 2, III). Cette fonction est *continue:* en effet, si la suite (x_n, y_n) converge vers (x, y), la suite y_n converge vers y.

En outre, *la projection d'un ensemble ouvert est un ensemble ouvert.* Soit, en effet, Z un ensemble ouvert dans $\mathcal{X} \times \mathcal{Y}$. On a $Z = Z \cdot \sum_x \mathcal{Y}^x = \sum_x [Z \cdot \mathcal{Y}^x]$ (= somme des intersections avec les

---

[1]) *Sur une hypothèse fondamentale de la théorie de la dimension*, C. R. Paris, t. 190 (1930), p. 1105.

[2]) *Ueber den sogenannten Produktsatz der Dimensionstheorie*, Math. Ann. 102 (1929), p. 306.

[3]) Dans cet ordre d'idées, quelques énoncés ont été trouvés par M. Menger, *Bemerkungen über dimensionnelle Feinstruktur und Produktsatz*, Prace Mat.-Fiz. 37 (1930), p. 78.

„verticales"). La projection d'une somme étant la somme des projections (cf. § 3, II, 1a), la projection de Z est la somme des projections des ensembles $Z \cdot \mathcal{Y}^x$. Or, $Z \cdot \mathcal{Y}^x$ étant ouvert dans $\mathcal{Y}^x$, sa projection est ouverte dans $\mathcal{Y}$ (voir N⁰ III). La projection de Z est donc ouverte, comme somme d'ensembles ouverts.

Ceci peut s'énoncer aussi de la façon suivante (cf. § 2, V, 3): *étant donnée une fonction propositionnelle* $\varphi(x, y)$ *telle que l'ensemble* $\underset{xy}{E}\, \varphi(x, y)$ *est ouvert, l'ensemble* $\underset{y}{E} \sum_x \varphi(x, y)$ *est également ouvert.*

XI. Image de l'équation $y = f(x)$. Soit $f(x)$ une fonction qui transforme l'espace $\mathcal{X}$ en un sous-ensemble de l'espace $\mathcal{Y}$. Considérons l'ensemble I des points (x, y) du produit $\mathcal{X} \times \mathcal{Y}$ qui satisfont à l'équation $y = f(x)$. En symboles: $I = \underset{xy}{E}\, [y = f(x)]$.

1) *L'espace* $\mathcal{Y}$ *étant séparable et dense en soi, l'hypothèse que l'ensemble* $\mathcal{X} \times \mathcal{Y} - I$ *est de I-re catégorie au point* (x, y) *implique que soit* $\mathcal{X}$ *est de I-re catégorie au point* x, *soit* $\mathcal{Y}$ *l'est au point* y [1]).

Conformément à l'hypothèse (et à la remarque finale du N⁰ VIII), il existe deux ensembles G et H ouverts dans $\mathcal{X}$ et $\mathcal{Y}$ respectivement, tels que $x \varepsilon G$, $y \varepsilon H$ et que $(G \times H) - I$ est de I-re catégorie. Si l'on suppose que $\mathcal{X}$ n'est pas de I-re catégorie au point x, l'ensemble G n'est non plus de I-re catégorie; il existe donc, d'après le cor. 1 du N⁰ V, un point a dans G tel que l'ensemble $\mathcal{Y}^a \cdot (G \times H) - I = (a \times H) - I$ est de I-re catégorie dans $\mathcal{Y}^a$. Or, cet ensemble ne diffère de $(a \times H)$ que par un point au plus: notamment par le point $[a, f(a)]$; ce point étant par hypothèse un point d'accumulation de $\mathcal{Y}^a$, donc un ensemble non-dense dans $\mathcal{Y}^a$, l'ensemble $(a \times H)$ y est de I-re catégorie. Par conséquent (N⁰ III), H est de I-re catégorie dans $\mathcal{Y}$. Cela prouve que $\mathcal{Y}$ est de I-re catégorie au point y.

En particulier, si l'on suppose que les espaces $\mathcal{X}$ et $\mathcal{Y}$ ne sont de I-re catégorie en aucun point (par ex. que ce sont des espaces complets), le complémentaire de I n'est de I-re catégorie en aucun point. *Si, de plus, l'ensemble I jouit de la propriété de Baire* (ce qui a lieu, en général, dans les applications), *il est de I-re caté-*

---

[1]) Cf. ma note *Sur les fonctions représentables analytiquement et les ensembles de première catégorie*, Fund. Math. 5 (1924), p. 84 et la note citée de de M. Ulam et de moi, Fund. Math. 19, p. 250.

gorie, comme complémentaire d'un ensemble jouissant de la propriété de Baire et qui n'est de I-re catégorie en aucun point[1]) (cf. § 11, IV, cor. 2).

2) *Si la fonction f est continue, l'ensemble I est homéomorphe à* $\mathcal{X}$.

En faisant correspondre à x le point $[x, f(x)]$, on définit une fonction biunivoque et continue, puisque la condition $\lim x_n = x$ entraîne $\lim [x_n, f(x_n)] = [x, f(x)]$ et la transformation inverse est continue, car elle est une projection.

3) *Etant donnée une fonction f définie sur un sous-ensemble A de* $\mathcal{X}$, *si f est continue au point x et le point* (x, y) *appartient à* $\overline{I}$, *on a* $y = f(x)$. *D'une façon plus générale:* $\delta(\overline{I} \cdot \mathcal{Y}^x) \leqslant \omega(x)$, où $\omega(x)$ désigne l'oscillation de la fonction f au point x (donc, si $\omega(x) = 0$, il existe *au plus un* y tel que $(x, y) \varepsilon \overline{I}$).

Soient, en effet, (x, y) et (x, y^*) deux points appartenant à $\overline{I} \cdot \mathcal{Y}^x$. Il vient $(x, y) = \lim [x_n, f(x_n)]$ et $(x, y^*) = \lim [\overset{*}{x}_n, f(\overset{*}{x}_n)]$. Il existe par conséquent dans chaque entourage E de x un x_n et un $\overset{*}{x}_n$, d'où $f(x_n) \varepsilon f(E)$ et $f(\overset{*}{x}_n) \varepsilon f(E)$. On en conclut que $\delta[f(E)] \geqslant |f(x_n) - f(\overset{*}{x}_n)|$ et que $\omega(x) = \min \delta[f(E)] \geqslant |y - y^*|$, ce qui entraîne l'inégalité à démontrer.

4) *Si l'espace* $\mathcal{Y}$ *est dense en soi et la fonction f est ponctuellement discontinue, l'ensemble I est non-dense.*

En effet, si I n'est pas non-dense, $\overline{I}$ contient un ensemble ouvert non vide $G \times H$, où G est ouvert dans $\mathcal{X}$ et H dans $\mathcal{Y}$. Si $x \varepsilon G$, l'ensemble $x \times H$, comme ouvert dans $\overline{I} \cdot \mathcal{Y}^x$, ne se réduit pas à un seul point. La fonction f est donc selon 3) discontinue en chaque point de G.

XII. Diagonale. Lorsque les ensembles X et Y sont des sous-ensembles d'un même espace, nous appelons *diagonale du produit* $X \times Y$ l'ensemble des points ayant l'abscisse égale à l'ordonnée: $\underset{xy}{E}(x = y)$.

On voit aussitôt que *la diagonale du produit cartésien* $X \times Y$ *est homéomorphe à la partie commune* $X \cdot Y$ *des ensembles X et Y.*

En outre, *la diagonale est un ensemble fermé dans* $X \times Y$.

Dans le cas particulier, où $\mathcal{X} = \mathcal{Y}$, la diagonale est homéomorphe à chacun des axes.

---

[1]) Sans supposer que I jouit de la propriété de Baire, I peut ne pas être de I-re catégorie; cf. Fund. Math. 5, p. 85.

§ 24. Produits cartésiens dénombrables.

I. Généralités. Rappelons[1]) que le produit

$$\underset{i=1}{\overset{\infty}{P}} \mathcal{X}_i = \mathcal{X}_1 \times \mathcal{X}_2 \times \ldots \times \mathcal{X}_i \times \ldots$$

est par définition l'ensemble des suites $\mathfrak{z}=[\mathfrak{z}^1, \mathfrak{z}^2, \ldots, \mathfrak{z}^i, \ldots]$ où $\mathfrak{z}^i \in \mathcal{X}_i$.

Le diamètre de chaque espace $\mathcal{X}_i$ étant supposé inférieur à 1 (ce qui ne restreint point la généralité, puisque chaque espace est homéomorphe à un espace borné, cf. § 15, V), la distance dans le produit est définie par la formule $|\mathfrak{z}-\mathfrak{y}| = \sum_{i=1}^{\infty} 2^{-i} |\mathfrak{z}^i - \mathfrak{y}^i|$.

On en conclut que la suite $\{\mathfrak{z}_n\}$, où $\mathfrak{z}_n = [\mathfrak{z}_n^1, \mathfrak{z}_n^2, \ldots, \mathfrak{z}_n^i, \ldots]$, converge vers $\mathfrak{z} = [\mathfrak{z}^1, \mathfrak{z}^2, \ldots, \mathfrak{z}^i, \ldots]$, lorsqu'on a la convergence „par colonnes", c. à d. que la i-ème coordonnée du point variable tend vers la i-ème coordonnée du point limite. En symboles:

$$\{\mathfrak{z} = \lim_{n=\infty} \mathfrak{z}_n\} \equiv \prod_i \{\mathfrak{z}^i = \lim_{n=\infty} \mathfrak{z}_n^i\}.$$

Il en résulte aussitôt que, pour tout i fixe, le terme $\mathfrak{z}^i$, considéré comme fonction de $\mathfrak{z}$, en est une fonction continue.

Une autre conséquence immédiate est l'homéomorphie des produits $\underset{i=1}{\overset{\infty}{P}} \mathcal{X}_i$ et $(\mathcal{X}_1 \times \ldots \times \mathcal{X}_n) \times \underset{i=n+1}{\overset{\infty}{P}} \mathcal{X}_i$ (loi „associative").

II. Règles de calcul.

(i) $\overline{\underset{i=1}{\overset{\infty}{P}} A_i} = \underset{i=1}{\overset{\infty}{P}} (\overline{A_i})$ (ii) $\delta\left(\underset{i=1}{\overset{\infty}{P}} A_i\right) = \sum_{i=1}^{\infty} \frac{\delta(A_i)}{2^i}$

(iii) *$\mathfrak{z}$ est un point intérieur du produit $\underset{i=1}{\overset{\infty}{P}} A_i$, lorsque pour chaque i $\mathfrak{z}^i$ est un point intérieur de A_i et lorsqu'on a, en outre, $A_k = \mathcal{X}_k$ pour k suffisamment grand.*

ad (i). On a les équivalences suivantes $\left\{\mathfrak{z} \in \underset{i}{P} (\overline{A_i})\right\} \equiv \left\{\prod_i \mathfrak{z}^i \in \overline{A_i}\right\} \equiv \left\{\text{il existe une suite } \mathfrak{z}_n \text{ telle que } \prod_i [\mathfrak{z}^i = \lim_{n=\infty} \mathfrak{z}_n^i] \text{ et } \prod_{ni} [\mathfrak{z}_n^i \in A_i]\right.$, c. à d. telle que $\mathfrak{z} = \lim_{n=\infty} \mathfrak{z}_n$ et $\left.\prod_n \left[\mathfrak{z}_n \in \underset{i}{P} A_i\right]\right\} \equiv \left\{\mathfrak{z} \in \overline{\underset{i}{P} (A_i)}\right\}$.

---

[1]) Voir § 2, § 14, IV et § 15, VI.

ad (ii). On a, pour $\mathfrak{z}$ et $\mathfrak{y}$ extraits de $\underset{i}{P}(A_i)$:

$$|\mathfrak{z}-\mathfrak{y}| = \sum_{i=1}^{\infty} 2^{-i}\,|\mathfrak{z}^i - \mathfrak{y}^i| \leqslant \sum_{i=1}^{\infty} 2^{-i}\,\delta(A_i),$$

d'où

$$\delta\left(\underset{i=1}{\overset{\infty}{P}} A_i\right) = \max|\mathfrak{z}-\mathfrak{y}| \leqslant \sum_{i=1}^{\infty} 2^{-i}\,\delta(A_i).$$

D'autre part, il existe pour chaque $\epsilon > 0$ deux suites $\mathfrak{z}$ et $\mathfrak{y}$ telles que $|\mathfrak{z}^i - \mathfrak{y}^i| > \delta(A_i) - \epsilon$, d'où

$$\delta\left(\underset{i=1}{\overset{\infty}{P}} A_i\right) \geqslant |\mathfrak{z}-\mathfrak{y}| \geqslant \sum_{i=1}^{\infty} 2^{-i}[\delta(A_i) - \epsilon] = \sum_{i=1}^{\infty} 2^{-i}\,\delta(A_i) - \epsilon.$$

ad (iii). Si $\mathfrak{z} \in \mathrm{Int}\left(\underset{i}{P} A_i\right)$, il existe un $\epsilon > 0$ tel que, pour $|\mathfrak{y}-\mathfrak{z}| < \epsilon$, on a $\mathfrak{y} \in \underset{i}{P} A_i$. Cette inégalité est satisfaite, s'il existe un n tel que $|\mathfrak{y}^i - \mathfrak{z}^i| < \epsilon/_2$ pour $i \leqslant n$ et $2^{-n} < \epsilon/_2$ (pour $i > n$ on ne fait aucune hypothèse sur $\mathfrak{y}^i$). Cela veut dire que chaque sphère de centre $\mathfrak{z}^i$ et de rayon $< \epsilon/_2$ est contenue dans A_i si $i = 1, \ldots, n$, et que $A_k = \mathcal{X}_k$ si $k > n$.

Inversement, si l'on suppose que l'on a $A_k = \mathcal{X}_k$ pour $k > n$ et $\mathfrak{z}^i \in \mathrm{Int}(A_i)$ pour $i \leqslant n$, il existe un $\epsilon > 0$ tel que la condition $|\mathfrak{y}^i - \mathfrak{z}^i| < \epsilon$ entraîne $\mathfrak{y}^i \in A_i$ pour $i \leqslant n$. Chaque sphère de centre $\mathfrak{z}$ et de rayon $< \epsilon/_{2^n}$ est contenue alors dans $\underset{i}{P} A_i$, d'où $\mathfrak{z} \in \mathrm{Int}\left(\underset{i}{P} A_i\right)$.

III. Invariants. 1 [1]. *Pour qu'un produit $\underset{i}{P} A_i$ d'ensembles non vides soit respectivement fermé ou dense, il faut et il suffit que tous les facteurs A_i le soient également. Pour que ce produit soit ouvert, il faut et il suffit que tous les facteurs le soient et que l'on ait $A_i = \mathcal{X}_i$ pour i suffisamment grand.*

On a, en effet, d'après (i) et § 2, II, 4b:

$$\left\{\overline{\underset{i}{P} A_i} = \underset{i}{P} A_i\right\} \equiv \left\{\underset{i}{P} \bar{A}_i = \underset{i}{P} A_i\right\} \equiv \prod_i \{\bar{A}_i = A_i\}$$

$$\left\{\overline{\underset{i}{P} A_i} = \underset{i}{P} \mathcal{X}_i\right\} \equiv \left\{\underset{i}{P} \bar{A}_i = \underset{i}{P} \mathcal{X}_i\right\} \equiv \prod_i \{\bar{A}_i = \mathcal{X}_i\}$$

et la deuxième partie de l'énoncé 1 résulte de (iii).

---

[1]) Cf. la Thèse citée de M. Kunugui (ch. II, „composition“ des espaces).

2. *Le produit* $\underset{i}{P}\mathcal{X}_i$ *est toujours dense en soi et d'une puissance* $\geqslant \mathfrak{c}$ (sauf le cas où pour i suffisamment grand $\mathcal{X}_i$ se réduit à un seul point). Car chaque point $\mathfrak{z}$ est limite de la suite $\{\mathfrak{z}_n\}$ où les coordonnées de $\mathfrak{z}_n$ ne diffèrent de celles de $\mathfrak{z}$ que par la n-ième (si $\mathcal{X}_n$ se réduit au point $\mathfrak{z}^n$, on pose $\mathfrak{z}_n^n = \mathfrak{z}^n$).

3. *Pour que le produit* $\underset{i}{P}A_i$ *soit un ensemble frontière, il faut et il suffit que ou bien un des facteurs soit un ensemble frontière, ou bien qu'on ait* $A_i \neq \mathcal{X}_i$ *pour une infinité de valeurs de* i.

C'est une conséquence directe de (iii).

La condition que $\underset{i}{P}A_i$ soit *non-dense* équivaut à celle que l'ensemble $\overline{\underset{i}{P}A_i} = \underset{i}{P}\overline{A_i}$ soit un ensemble frontière, donc que ou bien un des ensembles A_i soit non-dense, ou bien qu'une infinité des A_i ne soient pas denses dans $\mathcal{X}_i$.

Si un des ensembles A_i est de *I-re catégorie*, le produit $\underset{i}{P}A_i$ l'est également. Si tous les ensembles A_i jouissent de la *propriété de Baire*, leur produit en jouit également.

Car, en supposant que $A_1 = \sum_{n=1}^{\infty} N_n$, où N_n est non-dense, on a $\underset{i}{P}A_i = \sum_{n=1}^{\infty}(N_n \times A_2 \times A_3 \times ...)$, où chaque sommande est non-dense.

Pour prouver la deuxième proposition, on pose (cf. § 2, II, 6a): $\underset{i}{P}A_i = \prod_{i=1}^{\infty}(\mathcal{X}_1 \times ... \times \mathcal{X}_{i-1} \times A_i \times \mathcal{X}_{i+1} \times ...)$ et on tient compte de l'invariance de la propriété de Baire par rapport à l'opération $\prod_{i=1}^{\infty}$ et à la multiplication cartésienne par un axe (voir § 11, III, 3, § 23, VII et la remarque finale du N°I).

Il est à remarquer que le produit dénombrable peut être non-dense (donc de I-re catégorie et à propriété de Baire) sans qu'aucun des facteurs jouisse de la propriété de Baire (ce qui serait impossible dans le cas du produit fini; voir § 23, V et VI): par exemple, $\mathcal{X}_i =$ l'intervalle 01 et $A_i =$ un ensemble dépourvu de la propriété de Baire, situé dans l'intervalle $0,{}^1/_2$.

IV. Base de l'espace. En établissant la proposition II (iii), nous avons montré que chaque point intérieur $\mathfrak{z}$ d'un ensemble $\mathfrak{Z}$ situé dans $\mathcal{X}_1 \times \mathcal{X}_2 \times ...$ appartient à un sous-ensemble ouvert de $\mathfrak{Z}$

de la forme $G_1 \times \ldots \times G_n \times \mathcal{X}_{n+1} \times \mathcal{X}_{n+2} \times \ldots$ où G_i est ouvert (notamment, si la sphère de centre $\mathfrak{z}$ et de rayon ϵ est contenue dans $\mathfrak{Z}$ et si l'on assujettit n à la condition $2^{-n} < \epsilon/2$, on peut prendre comme G_i une sphère ouverte de centre $\mathfrak{z}^i$ et de rayon $\epsilon/2$).

Donc, si $\mathcal{X}_i$ a pour base la suite $R_1^i, R_2^i \ldots$, les ensembles de la forme $R_{k_1}^1 \times R_{k_2}^2 \times \ldots \times R_{k_n}^n \times \mathcal{X}_{n+1} \times \mathcal{X}_{n+2} \times \ldots$ (avec n variable) constituent une base dénombrable de l'espace $\mathcal{X}_1 \times \mathcal{X}_2 \times \ldots$

Une autre conséquence en est que la projection d'un ensemble ouvert sur un axe est un ensemble ouvert qui, sauf pour un nombre fini d'axes, est identique à cet axe.

V. Espace $\mathcal{X}^{\aleph_0}$. *L'espace $\mathcal{X}^{\aleph_0}$ est homéomorphe à $\mathcal{X}^n \times \mathcal{X}^{\aleph_0}$, à $\mathcal{X}^{\aleph_0} \times \mathcal{X}^{\aleph_0}$ et à $(\mathcal{X}^{\aleph_0})^{\aleph_0}$.*

L'homéomorphie de $\mathcal{X}^{\aleph_0}$ et de $\mathcal{X}^n \times \mathcal{X}^{\aleph_0}$ étant évidente (voir N° I), considérons d'abord le cas où le point $\mathfrak{w} = (\mathfrak{z}, \mathfrak{y})$ varie dans l'espace $\mathcal{X}^{\aleph_0} \times \mathcal{X}^{\aleph_0}$. On a les équivalences suivantes: $\{\lim_{n=\infty} \mathfrak{w}_n = \mathfrak{w}\} \equiv$

$$\equiv \{\lim_{n=\infty} \mathfrak{z}_n = \mathfrak{z} \text{ et } \lim_{n=\infty} \mathfrak{y}_n = \mathfrak{y}\} \equiv \Big\{\prod_i (\lim_{n=\infty} \mathfrak{z}_n^i = \mathfrak{z}^i) \text{ et } \prod_i (\lim_{n=\infty} \mathfrak{y}_n^i = \mathfrak{y}^i)\Big\}.$$

Faisons correspondre à l'élément $\mathfrak{w}$ de l'espace $\mathcal{X}^{\aleph_0} \times \mathcal{X}^{\aleph_0}$ l'élément $f(\mathfrak{w}) = [\mathfrak{z}^1, \mathfrak{y}^1, \mathfrak{z}^2, \mathfrak{y}^2, \ldots, \mathfrak{z}^i, \mathfrak{y}^i, \ldots]$ de l'espace $\mathcal{X}^{\aleph_0}$.

Chaque point de l'espace $\mathcal{X}^{\aleph_0}$ est évidemment une des valeurs de cette fonction. En outre, d'après les équivalences qui précèdent, l'égalité $\lim_{n=\infty} \mathfrak{w}_n = \mathfrak{w}$ équivaut à $\lim_{n=\infty} f(\mathfrak{w}_n) = f(\mathfrak{w})$, ce qui veut dire que les espaces $\mathcal{X}^{\aleph_0} \times \mathcal{X}^{\aleph_0}$ et $\mathcal{X}^{\aleph_0}$ sont homéomorphes.

Nous allons établir à présent l'homéomorphie des espaces $(\mathcal{X}^{\aleph_0})^{\aleph_0}$ et $\mathcal{X}^{\aleph_0}$. Soit π un point variable de l'espace $(\mathcal{X}^{\aleph_0})^{\aleph_0}$. Donc $\pi = [\pi^1, \pi^2, \ldots, \pi^i, \ldots]$ où $\pi^i \varepsilon \mathcal{X}^{\aleph_0}$. Par conséquent $\pi^i = [\pi^{i,1}, \pi^{i,2}, \ldots, \pi^{i,j}, \ldots]$ où $\pi^{i,j} \varepsilon \mathcal{X}$.

Rangeons la suite double $\{i, j\}$ en une suite simple, par ex. suivant la grandeur de $i+j$: $(1,1), (1,2), (2,1), (1,3), \ldots$ La fonction $f(\pi) = [\pi^{1,1}, \pi^{1,2}, \pi^{2,1}, \pi^{1,3}, \ldots]$ établit l'homéomorphie demandée, car $\{\lim_{n=\infty} \pi_n = \pi\} \equiv \prod_i \{\lim_{n=\infty} \pi_n^i = \pi^i\} \equiv \prod_{ij} \{\lim_{n=\infty} \pi_n^{i,j} = \pi^{i,j}\} \equiv \{\lim_{n=\infty} f(\pi_n) = f(\pi)\}$.

Remarques. Nous avons vu au § 14, V que chacun des trois espaces: l'ensemble parfait non-dense $\mathcal{C}$ de Cantor, l'ensemble $\mathcal{N}$ des nombres irrationnels et le cube fondamental $\mathcal{Q}^{\aleph_0}$ de Hilbert, sont de la forme $\mathcal{X}^{\aleph_0}$. On n'altère donc pas leur type topologique, en les élevant à la puissance n ou $\aleph_0$.

Chaque espace 0-dimensionnel (séparable) étant contenu topologiquement dans l'ensemble $\mathcal{C}$ de Cantor (§ 21, IV) et l'ensemble $\mathcal{C}^{\aleph_0}$ étant de dimension 0, *le produit dénombrable d'ensembles* 0-*dimensionnels est* 0-*dimensionnel.*

VI. Fonctions continues. Nous avons déjà vu (§ 14, IV) que pour qu'un point d'un produit dénombrable varie d'une façon continue, il faut et il suffit que ses coordonnées varient de la sorte. On en conclut que, *étant donnée une suite (finie ou infinie) de fonctions continues $f_i(x)$ qui transforment $\mathcal{X}_i$ en $\mathcal{Y}_i$, le produit $\underset{i}{P}\,\mathcal{X}_i$ se trouve transformé d'une façon continue en $\underset{i}{P}\,\mathcal{Y}_i$, si on fait correspondre au point $\mathfrak{z}=[\mathfrak{z}^1, \mathfrak{z}^2, ...]$ de $\underset{i}{P}\,\mathcal{X}_i$ le point $f(\mathfrak{z})=[f_1(\mathfrak{z}^1), f_2(\mathfrak{z}^2), ...]$ de $\underset{i}{P}\,\mathcal{Y}_i$.* Car la condition $\lim\limits_{n=\infty} \mathfrak{z}_n = \mathfrak{z}$ entraîne $\lim\limits_{n=\infty} \mathfrak{z}_n^i = \mathfrak{z}^i$, d'où $\lim\limits_{n=\infty} f_i(\mathfrak{z}_n^i) = f_i(\mathfrak{z}^i)$, de sorte que la i-ème coordonnée du point $f(\mathfrak{z}_n)$ tend vers la i-ème coordonnée du point $f(\mathfrak{z})$.

Il en résulte en particulier que, *si l'espace $\mathcal{Y}$ est une image continue de l'espace $\mathcal{X}$, l'espace $\mathcal{Y}^n$ est une image continue de $\mathcal{X}^n$ et $\mathcal{Y}^{\aleph_0}$ l'est de $\mathcal{X}^{\aleph_0}$.*

Rapproché du N⁰ précédent, cet énoncé nous conduit au théorème fondamental suivant:

Théorème [1]. *Le cube n-dimensionnel $\mathcal{I}^n$, ainsi que le cube $\mathcal{I}^{\aleph_0}$ de Hilbert, sont des images continues de l'ensemble $\mathcal{C}$ de Cantor.*

Considérons ce théorème d'abord pour $n=1$. Or, x étant un point de l'ensemble $\mathcal{C}$, on a $x=\frac{c_1}{3^1}+\frac{c_2}{3^2}+...+\frac{c_m}{3^m}+...$ ($c_m=0$ ou 2). En posant $f(x)=\frac{c_1}{2^2}+\frac{c_2}{2^3}+...+\frac{c_m}{2^{m+1}}+...$, on vérifie facilement que la fonction f est continue et que $f(\mathcal{C})=\mathcal{I}$.

Ceci étant, on conclut de l'énoncé précédent que les ensembles $\mathcal{I}^n$ et $\mathcal{I}^{\aleph_0}$ sont des images continues respectivement des ensembles $\mathcal{C}^n$ et $\mathcal{C}^{\aleph_0}$, homéomorphes à $\mathcal{C}$ (d'après la remarque du N⁰ V).

Corollaire 1. Chaque espace assujetti aux axiomes I — V (donc chaque espace métrique séparable) est une image continue d'un espace 0-*dimensionnel (contenu dans l'ensemble $\mathcal{C}$ de Cantor).*

---

[1]) Cf. H. Lebesgue, Journ. de Math. (6) 1 (1905), p. 210.

Car d'après le théorème d'Urysohn (p. 104) chaque espace de ce genre est homéomorphe à un sous-ensemble de $\mathcal{I}^{\aleph_0}$.

Corollaire 2 [1]) *(théorème de Peano généralisé). Les cubes* $\mathcal{I}^n$ *et* $\mathcal{I}^{\aleph_0}$ *sont des images continues de l'intervalle* $\mathcal{I}$.

Soit, en effet, $\mathfrak{z} = f(x)$ une fonction continue qui transforme $\mathcal{C}$ en $\mathcal{I}^n$ ou en $\mathcal{I}^{\aleph_0}$. La *i*-ème coordonnée de $\mathfrak{z}$ est donc une fonction continue de x: $\mathfrak{z}^i = f_i(x)$, dont les arguments appartiennent à $\mathcal{C}$ et les valeurs à $\mathcal{I}$. En la définissant linéairement dans les intervalles contigus à $\mathcal{C}$, la fonction $\mathfrak{z} = f(x) = [f_1(x), f_2(x), ...]$ se trouve définie pour chaque $x \, \varepsilon \, \mathcal{I}$. Sa continuité résulte de celle de f_i.

VII. Diagonale. Etant donnée une suite d'ensembles $X_1, X_2, ...$ qui sont des sous-ensembles d'un même espace, *la diagonale du produit* $X_1 \times X_2 \times ...$ *est*, par définition, *l'ensemble des points ayant toutes les coordonnées identiques* (c. à d. l'ensemble des suites de la forme $x, x, ... , x, ...$).

On vérifie facilement que *la diagonale de l'ensemble* $\overset{\infty}{\underset{i=1}{P}} X_i$

est fermée dans $\overset{\infty}{\underset{i=1}{P}} X_i$ *et homéomorphe à* $\overset{\infty}{\underset{i=1}{\prod}} X_i$.

VIII. Convergence uniforme. Par définition, une suite de fonctions $\{f_n(t)\}$ est dite *uniformément convergente vers la fonction* $f(t)$, lorsqu'à chaque $\epsilon > 0$ correspond un n_ϵ tel que l'on ait $|f(t) - f_n(t)| < \epsilon$ pour $n > n_\epsilon$, quel que soit t.

Supposons que les valeurs de la fonction $f_n(t)$ appartiennent à $\mathcal{X}_1 \times \mathcal{X}_2 \times ...$, notamment que $f_n(t) = [f_n^1(t), f_n^2(t), ...]$ où $f_n^i(t) \, \varepsilon \, \mathcal{X}_i$.

Pour que la suite des fonctions $f_n(t)$ *converge uniformément vers la fonction* $f(t)$, *il faut et il suffit que, quel que soit i, la suite* $f_1^i(t), f_2^i(t), ...$ *converge uniformément vers* $f^i(t)$.

La condition est nécessaire, car l'inégalité $|f(t) - f_n(t)| < \epsilon$ entraîne $2^{-i}|f^i(t) - f_n^i(t)| \leqslant |f(t) - f_n(t)| < \epsilon$.

Elle est aussi suffisante. Soit, pour un ϵ donné d'avance, m un indice tel que $2^{-m} < \epsilon$. En vertu de la convergence uniforme des suites $\{f_n^1(t)\}, ... , \{f_n^m(t)\}$, il existe un indice n' tel que l'on

---

[1]) G. Peano, Math. Ann. 36 (1890), p. 157 et H. Lebesgue. l. cit.

ait pour tout $n > n'$: $|f^i(t) - f_n^i(t)| < \epsilon$, quel que soit t et quel que soit $i \leqslant m$. Il vient donc

$$|f(t) - f_n(t)| = \sum_{i=1}^{m} 2^{-i} |f^i(t) - f_n^i(t)| + \sum_{i=m+1}^{\infty} 2^{-i} |f^i(t) - f_n^i(t)| < \epsilon + 2^{-m} < 2\epsilon,$$

ce qui exprime la convergence uniforme de la suite $\{f_n(t)\}$.

IX. Un théorème sur les ensembles G_δ. Désignons, comme d'habitude, par $\mathcal{E}^{\aleph_0}$ l'espace de toutes les suites de nombres réels.

Théorème. Q étant un ensemble G_δ situé dans un espace métrique $\mathcal{X}$, il existe une fonction continue $y = f(x)$ définie sur cet ensemble, dont les valeurs appartiennent à $\mathcal{E}^{\aleph_0}$ et dont l'image $I = \underset{xy}{E} [y = f(x)]$ est fermée (dans le produit $\mathcal{X} \times \mathcal{E}^{\aleph_0}$).

Par hypothèse $Q = G_1 \cdot G_2 \cdot \ldots$ (partie commune d'ensembles ouverts). Posons $F_i = \mathcal{X} - G_i$, $f_i(x) = \dfrac{1}{\rho(x, F_i)}$ pour $x \in G_i$, et faisons correspondre à chaque $x \in Q$ la suite $f_1(x), f_2(x), \ldots$, considérée comme le point $f(x)$ de l'espace $\mathcal{E}^{\aleph_0}$.

La fonction $\rho(x, F_i)$ étant continue (§ 15, IV (5)) et positive pour $x \in G_i$, la fonction $f_i(x)$, et par conséquent (§ 14, IV) la fonction $f(x)$, est continue en chaque point de Q.

Afin de prouver que l'ensemble I est fermé, supposons par impossible que $\lim_{n=\infty} x_n = x$, que $\lim_{n=\infty} f(x_n) = y$ et que le point (x, y) n'appartienne pas à I. Il en résulte que x n'appartient pas à Q, car l'égalité $\lim_{n=\infty} x_n = x$ implique pour $x \in Q$ que $\lim_{n=\infty} f(x_n) = f(x)$, d'où $y = f(x)$ et $(x, y) \in I$.

La formule $x \in \mathcal{X} - Q$ établie, il existe un indice i tel que $x \in F_i$, donc que $\rho(x, F_i) = 0$. La continuité de la fonction $\rho(x, F_i)$ entraîne $\lim_{n=\infty} \rho(x_n, F_i) = \rho(x, F_i) = 0$, de sorte que $\lim_{n=\infty} f_i(x_n) = \infty$, contrairement à l'hypothèse que $\lim_{n=\infty} f(x_n) = y$, qui implique que $\lim_{n=\infty} f_i(x_n)$ est un nombre fini, comme „coordonnée" de y.

Corollaire [1]. *Chaque ensemble G_δ situé dans un espace métrique $\mathcal{X}$ est homéomorphe à un ensemble fermé situé dans $\mathcal{X} \times \mathcal{E}^{\aleph_0}$.*

---

[1]) On trouvera une application importante de ce corollaire dans la théorie des espaces complets (§ 29).

Car Q est homéomorphe à I d'après § 23, XI, 2.

Remarque. Dans le cas particulier où l'ensemble Q *est une différence de deux ensembles fermés*, $Q = A - B$, on peut remplacer dans le théorème et dans le corollaire l'espace $\mathcal{E}^{\aleph_0}$ par *l'espace* $\mathcal{E}$ *des nombres réels*[1]. On pose notamment dans ce cas $f(x) = \dfrac{1}{\rho(x, B)}$.

§ 25. Limites inférieure et supérieure.

I. Limite inférieure[2]. *Définition. Le point* p *appartient à la limite inférieure de la suite d'ensembles* $A_1, A_2, \dots$, en symboles: $p \in \operatorname{Li}_{n=\infty} A_n$, *lorsque chaque entourage de* p *admet des points communs avec tous les* A_n *à partir d'un* n *suffisamment grand.*

Bien entendu, le terme „entourage" peut être remplacé par „entourage ouvert", ainsi que par „sphère de centre p".

La formule $p \in \operatorname{Li}_{n=\infty} A_n$ (où $A_n \neq 0$) *équivaut aussi à l'existence d'une suite de points* p_n *telle que* $p = \lim_{n=\infty} p_n$ et $p_n \in A_n$, ou encore *à l'égalité* $\lim_{n=\infty} \rho(p, A_n) = 0$.

En effet, si $p \in \operatorname{Li} A_n$ et si S_m désigne la sphère de centre p et de rayon $1/m$, il existe un indice k_m tel que l'on a $S_m \cdot A_n \neq 0$ pour $n \geqslant k_m$. De plus, on peut supposer que $k_m > k_{m-1}$. La suite $p_1, p_2, \dots$, où $p_n \in S_m \cdot A_n$ pour $k_m \leqslant n < k_{m+1}$, converge vers p, car $|p_n - p| < 1/m$.

Exemples. Si A_n se réduit à un seul point p_n, on a $\operatorname{Li} A_n = \lim p_n$ quand cette dernière limite existe, et $\operatorname{Li} A_n = 0$ en cas contraire; car ici $\rho(p, A_n) = |p - p_n|$.

Une suite de rectangles ayant une base commune et dont les hauteurs diminuent indéfiniment a cette base pour limite inférieure.

---

[1] Cf. la note de M. Sierpiński et de moi *Sur les différences de deux ensembles fermés*, Tôhoku Math. Journ. 20 (1921), p. 23.

[2] Les notions de limite inférieure et supérieure sont dues à M. Painlevé (Cf. C. R. Paris 148 (1909), p. 1156 et les indications à ce sujet chez M. Zoretti, Journ. de Math. (5), 1 (1905), p. 8). M. Hausdorff les appelle „unterer (oberer) abgeschlossener Limes". Il ne faut pas les confondre avec les „ensembles limites restreint et complet" au sens de la Théorie générale des ensembles: $\sum_n (A_n \cdot A_{n+1} \cdot A_{n+2} \cdot \dots)$ et $\prod_n (A_n + A_{n+1} + A_{n+2} + \dots)$

II. Calcul. On a les règles suivantes:

1. $\overline{\mathrm{Li}\, A_n} = \mathrm{Li}\, A_n = \mathrm{Li}\, \bar{A}_n$. 2. $A_n \subset B_n$ *entraîne* $\mathrm{Li}\, A_n \subset \mathrm{Li}\, B_n$.

3. $\mathrm{Li}\, A_n + \mathrm{Li}\, B_n \subset \mathrm{Li}\,(A_n + B_n)$. 3a. $\sum_t \mathrm{Li}\, A_n(t) \subset \mathrm{Li}\left(\sum_t A_n(t)\right)$.

4. $\mathrm{Li}(A_n \cdot B_n) \subset (\mathrm{Li}\, A_n) \cdot (\mathrm{Li}\, B_n)$. 4a. $\mathrm{Li}\left(\prod_t A_n(t)\right) \subset \prod_t \mathrm{Li}\, A_n(t)$.

5. *Si* $k_1 < k_2 < \ldots$, $\mathrm{Li}\, A_n \subset \mathrm{Li}\, A_{k_n}$. 6. *Si* $A_n = A$, $\mathrm{Li}\, A_n = \bar{A}$.

7. *On n'altère pas* $\mathrm{Li}\, A_n$, *en altérant un nombre fini des* A_n.

8. $$\prod_n A_n \subset \sum_n (A_n \cdot A_{n+1} \cdot A_{n+2} \cdot \ldots) \subset \mathrm{Li}\, A_n.$$

En effet, si $q \varepsilon \mathrm{Li}\, \bar{A}_n$ et G est un entourage ouvert de q, il existe un point $p \varepsilon G \cdot \mathrm{Li}\, A_n$. Donc, à partir d'un certain n, on a $G \cdot A_n \neq 0$, d'où $q \varepsilon \mathrm{Li}\, A_n$. En outre, H étant ouvert, l'inégalité $H \cdot A_n \neq 0$ équivaut à $H \cdot \bar{A}_n \neq 0$; par suite $\mathrm{Li}\, A_n = \mathrm{Li}\, \bar{A}_n$, d'où la formule 1.

Les formules 2, 5 — 7 résultent directement de la définition, tandis que 3—4a sont des conséquences de 2 (cf. § 4, III). Enfin, on a $\prod_{n=1}^{\infty} A_n \subset \mathrm{Li}\, A_n$, d'où, selon 7, $\prod_{n=m}^{\infty} A_n \subset \mathrm{Li}\, A_n$, ce qui entraîne 8.

III. Limite supérieure. *Définition. Le point p appartient à la limite supérieure de la suite d'ensembles* $A_1, A_2, \ldots$, en symboles: $p \varepsilon \mathop{\mathrm{Ls}}_{n=\infty} A_n$, *lorsque chaque entourage de p admet des points communs avec une infinité des ensembles* A_n.

On montre par un raisonnement analogue à celui du N° I que cette condition équivaut à *l'existence d'une suite de points* p_{k_n} *telle que* $k_1 < k_2 < \ldots$, $p = \lim p_{k_n}$ *et* $p_{k_n} \varepsilon A_{k_n}$, ou, ce qui revient au même, à *l'égalité* $\lim\inf \rho(p, A_n) = 0$.

Exemples. Soient $\{r_n\}$ la suite de tous les points rationnels et A_n l'ensemble composé du point r_n seul; $\mathrm{Ls}\, A_n$ est l'ensemble de tous les nombres réels. Dans l'exemple des rectangles considéré au N° I on a $\mathrm{Ls}\, A_n = \mathrm{Li}\, A_n$.

IV. Calcul. On a les règles suivantes:

1. $\overline{\mathrm{Ls}\, A_n} = \mathrm{Ls}\, A_n = \mathrm{Ls}\, \bar{A}_n$. 2. $A_n \subset B_n$ *entraîne* $\mathrm{Ls}\, A_n \subset \mathrm{Ls}\, B_n$.

3. $\mathrm{Ls}\,(A_n + B_n) = \mathrm{Ls}\, A_n + \mathrm{Ls}\, B_n$. 3a. $\sum_t \mathrm{Ls}\, A_n(t) \subset \mathrm{Ls}\left(\sum_t A_n(t)\right)$.

4. $\mathrm{Ls}\,(A_n \cdot B_n) \subset (\mathrm{Ls}\, A_n) \cdot (\mathrm{Ls}\, B_n)$. 4a. $\mathrm{Ls}\left(\prod_t A_n(t)\right) \subset \prod_t \mathrm{Ls}\, A_n(t)$.

5. *Si* $k_1 < k_2 < \ldots$, $\mathrm{Ls}\, A_{k_n} \subset \mathrm{Ls}\, A_n$. 6. *Si* $A_n = A$, $\mathrm{Ls}\, A_n = \bar{A}$.

7. *On n'altère pas* $\mathrm{Ls}\, A_n$, *en altérant un nombre fini des* A_n.

8 [1]. $$\mathrm{Ls}\, A_n = \prod_n \overline{A_n + A_{n+1} + \ldots} \subset \sum_n \overline{A_n}.$$

La formule 1 se démontre comme II, 1. Pour prouver la formule 3 (où Ls ne peut pas être remplacé par Li!) posons $p = \lim p_{k_n}$ et $p_{k_n} \varepsilon (A_{k_n} + B_{k_n})$. On a donc pour une infinité d'indices k_n soit constamment $p_{k_n} \varepsilon A_{k_n}$, soit constamment $p_{k_n} \varepsilon B_{k_n}$. Dans le premier cas $p \varepsilon \mathrm{Ls}\, A_n$ et dans le deuxième $p \varepsilon \mathrm{Ls}\, B_n$.

Les formules 2—4a sont des conséquences directes de 3. Les formules 5—7 résultent facilement de la définition.

Passons à la formule 8 (on ne connaît pas de formule analogue pour Li A_n). Soit $p \varepsilon \mathrm{Ls}\, A_n$. Donc $p = \lim p_{k_n}$ et $p_{k_n} \varepsilon A_{k_n}$. Comme $k_n \geqslant n$, il vient $p_{k_n} \varepsilon A_i + A_{i+1} + \ldots$ pour $n > i$. Par conséquent $p \varepsilon \overline{A_i + A_{i+1} + \ldots}$, quel que soit i.

Inversement, si p n'appartient pas à $\mathrm{Ls}\, A_n$, il existe un entourage G de p et un indice m tel que l'on a $GA_n = 0$ pour $n \geqslant m$. Par conséquent p n'appartient pas à $\overline{A_m + A_{m+1} + \ldots}$

V. Relations entre Li et Ls. On a la formule

1. $$\mathrm{Li}\, A_n = \prod \mathrm{Ls}\, A_{k_n} \subset \sum \mathrm{Li}\, A_{k_n} = \mathrm{Ls}\, A_n,$$

où $\prod$ et $\sum$ s'étendent sur toutes les suites $\{k_n\}$ croissantes.

Car, d'une part, d'après II, 5 et IV, 5:

$$\mathrm{Li}\, A_n \subset \prod \mathrm{Li}\, A_{k_n} \subset \prod \mathrm{Ls}\, A_{k_n} \quad \text{et} \quad \sum \mathrm{Li}\, A_{k_n} \subset \sum \mathrm{Ls}\, A_{k_n} \subset \mathrm{Ls}\, A_n$$

et d'autre part: 1° si p *non*-ε $\mathrm{Li}\, A_n$, il existe un entourage G de p et une suite $k_1 < k_2 < \ldots$ tels que l'on a $GA_{k_n} = 0$ pour chaque n; par conséquent p *non*-ε $\mathrm{Ls}\, A_{k_n}$; 2° si $p \varepsilon \mathrm{Ls}\, A_n$, il existe une suite p_{k_n} telle que $p_{k_n} \varepsilon A_{k_n}$ et $p = \lim p_{k_n}$; par conséquent $p \varepsilon \mathrm{Li}\, A_{k_n}$.

2. $$\mathrm{Li}\, A_n - \mathrm{Ls}\, B_n \subset \mathrm{Li}\,(A_n - B_n).$$

En effet, soit $p \varepsilon (\mathrm{Li}\, A_n - \mathrm{Ls}\, B_n)$. Donc $p = \lim p_n$, $p_n \varepsilon A_n$ et, comme p *non*-ε $\mathrm{Ls}\, B_n$, on a p_n *non*-ε B_n à partir d'un n suffisamment grand. Donc $p_n \varepsilon (A_n - B_n)$ et par suite $p \varepsilon \mathrm{Li}\,(A_n - B_n)$.

---

[1]) F. Hausdorff, *Grundzüge der Mengenlehre*, p. 237 (4).

VI. Limite. *La suite d'ensembles* $\{A_n\}$ *est dite convergente vers l'ensemble* A, en symboles: $A = \underset{n=\infty}{\mathrm{Lim}}\, A_n$ [1]), *lorsque* $\underset{n=\infty}{\mathrm{Li}}\, A_n = \underset{n=\infty}{\mathrm{Ls}}\, A_n$.

Dans le cas particulier où l'ensemble A_n se réduit à un seul point p_n, la suite A_n est convergente, soit lorsque $\lim p_n$ existe (et alors l'ensemble $\mathrm{Lim}\, A_n$ se compose du point $\lim p_n$ seul), soit lorsque la suite p_n ne contient aucune sous-suite convergente (et alors $\mathrm{Lim}\, A_n = 0$).

On a les règles de calcul suivantes (dans 1—5 les suites A_n et B_n sont supposées convergentes):

1. $\overline{\mathrm{Lim}\, A_n} = \mathrm{Lim}\, A_n = \mathrm{Lim}\, \overline{A}_n$.

2. $A_n \subset B_n$ *entraîne* $\mathrm{Lim}\, A_n \subset \mathrm{Lim}\, B_n$.

2a. *Les conditions* $p_n \in A_n$ *et* $p = \lim p_n$ *entraînent* $p \in \mathrm{Lim}\, A_n$.

3. $\mathrm{Lim}\,(A_n + B_n) = \mathrm{Lim}\, A_n + \mathrm{Lim}\, B_n$.

4. *Si* $k_1 < k_2 < \dots, \mathrm{Lim}\, A_{k_n} = \mathrm{Lim}\, A_n$. 5. *Si* $A_n = A$, $\mathrm{Lim}\, A_n = \overline{A}$.

6. *On n'altère pas la limite (ni la convergence) d'une suite, en altérant un nombre fini de ses termes.*

7. *Si* $A_1 \subset A_2 \subset \dots$, *on a* $\mathrm{Lim}\, A_n = \overline{\sum_n A_n}$.

8. *Si* $A_1 \supset A_2 \supset \dots$, *on a* $\mathrm{Lim}\, A_n = \prod_n \overline{A}_n$.

Les règles 1, 2, 5 et 6 résultent directement des règles correspondantes des NN° II et IV. La règle 2a se déduit de 2. Les règles 3 et 4 résultent des formules:

$$\mathrm{Ls}\,(A_n+B_n) = \mathrm{Ls}\, A_n + \mathrm{Ls}\, B_n = \mathrm{Li}\, A_n + \mathrm{Li}\, B_n \subset \mathrm{Li}\,(A_n+B_n) \subset \mathrm{Ls}\,(A_n+B_n),$$

$$\mathrm{Lim}\, A_n = \mathrm{Li}\, A_n \subset \mathrm{Li}\, A_{k_n} \subset \mathrm{Ls}\, A_{k_n} \subset \mathrm{Ls}\, A_n = \mathrm{Lim}\, A_n.$$

L'hypothèse de la proposition 7 implique que $A_n = A_n \cdot A_{n+1} \cdot \dots$, d'où $\sum_n A_n = \sum_n (A_n \cdot A_{n+1} \cdot \dots)$ et selon II, 8 et IV, 8

$$\overline{\sum_n A_n} \subset \mathrm{Li}\, A_n \subset \mathrm{Ls}\, A_n \subset \overline{\sum_n A_n}.$$

---

[1]) qu'il ne faut pas confondre avec $\underset{n=\infty}{\mathrm{Limes}}\, A_n$ au sens de la Théorie générale des ensembles, voir § 13, VI, 8 et p. 152, renvoi [2]).

D'une façon analogue, l'hypothèse de la proposition 8 implique que $A_n = A_n + A_{n+1} + ...$ et il vient

$$\prod_n \overline{A}_n \subset \mathrm{Li}\, \overline{A}_n = \mathrm{Li}\, A_n \subset \mathrm{Ls}\, A_n = \prod_n \overline{A}_n.$$

VII. Relativisation. E étant un ensemble donné, la limite inférieure relative à E d'une suite de sous-ensembles A_n de E est l'ensemble de tous les points p de E tels que, G désignant un ensemble ouvert quelconque contenant p, on a l'inégalité $GEA_n \neq 0$ pour tous les n suffisamment grands. On en conclut aussitôt que la limite inférieure relative à E coïncide avec l'ensemble $E \cdot \mathrm{Li}\, A_n$.

D'une façon analogue, la limite supérieure relative à E coïncide avec $E \cdot \mathrm{Ls}\, A_n$ et la limite relative à E avec $E \cdot \mathrm{Lim}\, A_n$.

VIII [1]. Théorème de Bolzano-Weierstrass généralisé. *Chaque suite d'ensembles contient une sous-suite convergente* [2].

Soient $R_1, R_2, ...$ la base de l'espace et $A_1, A_2, ...$ la suite d'ensembles donnée. Définissons les ensembles $\{A_i^n\}$ de la façon suivante: 1) $A_i^1 = A_i$, quel que soit i, 2) s'il existe pour un $n > 1$ une suite $k_1 < k_2 < ...$ telle que $R_n \cdot \underset{i=\infty}{\mathrm{Ls}}\, A_{k_i}^{n-1} = 0$, posons $A_i^n = A_{k_i}^{n-1}$ (le choix de la suite $\{k_i\}$ est arbitraire), 3) si aucune suite de ce genre n'existe, soit $A_i^n = A_i^{n-1}$.

Nous allons montrer que la suite $D_n = A_n^n$ est convergente.

Supposons, par contre, que $\mathrm{Ls}\, D_n \neq \mathrm{Li}\, D_n$. D'après V, 1, il existe alors une sous-suite D_{j_n} telle que $\mathrm{Ls}\, D_{j_n} \neq \mathrm{Ls}\, D_n$. Les deux derniers ensembles étant fermés, il existe un R_m tel que

$$\text{(i)} \quad R_m \cdot \mathrm{Ls}\, D_{j_n} = 0, \qquad \text{(ii)} \quad R_m \cdot \mathrm{Ls}\, D_n \neq 0.$$

La suite $\{D_{j_n}\}$ est une sous-suite de la suite $\{D_n\}$ et celle-ci est, à partir du $(m-1)$-ième terme, une sous-suite de la suite $\{A_i^{m-1}\}$, où $i = 1, 2, ...$ On en conclut en vertu de (i) que le cas 2) de la dé-

---

[1]) Dans ce N⁰ l'espace est supposé séparable.

[2]) dont la limite est vide ou non. Voir F. Hausdorff, *Mengenlehre*, p. 148, C. Zarankiewicz, Fund. Math. 9 (1927), p. 124, P. Urysohn, Verhandl. Akad. Amsterdam 13 (1927), p. 29. Cf. aussi T. Ważewski, Ann. Soc. Pol. Math. 2 (1923), p. 72 et Fund. Math. 4 (1923), p. 229; R. G. Lubben, Trans. Amer. Math. Soc. 29 (1928), p. 668.

finition est réalisé lorsqu'on y remplace n par m. Par conséquent $R_m \cdot \underset{i=\infty}{\mathrm{Ls}}\, A_i^m = 0$. La suite $\{D_n\}$ étant (abstraction faite de ses m premiers termes) une sous-suite de $\{A_i^m\}$, $i = 1, 2, \ldots$, il en résulte que $R_m \cdot \mathrm{Ls}\, D_n = 0$, contrairement à (ii).

Corollaire 1. On a $\mathrm{Li}\, A_n = \prod' \mathrm{Lim}\, A_{k_n}$ *et* $\mathrm{Ls}\, A_n = \sum' \mathrm{Lim}\, A_{k_n}$, *où* $\prod'$ *et* $\sum'$ *s'étendent à toutes les sous-suites* A_{k_n} *convergentes.*

Pour établir la première égalité, il suffit en vertu de V, 1 de démontrer que, si $p\, non\text{-}\varepsilon\, \mathrm{Li}\, A_n$, il existe une suite convergente A_{k_n} telle que $p\, non\text{-}\varepsilon\, \mathrm{Lim}\, A_{k_n}$. Or il existe par hypothèse un entourage G du point p et une suite A_{j_n} tels que $A_{j_n} \cdot G = 0$. A_{k_n} désigne une sous-suite convergente de A_{j_n}.

Passons à la deuxième égalité. D'après V, 1 on a l'inclusion $\sum' \mathrm{Lim}\, A_{k_n} \subset \mathrm{Ls}\, A_n$. D'autre part, si $p \,\varepsilon\, \mathrm{Ls}\, A_n$, il existe une sous-suite A_{k_n} telle que $p \,\varepsilon\, \mathrm{Li}\, A_{k_n}$, donc, comme nous venons de voir, une suite convergente $A_{k_{j_n}}$ telle que $p \,\varepsilon \underset{n=\infty}{\mathrm{Lim}}\, A_{k_{j_n}} \subset \sum' \mathrm{Lim}\, A_{k_n}$.

Corollaire 2. Si la suite $\{A_n\}$ *ne converge pas vers* A, *elle contient une sous-suite qui converge vers un ensemble différent de* A.

En effet, si l'on a $\mathrm{Lim}\, A_{k_n} = A$ pour chaque sous-suite A_{k_n} convergente, il vient (cor. 1): $\mathrm{Li}\, A_n = A = \mathrm{Ls}\, A_n$, d'où $\mathrm{Lim}\, A_n = A$.

IX. Famille E des sous-ensembles fermés non vides de l'espace $\mathcal{X}$.

Cette famille est un espace $\mathcal{L}^*$, *la notion de limite étant entendue dans le sens de la définition du* N° VI *(l'espace* $\mathcal{X}$ *est supposé séparable).*

En effet, d'après VI, 4 et 5, les conditions 1° et 2° du § 14, I, sont vérifiées. La condition 3° résulte du corollaire 2, qui précède. Car, $\{A_n\}$ étant une suite qui ne converge pas vers A, il existe une sous-suite $\{A_{k_n}\}$ qui converge vers un ensemble (vide ou non) différent de A. Donc aucune sous-suite de celle-ci ne peut converger vers A.

Remarque. Dans l'espace E l'axiome III peut être en défaut.

Considérons, en effet, l'exemple suivant: l'espace $\mathcal{X}$ se compose: 1) du nombre 0, 2) des nombres $\frac{1}{n} + \frac{1}{k}$ où $n = 2, 3, \ldots, k = 1, 2, \ldots$ et $\frac{1}{n} + \frac{1}{k} < \frac{1}{n-1}$, 3) du nombre 1, 4) des nombres $1 + \frac{1}{n}$. Soit A la famille de tous les couples $\left(\frac{1}{n} + \frac{1}{k}, 1 + \frac{1}{n}\right)$. Chaque nombre de la forme $1 + \frac{1}{n}$ constitue alors un ensemble-élément de $\overline{A}$. Par conséquent, l'ensemble composé du nombre 1 appartient à $\overline{\overline{A}}$, tandis qu'il n'appartient pas à $\overline{A}$. Ainsi $\overline{\overline{A}} \neq \overline{A}$.

X. Rapports à l'espace $2^{\mathcal{X}}$. Il importe de remarquer que l'espace E est entièrement différent de l'espace $2^{\mathcal{X}}$, métrisé par la „distance" des ensembles (voir § 15, VII); le deuxième est toujours métrique, tandis que le premier peut ne pas l'être; le premier est, comme nous le verrons, séparable, tandis que le deuxième ne l'est pas toujours (voir § 15, IX, remarque 2).

Théorème [1]. *E est une image biunivoque et continue de $2^{\mathcal{X}}$ (l'espace $\mathcal{X}$ est supposé borné).*

Soit, en effet, $\lim_{n=\infty} \text{dist}(A_n, A) = 0$. A chaque $\epsilon > 0$ correspond donc un $n(\epsilon)$ tel que $\text{dist}(A_n, A) < \epsilon$ pour tout $n > n(\epsilon)$; en d'autres termes:

(1) pour chaque $x \varepsilon A$ on a $\rho(A_n, x) < \epsilon$, quel que soit $n > n(\epsilon)$,

(2) il existe une suite ϵ_n tendant vers 0 telle que $\rho(y, A) < \epsilon_n$, quel que soit $y \varepsilon A_n$.

Il s'agit de prouver que $\text{Lim}\, A_n = A$, c. à d. que 1° $A \subset \text{Li}\, A_n$ et 2° $\text{Ls}\, A_n \subset A$.

1. Soient $x \varepsilon A$ et G un entourage de x. Pour $\epsilon > 0$ suffisamment petit il vient d'après (1): $G \cdot A_n \neq 0$, quel que soit $n > n(\epsilon)$. Donc $x \varepsilon \text{Li}\, A_n$.

2. Soit, d'autre part, $x \varepsilon \text{Ls}\, A_n$. Donc $x = \lim_{n=\infty} y_{k_n}$ où $y_{k_n} \varepsilon A_{k_n}$. D'après (2), il existe un point $a_{k_n} \varepsilon A$ tel que $|y_{k_n} - a_{k_n}| < \epsilon_n$. Comme $\lim_{n=\infty} \epsilon_n = 0$, il vient $x = \lim_{n=\infty} a_{k_n}$, d'où $x \varepsilon A$.

Corollaire. L'espace E, ainsi que chaque sous-ensemble de cet espace, est séparable (l'espace $\mathcal{X}$ est supposé séparable).

En effet, $\mathcal{X}$ étant métrique séparable, soit $\mathcal{X}_1$ un espace totalement borné homéomorphe à $\mathcal{X}$ (§ 17, IV, cor. 2). Comme espace défini d'une façon topologique, E est homéomorphe à E_1 (en désignant ainsi l'espace correspondant à $\mathcal{X}_1$). Or, $\mathcal{X}_1$ étant totalement borné, $2^{\mathcal{X}_1}$ est séparable (p. 91). L'espace E_1, donc aussi E, étant une image continue de $2^{\mathcal{X}_1}$, chaque sous-ensemble de E, comme image continue d'un ensemble séparable, est séparable (voir § 14, VI), c. q. f. d.

La notion de point d'accumulation, ainsi que celle de point de condensation, étant des invariants des transformations biunivoques et continues (effectuées sur des espaces $\mathcal{L}^*$), le théorème de ce N° implique que A étant un sous-ensemble indénombrable de E, chaque élément de A, sauf une infinité dénombrable en est un élément de condensation [2]) et, en outre, que A contient un ensemble dense en soi. Par conséquent, chaque ensemble A clairsemé est dénombrable (voir § 18, III et V).

---

[1]) F. Hausdorff, *Mengenlehre*, p. 149.

[2]) Cf. C. Zarankiewicz, Fund. Math. 11 (1928), p. 129.

E. Ensembles boreliens. Fonctions mesurables B (§§ 26—28).

L'espace considéré dans les §§ 26—28 est supposé métrique.

§ 26. Ensembles boreliens.

I. Equivalences. Nous avons défini au § 5, VI la famille des ensembles boreliens comme la plus petite famille $\boldsymbol{F}$ assujettie aux conditions:

1. *chaque ensemble fermé appartient à* $\boldsymbol{F}$,
2. *si* $X \varepsilon \boldsymbol{F}$, *on a* $(1-X) \varepsilon \boldsymbol{F}$,
3. *si* $X_n \varepsilon \boldsymbol{F}$, *on a* $(X_1 \cdot X_2 \cdot ...) \varepsilon \boldsymbol{F}$,

où la condition 3 pouvait être remplacée par la suivante:

3'. *si* $X_n \varepsilon \boldsymbol{F}$, *on a* $(X_1 + X_2 + ...) \varepsilon \boldsymbol{F}$.

Nous avons démontré, d'autre part, que dans chaque espace métrique tout ensemble fermé est un $\boldsymbol{G}_\delta$ et que, par conséquent, tout ensemble ouvert est un $\boldsymbol{F}_\sigma$ (§ 15, IV). En s'appuyant sur ces faits, nous établirons à présent le théorème suivant[1]: *la famille des ensembles boreliens est la plus petite famille assujettie aux conditions* 1, 3 *et* 3'.

Désignons cette dernière famille par $\boldsymbol{F}^*$. Il s'agit de prouver que $\boldsymbol{F} = \boldsymbol{F}^*$.

Comme nous venons d'observer, la famille $\boldsymbol{F}$ satisfait aux conditions 1, 3 et 3', de sorte que $\boldsymbol{F}^* \subset \boldsymbol{F}$.

Afin d'établir l'inclusion inverse, désignons par $\boldsymbol{F}^0$ la famille des ensembles complémentaires aux ensembles appartenant à $\boldsymbol{F}^*$. La famille $\boldsymbol{F}^0$ satisfait à la condition 1, car le complémentaire d'un ensemble fermé est, comme ensemble ouvert, une somme d'une suite d'ensembles fermés; il appartient donc à $\boldsymbol{F}^*$. En outre, en appliquant les formules de de Morgan, on voit aussitôt que $\boldsymbol{F}^0$ satisfait aussi aux conditions 3 et 3'. Donc $\boldsymbol{F}^* \subset \boldsymbol{F}^0$, ce qui veut dire que chaque ensemble appartenant à $\boldsymbol{F}^*$ est le complémentaire d'un ensemble qui appartient aussi à $\boldsymbol{F}^*$. Il en résulte que la famille $\boldsymbol{F}^*$ satisfait à la condition 2. Donc $\boldsymbol{F} \subset \boldsymbol{F}^*$.

---

[1]) Cf. W. Sierpiński, *Sur les définitions axiomatiques des ensembles mesurables* (*B*), Bull. Acad. Cracovie 1918, p. 29. Pour une généralisation appartenant à la Théorie générale des ensembles, voir du même auteur, *Les ensembles boreliens abstraits*, Ann. Soc. Polonaise de Math. 6 (1927), p. 51.

II. Classification des ensembles boreliens. On prouve par un simple raisonnement de la Théorie des ensembles [1]) que la famille des ensembles boreliens (donc la plus petite famille $\boldsymbol{F}$ satisfaisant aux conditions 1, 3 et 3') est la somme d'une suite transfinie (du type Ω) des familles:

$$\boldsymbol{F} = \boldsymbol{F}_0 + \boldsymbol{F}_1 + ... + \boldsymbol{F}_\alpha + ...$$

telles que 1⁰ $\boldsymbol{F}_0$ est la famille des ensembles fermés, 2⁰ les ensembles de la famille $\boldsymbol{F}_\alpha$ sont des produits ou des sommes de suites dénombrables d'ensembles appartenant à $\boldsymbol{F}_\xi$ avec $\xi < \alpha$, suivant que α est pair ou impair (les nombres limites étant considérés comme pairs).

En remplaçant dans la condition I, 1 le terme „fermé" par „ouvert" (cf. p. 23), on parvient à la classification suivante:

$$\boldsymbol{F} = \boldsymbol{G}_0 + \boldsymbol{G}_1 + ... + \boldsymbol{G}_\alpha + ...$$

où 1⁰ $\boldsymbol{G}_0$ est la famille des ensembles ouverts, 2⁰ les ensembles de la famille $\boldsymbol{G}_\alpha$ sont des sommes ou des produits de suites dénombrables d'ensembles appartenant à $\boldsymbol{G}_\xi$ avec $\xi < \alpha$, suivant que α est pair ou impair.

III. Propriétés des classes $\boldsymbol{F}_\alpha$ et $\boldsymbol{G}_\alpha$. Les familles $\boldsymbol{F}_\alpha$ avec indice pair, ainsi que les familles $\boldsymbol{G}_\alpha$ avec indice impair, sont *multiplicatives* au sens dénombrable, c. à d. qu'étant donnée une suite d'ensembles appartenant à une telle famille, leur produit appartient encore à la même famille. Les ensembles appartenant à une famille de ce genre seront dits de *classe α multiplicative.* D'une façon analogue, les familles $\boldsymbol{F}_\alpha$ munies d'indice impair, ainsi que les familles $\boldsymbol{G}_\alpha$ munies d'indice pair, sont *additives* et constituent la *classe α additive.* On voit ainsi que la classe α multiplicative (additive) est constituée par les produits (sommes) d'ensembles de classes $< \alpha$ [2]).

---

[1]) Cf. F. Hausdorff, *Mengenlehre*, p. 85. Voir aussi W. H. Young Proc. London Math. Soc. (2) 12 (1913), p. 260.

[2]) Pour α fini, les ensembles de classe α multiplicative (additive) coïncident avec les ensembles $\boldsymbol{F}$ (ensembles $\boldsymbol{O}$) de classe α au sens de M. Lebesgue. Cf. aussi W. Sierpiński, *Sur les rapports entre les classifications des ensembles de MM. F. Hausdorff et Ch. de la Vallée Poussin*, Fund. Math. 19 (1932), p. 257.

Les classes à indices finis sont désignées comme suit:

$$F_\sigma, F_{\sigma\delta}, F_{\sigma\delta\sigma}, \ldots, \quad G_\delta, G_{\delta\sigma}, G_{\delta\sigma\delta}, \ldots$$

Les propriétés suivantes des ensembles F_σ et G_δ (cf. § 5, V) s'étendent par induction aux classes à indices arbitraires.

Le *complémentaire* d'un ensemble de classe F_α est de classe G_α. La *somme* et le *produit d'un nombre fini* d'ensembles appartenant à une même classe appartient à cette classe. Tout ensemble de classe α additive est la somme d'une suite *croissante* d'ensembles à indices $\xi < \alpha$; tout ensemble de classe α multiplicative est le produit d'une suite *décroissante* d'ensembles à indices $\xi < \alpha$. Pour qu'un ensemble soit de classe F_α (de classe G_α) *relativement* à un ensemble E, il faut et il suffit qu'il constitue la partie commune de E et d'un ensemble de classe F_α (de classe G_α). Etant donnée une fonction continue $f(x)$ définie sur un espace $\mathcal{X}$, si Y est de classe F_α (de classe G_α), *l'ensemble* $f^{-1}(Y)$ l'est également (cf. § 13, IV).

Ajoutons que tout ensemble borelien de classe α est un ensemble de chaque classe (F et G) à *indice supérieur*. Cela résulte par induction du fait que chaque ensemble ouvert est un F_σ et que chaque ensemble fermé est un G_δ.

Le *produit cartésien* de deux ensembles de classe F_α (de classe G_α) est de la même classe. Car il en est ainsi dans le cas des ensembles ouverts et des ensembles fermés et on a (§ 2, II):

$$\Big(\sum_n A_n\Big) \times \Big(\sum_m B_m\Big) = \sum_{nm} (A_n \times B_m) \text{ et } \Big(\prod_n A_n\Big) \times \Big(\prod_m B_m\Big) = \prod_{nm} (A_n \times B_m).$$

En particulier, on n'altère pas la classe d'un ensemble en le *multipliant* (au sens cartésien) *par un axe*. De là, en vertu de la formule $\underset{i}{P} A_i = \prod_i (\mathcal{X}_1 \times \ldots \times \mathcal{X}_{i-1} \times A_i \times \mathcal{X}_{i+1} \times \ldots)$, on conclut qu'un *produit cartésien dénombrable* d'ensembles de classe α multiplicative est encore de classe α multiplicative (cependant le théorème analogue concernant les classes additives ne serait pas vrai, même pour la classe des ensembles ouverts; cf. § 24, III).

En général, le produit cartésien dénombrable d'ensembles boreliens est borelien.

Dans un espace séparable la famille des ensembles ouverts (ainsi que celle des ensembles fermés) est de *puissance* $\leqslant \mathfrak{c}$ (§ 19, I). Le même énoncé est donc vrai pour chaque classe borelienne. La famille des ensembles boreliens étant partagée en $\aleph_1$ classes, on en conclut que cette famille est de la puissance $\leqslant \mathfrak{c}\cdot\aleph_1 = \mathfrak{c}$ Par conséquent, *dans chaque espace séparable de puissance du continu il existe des ensembles non boreliens* (le problème de nommer effectivement un ensemble non borelien dans l'espace des nombres réels sera traité au § 34).

IV. Ensembles boreliens ambigus. Un ensemble est dit *ambigu de classe* α, lorsqu'il est à la fois un F_α et un G_α. Ainsi par ex. un ensemble est ambigu de classe 0, lorsqu'il est à la fois fermé et ouvert; il est ambigu de classe 1, lorsqu'il est un F_σ et un G_δ. Un ensemble borelien de classe α est ambigu de classe $\alpha+1$.

Evidemment, le complémentaire d'un ensemble ambigu est ambigu (de la même classe). Il en résulte que les ensembles ambigus d'une classe α constituent un *corps*, c. à d. que la somme, le produit et la différence de deux ensembles ambigus de classe α est un ensemble ambigu de classe α.

V. Décomposition en ensembles disjoints.

1) *Tout ensemble de classe* $\alpha > 0$ *additive est la somme d'une série d'ensembles disjoints ambigus de classe* α.

En effet, étant donné $A = A_1 + A_2 + ... + A_n + ...$, il vient

$$(^0) \qquad A = A_1 + [A_2 - A_1] + ... + [A_n - (A_1 + ... + A_{n-1})] + ...$$

et, chaque A_n étant supposé de classe $<\alpha$ multiplicative, donc ambigu de classe α, les termes de la série $(^0)$ sont des ensembles disjoints ambigus de classe α.

2) *Tout ensemble de classe* $\alpha > 1$ *additive est la somme d'une série d'ensembles disjoints de classes* $<\alpha$ *multiplicatives*[1].

Considérons la décomposition $(^0)$. Chaque ensemble A_n étant supposé de classe multiplicative $<\alpha$, il en est encore de même de la somme $A_1 + ... + A_{n-1}$. Cela veut dire que l'ensemble $1-(A_1 + ... + A_{n-1})$ est de classe additive $<\alpha$. Cet ensemble est donc en vertu de 1) de la forme $\sum_{i=1}^{\infty} B_i^n$ où B_i^n sont des ensembles disjoints ambigus de classes $<\alpha$ (car $\alpha>1$). La formule

[1]) Théorème de M. Lusin; voir W. Sierpiński, *Sur une classification des ensembles mesurables* (*B*), Fund. Math. 10 (1927), p. 324.

$A = \sum_{n=1}^{\infty} \sum_{i=1}^{\infty} A_n \cdot B_i^n$ représente la décomposition demandée, puisque $A_n \cdot B_i^n$ est de classe $< \alpha$ multiplicative.

3) *La famille des ensembles boreliens est la plus petite famille qui contient:* (i) *tous les ensembles ouverts,* (ii) *les produits de ses éléments,* (iii) *les sommes disjointes de ses éléments.*

Soit $\boldsymbol{H}$ une famille satisfaisant aux conditions (i)—(iii). Nous allons montrer par induction que chaque ensemble borelien appartient à $\boldsymbol{H}$. Or en vertu de (i) et (ii) chaque $\boldsymbol{G}_\delta$ et d'après 2) chaque $\boldsymbol{G}_{\delta\sigma}$ appartient à $\boldsymbol{H}$. Donc chaque $\boldsymbol{F}_\sigma$ appartient à $\boldsymbol{H}$.

Soit à présent $\alpha > 1$ et admettons que chaque ensemble de classe $< \alpha$ appartienne à $\boldsymbol{H}$. Donc, conformément à (ii), les ensembles de classe α multiplicative appartiennent à $\boldsymbol{H}$ et, en raison de 2) et (iii), il en est encore de même de chaque ensemble de classe α additive. Par conséquent, tous les ensembles boreliens de classe α appartiennent à $\boldsymbol{H}$, c. q. f. d.

Remarques. Si l'espace est de dimension 0, l'énoncé 1) est vrai aussi pour $\alpha = 0$, c. à d. qu'un ensemble ouvert est alors la somme d'une série d'ensembles disjoints qui sont à la fois fermés et ouverts (§ 21, I, cor. 1). Il en résulte que l'énoncé 2) est valable pour $\alpha = 1$, c. à d. que dans un espace 0-dimensionnel tout $\boldsymbol{F}_\sigma$ est la somme d'une série d'ensembles fermés disjoints. Ce dernier énoncé n'est pas valable dans les espaces de dimension > 0: par ex. l'intervalle ouvert ne se laisse pas décomposer en une suite d'ensembles fermés et disjoints.

VI. Séries alternées d'ensembles boreliens.

1. Soit

$$A_1 \supset A_2 \supset \ldots \supset A_\xi \supset A_{\xi+1} \supset \ldots \supset A_\gamma$$

une suite transfinie dénombrable d'ensembles ambigus de classe α et telle que $A_\lambda = \prod_{\xi<\lambda} A_\xi$, si λ est un nombre limite ou bien si $\lambda = \gamma$. Dans ces conditions, *l'ensemble*

$$S = A_1 - A_2 + A_3 - A_4 + \ldots + A_{\omega+1} - A_{\omega+2} + \ldots$$

est ambigu de classe α.

On a, en effet (§ 12, I (4)):

$$1 - S = 1 - A_1 + A_2 - A_3 + \ldots + A_\omega - A_{\omega+1} + \ldots + A_\gamma.$$

Or, chaque différence $A_\xi - A_{\xi+1}$ étant un ensemble ambigu de classe α, donc de classe α additive, les ensembles S et $1 - S$, comme sommes dénombrables d'ensembles de ce genre, sont également de classe α additive. Donc S est ambigu de classe α.

2. *Etant donnée une suite* $A_1 \supset A_2 \supset \dots$ *d'ensembles ambigus de classe* α *tels que* $\prod_{n=1}^{\infty} A_n = 0$, *l'ensemble* $\sum_{n=1}^{\infty} (A_{2n-1} - A_{2n})$ *est ambigu de classe* α (c'est un cas particulier de l'énoncé 1).

3. *La somme d'une série alternée (dénombrable) d'ensembles boreliens décroissants de classe* α *multiplicative*

$$B = B_1 - B_2 + B_3 - B_4 + \dots + B_{\omega+1} - B_{\omega+2} + \dots$$

est un ensemble ambigu de classe $\alpha + 1$ [1]).

Car en posant $B_\lambda = \prod_{\xi<\lambda} B_\xi$ pour λ limite et en tenant compte du fait que le produit dénombrable des B_ξ est de classe α multiplicative, donc ambigu de classe $\alpha+1$, on conclut de l'énoncé 1 que B est un ensemble ambigu de classe $\alpha+1$.

VII. Théorème de séparation [2]). *A et B étant deux ensembles disjoints de classe $\alpha > 0$ multiplicative, il existe un ensemble E ambigu de classe α tel que $A \subset E$ et $EB = 0$.*

Posons $A = \prod_{n=1}^{\infty} A_n$ et $B = \prod_{n=1}^{\infty} B_n$ où A_n et B_n sont des ensembles décroissants de classes $< \alpha$ additives, donc ambigus de classe α. Soit

$$E = A_1 \cdot (1 - B_1) + A_2 \cdot (B_1 - B_2) + \dots + A_n \cdot (B_{n-1} - B_n) + \dots$$

D'après le lemme du § 21, II, on a $A \subset E$ et $EB = 0$. En outre, d'après N°VI, 2, l'ensemble E est ambigu de classe α comme somme d'une série alternée d'ensembles décroissants ambigus de classe α et dont le produit est vide.

Remarques. Le théorème de séparation peut être énoncé aussi de la façon suivante (cf. la note précitée de M. Sierpiński):

---

1) Le théorème inverse est vrai dans les espaces complets (voir § 33).

2) Théorème de M. Sierpiński, *Sur une propriété des ensembles ambigus*, Fund. Math. 6 (1924), pp. 1—5. On y trouve plusieurs applications du théorème de séparation à la Théorie des fonctions.

étant donnés deux ensembles $A \subset C$ de classe $\alpha > 0$ dont le premier est de classe multiplicative et le deuxième de classe additive, il existe un ensemble E ambigu de classe α tel que $A \subset E \subset C$. Pour établir l'équivalence de ces deux énoncés, on pose $C = 1 - B$.

Dans l'espace 0-*dimensionnel* le théorème est vrai aussi pour $\alpha = 0$. Voir p. 122, th. II.

VIII. Ensembles relativement ambigus. 1. *A étant un ensemble de classe $\alpha > 0$ multiplicative et B un ensemble ambigu de classe α relativement à A, l'ensemble B est de la forme $B = AC$ où C est ambigu de classe α* (dans l'espace tout entier).

En effet, l'hypothèse que B est ambigu de classe α par rapport à A veut dire que B et $A - B$ sont de classe α multiplicative par rapport à A. Or, A étant lui-même de classe α multiplicative, B et $A - B$ sont deux ensembles de classe α multiplicative (dans l'espace). Selon le théorème de séparation (N° VII), il existe un ensemble C ambigu de classe α tel que $B \subset C$ et $C \cdot (A - B) = 0$, d'où $B = AB \subset AC$ et $CA \subset B$, donc $B = AC$.

En vue des applications ultérieures nous allons démontrer que:

2. *Etant donnés un ensemble A et un système d'ensembles $\{B_{i_1 \dots i_n}\}$ ambigus de classe α par rapport à A et tels que l'on a toujours $B_{i_1 \dots i_n} \cdot B_{j_1 \dots j_k} = 0$ pour $(i_1 \dots i_k) \neq (j_1 \dots j_k)$ et $k \leqslant n$, il existe un système d'ensembles $\{C_{i_1 \dots i_n}\}$ ambigus de classe α par rapport à la somme $A_n = \sum C_{i_1 \dots i_n}$* (où la sommation s'étend à tous les systèmes de n indices) *et tels que A_n est ambigu de classe $\alpha + 1$, $AC_{i_1 \dots i_n} = B_{i_1 \dots i_n}$, $C_{i_1 \dots i_n} \cdot C_{j_1 \dots j_k} = 0$ et que $C_{i_1 \dots i_n} = 0$, si $B_{i_1 \dots i_n} = 0$.*

De plus, *si A est de classe $\alpha > 0$ multiplicative et si l'on a $A = \sum B_{i_1 \dots i_n}$ pour chaque n, A_n coïncide avec l'espace tout entier.*

Il existe par hypothèse un système d'ensembles $\{D_{i_1 \dots i_n}\}$ de classe α additive (même ambigus de classe α, lorsque A est de classe $\alpha > 0$ multiplicative) tels que $AD_{i_1 \dots i_n} = B_{i_1 \dots i_n}$ et que $D_{i_1 \dots i_n} = 0$, si $B_{i_1 \dots i_n} = 0$. Désignons par V_n la somme de tous les produits de la forme $D_{i_1 \dots i_n} \cdot D_{j_1 \dots j_k}$ et posons $C_{i_1 \dots i_n} = D_{i_1 \dots i_n} - V_n$. L'ensemble $A_n = \sum D_{i_1 \dots i_n} - V_n$ est ambigu de classe $\alpha + 1$ comme différence de deux ensembles de classe α additive. L'égalité $A_n \cdot D_{i_1 \dots i_n} = D_{i_1 \dots i_n} - V_n = C_{i_1 \dots i_n}$ implique que $C_{i_1 \dots i_n}$ est de classe α additive par rapport à A_n, d'où en vertu de l'égalité $C_{i_1 \dots i_n} \cdot C_{j_1 \dots j_n} = D_{i_1 \dots i_n} \cdot D_{j_1 \dots j_n} - V_n = 0$ on conclut que $C_{i_1 \dots i_n}$ est ambigu de classe α par rapport à A_n. On a enfin $AC_{i_1 \dots i_n} = AD_{i_1 \dots i_n} - AV_n = B_{i_1 \dots i_n}$, car l'égalité $AD_{i_1 \dots i_n} \cdot D_{j_1 \dots j_k} = B_{i_1 \dots i_n} \cdot B_{j_1 \dots j_k} = 0$ donne $AV_n = 0$.

Si l'on suppose que $A = \sum B_{i_1 \dots i_n}$, il vient $B_{i_1 \dots i_n} = \sum_k B_{i_1 \dots i_n k} \subset \sum_k D_{i_1 \dots i_n k}$ et il existe (N⁰ VII) un ensemble $E_{i_1 \dots i_n}$ ambigu de classe α tel que $B_{i_1 \dots i_n} \subset E_{i_1 \dots i_n} \subset \sum_k D_{i_1 \dots i_n k}$. On définit les ensembles $C_{i_1 \dots i_n}$ (où $n \geqslant 0$) par induction, en convenant que 1) $C =$ l'espace tout entier, $B = A$, 2) $i_1 \dots i_n$ étant un système donné et l étant le plus petit indice tel que $B_{i_1 \dots i_n l} \neq 0$, on a $C_{i_1 \dots i_n l} = C_{i_1 \dots i_n} \cdot D_{i_1 \dots i_n l} + C_{i_1 \dots i_n} - E_{i_1 \dots i_n}$, 3) pour $k > l$ $C_{i_1 \dots i_n k} = C_{i_1 \dots i_n} \cdot D_{i_1 \dots i_n k} - (C_{i_1 \dots i_n l} + \dots + C_{i_1 \dots i_{n(k-1)}})$.

Remarque. Les énoncés 1 et 2 sont valables dans *l'espace de dimension* 0 aussi pour $\alpha = 0$. Cf. la remarque finale du N⁰ VII.

IX. Ensemble limite des ensembles ambigus. *A étant un ensemble ambigu de classe $\alpha > 1$, il existe une suite d'ensembles A_n ambigus de classes $< \alpha$ tels que*

$$A = \sum_{n=0}^{\infty} (A_n \cdot A_{n+1} \cdot \dots) = \prod_{n=0}^{\infty} (A_n + A_{n+1} + \dots),$$

c. à d. que $A = \operatorname{Limes}_{n=\infty} A_n$ au sens de la Théorie générale des ensembles (cf. N⁰ 13, VI, 8).

Dans les espaces 0-dimensionnels le théorème est valable aussi pour $\alpha = 1$.

On a par hypothèse

$$A = \sum_{n=0}^{\infty} K_n, \quad 1 - A = \sum_{n=0}^{\infty} L_n, \quad K_n \subset K_{n+1} \quad \left(\text{d'où } K_n = \prod_{i=0}^{\infty} K_{n+i}\right)$$
$$\text{et } L_n \subset L_{n+1} \quad \left(\text{d'où } 1 - L_i = \sum_{n=0}^{\infty} (1 - L_{n+i})\right),$$

les ensembles K_n et L_n étant de classes $< \alpha$ multiplicatives.

D'après le théorème de séparation (N⁰ VII) il existe une suite d'ensembles A_n ambigus de classes $< \alpha$ et tels que $K_n \subset A_n \subset 1 - L_n$. La double égalité à démontrer résulte de la formule (cf. p. 9):

$$A = \sum_{n=0}^{\infty} K_n = \sum_{n=0}^{\infty} \prod_{i=0}^{\infty} K_{n+i} \subset \sum_{n=0}^{\infty} \prod_{i=0}^{\infty} A_{n+i} \subset \prod_{i=0}^{\infty} \sum_{n=0}^{\infty} A_{n+i} \subset$$
$$\subset \prod_{i=0}^{\infty} \sum_{n=0}^{\infty} (1 - L_{n+i}) = \prod_{i=0}^{\infty} (1 - L_i) = 1 - \sum_{i=0}^{\infty} L_i = A.$$

X. Ensembles localement boreliens. D'après la définition générale de la localisation des propriétés (p. 29), un ensemble A est dit de classe α au point p, lorsqu'il existe un entourage E de p tel que AE est un ensemble borelien de classe α. Le terme „entourage" peut être remplacé par „entourage ouvert", excepté dans le cas où il s'agit de la classe 0 multiplicative (cas d'ensemble localement fermé, voir p. 65), car AE étant de classe α et G désignant l'intérieur de E, l'ensemble AG est encore de classe α (sauf le cas exceptionnel indiqué). On peut enfin remplacer dans le cas de l'espace séparable les entourages ouverts par les ensembles ouverts appartenant à la base $R_1, R_2, \ldots$ de l'espace.

Dans un espace séparable, l'ensemble B des points de A où A est localement de classe α additive (ou bien de classe multiplicative >0) est encore de la même classe [1]).

1. Soit, en effet, $R_{n_1}, R_{n_2}, \ldots$ la suite de tous les ensembles (appartenant à la base) tels que AR_{n_k} est de classe α additive. L'ensemble $B=\sum_k AR_{n_k}$ est donc de classe α additive.

2. Supposons à présent que AR_{n_k} soit de classe $\alpha>0$ multiplicative et posons en vertu de l'identité $XY=X-(X-Y)$:

$$B=\sum_k AR_{n_k}=A\cdot\sum_k R_{n_k}=\sum_k R_{n_k}-\Big[\sum_k R_{n_k}-A\Big]=\sum_k R_{n_k}-\sum_k [R_{n_k}-AR_{n_k}].$$

L'ensemble $R_{n_k}-AR_{n_k}$ étant de classe α additive, il en est de même de $\sum_k [R_{n_k}-AR_{n_k}]$, d'où la conclusion demandée.

Il en résulte que *si, dans un espace séparable, A est en chacun de ses points de classe α additive (ou bien de classe multiplicative >0), A est un ensemble de la même classe.*

Remarque [2]). L'hypothèse de la *séparabilité* de l'espace est *essentielle*. Considérons, en effet, l'espace formé de tous les points (x,α), où $0\leqslant x\leqslant 1$ et $0\leqslant\alpha<\Omega$, la distance des points (x,α) et (x',α') étant définie comme égale à $|x-x'|$ pour $\alpha=\alpha'$ et à 1 pour $\alpha\neq\alpha'$ (ainsi l'espace est le produit cartésien de l'intervalle et de l'ensemble des nombres transfinis $<\Omega$). Soit I_α „l'intervalle" (x,α) où $0\leqslant x\leqslant 1$, et B_α un ensemble borelien $\subset I_\alpha$, qui n'est pas de classe α. L'ensemble $S=\sum_{\alpha<\Omega} B_\alpha$ est localement borelien, puisque les intervalles I_α sont ouverts dans l'espace, mais il n'est pas borelien, puisque s'il était de classe α, l'ensemble $S\cdot I_\alpha=B_\alpha$ le serait également.

---

[1]) Cf. K. Zarankiewicz, *O zbiorach lokalnie mierzalnych* (B), Wiadomości Matematyczne 30 (1928), p. 115.

[2]) Cette remarque est due à M. Szpilrajn, Fund. Math. 21 (1933), p. 112.

XI. Evaluation des classes à l'aide des symboles logiques [1]).

Nous dirons qu'*une fonction propositionnelle* $\varphi(x)$ *est de classe* F_α (de classe G_α), lorsque l'ensemble $\underset{x}{E}\,\varphi(x)$ est de classe F_α (de classe G_α). En tenant compte des formules établies dans l'Introduction (§ 1, IV et § 2, V—VI), on démontre les propositions suivantes:

1) $\varphi(x)$ et $\psi(x)$ étant deux fonctions propositionnelles de classe F_α (de classe G_α), les fonctions $\varphi(x)+\psi(x)$ et $\varphi(x)\cdot\psi(x)$ le sont également. Car on a $\underset{x}{E}\,[\varphi(x)+\psi(x)]=\underset{x}{E}\,\varphi(x)+\underset{x}{E}\,\psi(x)$ et $\underset{x}{E}\,[\varphi(x)\cdot\psi(x)]=\underset{x}{E}\,\varphi(x)\cdot\underset{x}{E}\,\psi(x)$ et la classe borelienne est invariante relativement à la multiplication et à l'addition des ensembles.

D'une façon plus générale:

1a) Soit $\varphi(x_1,\dots,x_n)\equiv\psi(x_{k_1},\dots,x_{k_j})+\chi(x_{l_1},\dots,x_{l_m})$, les indices $k_1,\dots,k_j$ et $l_1,\dots,l_m$ étant supposés $\leqslant n$ (par exemple $\varphi(x,y,z)\equiv\psi(x,y)+\chi(y,z)$). Si les fonctions ψ et χ sont de classe F_α (de classe G_α), φ l'est également (et il en est de même du produit $\psi\cdot\chi$).

En effet, $\underset{x_1\dots x_n}{E}\,\varphi(x_1,\dots,x_n)=\underset{x_1\dots x_n}{E}\psi(x_{k_1},\dots,x_{k_j})+\underset{x_1\dots x_n}{E}\,\chi(x_{l_1},\dots,x_{l_m})$ et, l'ensemble $\underset{x_{k_1}\dots x_{k_j}}{E}\,\psi(x_{k_1},\dots,x_{k_j})$ étant de classe F_α, l'ensemble $\underset{x_1\dots x_n}{E}\,\psi(x_{k_1},\dots,x_{k_j})$ l'est également, car il s'en obtient en le multipliant par des axes (voir N⁰ III).

On voit ainsi qu'*en effectuant avec des fonctions propositionnelles données de classe* F_α *(de classe* G_α*) un nombre fini d'additions et de multiplications logiques, on parvient toujours à une fonction propositionnelle de classe* F_α *(de classe* G_α*).*

2) Si la fonction propositionnelle $\varphi(x)$ est de classe F_α, sa négation est de classe G_α.

Car l'ensemble $\underset{x}{E}\,\varphi'(x)$ est le complémentaire de $\underset{x}{E}\,\varphi(x)$.

---

[1]) Voir la note de M. Tarski et de moi *Les opérations logiques et les ensembles projectifs* et ma note *Evaluation de la classe borelienne ou projective à l'aide des symboles logiques*, Fund. Math. 17 (1931).

3) Si les fonctions propositionnelles $\varphi_n(x)$, $n = 1, 2, \ldots$ sont des classes $< \alpha$, la fonction $\sum\limits_n \varphi_n(x)$ est de classe α additive et la fonction $\prod\limits_n \varphi_n(x)$ est de classe α multiplicative.

Car $\underset{x}{E}\sum\limits_n \varphi_n(x) = \sum\limits_n \underset{x}{E}\, \varphi_n(x)$ et $\underset{x}{E}\prod\limits_n \varphi_n(x) = \prod\limits_n \underset{x}{E}\, \varphi_n(x)$, les opérateurs $\sum$ et $\prod$ étant entendus au sens logique dans les membres gauches et au sens mathématique dans les membres droits de ces égalités (cf. § 2, V, 1 et 2).

En particulier, si toutes les fonctions $\varphi_n(x)$ sont d'une classe $\boldsymbol{F}_\alpha$ avec α pair, la fonction $\sum\limits_n \varphi_n(x)$ est de la classe $\boldsymbol{F}_{\alpha\sigma}$ et la fonction $\prod\limits_n \varphi_n(x)$ est de la classe $\boldsymbol{F}_\alpha$. D'une façon analogue, si les fonctions $\varphi_{n,m}(x)$ sont d'une classe $\boldsymbol{F}_\alpha$, la fonction $\prod\limits_m \sum\limits_n \varphi_{n,m}(x)$ est de la classe $F_{\alpha\sigma\delta}$, etc.

On voit ainsi que *les règles* 1)—3) *permettent d'évaluer la classe borelienne d'un ensemble, si l'on sait définir cet ensemble à l'aide d'une fonction propositionnelle qui s'obtient d'un système de fonctions propositionnelles dont les classes sont connues en effectuant les opérations logiques:* $+, \cdot, ', \sum\limits_n, \prod\limits_n$, *un nombre fini de fois.*

4) *Si* $\varphi(x)$ *est une fonction propositionnelle de classe* $\boldsymbol{F}_\alpha$ (*de classe* $\boldsymbol{G}_\alpha$) *et si* $x = f(t)$ *est une fonction continue, la fonction propositionnelle* $\varphi[f(t)]$ *est aussi de classe* $\boldsymbol{F}_\alpha$ (*de classe* $\boldsymbol{G}_\alpha$).

Posons, en effet, $A = \underset{x}{E}\, \varphi(x)$. Il vient (voir § 3, I):

$$\underset{t}{E}\, \varphi[f(t)] = \underset{t}{E}\, \{f(t) \varepsilon \underset{x}{E}\, \varphi(x)\} = \underset{t}{E}\, \{f(t) \varepsilon A\} = f^{-1}(A)$$

et, l'ensemble A étant de classe $\boldsymbol{F}_\alpha$ (de classe $\boldsymbol{G}_\alpha$), il en est de même (voir N°III) de l'ensemble $f^{-1}(A)$.

XII. Applications. Soit $\mathcal{X}$ un espace métrique arbitraire.

1. Considérons *la famille* Φ *de toutes les suites extraites de cet espace qui satisfont à la condition de convergence de Cauchy* (on dit qu'une suite $\xi^1, \xi^2, \ldots$ satisfait à la condition de Cauchy, si à chaque $\epsilon > 0$ correspond un indice m tel que l'on ait $|\xi^{m+i} - \xi^m| \leqslant \epsilon$, quel que soit i). Nous allons prouver que *la famille* Φ *constitue un ensemble* $\boldsymbol{F}_{\sigma\delta}$ *dans l'espace* $\mathcal{X}^{\aleph_0}$.

On a, par définition:

$$\{\xi \varepsilon \Phi\} \equiv \prod_k \sum_m \prod_i |\xi^{m+i} - \xi^m| \leqslant \frac{1}{k}\cdot$$

Or, la fonction propositionnelle $\varphi_{k,m,i}(\xi) \equiv \left\{ | \xi^{m+i} - \xi^m | \leqslant \frac{1}{k} \right\}$ est de classe F_0 (pour k, m et i fixes). En effet, en tenant compte du fait que la distance est une fonction continue de deux variables et que ξ^n est une fonction continue de ξ (cf. § 24, I), l'ensemble $\underset{\xi}{E} \left\{ | \xi^{m+i} - \xi^m | \leqslant \frac{1}{k} \right\}$ est fermé.

En appliquant la règle 3), on en conclut que la fonction $\prod_i \varphi_{k,m,i}(\xi)$ est également de classe F_0, que $\sum_m \prod_i \varphi_{k,m,i}(\xi)$ est de classe F_σ et finalement que $\prod_k \sum_m \prod_i \varphi_{k,m,i}(\xi)$ est de classe $F_{\sigma\delta}$. Cela veut dire que l'ensemble Φ est un $F_{\sigma\delta}$, c. q. f. d.

Il en résulte en vertu de la règle 4) que, *$f_n(t)$ étant une suite de fonctions continues (définies sur un espace T), l'ensemble C de points t pour lesquels la condition de Cauchy est réalisée est un $F_{\sigma\delta}$* [1]). Car, en désignant par $\xi(t)$ la suite $[f_1(t), f_2(t), \ldots]$, on obtient $\{t \in C\} \equiv \prod_k \sum_m \prod_i \varphi_{k,m,i}[\xi(t)]$.

2. *La famille ϑ des suites denses en soi constitue un ensemble G_δ dans l'espace $\mathcal{X}^{\aleph_0}$.* Car la suite $\xi = [\xi^1, \xi^2, \ldots]$ est dite dense en soi, lorsqu'il existe pour tout n un $\xi^m \neq \xi^n$ aussi près que l'on veut de ξ^n; en symboles:

$$[\xi \in \vartheta] \equiv \prod_{nk} \sum_m \left\{ 0 < | \xi^n - \xi^m | < \frac{1}{k} \right\}.$$

La fonction propositionnelle entre crochets $\{\ \}$ étant évidemment de la classe G_0 (pour n, m et k fixes), on n'altère pas sa classe en ajoutant l'opérateur $\sum_m$. La fonction $[\xi \in \vartheta]$ est donc de la classe G_δ.

3. *Décomposition de l'ensemble des nombres irrationnels en $\aleph_1$ sous-ensembles* [2]). Soit $r_1, r_2, \ldots$ la suite de tous les nombres rationnels. Faisons correspondre à chaque nombre irrationnel $\mathfrak{z}$ (de l'intervalle 01), considéré comme une suite infinie de nombres naturels $[\mathfrak{z}^1, \mathfrak{z}^2, \ldots]$ (cf. § 14, V), l'ensemble $Z_\mathfrak{z}$ composé de nombres $r_{\mathfrak{z}^1}, r_{\mathfrak{z}^2}, \ldots$ Ordonnons ces nombres selon leur grandeur; si $Z_\mathfrak{z}$ est bien ordonné, désignons par $\tau(\mathfrak{z})$ son type d'ordre; s'il ne l'est pas, posons $\tau(\mathfrak{z}) = -1$.

Nous allons prouver que *l'ensemble $A_\alpha = \underset{\mathfrak{z}}{E}[0 < \tau(\mathfrak{z}) < \alpha]$, où $2 \leqslant \alpha < \Omega$, est de classe G_α.*

---

[1]) Cf. § 2, VI, 2. Si $\mathcal{X}$ est complet, C est l'ensemble des points de convergence de la suite $\{f_n(t)\}$.

[2]) Voir H. Lebesgue, op. cit. p. 213, N. Lusin et W. Sierpiński, C. R. Paris, t. 175 (1922), p. 357, où se trouve une décomposition en $\aleph_1$ ensembles boreliens, non vides et disjoints.

Désignons à ce but par $\tau_n(\mathfrak{z})$ le type d'ordre de l'ensemble des nombres rationnels $r_{\mathfrak{z}i}$ inférieurs à $r_{\mathfrak{z}n}$ (si cet ensemble est bien ordonné, sinon nous écrirons $\tau_n(\mathfrak{z}) = -1$) et posons $A_{\alpha,n} = \underset{\mathfrak{z}}{E}\,[0 \leqslant \tau_n(\mathfrak{z}) < \alpha]$. Considérons deux cas: 1⁰ α est de la forme $\beta + 1$, 2⁰ α est un nombre limite.

Dans le premier cas, on voit aussitôt que la condition pour que l'on ait $\mathfrak{z} \varepsilon A_\alpha$ est que, pour chaque n, les éléments de $Z_{\mathfrak{z}}$ qui précèdent $r_{\mathfrak{z}n}$ constituent un ensemble bien ordonné d'un type d'ordre $< \beta$. On a ainsi l'équivalence: $\{\mathfrak{z} \varepsilon A_\alpha\} \equiv \prod_n \{0 \leqslant \tau_n(\mathfrak{z}) < \beta\}$, d'où $A_\alpha = \prod_n A_{\beta,n}$.

D'une façon analogue $\{\mathfrak{z} \varepsilon A_{\alpha,n}\} \equiv \prod_k \{(r_{\mathfrak{z}n} \leqslant r_{\mathfrak{z}k}) + [0 \leqslant \tau_k(\mathfrak{z}) < \beta]\}$.

Dans le deuxième cas, où α est un nombre limite: $\alpha = \lambda$, il vient $\{\mathfrak{z} \varepsilon A_\lambda\} \equiv \sum_{\xi<\lambda} \{0 < \tau(\mathfrak{z}) < \xi\}$, d'où $A_\lambda = \sum_{\xi<\lambda} A_\xi$ et $\{\mathfrak{z} \varepsilon A_{\lambda,n}\} \equiv \sum_{\xi<\lambda} \{0 \leqslant \tau_n(\mathfrak{z}) < \xi\}$, d'où $A_{\lambda,n} = \sum_{\xi<\lambda} A_{\xi,n}$.

Enfin, on vérifie directement que $A_{1,n} = \underset{\mathfrak{z}}{E} \prod_k (r_{\mathfrak{z}n} \leqslant r_{\mathfrak{z}k})$ et $A_2 = \underset{\mathfrak{z}}{E} \prod_{k,n} (\mathfrak{z}^n = \mathfrak{z}^k)$. Le dernier ensemble est manifestement fermé; le premier l'est aussi, car $r_{\mathfrak{z}n}$ étant une fonction continue de $\mathfrak{z}$, l'ensemble $\underset{\mathfrak{z}}{E}\,[r_{\mathfrak{z}n} \leqslant r_{\mathfrak{z}k}]$ est fermé et il en est de même de l'ensemble $\prod_k \underset{\mathfrak{z}}{E}\,\{r_{\mathfrak{z}n} \leqslant r_{\mathfrak{z}k}\} = A_{1,n}$.

La fonction propositionnelle $\varphi_{n,k}(\mathfrak{z}) \equiv \{r_{\mathfrak{z}n} \leqslant r_{\mathfrak{z}k}\}$ étant, comme nous venons de montrer, de la classe F_0, la fonction $\prod_k \{(r_{\mathfrak{z}n} \leqslant r_{\mathfrak{z}k}) + [0 \leqslant \tau_k(\mathfrak{z}) < i]\}$ l'est également, si l'on suppose que l'ensemble $A_{i,k}$ est fermé. On prouve ainsi par l'induction finie (suivant l'indice i) que pour chaque i naturel $A_{i,n}$ est fermé (donc de classe G_i). On en conclut que A_i est aussi fermé.

Supposons, d'autre part, que pour chaque $\xi < \lambda$ les ensembles A_ξ et $A_{\xi,n}$ soient de classe G_ξ. Comme $A_{\lambda,n} = \sum_{\xi<\lambda} A_{\xi,n}$, l'ensemble $A_{\lambda,n}$ est de classe G_λ. En posant $\lambda = \beta$, on voit facilement que $A_{\lambda+1,n}$ est de classe $G_{\lambda+1}$ (puisque cet ensemble est défini à l'aide d'une fonction propositionnelle de classe $G_{\lambda+1}$). En raisonnant comme auparavant, on prouve par l'induction finie que, pour chaque i, l'ensemble $A_{\lambda+i,n}$ est de classe $G_{\lambda+1}$, donc de classe $G_{\lambda+i}$. De même $A_{\lambda+i}$ est de classe $G_{\lambda+1}$, donc de classe $G_{\lambda+i}$.

On parvient ainsi à la conclusion que, quel que soit $\alpha < \Omega$, l'ensemble A_α est de classe G_α (d'ailleurs A_i est fermé, A_ω est un F_σ, $A_{\omega\cdot 2}$ est un $F_{\sigma\delta\sigma}$ etc.).

D'après un théorème élémentaire de la théorie des ensembles ordonnés, à chaque nombre $0 < \alpha < \Omega$ correspond un ensemble du type α composé exclusivement de nombres rationnels. Il existe, par conséquent, un nombre irrationnel $\mathfrak{z}$ tel que $\tau(\mathfrak{z}) = \alpha$; ce nombre n'appartient donc qu'à des ensembles A_ξ avec $\xi > \alpha$. On voit ainsi que si l'on supprime dans l'ensemble des nombres irrationnels les nombres $\mathfrak{z}$ tels que $Z_\mathfrak{z}$ n'est pas bien ordonné, le reste est une somme des ensembles boreliens (différents) A_α, $\alpha < \Omega$.

XIII. Fonctions universelles[1]. Etant donnée une famille $\boldsymbol{F}$ d'ensembles, on appelle *fonction universelle relativement à* $\boldsymbol{F}$ toute fonction $F(t)$ qui fait correspondre au paramètre t (parcourant un espace T) un ensemble de la famille $\boldsymbol{F}$ de façon que chaque ensemble-élément de $\boldsymbol{F}$ corresponde au moins à une valeur de t. En symboles:

$$\{X \varepsilon \boldsymbol{F}\} \equiv \sum_t [X = F(t)].$$

Dans la suite, nous allons supposer que l'espace $\mathcal{X}$ (dont les éléments de $\boldsymbol{F}$ sont des sous-ensembles) est métrique séparable. Posons $T = \mathcal{N}$ (l'ensemble des nombres irrationnels de l'intervalle 01)[2]. Si $\boldsymbol{F}$ est de puissance $\leqslant \mathfrak{c}$, il existe évidemment une fonction universelle relative à $\boldsymbol{F}$ (puisque l'ensemble $\mathcal{N}$ est de la puissance $\mathfrak{c}$). On peut donc substituer à $\boldsymbol{F}$ la classe borelienne $\boldsymbol{F}_\alpha$ ou $\boldsymbol{G}_\alpha$. Or, nous allons démontrer[3] qu'*à chaque* α *correspond une fonction* $G_\alpha(\mathfrak{z})$ *universelle relativement à la classe* $\boldsymbol{G}_\alpha$ *et telle que l'ensemble* $\underset{x\mathfrak{z}}{E}[x \varepsilon G_\alpha(\mathfrak{z})]$, *situé dans le produit cartésien* $\mathcal{X} \times \mathcal{N}$, *soit un* $\boldsymbol{G}_\alpha$.

Nous nous servirons des notations suivantes. Comme d'habitude, nous allons considérer le nombre irrationnel $\mathfrak{z}$ comme une suite de nombres naturels $\mathfrak{z}^{(1)}, \mathfrak{z}^{(2)}, \dots$ (donnée par ex. par le développement de $\mathfrak{z}$ en fraction continue). L'espace $\mathcal{N}$ étant homéomorphe à $\mathcal{N}^{\aleph_0}$ (§ 24, V), on peut faire correspondre à chaque $\mathfrak{z}$ une suite de nombres

---

[1]) Notion étudiée surtout par M. Lusin. Voir W. Sierpiński, Fund. Math. 14 (1929), p. 82.

[2]) Au lieu d'admettre que le paramètre t parcourt l'intervalle 01 *tout entier* (comme on l'admet d'habitude) nous en avons restreint les valeurs aux nombres irrationnels, pour éviter certains inconvénients liés à la discontinuité de la fonction „n-ième chiffre du développement diadique de x"; si l'on considère le nombre irrationnel $\mathfrak{z}$ comme une suite de nombres naturels, le n-ième terme de cette suite est une fonction continue de $\mathfrak{z}$ (cf. § 14, V).

On pourrait se servir aussi bien de l'ensemble non-dense de Cantor, qui est également une $\aleph_0$-ème puissance d'un ensemble.

[3]) Le raisonnement qui va suivre est dû au fond à M. Lebesgue, op. cit., p. 209.

irrationnels $\mathfrak{z}_{(1)}, \mathfrak{z}_{(2)}, \ldots$ de façon que, pour n fixe, $\mathfrak{z}_{(n)}$ soit une fonction continue de $\mathfrak{z}$ et qu'en outre chaque suite de nombres irrationnels corresponde à une valeur de $\mathfrak{z}$ (on peut poser, par ex. $\mathfrak{z}_{(n)} = [\mathfrak{z}^{(2^{n-1})}, \ldots, \mathfrak{z}^{(2^{n-1}+k.2^n)}, \ldots])$.

Faisons correspondre à chaque nombre transfini limite λ ($< \Omega$) une suite $\lambda_1 < \lambda_2 < \ldots$ convergente vers λ (l'existence d'une telle suite résulte de l'axiome du choix).

Désignons enfin par $R_1, R_2, \ldots$ la base de l'espace (contenant l'ensemble vide).

Fonction $G_\alpha(\mathfrak{z})$. Nous posons: 1) $G_0(\mathfrak{z}) = \sum\limits_n R_{\mathfrak{z}^n}$, 2) $G_{\alpha+1}(\mathfrak{z}) = \prod\limits_n G_\alpha(\mathfrak{z}_{(n)})$ ou $\sum\limits_n G_\alpha(\mathfrak{z}_{(n)})$, suivant que α est pair ou impair, 3) $G_\lambda(\mathfrak{z}) = \sum\limits_n G_{\lambda_n}(\mathfrak{z}_{(n)})$, si λ est un nombre limite.

Il s'agit de montrer que: (i) l'ensemble $G_\alpha(\mathfrak{z})$ est de classe $\boldsymbol{G}_\alpha$, (ii) si X est de classe $\boldsymbol{G}_\alpha$, il existe un $\mathfrak{z} \varepsilon \mathcal{N}$ tel que $X = G_\alpha(\mathfrak{z})$, (iii) l'ensemble $\underset{x\mathfrak{z}}{E}\,[x \varepsilon G_\alpha(\mathfrak{z})]$ est de classe $\boldsymbol{G}_\alpha$.

ad (i). Procédons par induction. Pour $\alpha = 0$, l'ensemble $G_0(\mathfrak{z})$, comme une somme d'ensembles ouverts, est ouvert, quel que soit $\mathfrak{z}$. Si $G_\alpha(\mathfrak{z})$ est de classe $\boldsymbol{G}_\alpha$ pour chaque $\mathfrak{z}$, $G_{\alpha+1}(\mathfrak{z})$ est de classe $\boldsymbol{G}_{\alpha+1}$ comme produit ou somme d'une suite d'ensembles de classe $\boldsymbol{G}_\alpha$. Enfin, si λ est un nombre limite et si pour chaque λ_n l'ensemble $G_{\lambda_n}(\mathfrak{z})$ est de classe $\boldsymbol{G}_{\lambda_n}$, quel que soit $\mathfrak{z}$, l'ensemble $G_\lambda(\mathfrak{z})$ est de classe $\boldsymbol{G}_\lambda$ comme une somme d'ensembles de classes $< \lambda$. La proposition (i) est ainsi établie.

ad (ii). Soit d'abord X un ensemble de classe $\boldsymbol{G}_0$, c. à d. un ensemble ouvert. Par définition de la base, X est de la forme $X = \sum\limits_n R_{k_n}$. Soit $\mathfrak{z}$ un nombre irrationnel tel que $\mathfrak{z}^1 = k_1$, $\mathfrak{z}^2 = k_2, \ldots$ Il vient $G_0(\mathfrak{z}) = \sum\limits_n R_{\mathfrak{z}^n} = \sum\limits_n R_{k_n} = X$. La condition (ii) est donc réalisée pour $\alpha = 0$. Supposons à présent qu'elle soit réalisée pour α; nous l'établirons pour $\alpha + 1$. Soit donc X un ensemble de classe $\boldsymbol{G}_{\alpha+1}$. On a $X = \prod\limits_n X_n$ ou $X = \sum\limits_n X_n$ (suivant que α est pair ou impair), où X_n est de classe $\boldsymbol{G}_\alpha$. Par hypothèse, il existe une suite de nombres irrationnels $\{\mathfrak{z}_n\}$ tels que $X_n = \boldsymbol{G}_\alpha(\mathfrak{z}_n)$. Par définition de la fonction $\mathfrak{z}_{(n)}$ il existe une valeur de $\mathfrak{z}$ telle que l'on ait $\mathfrak{z}_n = \mathfrak{z}_{(n)}$, quel que soit n. Il vient, suivant que α est pair ou impair, $G_{\alpha+1}(\mathfrak{z}) = \prod_n G_\alpha(\mathfrak{z}_{(n)}) = X$ ou bien $G_{\alpha+1}(\mathfrak{z}) = \sum_n G_\alpha(\mathfrak{z}_{(n)}) = X$.

Supposons enfin que $\lambda = \lim \lambda_n$, et que pour chaque λ_n la proposition (ii) soit vraie. X étant un ensemble de classe $\boldsymbol{G}_\lambda$, on a $X = \sum_n X_n$ où X_n est d'une classe $\boldsymbol{G}_{\alpha_n}$ avec $\alpha_n < \lambda$. La suite $\{\lambda_n\}$ étant convergente vers λ, il existe pour chaque n un k_n tel que $\alpha_n \leqslant \lambda_{k_n}$. Par conséquent X_n est de classe $\boldsymbol{G}_{\lambda_{k_n}}$. Il existe donc un nombre irrationnel $\mathfrak{z}_{k_n}$ tel que $X_n = G_{\lambda_{k_n}}(\mathfrak{z}_{k_n})$. Si i est un indice différent de tous les k_n, soit $\mathfrak{z}_i$ un nombre irrationnel tel que $G_{\lambda_i}(\mathfrak{z}_i) = 0$. Ainsi $X = \sum_n G_{\lambda_n}(\mathfrak{z}_n)$. Soit, comme auparavant, $\mathfrak{z}$ un nombre irrationnel tel que $\mathfrak{z}_n = \mathfrak{z}_{(n)}$. Il vient $X = \sum_n G_{\lambda_n}(\mathfrak{z}_{(n)}) = G_\lambda(\mathfrak{z})$.

ad (iii). Remarquons d'abord que l'ensemble $\underset{x,n}{E}(x \in R_n)$ est ouvert dans le produit $\mathcal{X} \times$ (l'ensemble des nombres naturels). Autrement dit, la fonction propositionnelle (de deux variables) $x \in R_n$ est de classe $\boldsymbol{G}_0$. La fonction $\mathfrak{z}^n$ étant, pour n fixe, continue, on en conclut en vertu de N° XI, 4, que la fonction propositionnelle $x \in R_{\mathfrak{z}^n}$ est aussi de classe $\boldsymbol{G}_0$. Il en est encore de même de la fonction propositionnelle $\sum_n (x \in R_{\mathfrak{z}^n})$, qui équivaut à $x \in \sum_n R_{\mathfrak{z}^n}$ (voir § 1, V). La fonction propositionnelle $x \in G_0(\mathfrak{z})$ est par conséquent de classe $\boldsymbol{G}_0$ et l'ensemble $\underset{x\mathfrak{z}}{E}[x \in G_0(\mathfrak{z})]$ est ouvert. D'une façon analogue, si la fonction propositionnelle $x \in G_\alpha(\mathfrak{z})$ est de classe α, il en est de même de $x \in G_\alpha(\mathfrak{z}_{(n)})$ pour n fixe, puisque $\mathfrak{z}_{(n)}$ est une fonction continue de $\mathfrak{z}$. La fonction propositionnelle $\prod_n [x \in G_\alpha(\mathfrak{z}_{(n)})]$ est donc (pour α pair) de classe $G_{\alpha+1}$ et comme $\prod_n [x \in G_\alpha(\mathfrak{z}_{(n)})] \equiv \{x \in \prod_n G_\alpha(\mathfrak{z}_{(n)})\} \equiv \{x \in G_{\alpha+1}(\mathfrak{z})\}$, on en conclut que la condition (iii) est vérifiée pour $\alpha + 1$. Enfin, si pour chaque n la fonction propositionnelle $x \in G_{\lambda_n}(\mathfrak{z})$ est de classe $\boldsymbol{G}_{\lambda_n}$, la fonction $\sum_n [x \in G_{\lambda_n}(\mathfrak{z}_{(n)})]$ est de classe $\boldsymbol{G}_\lambda$. On en conclut comme auparavant que $\underset{x\mathfrak{z}}{E}[x \in G_\lambda(\mathfrak{z})]$ est de classe $\boldsymbol{G}_\lambda$.

Un théorème analogue concerne les classes $\boldsymbol{F}_\alpha$: il existe pour chaque α une fonction universelle $F_\alpha(\mathfrak{z})$ telle que l'ensemble $\underset{x\mathfrak{z}}{E}[x \in F_\alpha(\mathfrak{z})]$ est de classe $\boldsymbol{F}_\alpha$. Notamment: $F_\alpha(\mathfrak{z}) = \mathcal{X} - G_\alpha(\mathfrak{z})$.

XIV. Existence des ensembles de classe G_α qui ne sont pas de classe F_α. Nous en établirons l'existence dans l'espace $\mathcal{N}$ des nombres irrationnels [1]. Posons $\mathcal{X} = \mathcal{N}$ et considérons l'ensemble

$$Z_\alpha = \underset{\mathfrak{z}}{E}\,[\mathfrak{z} \in G_\alpha(\mathfrak{z})],$$

qui est la projection sur l'axe $\mathcal{N}$ de la partie de l'ensemble $\underset{\mathfrak{z}\mathfrak{z}'}{E}\,[\mathfrak{z} \in G_\alpha(\mathfrak{z}')]$ située sur la *diagonale* de l'espace $\mathcal{N} \times \mathcal{N}$, c. à d. sur l'ensemble $\underset{\mathfrak{z}\mathfrak{z}'}{E}\,(\mathfrak{z} = \mathfrak{z}')$ (cf. p. 144). L'ensemble $\underset{\mathfrak{z}\mathfrak{z}'}{E}\,[\mathfrak{z} \in G_\alpha(\mathfrak{z}')]$ étant de classe G_α, l'ensemble projeté est de classe G_α relativement à la diagonale et, la projection de la diagonale sur l'axe étant une homéomorphie, l'ensemble Z_α est de classe G_α (dans $\mathcal{N}$).

Reste à prouver que Z_α n'est pas de classe F_α. Si l'on suppose le contraire, l'ensemble $\mathcal{N} - Z_\alpha$ est un G_α, de sorte que, la fonction $G_\alpha(\mathfrak{z})$ étant universelle, il existerait un $\mathfrak{z}_0$ tel que $\mathcal{N} - Z_\alpha = G_\alpha(\mathfrak{z}_0)$. Mais cela implique une contradiction, car on a par définition de Z_α l'équivalence $\{\mathfrak{z}_0 \in G_\alpha(\mathfrak{z}_0)\} \equiv \{\mathfrak{z}_0 \in Z_\alpha\}$, tandis que par définition de $\mathfrak{z}_0$: $\{\mathfrak{z}_0 \in G_\alpha(\mathfrak{z}_0)\} \equiv \{\mathfrak{z}_0 \in (\mathcal{N} - Z_\alpha)\}$.

Remarque. La deuxième partie de ce raisonnement est, en réalité, une démonstration du théorème suivant de la Théorie générale des ensembles.

Théorème de la diagonale [2]. Etant donnée une fonction $F(t)$ qui fait correspondre à chaque élément d'un ensemble T un sous-ensemble de T, l'ensemble $\underset{t}{E}\,[t \in T - F(t)]$ n'est pas une valeur de cette fonction.

XV. Problème d'effectivité [3]. Le démonstration que nous avons donnée au N⁰ XIV de l'existence d'un ensemble de classe G_α qui n'est pas de classe F_α *n'est pas effective*, c. à d. que nous n'avons pas *défini* une fonction qui fasse correspondre à chaque α un ensemble jouissant de la propriété en

---

[1]) Pour $\alpha \leqslant 3$ on peut l'établir d'une façon plus directe: voir R. Baire, *Sur la représentation des fonctions discontinues*, Acta math. 30 (1905) et 32 (1909), ainsi que N. Lusin *Ensembles analytiques*, Paris 1930, p. 97, exemple dû à M-lle Keldych.

[2]) Ce théorème remonte à G. Cantor: cf. sa démonstration de l'inégalité $2^{\mathfrak{m}} > \mathfrak{m}$.

[3]) Voir ma note *Sur l'existence effective des fonctions représentables analytiquement de toute classe de Baire*, C. R. Paris, t. 176 (1923), p. 229. Cf. aussi W. Sierpiński, *Un exemple effectif d'un ensemble mesurable* (*B*) *de classe* α, Fund. Math. 6 (1924), p. 39.

question. En analysant le raisonnement du N° XIII, on voit que l'absence de l'effectivité provient du fait que nous n'avons pas défini une fonction qui fasse correspondre à chaque nombre limite λ une suite convergente de nombres $<\lambda$; nous n'en avons, en effet, qu'affirmé *l'existence*, sans déterminer aucune suite individuelle de ce genre. Une telle définition n'est pas d'ailleurs connue.

On voit ainsi que pour résoudre effectivement le problème de l'existence des ensembles qui sont des G_α sans être des F_α, on aura à changer la condition 3) de la définition de $G_\alpha(\mathfrak{z})$. Nous nous servirons à ce but de la fonction $\tau(\mathfrak{z})$, définie au N° XII, 3, qui jouit de deux propriétés importantes: 1° elle fait correspondre à chaque nombre $\mathfrak{z}$ un nombre transfini (ou -1) de façon à épuiser tous les nombres $\alpha < \Omega$, 2° la fonction propositionnelle $\varphi_\alpha(\mathfrak{z}) \equiv \{0 < \tau(\mathfrak{z}) < \alpha\}$ est de classe G_α.

Or, admettons que la fonction $G_\alpha(\mathfrak{z})$ soit définie par les conditions 1), 2) et la suivante, qui remplacera la condition 3):

$$3') \qquad \{x \in G_\lambda(\mathfrak{z})\} \equiv \sum_n \sum_{\xi<\lambda} [0 < \tau(\mathfrak{z}_{(2n)}) = \xi] \cdot [x \in G_\xi(\mathfrak{z}_{(2n+1)})].$$

Il s'agit d'établir les conditions (i)—(iii) du N° XIII pour $\alpha = \lambda$, ces conditions étant supposées vérifiées pour $\xi < \lambda$.

ad (i). Pour chaque $\mathfrak{z}$ l'ensemble $G_\lambda(\mathfrak{z})$ est la somme d'une infinité dénombrable d'ensembles de classes G_ξ où $\xi < \lambda$. Donc $G_\lambda(\mathfrak{z})$ est de classe G_λ.

ad (ii). Tout ensemble X de classe G_λ est de la forme $X = \sum_n X_n$, où X_n est de classe G_{ξ_n} et $0 < \xi_n < \lambda$. A chaque ξ_n correspond un nombre irrationnel $\mathfrak{y}_n$ tel que $\tau(\mathfrak{y}_n) = \xi_n$. En outre, la fonction $G_{\xi_n}(\mathfrak{z})$ étant universelle, il existe un $\mathfrak{w}_n$ tel que $X_n = G_{\xi_n}(\mathfrak{w}_n)$. Or, il existe par définition de la fonction $\mathfrak{z}_{(n)}$ une valeur de $\mathfrak{z}$ telle que $\mathfrak{z}_{(2n)} = \mathfrak{y}_n$ et $\mathfrak{z}_{(2n+1)} = \mathfrak{w}_n$, quel que soit n. Il vient ainsi $X_n = G_{\xi_n}(\mathfrak{z}_{(2n+1)})$ et $0 < \tau(\mathfrak{z}_{(2n)}) = \xi_n$, d'où $X = G_\lambda(\mathfrak{z})$.

ad (iii). Il s'agit de prouver que la fonction propositionnelle de deux variables $x \in G_\lambda(\mathfrak{z})$ est de classe G_λ. L'équivalence $[0 < \tau(\mathfrak{z}) = \xi] \equiv \varphi'_\xi(\mathfrak{z}) \cdot \varphi_{\xi+1}(\mathfrak{z})$ montre que la fonction propositionnelle $[0 < \tau(\mathfrak{z}) = \xi]$ est de classe $G_{\xi+1}$; il en est de même de $[0 < \tau(\mathfrak{z}_{(2n)}) = \xi]$, puisque $\mathfrak{z}_{(2n)}$ est une fonction continue de $\mathfrak{z}$ (cf. la règle 4 du N° XI). La fonction propositionnelle $x \in G_\xi(\mathfrak{z}_{(2n+1)})$ est pour la même raison de classe G_ξ si $\xi < \lambda$; par conséquent, le produit logique de ces deux fonctions, c. à d. la fonction $[0 < \tau(\mathfrak{z}_{(2n)}) = \xi] \cdot [x \in G_\xi(\mathfrak{z}_{(2n+1)})]$ est de classe $G_{\xi+1}$. La fonction $x \in G_\lambda(\mathfrak{z})$, s'obtenant de celle-ci par l'addition dénombrable $\sum_n \sum_{\xi<\lambda}$, est donc de classe G_λ.

Ainsi le problème de l'existence, pour chaque α, d'une fonction universelle relativement à la classe G_α se trouve résolu d'une façon effective. La définition de l'ensemble Z_α, telle qu'elle a été énoncée au N° XIV, donne donc une solution effective du problème de l'existence dans l'espace des nombres irrationnels d'un ensemble qui est un G_α sans être un F_α.

§ 27. Fonctions mesurables B.

I. Classification. Une fonction $f(x)$ qui transforme un espace métrique $\mathcal{X}$ en sous-ensemble d'un espace métrique $\mathcal{Y}$ est dite *fonction mesurable B de classe* α (ou, simplement, fonction de classe α), lorsque, quel que soit l'ensemble fermé $F \subset \mathcal{Y}$, l'ensemble $f^{-1}(F)$ est un ensemble borelien de classe α multiplicative [1]).

Les ensembles fermés étant de classe 0 multiplicative, les fonctions continues coïncident, conformément à cette définition, avec les fonctions de classe 0.

Pour que la fonction caractéristique d'un ensemble A soit de classe α, *il faut et il suffit que A soit un ensemble ambigu de classe* α.

En effet, la fonction caractéristique n'admettant que deux valeurs *0* et *1*, considérons comme l'espace $\mathcal{Y}$ l'ensemble composé de ces deux éléments. Chacun d'eux forme un ensemble fermé. Si l'on suppose que la fonction caractéristique $f(x)$ est de classe α, les ensembles $A = f^{-1}(1)$ et $\mathcal{X} - A = f^{-1}(0)$ sont de classe α multiplicative; A est donc un ensemble ambigu de classe α.

Inversement, l'ensemble A étant ambigu de classe α, on vérifie facilement que l'ensemble $f^{-1}(F)$ est de classe α multiplicative, quel que soit l'ensemble fermé F (l'espace $\mathcal{Y}$ ne contient en effet que 4 ensembles fermés).

On en conclut qu'*il existe, dans chaque classe* α, *des fonctions réelles de variable réelle qui n'appartiennent pas aux classes inférieures* et qu'*il existe des fonctions non mesurables B*. Cette dernière conclusion résulte aussi du fait que, $\mathcal{Y}$ *étant séparable, la famille des fonctions mesurables B est de puissance* $\leqslant \mathfrak{c}$.

En effet, la suite $R_1, R_2, \ldots$ formant la base de l'espace $\mathcal{Y}$, toute fonction f qui transforme $\mathcal{X}$ en un sous-ensemble de $\mathcal{Y}$ est complètement caractérisée par la suite d'ensembles $f^{-1}(R_1), f^{-1}(R_2), \ldots$ Car, chaque point y de $\mathcal{Y}$ étant de la forme $y = R_{k_1} \cdot R_{k_2} \cdot \ldots$, on a

$$\{y = f(x)\} \equiv \{x \,\varepsilon\, f^{-1}(y)\} \equiv \{x \,\varepsilon \prod_n f^{-1}(R_{k_n})\}.$$

Or la fonction f étant supposée mesurable B, les ensembles $f^{-1}(R_n)$ sont boreliens et, la famille de ces derniers étant de puissance $\leqslant \mathfrak{c}$, la puissance de la famille des fonctions mesurables B est $\leqslant \mathfrak{c}^{\aleph_0} = \mathfrak{c}$.

---

[1]) Voir H. Lebesgue, op. cit., Journ. de math. 1905, p. 166.

II. Equivalences. En tenant compte de l'identité (p. 12, N°II, 8) $f^{-1}(\mathcal{Y}-Y)=\mathcal{X}-f^{-1}(Y)$, on pouvait définir les fonctions de classe α comme les fonctions pour lesquelles l'ensemble $f^{-1}(G)$ est de classe α additive, quel que soit l'ensemble *ouvert* G.

De plus, si l'espace $\mathcal{Y}$ est *séparable* et si la suite $R_1, R_2, \ldots$ forme sa base, il suffit, pour que la fonction f soit de classe α, que *chacun des ensembles* $f^{-1}(R_n)$ *soit de classe* α *additive.* Car on a $G = R_{k_1} + R_{k_2} + \ldots$, d'où $f^{-1}(G) = f^{-1}(R_{k_1}) + f^{-1}(R_{k_2}) + \ldots$

Il en résulte aussi que *les ensembles* $f^{-1}(R_n)$, $n = 1, 2, \ldots$, *étant boreliens, la fonction* f *est mesurable* B; notamment de classe α, où $\alpha > \alpha_n$ et où $f^{-1}(R_n)$ est de classe α_n.

Dans le cas particulier où $\mathcal{Y}$ est l'ensemble des *nombres réels*, les fonctions de classe α peuvent être définies par la condition que les ensembles $\underset{x}{E}\{a < f(x) < b\}$ soient de classe α additive, quels que soient a et b (d'ailleurs on peut les supposer rationnels).

L'espace $\mathcal{Y}$ *étant séparable, la condition nécessaire et suffisante pour que la fonction* $f(x)$ *soit de classe* α *est qu'il existe pour chaque* $\epsilon > 0$ *une décomposition de l'espace:* $\mathcal{X} = Z_1 + Z_2 + \ldots$ *en ensembles de classe* α *additive tels que* $\delta[f(Z_n)] < \epsilon$, *quel que soit* n[1]).

En effet, l'espace $\mathcal{Y}$ étant séparable, il existe (voir § 17, II) une suite $S_1, S_2, \ldots$ de sphères ouvertes telles que $\mathcal{Y} = S_1 + S_2 + \ldots$ et $\delta(S_n) < \epsilon$. Il suffit donc de poser $Z_n = f^{-1}(S_n)$.

Supposons d'autre part que la condition du théorème est vérifiée. Il vient $\mathcal{X} = Z_1^k + Z_2^k + \ldots$ et $\delta[f(Z_n^k)] < 1/k$ où Z_n^k est de classe α additive. Il s'agit de prouver que, G étant un ensemble ouvert (dans $\mathcal{Y}$), $f^{-1}(G)$ est de classe α additive. Nous allons démontrer, en effet, que $f^{-1}(G)$ est la somme des ensembles Z_n^k tels que $f(Z_n^k) \subset G$.

Or, d'une part, les conditions $x \in Z_n^k$ et $f(Z_n^k) \subset G$ entraînent $f(x) \in G$, d'où $x \in f^{-1}(G)$. D'autre part, la condition $f(x) \in G$, qui équivaut à $x \in f^{-1}(G)$ implique que, pour k suffisamment grand, l'inégalité $|y - f(x)| < 1/k$ entraîne $y \in G$ (puisque G est ouvert). Soit n un indice tel que $x \in Z_n^k$. Il résulte donc de l'inégalité $\delta[f(Z_n^k)] < 1/k$ que $f(Z_n^k) \subset G$.

---

[1]) Voir H. Lebesgue, op. cit., p. 172 (domaine réel). Pour le cas général, voir B. Gagaeff, *Sur les suites convergentes de fonctions mesurables B* Fund. Math. 18 (1932), p. 183; cf. aussi P. Veress, *Ueber kompakte Funktionenmengen und Bairesche Klassen,* Fund. Math. 7 (1925), p. 244, où l'on trouve plusieurs applications du théorème considéré.

III. Superposition des fonctions. *$f(x)$ étant une fonction de classe α et Y un ensemble de classe β, l'ensemble $f^{-1}(Y)$ est de classe* $\alpha+\beta$ (multiplicative ou additive suivant la classe de Y).

Cela résulte par l'induction transfinie (par rapport à β) des identités:

$$f^{-1}\Big(\sum_n Y_n\Big)=\sum_n f^{-1}(Y_n), \qquad f^{-1}\Big(\prod_n Y_n\Big)=\prod_n f^{-1}(Y_n)$$

et du fait que $\beta_n<\beta$ entraîne $\alpha+\beta_n<\alpha+\beta$.

En particulier, si f est une fonction *continue*, l'ensemble $f^{-1}(Y)$ est de classe β.

Si la fonction $y=f(x)$ est de classe α et la fonction $z=g(y)$ de classe β, la fonction $h(x)=gf(x)$ est de classe $\alpha+\beta$.

On a en effet: $\{h(x)\varepsilon F\}\equiv\{g[f(x)]\varepsilon F\}\equiv\{f(x)\varepsilon g^{-1}(F)\}$, d'où $h^{-1}(F)=\underset{x}{E}\,[f(x)\varepsilon g^{-1}(F)]=f^{-1}[g^{-1}(F)]$. L'ensemble F étant fermé, $g^{-1}(F)$ est de classe β multiplicative, de sorte que $f^{-1}[g^{-1}(F)]$ est de classe $\alpha+\beta$ selon le théorème précédent.

En particulier, si la fonction g est *continue*, les fonctions $gf(x)$ et $fg(x)$ sont de classe α.

IV. Fonctions partielles. 1. *Etant donnée une suite d'ensembles $\{E_n\}$ de classe α additive tels que $\mathcal{X}=E_1+E_2+\dots$ et que, f_n désignant la fonction partielle $f|E_n$, f_n est de classe α sur E_n, la fonction f est de classe α (sur l'espace entier).*

Soit, en effet, G un ensemble ouvert $\subset\mathcal{Y}$. Il vient (§ 3, II, 15): $f^{-1}(G)=f_1^{-1}(G)+f_2^{-1}(G)+\dots$ et, chacun des ensembles $f_n^{-1}(G)$ étant par hypothèse de classe α additive relativement à l'ensemble E_n, qui est lui-même de classe α additive, l'ensemble $f^{-1}(G)$ est encore de classe α additive comme une somme d'ensembles de cette classe.

2. *M et N étant deux ensembles de classe α multiplicative, tels que $\mathcal{X}=M+N$ et que les fonctions partielles $f|M$ et $f|N$ sont de classe α, la fonction f est encore de classe α.*

La démonstration est tout à fait analogue à la précédente: on n'a qu'à remplacer l'ensemble ouvert G par un ensemble fermé F et la somme infinie par une somme de deux termes.

3. *f étant de classe α, $f|E$ l'est également, quel que soit E.*

C'est une conséquence immédiate de § 3, II, 14.

V. Fonctions de plusieurs variables. Dans le cas où la variable indépendante parcourt un *produit cartésien* de deux espaces $\mathcal{X} \times \mathcal{Y}$, la fonction $f(x, y)$ est dite fonction de deux variables.

Evidemment une fonction $f(x)$ d'une seule variable peut être toujours considérée comme une fonction $g(x, y)$ de deux variables, en posant $g(x, y) = f(x)$.

1. *Si $f(x)$ est de classe α et $g(x, y) = f(x)$, $g(x, y)$ est de classe α* par rapport à la variable (x, y).

En effet, x considéré comme fonction (l'abscisse) du point (x, y), en est une fonction continue (cf. p. 79). D'après le théorème sur la superposition des fonctions (N° III), $f(x)$ en est une fonction de classe α.

2. *Si la fonction $f(x, y)$ est continue relativement à la variable x et de classe α relativement à la variable y, elle est de classe* $\alpha + 1$ relativement à la variable (x, y) [1]). L'espace $\mathcal{X}$ est supposé séparable.

Nous allons montrer au préalable que, $r_1, r_2, \ldots$ étant une suite de points dense dans $\mathcal{X}$ et $g(x)$ une fonction continue, la condition nécessaire et suffisante pour que le point $g(x)$ appartienne à l'ensemble fermé F, est qu'à chaque n corresponde un k tel que $|x - r_k| < 1/n$ et $g(r_k) \varepsilon S_n$, où S_n désigne la sphère ouverte généralisée de centre F et de rayon $1/n$. En symboles logiques:

$$\text{(i)} \qquad \{g(x) \varepsilon F\} \equiv \prod_n \sum_k [|x - r_k| < 1/n] \cdot [g(r_k) \varepsilon S_n].$$

En effet, $r_{k_1}, r_{k_2}, \ldots$ étant une suite convergente vers x, on a $\lim_{m=\infty} g(r_{k_m}) = g(x)$, donc pour m suffisamment grand: $|r_{k_m} - x| < 1/n$ et $|g(r_{k_m}) - g(x)| < 1/n$. Or, si l'on suppose que $g(x) \varepsilon F$, il en résulte que $g(r_{k_m}) \varepsilon S_n$ et le membre droit de l'équivalence est réalisé. Inversement, si l'on suppose qu'à chaque n correspond un indice k_n tel que $|x - r_{k_n}| < 1/n$ et que $g(r_{k_n}) \varepsilon S_n$, d'où

---

[1]) Cf. H. Lebesgue, l. c., p. 201 et ma note *Sur la théorie des fonctions dans les espaces métriques,* Fund. Math. 17 (1931), p. 278. Des exemples élémentaires montrent qu'une fonction de deux variables peut être *discontinue*, bien qu'elle soit continue relativement à chacune de deux variables prises séparément.

$\rho\,[g(r_{k_n}), F] < 1/n$, il vient $\lim_{n=\infty} r_{k_n} = x$, d'où $\lim_{n=\infty} g(r_{k_n}) = g(x)$, et comme $\lim_{n=\infty} \rho\,[g(r_{k_n}), F] = 0$, il en résulte que $\rho\,[g(x), F] = 0$, c. à d. que $g(x) \varepsilon F$.

Ceci établi, substituons dans la formule (i) la fonction $f(x, y)$ à $g(x)$. Il en ressort:

$$\{f(x, y) \varepsilon F\} \equiv \prod_n \sum_k [\,|x - r_k| < 1/n] \cdot [f(r_k, y) \varepsilon S_n],$$

d'où

$$\text{(ii)} \quad f^{-1}(F) = \prod_n \sum_k \left\{\left[\left(\underset{x}{E}\,|x - r_k| < 1/n\right) \times \mathcal{Y}\right] \cdot \left[\mathcal{X} \times \underset{y}{E}\, f(r_k, y) \varepsilon S_n\right]\right\}.$$

Or, la fonction $f(r_k, y)$ étant de classe α par rapport à la variable y, l'ensemble $\underset{y}{E}\,[f(r_k, y) \varepsilon S_n]$ est de classe α additive (pour k et n fixes). L'ensemble $\underset{x}{E}\,[\,|x - r_k| < 1/n]$ est évidemment une sphère ouverte. Il en résulte, par la méthode d'évaluation de la classe d'une fonction propositionnelle (§ 26, XI), que la fonction propositionnelle de deux variables $\{f(x, y) \varepsilon F\}$ et l'ensemble $f^{-1}(F)$ sont de classe $\alpha + 1$ multiplicative.

En particulier, si la fonction $f(x, y)$ est continue par rapport à chacune des variables séparément, elle est une **fonction de I-re classe**. On montre par induction qu'une fonction de n variables qui est continue par rapport à chacune d'elles est de classe $n - 1$.

Remarques. 1) L'hypothèse de la *séparabilité* peut être supprimée, si l'on se propose de démontrer que toute fonction continue par rapport à chacune de deux variables est de I-re classe [1]). On peut se servir, en effet, au lieu de l'équivalence (i) de la suivante:

$$\{g(x) \varepsilon F\} \equiv \prod_n \sum_{x'} [\,|x - x'| < 1/n] \cdot [g(x') \varepsilon S_n],$$

que l'on déduit d'une façon tout à fait analogue.

On a alors à remplacer dans la formule (ii): $\sum_k$ par $\sum_{x'}$ et r_k par x'. Or, l'ensemble entre crochets $\{\ \}$ étant ouvert (puisque $\alpha = 0$ par hypothèse), la sommation (indénombrable) $\sum_{x'}$ conduit encore à un ensemble ouvert et, finalement, $f^{-1}(F)$ est un G_δ.

---

[1]) Il serait intéressant de reconnaître si cette hypothèse peut être supprimée dans l'énoncé 2 et dans plusieurs autres énoncés de ce §.

2) *Une fonction $f(x, y)$ de I-re classe relativement à chacune des variables peut être non mesurable B* (même non mesurable au sens de Lebesgue)[1].

Soit, en effet, sur le plan euclidien $\mathcal{X} \times \mathcal{Y}$, A un ensemble non borelien situé sur une circonférence (ou encore: un ensemble non mesurable superficiellement au sens de Lebesgue qui n'a que tout au plus deux points communs avec chaque droite parallèle à un des axes). La fonction caractéristique de A est non mesurable B (voir N° I), tandis que par rapport à chacune des variables elle est de I-re classe, puisqu'elle s'annule partout, sauf en deux points (au plus).

VI. Fonctions complexes. Chaque couple de fonctions $x = f(t)$, $y = g(t)$ définit une fonction „complexe" $z = h(t)$, où z désigne le point (x, y) du produit $\mathcal{X} \times \mathcal{Y}$ et t parcourt un espace T.

1. *Les espaces $\mathcal{X}$ et $\mathcal{Y}$ étant séparables, la condition nécessaire et suffisante pour que la fonction $z = h(t)$ soit de classe α est que les fonctions $f(t)$ et $g(t)$ (les „coordonnées" du point z) soient de classe α.*

Nécessité. G étant un sous-ensemble ouvert arbitraire de $\mathcal{X}$, $G \times \mathcal{Y}$ est ouvert et, la fonction $h(t)$ étant de classe α, l'ensemble $\underset{t}{E}[h(t) \varepsilon G \times \mathcal{Y}]$ est de classe α additive; comme il coïncide avec $f^{-1}(G)$ en vertu de l'équivalence $\{f(t) \varepsilon G\} \equiv \{h(t) \varepsilon G \times \mathcal{Y}\}$, la fonction $f(t)$ est de classe α.

Suffisance. Soient $R_1, R_2, \dots$ la base de l'espace $\mathcal{X}$ et $S_1, S_2, \dots$ la base de $\mathcal{Y}$. La double suite $R_m \times S_n$ constitue alors la base de l'espace $\mathcal{X} \times \mathcal{Y}$ (p. 141). Il suffit donc (cf. N° II) de montrer que l'ensemble $h^{-1}(R_m \times S_n)$ est de classe α additive. Or, l'équivalence évidente $\{h(t) \varepsilon R_m \times S_n\} \equiv \{f(t) \varepsilon R_m\} \cdot \{g(t) \varepsilon S_n\}$ implique que $h^{-1}(R_m \times S_n) = \underset{t}{E}\{f(t) \varepsilon R_m\} \cdot \{g(t) \varepsilon S_n\} = \underset{t}{E}\{f(t) \varepsilon R_m\} \cdot \underset{t}{E}\{g(t) \varepsilon S_n\} = f^{-1}(R_m) \cdot g^{-1}(S_n)$ et, les fonctions f et g étant par hypothèse de classe α, les ensembles $f^{-1}(R_m)$ et $g^{-1}(S_n)$ sont de classe α additive; leur partie commune $h^{-1}(R_m \times S_n)$ l'est donc également.

Les considérations précédentes s'étendent au *produit dénombrable*. Soient notamment $\mathcal{X}_1, \mathcal{X}_2, \dots$ une suite d'espaces séparables et $\mathfrak{z}(t)$ une fonction dont les valeurs appartiennent au produit dénombrable $\mathcal{X}_1 \times \mathcal{X}_2 \times \dots$ La fonction $\mathfrak{z}(t)$ représente donc

[1]) W. Sierpiński, *Sur un problème concernant les ensembles mesurables superficiellement*, Fund. Math. 1 (1920), p. 114 et *Funkcje przedstawialne analitycznie*, Lwów 1925, p. 68.

une suite de fonctions: $\mathfrak{z}_1(t), \mathfrak{z}_2(t), \ldots$ *Pour que la fonction* $\mathfrak{z}(t)$ *soit de classe* α, *il faut et il suffit que chacune des fonctions* $\mathfrak{z}_i(t)$ *le soit.*

La nécessité de cette condition se démontre comme auparavant, car on a l'équivalence $\{\mathfrak{z}_1(t) \varepsilon G\} \equiv \{\mathfrak{z}(t) \varepsilon (G \times \mathcal{X}_2 \times \mathcal{X}_3 \times \ldots)\}$.

Pour en prouver la suffisance, désignons par R^i_m, où $m = 1, 2, \ldots,$ la base de l'espace $\mathcal{X}_i$. Les ensembles de la forme $R^1_{k_1} \times R^2_{k_2} \times \ldots \times R^n_{k_n} \times \mathcal{X}_{n+1} \times \mathcal{X}_{n+2} \times \ldots$ constituent alors la base de l'espace $\mathcal{X}_1 \times \mathcal{X}_2 \times \ldots$ (p. 148). Il vient: $\mathfrak{z}^{-1}(R^1_{k_1} \times \ldots \times R^n_{k_n} \times \mathcal{X}_{n+1} \times \mathcal{X}_{n+2} \times \ldots) =$
$= \underset{t}{E}\{[\mathfrak{z}_1(t) \varepsilon R^1_{k_1}] \cdot \ldots \cdot [\mathfrak{z}_n(t) \varepsilon R^n_{k_n}] \cdot [\mathfrak{z}_{n+1}(t) \varepsilon \mathcal{X}_{n+1}] \cdot [\mathfrak{z}_{n+2}(t) \varepsilon \mathcal{X}_{n+2}] \cdot \ldots\} =$
$= \mathfrak{z}_1^{-1}(R^1_{k_1}) \cdot \ldots \cdot \mathfrak{z}_n^{-1}(R^n_{k_n}) \cdot T \cdot T \cdot \ldots$

Les n premiers facteurs de ce dernier produit étant des ensembles de classe α additive, l'ensemble total l'est aussi, c. q. f. d.

En rapprochant les théorèmes précédents du théorème sur la superposition des fonctions (N⁰ III), on parvient à l'énoncé suivant sur les fonctions composées:

2. *Si chacune des fonctions* $y_i = f_i(x_i)$ *est de classe* α *et la fonction* $z = g(y_1, y_2, \ldots)$ *est de classe* β, *la fonction* $g[f_1(x_1), f_2(x_2), \ldots]$ *est de classe* $\alpha + \beta$ (les espaces $\mathcal{Y}_i$ étant supposés séparables).

Si l'espace séparable $\mathcal{Y}_i$ *s'obtient de l'espace* $\mathcal{X}_i$ *par une transformation de classe* α, *l'espace* $\mathcal{Y}_1 \times \mathcal{Y}_2 \times \ldots$ *s'obtient de* $\mathcal{X}_1 \times \mathcal{X}_2 \times \ldots$ *également par une transformation de classe* α. Notamment, si $f_i(x)$ est la fonction de classe α transformant $\mathcal{X}_i$ en $\mathcal{Y}_i$ et $\mathfrak{z} = [\mathfrak{z}^1, \mathfrak{z}^2, \ldots]$ est un point variable de $\mathcal{X}_1 \times \mathcal{X}_2 \times \ldots$, la fonction $\mathfrak{y}(\mathfrak{z}) = [f_1(\mathfrak{z}^1), f_2(\mathfrak{z}^2), \ldots]$ est la fonction demandée.

Car les fonctions $\mathfrak{z}^i$ étant continues, les coordonnées $f_i(\mathfrak{z}^i)$ du point variable $\mathfrak{y}(\mathfrak{z})$ sont des fonctions de $\mathfrak{z}$ de classe α et d'après 1 la fonction $\mathfrak{y}(\mathfrak{z})$ l'est aussi. En outre, $g[\mathfrak{y}(\mathfrak{z})]$ est de classe $\alpha + \beta$.

VII. Image de l'équation $y = f(x)$. Soit $\mathcal{Y}$ un espace séparable.

1. *Si* $f(x)$ *est de classe* α, *l'ensemble* $I = \underset{xy}{E}[y = f(x)]$ *est de classe* α *multiplicative.*

2. *Si, en outre,* A *est de classe* β *dans* $\mathcal{X} \times \mathcal{Y}$, *la projection* P *de* IA *sur l'axe* $\mathcal{X}$ *est de classe* $\alpha + \beta$ (multiplicative ou additive suivant la classe de A).

ad 1. Considérons la fonction $\varphi(x, y) = |y - f(x)|$. On a évidemment $\underset{xy}{E}[y = f(x)] = \underset{xy}{E}[\varphi(x, y) = 0]$. Or, la distance $|y - y'|$

étant une fonction continue des variables y et y' (p. 89), $\varphi(x, y)$ est de classe α d'après N° VI, 2 (en y substituant $|y_1 - y_2|$ à $g(y_1, y_2)$). L'ensemble $\underset{xy}{E}[\varphi(x, y) = 0]$, comme identique à $\varphi^{-1}(F)$ où F est composé du nombre 0, est par conséquent de classe α multiplicative [1].

En particulier, si f est une fonction continue, son image est fermée (voir d'ailleurs § 23, XI); si f est de I-re classe, son image est un G_δ. Cependant les énoncés inverses sont en défaut.

ad 2. La fonction $h(x) = [x, f(x)]$ étant de classe α (N° VI, 1), l'ensemble $P = h^{-1}(A)$ est de classe $\alpha + \beta$ (N° III).

VIII. Limite de fonctions [2]. Considérons au préalable un ensemble fermé F et une suite de points tels que $\lim y_n = y$. Soit S_n la sphère ouverte de centre F et de rayon $1/n$ (voir p. 86). Nous allons démontrer que pour que $y \varepsilon F$, il faut et il suffit qu'à chaque n corresponde un k tel qu'on ait $y_{n+k} \varepsilon S_n$; en symboles logiques:

$$\text{(i)} \qquad \{y \varepsilon F\} \equiv \prod_n \sum_k (y_{n+k} \varepsilon S_n).$$

En effet, d'une part, si $y \varepsilon F$, tous les points y_m à indice suffisamment grand satisfont à l'égalité $|y_m - y| < 1/n$, donc à la formule $y_m \varepsilon S_n$; on peut par conséquent admettre comme k un indice arbitraire suffisamment grand. D'autre part, si y *non*-ε F, il existe en vertu de la formule $F = \prod_n \bar{S}_n$ un m tel que y *non*-ε $\bar{S}_m$. L'égalité $y = \lim y_n$ implique alors qu'à partir d'un indice $n > m$ tous les points y_{n+k} sont situés en dehors de $\bar{S}_m$, donc en dehors de S_n, ce qui prouve que le membre droit de (i) n'est pas vérifié.

1. *La limite d'une suite convergente de fonctions de classe α est de classe $\alpha + 1$.*

---

[1]) F. Hausdorff, *Mengenlehre*, p. 269. Pour le cas d'une fonction réelle, voir W. Sierpiński, *Sur les images des fonctions représentables analytiquement*, Fund. Math. 2 (1921), p. 78. Pour le cas général j'ai donné (dans ma note citée de Fund. Math. 17, p. 277) une autre démonstration basée sur la formule suivante „de la séparation des variables"

$$(y \neq y') \equiv \sum_n (y \varepsilon \mathcal{Y} - R_n)\,(y' \varepsilon R_n),$$

où $R_1, R_2, \ldots$ est la base de l'espace.

[2]) Cf. F. Hausdorff, *Mengenlehre*, p. 267.

Posons $f(x) = \lim f_n(x)$. Il vient en vertu de (i):

$$\{f(x) \varepsilon F\} \equiv \prod_n \sum_k \{f_{n+k}(x) \varepsilon S_n\},$$

d'où

$$\text{(ii)} \quad f^{-1}(F) = \underset{x}{E}\,[f(x) \varepsilon F] = \prod_n \sum_k \underset{x}{E}\,[f_{n+k}(x) \varepsilon S_n] = \prod_n \sum_k f_{n+k}^{-1}(S_n).$$

Or, les fonctions $f_n(x)$ étant supposées de classe α, l'ensemble $f_{n+k}^{-1}(S_n)$ est de classe α additive et, par conséquent, l'ensemble $f^{-1}(F)$ est de classe $\alpha + 1$ multiplicative, c. q. f. d.

Ainsi, en particulier, la limite d'une suite de fonctions continues est de I-re classe. La limite d'une suite de fonctions de classes finies est de classe $\omega + 1$.

2. *La limite d'une suite uniformément convergente de fonctions de classe α est de classe α.*

En effet, la convergence étant uniforme, il existe une suite d'entiers (croissants) m_n telle que l'on a $|f(x) - f_{m_n+k}(x)| < {}^1/_n$ pour chaque x et chaque $k \geqslant 0$. Nous en déduirons l'équivalence

$$\{f(x) \varepsilon F\} \equiv \prod_n \prod_k \{f_{m_n+k}(x) \varepsilon \bar{S}_n\}.$$

Posons, pour abréger, $y = f(x)$ et $y_n = f_n(x)$. Or, si l'on suppose que $y \varepsilon F$, on a $y_{m_n+k} \varepsilon \bar{S}_n$ pour chaque n et k, puisque $|y - y_{m_n+k}| < {}^1/_n$. Inversement, si l'on suppose que le membre droit de l'équivalence est satisfait, on a $y_{m_n} \varepsilon \bar{S}_n$ pour chaque n, d'où $\rho(y_{m_n}, F) \leqslant {}^1/_n$ et, $\rho(y, F)$ étant une fonction continue de l'argument y (§ 15, IV, (5)), l'égalité $y = \lim\limits_{n=\infty} y_{m_n}$ implique que $\rho(y, F) = 0$, donc que $y \varepsilon F$.

Ceci établi, il vient $f^{-1}(F) = \prod\limits_n \prod\limits_k f_{m_n+k}^{-1}(\bar{S}_n)$ et, l'ensemble $f_{m_n+k}^{-1}(\bar{S}_n)$ étant de classe α multiplicative, il en est de même de l'ensemble $f^{-1}(F)$. La fonction f est donc de classe α.

En particulier, la limite d'une suite uniformément convergente de fonctions continues est continue. La limite d'une suite uniformément convergente de fonctions de classes finies (croissantes) est de classe ω.

Remarque. La convergence uniforme n'est nullement une condition nécessaire pour que la fonction $f(x) = \lim f_n(x)$ soit de classe α. En voici une condition nécessaire et suffisante (l'espace $\mathcal{Y}$ étant supposé séparable): *pour chaque* $\epsilon > 0$, *il existe un indice n aussi grand qu'on le veut et tel que l'ensemble* $\underset{x}{E}\{|f(x) - f_n(x)| < \epsilon\}$ *est de classe* α *additive*[1]).

Cette condition est nécessaire, car la fonction $\varphi_n(x) = |f(x) - f_n(x)|$ est selon N⁰ VI, 2 de classe α, comme la superposition d'une fonction continue (de la distance, voir § 15, VI) et de deux fonctions de classe α.

Elle est aussi suffisante. En effet, elle implique (pour ϵ fixe) l'existence d'une suite d'entiers croissants $k_1 < k_2 < \dots$ tels que les ensembles $E_n = \underset{x}{E}\{|f(x) - f_{k_n}(x)| < \epsilon\}$ sont de classe α additive. Or, la suite $f_n(x)$ étant convergente, il vient $\mathcal{X} = E_1 + E_2 + \dots$ et, chacune des fonctions f_{k_n} étant de classe α, on a (N⁰ II): $\mathcal{X} = \sum_{i=1}^{\infty} Z_i^n = \sum_{n,i=1}^{\infty} E_n \cdot Z_i^n$ où $\delta[f_{k_n}(Z_i^n)] < \epsilon$ et Z_i^n est de classe α additive. Les ensembles $E_n \cdot Z_i^n$ étant de classe α additive, il suffit (en vertu du même théorème du N⁰ II) de montrer que $\delta[f(E_n \cdot Z_i^n)] \leqslant 3\epsilon$.

Soient donc x_1 et x_2 deux points de $E_n \cdot Z_i^n$. Il vient

$$|f(x_1) - f_{k_n}(x_1)| < \epsilon, \quad |f(x_2) - f_{k_n}(x_2)| < \epsilon \quad \text{et} \quad |f_{k_n}(x_1) - f_{k_n}(x_2)| < \epsilon,$$

d'où $|f(x_1) - f(x_2)| < 3\epsilon$, c. q. f. d.

3. *$\mathcal{Y}$ étant séparable, chaque fonction $f(x)$ de classe $\alpha > 0$ est la limite d'une suite uniformément convergente de fonctions $f_n(x)$ de classe α telles que tous les ensembles $f_n(\mathcal{X})$ sont isolés*[2]).

L'espace $\mathcal{Y}$ étant séparable, il existe pour chaque $\epsilon > 0$ un ensemble isolé I tel que chaque point de cet espace est situé à distance $< \epsilon$ d'un point de I (voir p. 91, remarque 1). Soit: $I = [y_1, y_2, \dots]$ une suite (finie ou infinie) composée d'éléments distincts. Posons

$$A_k = \underset{x}{E}\{|f(x) - y_k| \leqslant \epsilon\}, \qquad B_k = \underset{x}{E}\{|f(x) - y_k| \geqslant 2\epsilon\}.$$

---

[1]) Cette condition est due à M. Szpilrajn (cf. B. Gagaeff, l. cit., p. 187). Pour d'autres conditions nécessaires et suffisantes voir ibid. et H. Hahn, *Reelle Funktionen*, p. 309.

[2]) Pour le cas des fonctions réelles cf. Ch. de la Vallée-Poussin, *Intégrale de Lebesgue...*, p. 118, S. Kempisty, Fund. Math. 2 (1921), p. 135, W. Sierpiński, Fund. Math. 6 (1924), p. 4 et pour le cas général S. Banach, *Ueber analytisch darstellbare Operationen in abstrakten Räumen*, Fund. Math. 17 (1931), p. 287.

Si l'espace est *totalement borné*, le terme *isolé* peut être remplacé par *fini* (voir § 15, IX).

Les ensembles A_k et B_k étant disjoints et de classe α multiplicative, il existe (d'après le théorème de séparation § 26, VII) un ensemble F_k ambigu de classe α et tel que $A_k \subset F_k$ et $F_k \cdot B_k = 0$. Par définition de I, on a $\mathcal{X} = A_1 + A_2 + \ldots$, d'où $\mathcal{X} = F_1 + F_2 + \ldots$

La fonction $g(x)$ définie par les conditions: $g(x) = y_1$ pour $x \varepsilon F_1$ et $g(x) = y_k$ pour $x \varepsilon F_k - (F_1 + \ldots + F_{k-1})$, est de classe α. Car l'ensemble $g^{-1}(y_k)$, comme identique à $F_k - (F_1 + \ldots + F_{k-1})$, est de classe α additive (il est même ambigu de classe α) et, les valeurs de la fonction g formant un ensemble dénombrable, l'ensemble $g^{-1}(G)$ est de classe α additive, quel que soit G.

De plus, on a $|f(x) - g(x)| < 2\epsilon$ pour chaque x, car l'égalité $g(x) = y_k$ entraîne $x \varepsilon F_k \subset \mathcal{X} - B_k$.

Ceci établi, on définit la fonction $f_n(x)$ comme égale à $g(x)$, le nombre ϵ étant supposé égal à $^1/_n$.

IX. Représentation analytique. La famille des *fonctions représentables analytiquement* est, par définition [1]), la plus petite famille de fonctions qui contient: 1) toutes les fonctions continues, 2) les limites des suites convergentes des fonctions qui lui appartiennent. Ces fonctions sont rangées en classes de la façon suivante: 1^0 les fonctions continues sont de la classe 0, 2^0 les limites des fonctions représentables de classe α sont des fonctions représentables de classe $\alpha+1$, 3^0 λ étant un nombre limite, une fonction représentable de classe λ est la limite d'une suite uniformément convergente de fonctions représentables de classes $<\lambda$.

Dans le cas où l'espace $\mathcal{Y}$ (qui contient les valeurs des fonctions considérées) coïncide avec l'ensemble des nombres réels, on a le *théorème fondamental d'identité de la classe α des fonctions mesurables B à la classe α des fonctions représentables analytiquement* ($\mathcal{X}$ étant un espace métrique arbitraire) [2]).

Dans le cas général où $\mathcal{Y}$ est un espace métrique quelconque, on ne peut qu'affirmer (en tenant compte des théorèmes du N^0 VIII) que les fonctions représentables analytiquement de classe α sont mesurables B de classe α, tandis que la réciproque n'est pas en général vraie [3]) (on le voit, en envisageant la fonction caractéristique d'un seul point de l'axe $\mathcal{X}$, l'espace $\mathcal{Y}$ étant composé des nombres 0 et 1; cette fonction est mesurable de classe 1, mais n'est pas représentable analytiquement). La différence essentielle entre les deux genres des fonctions est que *la mesurabilité B* (et même la classe)

---

[1]) Voir R. Baire, Thèse, Ann. di Mat. (3) 3 (1899), p. 68.

[2]) F. Hausdorff, *Mengenlehre,* Chap. 9 et H. Lebesgue, op. cit. p. 168.

[3]) Cependant, comme l'a démontré M. S. Banach (*Ueber analytisch darstellbare Operationen in abstrakten Räumen,* Fund. Math. 17 (1931), p. 285), chaque fonction mesurable B se laisse obtenir à l'aide des passages à la limite à partir des *fonctions mesurables B de classe 1.*

d'une fonction f ne dépend pas des points de l'espace $\mathcal{Y}$ qui ne sont pas des valeurs de f, tandis qu'une fonction peut devenir représentable, si on augmente l'espace $\mathcal{Y}$ (si on remplace dans l'exemple précédent l'espace $\mathcal{Y}$ par l'intervalle 01 tout entier, la fonction considérée devient représentable de I-re classe). En effet, si un sous-ensemble $\mathcal{Y}_0$ de l'espace $\mathcal{Y}$ contient toutes les valeurs de la fonction f, on a l'équivalence évidente $\{f(x) \, \varepsilon \, G \cdot \mathcal{Y}_0\} \equiv \{f(x) \, \varepsilon \, G\}$, d'où $f^{-1}(G \cdot \mathcal{Y}_0) = f^{-1}(G)$ et, chaque ensemble ouvert dans $\mathcal{Y}_0$ étant de la forme $G \cdot \mathcal{Y}_0$ où G est ouvert (dans $\mathcal{Y}$), on n'altère pas la classe de la fonction f, en restreignant l'espace $\mathcal{Y}$ à $\mathcal{Y}_0$.

Cependant le théorème de l'identité subsiste dans le cas général de l'espace séparable, si l'on admet que la fonction mesurable donnée peut être approchée par des fonctions dont les valeurs débordent l'espace $\mathcal{Y}$. Notamment, d'après le théorème d'Urysohn, $\mathcal{Y}$ peut être considéré (au point de vue topologique) comme un sous-ensemble du cube fondamental de Hilbert $\mathcal{I}^{\aleph_0}$; or, *dans $\mathcal{I}^{\aleph_0}$ le théorème d'identité est valable.*

Soit, en effet, $f(x)$ une fonction dont les valeurs appartiennent à $\mathcal{I}^{\aleph_0}$; c. à d. $f(x) = [f^{(1)}(x), f^{(2)}(x), ...]$, chacune des fonctions $f^{(i)}(x)$ étant à valeurs réelles. Si l'on suppose que $f(x)$ est une fonction mesurable B de classe α, chacune des fonctions $f^{(i)}(x)$ l'est également (N° VI); comme une fonction à valeurs réelles, $f^{(i)}(x)$ est donc représentable analytiquement de classe α.

Reste à prouver que, *si chacune des fonctions $f^{(i)}(x)$ est représentable analytiquement de classe α, la fonction $f(x)$ l'est également* (théorème, qui est d'ailleurs vrai, lorsqu'on considère au lieu de $\mathcal{I}$ un espace métrique arbitraire $\mathcal{Y}$).

Procédons par induction. Dans le cas $\alpha = 0$, c. à d. dans le cas d'une fonction continue, l'énoncé a été démontré au § 14, IV.

Admettons donc que chacune des fonctions $f^{(i)}(x)$ soit représentable de classe $\alpha + 1$. Il s'agit de prouver qu'il en est de même de la fonction $f(x)$. On a, par hypothèse $f^{(i)}(x) = \lim\limits_{n=\infty} f_n^{(i)}(x)$ où $f_n^{(i)}(x)$ est de classe α. Il vient par définition de la convergence (§ 14, IV): $f(x) = \lim\limits_{n=\infty} f_n(x)$ et, l'énoncé étant supposé vrai pour α, $f_n(x)$ est représentable de classe α et $f(x)$ de classe $\alpha + 1$.

Supposons finalement que chacune des fonctions $f^{(i)}(x)$ soit représentable de classe λ, où λ est un nombre limite. Par conséquent $f^{(i)}(x) = \lim\limits_{n=\infty} f_n^{(i)}(x)$, la convergence étant uniforme (pour i fixe) et chacune des fonctions $f_n^{(i)}(x)$ étant de classe $< \lambda$. Posons $g_n(x) = f_n^{(1)}(x), f_n^{(2)}(x), ..., f_n^{(n)}(x), f_n^{(n)}(x), ...$

Le théoreme étant supposé vrai pour $\alpha < \lambda$, la fonction $g_n(x)$ est de classe $< \lambda$. En outre, $f^{(i)}(x) = \lim\limits_{n=\infty} g_n^{(i)}(x)$ et la convergence est uniforme (puisque $g_n^{(i)}(x) = f_n^{(i)}(x)$ pour $n > i$). Cela implique (§ 24, VIII) que la suite $g_n(x)$ converge uniformément vers la fonction $f(x)$.

X. Théorèmes de Baire sur les fonctions de I-re classe[1]**.**

Rappelons d'abord que $y = f(x)$ étant une fonction arbitraire, l'ensemble D de ses points de discontinuité remplit la formule

$$(1) \qquad D = \sum_G \{f^{-1}(G) - \mathrm{Int}\,[f^{-1}(G)]\} = \sum_F \{\overline{f^{-1}(F)} - f^{-1}(F)\}$$

où G parcourt la famille des ensembles ouverts et F celle des ensembles fermés de l'espace $\mathcal{Y}$ (cf. § 13, III (3)).

Si l'espace $\mathcal{Y}$ est *séparable*, la formule (1) peut être remplacée par une formule qui ne comporte que la sommation dénombrable:

$$(2) \qquad D = \sum_n \{f^{-1}(R_n) - \mathrm{Int}\,[f^{-1}(R_n)]\} = \sum_n \{\overline{f^{-1}(S_n)} - f^{-1}(S_n)\}$$

où $S_n = \mathcal{Y} - R_n$ et la suite $R_1, R_2, \ldots$ forme la base de l'espace $\mathcal{Y}$.

Soit, en effet, $G = \sum_n R_{k_n}$ et $x \,\varepsilon\, f^{-1}(G) - \mathrm{Int}\,[f^{-1}(G)]$. Donc $f(x) \,\varepsilon\, G$, d'où $f(x) \,\varepsilon\, R_{k_n} \subset G$, pour un certain indice n. Cela implique que $f^{-1}(R_{k_n}) \subset f^{-1}(G)$, donc que $\mathrm{Int}\,[f^{-1}(R_{k_n})] \subset \mathrm{Int}\,[f^{-1}(G)]$. Ainsi $x \,\varepsilon\, f^{-1}(R_{k_n}) - \mathrm{Int}\,[f^{-1}(R_{k_n})]$. De là résulte la première partie de la formule (2). La deuxième s'en déduit en vertu des égalités: $f^{-1}(R_n) = \mathcal{X} - f^{-1}(S_n)$ et $\mathrm{Int}\,(\mathcal{X} - Z) = \mathcal{X} - \overline{Z}$, qui impliquent que $\mathrm{Int}\,[f^{-1}(R_n)] = \mathcal{X} - \overline{f^{-1}(S_n)}$.

Ceci établi, passons à la démonstration des théorèmes.

Théorème 1. L'ensemble des points de discontinuité d'une fonction mesurable B de I-re classe est de I-re catégorie (l'espace $\mathcal{Y}$ étant supposé séparable).

En effet, l'ensemble S_n de la formule (2) étant fermé, l'ensemble $f^{-1}(S_n)$ est par hypothèse un $\boldsymbol{G}_\delta$. Par conséquent, l'ensemble $\overline{f^{-1}(S_n)} - f^{-1}(S_n)$ est un $\boldsymbol{F}_\sigma$; comme ensemble de la forme $\overline{X} - X$ c'est un ensemble frontière (§ 8, IV), donc un ensemble de I-re catégorie (§ 10, II). Comme somme d'une série d'ensembles de I-re catégorie, l'ensemble D est encore de I-re catégorie.

Corollaire. $f(x)$ étant une fonction de I-re classe et A étant un sous-ensemble arbitraire de l'espace $\mathcal{X}$, l'ensemble des points de

[1]) Voir la Thèse de R. Baire. Les fonctions de I-re classe jouent un grand rôle dans les applications; telles sont p. ex. les fonctions semi-continues, monotones (plus généralement: à variation bornée), les fonctions dérivées. Elles seront appliquées aussi dans l'étude des espaces compacts.

discontinuité de la fonction partielle $f(x|A)$ est de I-re catégorie relativement à A.

Théorème 2. Une fonction ponctuellement discontinue sur tout ensemble fermé est mesurable B de I-re classe (l'espace $\mathcal{X}$ étant supposé séparable).

Soit, en effet, F un sous-ensemble arbitraire fermé de l'espace $\mathcal{Y}$. Il s'agit de prouver que l'ensemble $f^{-1}(F)$ est un G_δ.

Posons $\mathcal{Y} - F = F_1 + F_2 + \dots$, série d'ensembles fermés.

Nous allons appliquer au couple d'ensembles $f^{-1}(F)$ et $f^{-1}(F_n)$ (pour n fixe) le théorème § 12, III, 1°, d'après lequel, E et H étant deux ensembles tels que l'équation $X = \overline{XE} \cdot \overline{XH}$ ne possède que la racine $X = 0$, il existe un ensemble D développable, donc selon § 19, III (1) un G_δ, assujetti aux conditions $E \subset D$ et $HD = 0$.

Admettons à ce but que $X = \overline{X \cdot f^{-1}(F)} \cdot \overline{X \cdot f^{-1}(F_n)}$. Supposons, par impossible, que $X \neq 0$. L'ensemble X étant fermé, il existe par hypothèse un point de continuité p de la fonction partielle $g(x) = f(x|X)$. On a (§ 3, II, 14): $p \in X \subset \overline{X \cdot f^{-1}(F)} = \overline{g^{-1}(F)}$ et, en vertu de la continuité de la fonction $g(x)$: $g(p) \in \overline{gg^{-1}(F)}$, d'où finalement $f(p) \in F$, puisque $g(p) = f(p)$ et $\overline{gg^{-1}(F)} \subset \overline{F} = F$. D'une façon analogue, l'inclusion $X \subset \overline{X \cdot f^{-1}(F_n)}$ implique que $f(p) \in F_n$. Mais cela est impossible, car $F \cdot F_n = 0$.

Ainsi $X = 0$. Il existe donc pour chaque n un ensemble D_n qui est un G_δ tel que $f^{-1}(F) \subset D_n \subset \mathcal{X} - f^{-1}(F_n)$.

Il vient $f^{-1}(F) \subset \prod_n D_n \subset \prod_n [\mathcal{X} - f^{-1}(F_n)] = \mathcal{X} - \sum_n f^{-1}(F_n) =$
$= \mathcal{X} - f^{-1}\left(\sum_n F_n\right) = \mathcal{X} - f^{-1}(\mathcal{Y} - F) = \mathcal{X} - [\mathcal{X} - f^{-1}(F)] = f^{-1}(F)$, d'où $f^{-1}(F) = \prod_n D_n$ et, chacun des ensembles D_n étant un G_δ, l'ensemble $f^{-1}(F)$ l'est également.

Remarques. 1) La discontinuité ponctuelle de la fonction $f(x)$ sur tout ensemble fermé équivaut *à l'existence d'un point de continuité de la fonction $f(x|A)$ sur tout ensemble A fermé et non vide.* Ce n'est en effet que cette dernière condition qui intervient dans la démonstration du théorème 2.

2) Le terme *fermé* peut être remplacé dans l'énoncé du théor. 2 par *parfait.* Car chaque point isolé est un point de continuité.

Il en résulte aussitôt (§ 9, VI, 5) que si l'ensemble des points de discontinuité d'une fonction est *clairsemé* (donc, en particulier, s'il est *fini*), la fonction est de I-re classe.

3) Dans les espaces complets (cf. § 30) la thèse du corollaire du théor. 1 *équivaut* à l'hypothèse du théor. 2, de sorte que chacune d'elles *caractérise* les

fonctions de I-re classe. Cependant dans les espaces non complets la première n'est pas suffisante (si l'on admet l'hypothèse du continu: $\aleph_1 = \mathfrak{c}$) et la deuxième n'est pas nécessaire pour qu'une fonction soit de I-re classe.

En effet, il existe d'une part (voir § 36) un espace séparable E de la puissance $\aleph_1$ tel que chaque fonction définie sur E satisfait à la thèse du corollaire. Or, la famille des fonctions réelles définies sur E étant de la puissance $\mathfrak{c}^{\aleph_1}$ et la famille des fonctions mesurables B étant de la puissance $\mathfrak{c}$ (N^0 I), l'inégalité $\mathfrak{c} < \mathfrak{c}^{\aleph_1}$ (qui résulte de l'hypothèse du continu) entraîne l'existence des fonctions non mesurables B qui satisfont à la thèse du corollaire.

D'autre part, la fonction caractéristique d'un ensemble qui est un F_σ et un G_δ mais qui n'est pas développable en une série alternée d'ensembles fermés décroissants (tel est p. ex. un ensemble dense et frontière dans l'espace des nombres rationnels, cf. § 19, III, remarque 2) est une fonction de I-re classe (N^0 I) mais ne satisfait pas à l'hypothèse du théor. 2 (§ 13, VI).

4) Chaque fonction f de I-re classe est *effectivement* de I-re classe (dans le sens admis p. 109). Notamment, la démonstration du théor. 2 permet de *définir* pour chaque ensemble fermé $F \subset \mathcal{Y}$ une suite d'ensembles ouverts $G_n \subset \mathcal{X}$ de façon que $f^{-1}(F) = G_1 \cdot G_2 \cdot \ldots$ (car chaque ensemble développable D est un G_δ *effectif*, voir p. 112). Cela permet aussi, dans le cas où les valeurs de f sont réelles, de *définir* une suite de fonctions continues qui converge vers f (de sorte que f est *effectivement* une fonction représentable analytiquement de I-re classe) [1].

§ 28. Fonctions jouissant de la propriété de Baire.

I. Définition. Soit $f(x)$ une fonction qui transforme l'espace $\mathcal{X}$ en sous-ensemble de l'espace $\mathcal{Y}$. *La fonction f jouit de la propriété de Baire, lorsque, quel que soit l'ensemble fermé F (contenu dans $\mathcal{Y}$), l'ensemble $f^{-1}(F)$ jouit de la propriété de Baire.*

En tenant compte du fait que le complémentaire d'un ensemble à propriété de Baire jouit également de cette propriété, on peut remplacer dans cette définition le terme *fermé* par *ouvert.*

D'autre part, la somme et le produit d'une suite infinie d'ensembles à propriété de Baire étant des ensembles ayant aussi cette propriété (§ 11, III), on en conclut que *si f est une fonction à propriété de Baire et si X est un ensemble borelien, $f^{-1}(X)$ est un ensemble à propriété de Baire.*

Chaque ensemble borelien jouissant de la propriété de Baire, on déduit directement de la définition que *chaque fonction mesurable B jouit de la pro-*

---

[1]) en se servant par ex. du procédé décrit par M. Hausdorff, *Mengenlehre*, Chap. 9. Cf. Ch. de la Vallée Poussin, *Intégrales de Lebesgue...*, p. 107 („Problème de Baire") et ma note Fund. Math. 3 (1922), p. 100, où je donne à l'aide de la méthode générale de l'élimination des nombres transfinis une solution de ce problème sans l'emploi des nombres transfinis.

priété de Baire. C'est une des propriétés les plus importantes, communes à toutes les fonctions mesurables B, donc à toutes les fonctions représentables analytiquement (voir aussi N⁰ II).

Remarque. L'ensemble $f^{-1}(X)$ *où* X *jouit de la propriété de Baire,* peut être dépourvu de la propriété de Baire, même lorsque la fonction f est continue et X non-dense. Tel est l'exemple suivant: $\mathcal{X} = \mathcal{C}$, $\mathcal{Y} = \mathcal{I}$, f est l'identité: $f(x) = x$ et X est un ensemble situé dans $\mathcal{X}$ et dépourvu de la propriété de Baire par rapport à $\mathcal{X}$.

II. Equivalences [1]. *La condition nécessaire et suffisante pour qu'une fonction* $f(x)$ *jouisse de la propriété de Baire est l'existence d'un ensemble* P *de I-re catégorie (dans* $\mathcal{X}$*) tel que la fonction partielle* $f(x|\mathcal{X} - P)$ *soit continue* (on dit alors que la fonction $f(x)$ est continue, *en négligeant les ensembles de I-re catégorie*). L'espace $\mathcal{Y}$ est supposé séparable.

Nécessité. Il s'agit de définir un ensemble P de I-re catégorie tel que la fonction $g(x) = f(x|\mathcal{X} - P)$ soit continue, c. à d. que, H étant un ensemble ouvert arbitraire (dans $\mathcal{Y}$), l'ensemble $g^{-1}(H)$ soit ouvert relativement à $\mathcal{X} - P$.

Soit $S_1, S_2, \ldots$ la base de l'espace $\mathcal{Y}$. On a donc $H = S_{k_1} + S_{k_2} + \ldots$ Par hypothèse $f^{-1}(S_n)$ est un ensemble à propriété de Baire; il vient par définition de cette propriété (§ 11, I): $f^{-1}(S_n) = G_n - P_n + R_n$ où G_n est ouvert et P_n et R_n sont de I-re catégorie.

Posons $P = (P_1 + R_1) + (P_2 + R_2) + \ldots$ La formule $g^{-1}(H) = f^{-1}(H) - P$ (§ 3, II, 14) donne $g^{-1}(H) = \sum_n [f^{-1}(S_{k_n})] - P = \sum_n [(G_{k_n} - P_{k_n} + R_{k_n}) - P]$ et comme $P_{k_n} + R_{k_n} \subset P$, on a $(G_{k_n} - P_{k_n} + R_{k_n}) - P = G_{k_n} - P$. Donc $g^{-1}(H) = \left(\sum_n G_{k_n}\right) - P$ et, $\sum_n G_{k_n}$ étant ouvert, $g^{-1}(H)$ est ouvert dans $\mathcal{X} - P$.

Suffisance. Soit P un ensemble de I-re catégorie tel que la fonction $g(x) = f(x|\mathcal{X} - P)$ est continue. H étant un ensemble ouvert arbitraire, la continuité de $g(x)$ signifie (§ 13, IV (3)) que l'ensemble $g^{-1}(H) = f^{-1}(H) - P$ est ouvert dans $\mathcal{X} - P$, c. à d. qu'il est de la forme $G - P$ où G est ouvert (dans $\mathcal{X}$). Il vient $f^{-1}(H) = f^{-1}(H) - P + f^{-1}(H) \cdot P = G - P + f^{-1}(H) \cdot P$. Or, P, et par conséquent $f^{-1}(H) \cdot P$, étant des ensembles de I-re catégorie, la décomposition de $f^{-1}(H)$ montre que cet ensemble jouit de la propriété de Baire, c. q. f. d.

---

[1]) Voir ma note *La propriété de Baire dans les espaces métriques,* Fund. Math. 16 (1930), p. 391. Cf. O. Nikodym, *Sur la condition de Baire,* Bull. Acad. Pol. 1929, p. 595.

En rapprochant ce théorème des conclusions du N⁰ précédent, on voit que *chaque fonction mesurable B* et, à plus forte raison, *chaque fonction représentable analytiquement est continue, lorsqu'on néglige les ensembles de I-re catégorie* [1]).

Il en résulte aussi que, étant donné un ensemble arbitraire, *la propriété de Baire de cet ensemble et de sa fonction caractéristique sont équivalentes* [2]).

III. Opérations sur les fonctions jouissant de la propriété de Baire.

1. *Superposition des fonctions. Si la fonction $y = f(x)$ jouit de la propriété de Baire et la fonction $z = g(y)$ est mesurable B, la fonction $h(x) = gf(x)$ jouit de la propriété de Baire.*

Car $h^{-1}(F) = f^{-1}[g^{-1}(F)]$ et $g^{-1}(F)$ étant mesurable B, l'ensemble $f^{-1}[g^{-1}(F)]$ possède la propriété de Baire.

Remarque. Dans le cas *inverse*, où f est mesurable B, tandis que g possède la propriété de Baire, la fonction gf peut être dépourvue de cette propriété: considérons notamment l'exemple du N⁰ I et soit $g(y)$ la fonction caractéristique de X (regardé comme un sous-ensemble de l'espace $\mathcal{Y}$).

2. *La limite d'une suite convergente de fonctions à propriété de Baire jouit encore de cette propriété.*

C'est une conséquence directe de la formule § 27, VIII (ii):

$$f^{-1}(F) = \prod_n \sum_k \left[f^{-1}_{n+k}(S_n) \right],$$

où S_n désigne la sphère de rayon $1/n$ ayant pour centre l'ensemble fermé F. En effet, $f^{-1}_{n+k}(S_n)$ ayant la propriété de Baire, il en est de même de chaque ensemble qui s'en obtient par des additions et des multiplications dénombrables.

Remarque. On pourrait aussi démontrer directement que la limite d'une suite de fonctions „continues en négligeant les ensembles de I-re catégorie" est une fonction du même genre. Soit notamment P_n un ensemble de I-re catégorie tel que la fonction partielle $f_n(x|\mathcal{X} - P_n)$ est continue. Posons $P = P_1 + P_2 + \ldots$ Donc $f_n(x|\mathcal{X} - P)$ est continue, quel que soit n; f étant la limite de f_n, on en conclut que $f(x|\mathcal{X} - P)$ est de I-re classe (sur $\mathcal{X} - P$). Or, les points de discontinuité d'une fonction de I-re classe formant un ensemble de I-re catégorie (§ 27, X, coroll.), l'ensemble R des points de discontinuité de la fonction $f(x|\mathcal{X} - P)$ est de I-re catégorie dans $\mathcal{X} - P$, donc dans l'espace $\mathcal{X}$ tout entier. Ainsi, la fonction $f(x|\mathcal{X} - P - R)$ est continue et l'ensemble $P + R$ est de I-re catégorie.

---

[1]) Cet énoncé provient de R. Baire, C. R. Paris, t. 129 (1899), p. 1010. Cf. ma note *Sur les fonctions représentables analytiquement et les ensembles de première catégorie*, Fund. Math. 5 (1924), p. 82.

[2]) Cet énoncé est dû à M. Lusin.

3. *Fonctions de plusieurs variables.* Si la fonction $f(x)$ jouit de la propriété de Baire et si l'on pose $g(x,y) = f(x)$, la fonction $g(x,y)$ jouit de la propriété de Baire relativement au produit $\mathcal{X}\times\mathcal{Y}$. Car $g^{-1}(G) = f^{-1}(G)\times\mathcal{Y}$ et la propriété de Baire est invariante par rapport à la multiplication par un axe (§ 23, VII).

En tenant compte de cette invariance, on déduit de la formule (ii) du § 27, V que si la fonction $f(x,y)$ est continue relativement à la variable x et jouit de la propriété de Baire relativement à la variable y, elle jouit de cette propriété relativement à la variable (x,y). L'espace $\mathcal{X}$ est supposé séparable.

4. Le cas des *fonctions complexes* peut être traité d'une façon tout-à-fait analogue à celle du § 27, VI. On parvient à la conclusion que $f(t)$ étant une fonction dont les valeurs appartiennent à un produit (fini ou infini) $\mathcal{X}_1\times\mathcal{X}_2\times\ldots$ d'espaces séparables, la condition nécessaire et suffisante pour que cette fonction jouisse de la propriété de Baire est que chacune des coordonnées du point $f(t)$ en jouisse.

5. *Fonctions composées.* En combinant les énoncés 1, 3 et 4, on en conclut que, si chacune des fonctions $y_i = f_i(x_i)$ jouit de la propriété de Baire et la fonction $z = g(y_1, y_2, \ldots)$ est mesurable B, la fonction composée $z = g[f_1(x_1), f_2(x_2), \ldots]$ en jouit également. Les espaces $\mathcal{Y}_i$ sont supposés séparables.

6. *Image de l'équation $y = f(x)$.* Reprenons l'idée du raisonnement du § 27, VII. La distance étant une fonction continue, la fonction $f(x)$ étant supposée pourvue de la propriété de Baire et $\mathcal{Y}$ étant séparable, $|y - f(x)|$ est d'après 5 une fonction à propriété de Baire de deux variables. Donc *l'ensemble* $I = \underset{xy}{E}\,[|y - f(x)| = 0]$ *jouit de la propriété de Baire.*

Remarques. 1. Le théorème inverse n'est pas vrai: l'image de l'équation $y = f(x)$ peut jouir de la propriété de Baire, sans que la fonction $f(x)$ en jouisse. Nous reviendrons sur cette question au § 36, IV.

2. D'après p. 143, XI si $\mathcal{X}$ et $\mathcal{Y}$ ne sont de I-re catégorie en aucun point (p. ex. s'ils sont complets), *l'ensemble I est de I-re catégorie.*

IV. Fonctions à propriété de Baire au sens restreint. On appelle ainsi une fonction $f(x)$, lorsque, quel que soit l'ensemble fermé F, *l'ensemble $f^{-1}(F)$ jouit de la propriété de Baire au sens restreint.*

Cela revient à dire que, *quel que soit l'ensemble E, la fonction partielle $f(x|E)$ jouit de la propriété de Baire relativement à E,* ou encore (en raison du théor. du N° II) que *cette fonction partielle est continue, lorsqu'on néglige les ensembles de I-re catégorie relativement à E.* L'espace $\mathcal{Y}$ est supposé séparable.

En effet, la condition considérée est nécessaire, car en posant $g(x) = f(x|E)$, il vient (§ 3, II, 14): $g^{-1}(F) = E\cdot f^{-1}(F)$ et, comme par hypothèse l'ensemble $f^{-1}(F)$ jouit de la propriété de Baire au sens restreint, l'ensemble $g^{-1}(F)$ jouit de la propriété de Baire relativement à E; cela veut dire que la fonction $g(x)$ jouit de la propriété de Baire (relativement à E). Inversement, si l'on suppose que, quel que soit E, l'ensemble $g^{-1}(F)$ jouit de la propriété de Baire relativement à E, l'ensemble $f^{-1}(F)$ possède la propriété de Baire au sens restreint; donc, l'ensemble fermé F étant arbitraire, $f(x)$ la possède également.

Le domaine de variabilité de l'ensemble E peut être réduit, bien entendu, aux ensembles *parfaits* ou aux ensembles *fermés* (cf. § 11, VI).

Chaque ensemble borelien jouissant de la propriété de Baire au sens restreint (§ 11, VI), *chaque fonction mesurable B en jouit également.* Cependant il existe des fonctions à propriété de Baire au sens restreint qui ne sont pas mesurables B (voir § 35).

Les énoncés 1, 2 et 4 du N^0 III se laissent démontrer d'une façon tout à fait analogue pour la propriété de Baire au sens restreint [1]). En outre, la propriété de Baire au sens restreint d'un ensemble et de sa *fonction caractéristique* sont équivalentes.

V. Rapports à la mesure (lebesguienne) [2]). *$f(x)$ étant une fonction à valeurs réelles, définie sur un espace séparable $\mathcal{X}$ et jouissant de la propriété de Baire, il existe un ensemble Z tel que $\mathcal{X}-Z$ est de I-re catégorie et que $f(Z)$ est de mesure nulle: $mf(Z)=0$.*

Considérons d'abord le cas où f est une fonction continue.

Soit $R=r_1, r_2, \ldots$ un ensemble dénombrable dense dans $\mathcal{X}$; f étant continue, il existe, pour chaque k et n, une sphère $S_{k,n}$ telle que $r_k \varepsilon S_{k,n}$ et $\delta[f(S_{k,n})] < \frac{1}{2^k n}$, d'où $m_e f(S_{k,n}) < \frac{1}{2^k n}$ (m_e désignant la mesure extérieure).

Posons $Z=\prod_{n=1}^{\infty}\sum_{k=1}^{\infty} S_{k,n}$. On a donc $Z\subset\sum_{k=1}^{\infty} S_{k,n}$ pour chaque n, d'où $f(Z)\subset\sum_{k=1}^{\infty} f(S_{k,n})$ et par suite $m_e f(Z)\leqslant\sum_{k=1}^{\infty} m_e f(S_{k,n})\leqslant\frac{1}{n}$, d'où $mf(Z)=0$.

D'autre part $\mathcal{X}-Z=\sum_{n=1}^{\infty}\left\{\mathcal{X}-\sum_{k=1}^{\infty} S_{k,n}\right\}$ et $R\subset\sum_{k=1}^{\infty} S_{k,n}$, ce qui prouve que pour n fixe $\sum_{k=1}^{\infty} S_{k,n}$ est un ensemble dense et ouvert. $\mathcal{X}-\sum_{k=1}^{\infty} S_{k,n}$ est donc non-dense et $\mathcal{X}-Z$ est par conséquent de I-re catégorie.

Le cas où f est une fonction jouissant de la propriété de Baire se réduit au précédent. Car d'après le th. du N^0 II on a $\mathcal{X}=P+(\mathcal{X}-P)$, la fonction étant continue sur $\mathcal{X}-P$ et P étant de I-re catégorie. Or, comme nous venons de montrer, il existe un Z tel que $mf(Z)=0$ et que $\mathcal{X}-P-Z$ est de I-re catégorie. L'ensemble $\mathcal{X}-Z\subset(\mathcal{X}-P-Z)+P$ est donc de I-re catégorie.

---

[1]) Quant aux énoncés 3, 5 et 6, leurs démonstrations ne pourraient être appliquées à la propriété de Baire au sens restreint, qu'en s'appuyant sur l'invariance de cette propriété par rapport à la multiplication par un axe, invariance qui n'est pas jusqu'à présent établie (cf. § 23, VII).

[2]) Cf. W. Sierpiński, Fund. Math. 11 (1928), p. 302. On trouvera une application de ce théorème au Chap. III, § 36.

TROISIÈME CHAPITRE.

Espaces complets.

§ 29. Définitions. Généralités.

1. Définitions. Une suite de points $p_1, p_2, \dots, p_n, \dots$ (situés dans un espace métrique) *satisfait à la condition de Cauchy*, lorsqu'à chaque $\varepsilon > 0$ correspond un n tel qu'on a $|p_n - p_k| < \varepsilon$ pour tout $k > n$; autrement dit, lorsque $\lim_{n=\infty} \delta(E_n) = 0$, où E_n désigne l'ensemble $(p_n, p_{n+1}, \dots)$.

Un espace métrique est dit *complet* [1]), lorsque chaque suite satisfaisant à la condition de Cauchy y est convergente (c. à d. qu'il existe dans cet espace un point p tel que $p = \lim_{n=\infty} p_n$).

Remarque. La notion d'espace complet n'est pas une notion topologique: l'intervalle ouvert $0 < x < 1$ n'est pas un espace complet, tandis que l'ensemble de tous les nombres réels — qui lui est homéomorphe — est complet (en vertu du théorème classique sur l'équivalence de la condition de Cauchy à la convergence d'une suite de nombres réels).

Nous distinguons entre la notion d'espace complet *au sens métrique* (qui vient d'être définie) et celle d'espace complet *au sens topologique:* à savoir, d'espace homéomorphe à un espace complet au sens métrique [2]).

---

[1]) Notion due à M. Fréchet (Thèse). Cf. F. Hausdorff, *Grundzüge*, p. 315. Il est à remarquer que les espaces métriques satisfaisant à l'ax. I de M. R. L. Moore (*Foundations ...*, p. 464) sont complets, voir J. H. Roberts, Bull. Amer. Math. Soc. 38 (1932), p. 835. Cf. aussi W. Sierpiński, Fund. Math. 6 (1924), p. 106.

[2]) C'est dans ce dernier sens que M. Fréchet emploie le terme espace complet.

II. Convergence et condition de Cauchy. *Chaque suite convergente satisfait à la condition de Cauchy.*

Car, si l'on admet que $p = \lim_{n=\infty} p_n$, à chaque $\epsilon > 0$ correspond un n tel que l'on a $|p_k - p| < \epsilon/2$ pour $k \geqslant n$; donc $|p_n - p_k| < \epsilon$.

Le théorème inverse n'est pas vrai dans les espaces non complets. Cependant: *si une suite satisfaisant à la condition de Cauchy contient une sous-suite convergente, la suite totale est convergente* (et converge vers la limite de la sous-suite en question).

Soit, en effet, $p = \lim_{j=\infty} p_{i_j}$. Le sens de ϵ et n étant le même que dans la définition de la condition de Cauchy, soit m un indice $> n$ et tel que $|p_{i_m} - p| < \epsilon$. Comme $i_m \geqslant m > n$, il vient $|p_{i_m} - p_k| < 2\epsilon$ pour $k > n$. On a donc $|p_k - p| < 3\epsilon$, d'où $\lim_{k=\infty} p_k = p$.

Un espace dont chaque suite contient une sous-suite convergente est nommé *compact* [1]). Ainsi chaque espace métrique compact est complet.

III. Produit cartésien. *Le produit cartésien $\mathcal{X} \times \mathcal{Y}$ de deux espaces complets est complet, lorsqu'il est métrisé par la formule* $|\mathfrak{z} - \mathfrak{z}_1| = \sqrt{|x - x_1|^2 + |y - y_1|^2}$, *où* $\mathfrak{z} = (x, y)$ *et* $\mathfrak{z}_1 = (x_1, y_1)$ (cf. p. 88).

En effet, si la suite des points $\mathfrak{z}_1, \mathfrak{z}_2, \dots$ satisfait à la condition de Cauchy, les suites des abscisses $x_1, x_2, \dots$ et des ordonnées $y_1, y_2, \dots$ lui satisfont également, car $|x_n - x_k| \leqslant |\mathfrak{z}_n - \mathfrak{z}_k|$ et $|y_n - y_k| \leqslant |\mathfrak{z}_n - \mathfrak{z}_k|$. Les espaces $\mathcal{X}$ et $\mathcal{Y}$ étant complets, ils contiennent respectivement des points x et y tels que $x = \lim_{n=\infty} x_n$ et $y = \lim_{n=\infty} y_n$, d'où $(x, y) = \lim_{n=\infty} \mathfrak{z}_n$.

Le théorème précédent, valable pour chaque nombre fini d'espaces, s'étend sur les produits dénombrables. Notamment, *le produit $\mathcal{X}_1 \times \mathcal{X}_2 \times \dots$ d'une suite d'espaces complets est un espace complet, lorsqu'il est métrisé par la formule*

$$|\mathfrak{z} - \mathfrak{y}| = \sum_{i=1}^{\infty} 2^{-i} \frac{|\mathfrak{z}^i - \mathfrak{y}^i|}{1 + |\mathfrak{z}^i - \mathfrak{y}^i|},$$

où $\mathfrak{z}$ désigne la suite $\mathfrak{z}^1, \mathfrak{z}^2, \dots$ et $\mathfrak{y}$ la suite $\mathfrak{y}^1, \mathfrak{y}^2, \dots$ (voir p. 88, renvoi [2])).

---

[1]) A l'étude des espaces compacts sera consacré le Chapitre IV.

Supposons, en effet, que la suite $\mathfrak{z}_1, \mathfrak{z}_2, \ldots$ satisfait à la condition de Cauchy. Soit i un indice arbitraire fixe. A chaque $\varepsilon > 0$ (tel que $1 - 2^i \varepsilon > 0$) correspond un n tel que l'on a $|\mathfrak{z}_n - \mathfrak{z}_k| < \varepsilon$, quel que soit $k > n$. Il vient

$$\frac{|\mathfrak{z}_n^i - \mathfrak{z}_k^i|}{1 + |\mathfrak{z}_n^i - \mathfrak{z}_k^i|} < 2^i \varepsilon, \quad \text{d'où} \quad |\mathfrak{z}_n^i - \mathfrak{z}_k^i| < \frac{2^i \varepsilon}{1 - 2^i \varepsilon} = \frac{1}{\dfrac{1}{2^i \varepsilon} - 1}.$$

Ce dernier nombre tendant vers 0 avec ε, on en conclut que la suite $\mathfrak{z}_1^i, \mathfrak{z}_2^i, \ldots, \mathfrak{z}_n^i, \ldots$ satisfait à la condition de Cauchy. L'espace $\mathcal{X}_i$ étant complet, il existe donc un $\mathfrak{z}^i = \lim\limits_{n=\infty} \mathfrak{z}_n^i$, d'où $\mathfrak{z} = \lim\limits_{n=\infty} \mathfrak{z}_n$.

En particulier, *l'espace euclidien* $\mathcal{E}^n$, *l'espace* $\mathcal{E}^{\aleph_0}$ *des suites de nombres réels, le cube n-dimensionnel* $\mathcal{I}^n$, *le cube fondamental* $\mathcal{I}^{\aleph_0}$ *de Hilbert, l'espace* $\mathcal{N}$ *des nombres irrationnels* (comme la puissance $\aleph_0$ de l'ensemble des nombres naturels) *sont topologiquement complets* (c. à d. homéomorphes à des espaces complets).

IV. Espace $2^{\mathcal{X}}$. *Si* $\mathcal{X}$ *est complet, l'espace* $2^{\mathcal{X}}$ *l'est également* [1]. De plus, *toute suite* $\{A_n\}$ *extraite de l'espace* $2^{\mathcal{X}}$ *et satisfaisant à la condition de Cauchy converge vers l'ensemble (non vide)* $\operatorname{Lim}\limits_{n=\infty} A_n$ (au sens établi p. 155), *qui est aussi un élément de cet espace.*

Soit, en effet, $A_1, A_2, \ldots$ une suite d'ensembles-éléments de $2^{\mathcal{X}}$ satisfaisant à la condition de Cauchy. Autrement dit: à chaque $\varepsilon > 0$ correspond un $n(\varepsilon)$ tel que

$$(1) \qquad n > n(\varepsilon) \quad \text{entraîne} \quad \operatorname{dist}(A_n, A_{n(\varepsilon)}) < \varepsilon.$$

Posons $L = \operatorname{Ls} A_n$. Nous allons montrer que $\lim\limits_{n=\infty} \operatorname{dist}(L, A_n) = 0$.

Il suffit de prouver que $\operatorname{dist}(L, A_{n(\varepsilon)}) \leqslant 2\varepsilon$, car on en conclura en vertu de (1) que $\operatorname{dist}(L, A_n) \leqslant 3\varepsilon$ pour $n > n(\varepsilon)$.

Ainsi tout revient à montrer que

1⁰ quel que soit $p \in L$, on a $\rho(p, A_{n(\varepsilon)}) \leqslant 2\varepsilon$,

2⁰ quel que soit $q \in A_{n(\varepsilon)}$, on a $\rho(q, L) \leqslant 2\varepsilon$.

Or, R désignant la sphère (généralisée) fermée de centre $A_{n(\varepsilon)}$ et de rayon ε, on a, selon (1), $A_n \subset R$, pour $n > n(\varepsilon)$ (§ 15, VII (2)).

---

[1]) Théorème de M. Hahn, *Reelle Funktionen*, p. 124, Leipzig 1932.

Comme limite supérieure de la suite $\{A_n\}$, l'ensemble L satisfait à l'inclusion $L \subset \overline{A_n + A_{n+1} + \ldots}$ (cf. § 25, IV, 8), d'où $L \subset R$, ce qui prouve la proposition 1°.

Pour démontrer 2° posons $n(\epsilon/2^k) = n_k$ (on peut admettre que $n_k > n_{k-1}$) et envisageons la suite $q_{n_0}, q_{n_1}, \ldots, q_{n_k}, \ldots$ définie par induction comme il suit: on choisit dans A_{n_k} un point q_{n_k} de façon que $q_{n_0} = q$ et $|q_{n_k} - q_{n_{k-1}}| < \epsilon/2^{k-1}$, ce qui est toujours possible en raison de (1).

La suite $q_{n_0}, q_{n_1}, \ldots$ satisfait à la condition de Cauchy, car on a $|q_{n_m} - q_{n_k}| < \epsilon/2^{k-1}$ pour $m > k$. L'espace étant complet, la suite converge donc vers un point l de cet espace. Par définition de la limite supérieure, l appartient à L. Comme, en outre, $|q_{n_k} - q_{n_0}| < 2\epsilon$ quel que soit k, il vient $|q - l| \leqslant 2\epsilon$, d'où la proposition 2°.

Enfin, d'après le théorème p. 158, la limite d'une suite d'ensembles $\{A_n\}$, convergente dans l'espace $2^{\mathcal{X}}$, coïncide avec l'ensemble $\underset{n=\infty}{\mathrm{Lim}}\, A_n$, de sorte que $L = \underset{n=\infty}{\mathrm{Lim}}\, A_n$.

V. Espace fonctionnel. Espace $\mathcal{Y}^{\mathcal{X}}$. Nous avons vu au § 15, VIII que la famille des fonctions bornées $y = f(x)$ qui transforment l'espace $\mathcal{X}$ en sous-ensemble de l'espace $\mathcal{Y}$ peut être conçue comme un espace métrique, lorsqu'on adopte la définition suivante de la distance:

$$(^0) \qquad |f_1 - f_2| = \max_{x \in \mathcal{X}} |f_1(x) - f_2(x)|.$$

Si $\mathcal{Y}$ est complet, l'espace fonctionnel considéré l'est également.

Supposons, en effet, que l'on ait $|f_n - f_k| < \epsilon$ pour $k > n$. Par conséquent, pour x fixe, on a $|f_n(x) - f_k(x)| < \epsilon$ et la suite $f_1(x), f_2(x), \ldots$ satisfait à la condition de Cauchy. Posons donc $f(x) = \lim_{n=\infty} f_n(x)$. La suite $f_n(x)$ étant uniformément convergente, les fonctions f_n convergent vers f au sens de la distance (^{0}).

Il en résulte que *l'espace des fonctions bornées continues*, espace que nous désignons[1] par $\mathcal{Y}^{\mathcal{X}}$, *est complet*. Car la limite d'une suite uniformément convergente de fonctions continues est continue.

---

[1]) par analogie à la puissance n^{m} dans le théorie des nombres cardinaux.

Il en est de même de l'espace des fonctions de classe α (cf. § 27, VIII), de celui des fonctions mesurables B, de l'espace des fonctions à propriété de Baire (cf. § 28, III).

VI. Ensembles G_δ dans les espaces complets.

Il résulte directement de la définition de l'espace complet que *tout sous-ensemble fermé d'un espace complet constitue lui-même un espace complet* (avec la même notion de distance).

D'après le corollaire p. 151, tout sous-ensemble G_δ d'un espace métrique $\mathcal{X}$ est homéomorphe à un ensemble fermé situé dans le produit cartésien $\mathcal{X} \times \mathcal{E}^{\aleph_0}$ où $\mathcal{E}^{\aleph_0}$ désigne l'espace des suites infinies de nombres réels. Or, si l'on suppose que $\mathcal{X}$ est un espace complet, l'espace $\mathcal{X} \times \mathcal{E}^{\aleph_0}$, comme produit de deux espaces complets, l'est également, ainsi que chacun de ses sous-ensembles fermés. On arrive ainsi au suivant

Théorème[1]). *Chaque sous-ensemble G_δ d'un espace complet est homéomorphe à un espace complet, c. à d. est complet au sens topologique.*

Le procédé qui nous a servi à démontrer le corollaire cité de p. 151 permet de définir directement une „nouvelle distance" dans un ensemble G_δ, de façon que cet ensemble devienne un espace complet. Notamment, étant donné un ensemble $Q = G_1 \cdot G_2 \cdot \ldots$ où G_i est ouvert, posons $f_i(x) = \dfrac{1}{\rho(x, \mathcal{X} - G_i)}$.
La nouvelle distance entre deux points x et y de Q est alors égale à

$$|x-y| + \sum_{i=1}^{\infty} 2^{-i} \frac{|f_i(x) - f_i(y)|}{1 + |f_i(x) - f_i(y)|}.$$

VII. Prolongement d'un espace métrique en espace complet.

Chaque espace métrique est isométrique à un sous-ensemble d'un espace complet[2]).

Notamment, les suites $\mathfrak{z} = [\mathfrak{z}^1, \mathfrak{z}^2, \ldots, \mathfrak{z}^i, \ldots]$ extraites de l'espace donné $\mathcal{X}$ et satisfaisant à la condition de Cauchy sont les points

---

[1]) Théorème de M. Alexandroff, *Sur les ensembles de la première classe et les espaces abstraits*, C. R. Paris, t. 178 (1924), p. 185. Une simple démonstration a été donnée par M. Hausdorff, *Die Mengen G_δ in vollständigen Räumen*, Fund. Math. 6 (1924), p. 146. Pour le théorème inverse, voir § 31, II.

[2]) Théorème de M. Hausdorff, *Grundzüge*, p. 315. La démonstration de M. Hausdorff présente une généralisation du procédé bien connu de Cantor-Méray de la définition des nombres irrationnels.

de l'espace complet $\widetilde{\mathcal{X}}$; la distance entre deux suites $\mathfrak{z}$ et $\mathfrak{y}$ est définie dans l'espace $\widetilde{\mathcal{X}}$ par la formule

$$(0) \qquad |\mathfrak{z}-\mathfrak{y}| = \lim_{i=\infty} |\mathfrak{z}^i - \mathfrak{y}^i|,$$

deux suites à distance 0 étant identifiées (cf. p. 83, remarque).

L'espace $\widetilde{\mathcal{X}}$ ainsi défini est métrique. Car, d'une part, l'inégalité $|\mathfrak{z}^i-\mathfrak{y}^i| \leqslant |\mathfrak{z}^i-\mathfrak{z}^j|+|\mathfrak{z}^j-\mathfrak{y}^j|+|\mathfrak{y}^j-\mathfrak{y}^i|$ donne $|\mathfrak{z}^i-\mathfrak{y}^i|-|\mathfrak{z}^j-\mathfrak{y}^j| \leqslant$ $\leqslant |\mathfrak{z}^i-\mathfrak{z}^j|+|\mathfrak{y}^j-\mathfrak{y}^i|$ et par conséquent, si les suites $\mathfrak{z}$ et $\mathfrak{y}$ satisfont à la condition de Cauchy, il en est de même de la suite (numérique) $|\mathfrak{z}^1-\mathfrak{y}^1|$, $|\mathfrak{z}^2-\mathfrak{y}^2|$, ... L'existence de la limite $\lim_{i=\infty}|\mathfrak{z}^i-\mathfrak{y}^i|$ en résulte. Ainsi la distance se trouve définie pour chaque couple d'éléments de $\widetilde{\mathcal{X}}$.

D'autre part, la loi du triangle est vérifiée, car l'inégalité $|\mathfrak{z}^i-\mathfrak{y}^i|+|\mathfrak{z}^i-\mathfrak{w}^i| \geqslant |\mathfrak{y}^i-\mathfrak{w}^i|$ donne par le passage à limite la formule $|\mathfrak{z}-\mathfrak{y}|+|\mathfrak{z}-\mathfrak{w}| \geqslant |\mathfrak{y}-\mathfrak{w}|$.

Dans le cas où pour chaque i on a $\mathfrak{z}^i = x$ et $\mathfrak{y}^i = y$, il vient évidemment $|x-y| = |\mathfrak{z}-\mathfrak{y}|$. L'espace $\mathcal{X}$ est donc isométrique au sous-ensemble de $\widetilde{\mathcal{X}}$ composé de suites à éléments identiques.

Reste à prouver que l'espace $\widetilde{\mathcal{X}}$ est complet.

Soit $\mathfrak{z}_1, \mathfrak{z}_2, \dots, \mathfrak{z}_n, \dots$ une suite extraite de $\widetilde{\mathcal{X}}$. Il existe donc une suite d'entiers positifs $m_1, m_2, \dots, m_n, \dots$ telle que

$$(1) \qquad |\mathfrak{z}_n^{m_n} - \mathfrak{z}_n^i| < \frac{1}{n} \quad \text{pour } i > m_n.$$

Supposons que la suite $\mathfrak{z}_1, \mathfrak{z}_2, \dots$ satisfait à la condition de Cauchy. Nous allons prouver qu'il en est de même de la suite $\mathfrak{z} = [\mathfrak{z}_1^{m_1}, \mathfrak{z}_2^{m_2}, \dots]$, donc que $\mathfrak{z} \,\varepsilon\, \widetilde{\mathcal{X}}$, et qu'en outre $\mathfrak{z} = \lim_{n=\infty} \mathfrak{z}_n$.

Soit $\epsilon > 0$. La suite $\mathfrak{z}_1, \mathfrak{z}_2, \dots$ satisfaisant à la condition de Cauchy, il existe un indice $q = q(\epsilon) > 1/\epsilon$ tel que $|\mathfrak{z}_q - \mathfrak{z}_{q+k}| < \epsilon$, quel que soit k. Il existe donc selon (0) une suite d'entiers j_k telle que

$$(2) \qquad |\mathfrak{z}_q^i - \mathfrak{z}_{q+k}^i| < \epsilon \quad \text{pour } i > j_k.$$

L'inégalité $|\mathfrak{z}_q^{m_q} - \mathfrak{z}_{q+k}^{m_{q+k}}| \leqslant |\mathfrak{z}_q^{m_q} - \mathfrak{z}_q^i| + |\mathfrak{z}_q^i - \mathfrak{z}_{q+k}^i| + |\mathfrak{z}_{q+k}^i - \mathfrak{z}_{q+k}^{m_{q+k}}|$ implique d'après (1) et (2) pour i supérieur à m_q, j_k et m_{q+k} que

$$(3) \qquad |\mathfrak{z}_q^{m_q} - \mathfrak{z}_{q+k}^{m_{q+k}}| < \frac{1}{q} + \epsilon + \frac{1}{q+k} < 3\epsilon,$$

ce qui prouve que la suite $\mathfrak{z}$ satisfait à la condition de Cauchy.

L'inégalité $|\mathfrak{z}_n^i - \mathfrak{z}_i^{m_i}| \leqslant |\mathfrak{z}_n^i - \mathfrak{z}_n^{m_n}| + |\mathfrak{z}_n^{m_n} - \mathfrak{z}_i^{m_i}|$ entraîne en vertu de (1) et (3) pour $i > m_n$, $n > q$ et $i > q$:

$$(4) \qquad |\mathfrak{z}_n^i - \mathfrak{z}_i^{m_i}| < \frac{1}{n} + 6\epsilon < 7\epsilon.$$

On voit ainsi qu'à chaque $\epsilon > 0$ correspond un indice q tel que pour $n > q$ on a l'inégalité (4), pourvu que i soit suffisamment grand. En faisant croître i à l'infini, il vient en raison de (0) $|\mathfrak{z}_n - \mathfrak{z}| \leqslant 7\epsilon$, d'où $\lim\limits_{n=\infty} \mathfrak{z}_n = \mathfrak{z}$.

Remarque. Si l'on identifie les points x de l'espace $\mathcal{X}$ avec les suites $[x, x, x, ...]$, *l'espace* $\mathcal{X}$, considéré comme sous-ensemble de $\widetilde{\mathcal{X}}$, *est dense dans* $\widetilde{\mathcal{X}}$. En effet, étant donnée une suite $\mathfrak{z} = [\mathfrak{z}^1, \mathfrak{z}^2, ...]$ appartenant a $\widetilde{\mathcal{X}}$, on a $\mathfrak{z} = \lim\limits_{n=\infty} \mathfrak{z}_n$, où $\mathfrak{z}_n = [\mathfrak{z}^n, \mathfrak{z}^n, \mathfrak{z}^n, ...]$. Car d'après (0) $|\mathfrak{z}_n - \mathfrak{z}| = \lim\limits_{i=\infty} |\mathfrak{z}^n - \mathfrak{z}^{n+i}|$ et, la suite $\mathfrak{z}$ satisfaisant à la condition de Cauchy, il vient $\lim\limits_{n=\infty} |\mathfrak{z}_n - \mathfrak{z}| = 0$.

En particulier, *si* $\mathcal{X}$ *est séparable*, $\widetilde{\mathcal{X}}$ *l'est également.*

A. Espaces complets arbitraires (§§ 30—31).

§ 30. Suites d'ensembles. Théorème de Baire.

L'espace considéré dans ce § est supposé complet (séparable ou non).

I. Coefficient $\alpha(A)$. Nous désignons par $\alpha(A)$ la borne inférieure des nombres ϵ pour lesquels l'ensemble A se laisse décomposer en un nombre fini d'ensembles de diamètre $< \epsilon$. L'égalité $\alpha(A) = 0$ signifie ainsi que A est totalement borné (p. 91).

Théorème[1]). *Toute suite* $A_1 \supset A_2 \supset ...$ *de sous-ensembles fermés non vides de l'espace* $\mathcal{X}$ *et tels que* $\lim\limits_{n=\infty} \alpha(A_n) = 0$ *converge dans l'espace* $2^{\mathcal{X}}$ *vers l'ensemble non vide* $A_1 \cdot A_2 \cdot ...$

---

[1]) Voir ma note *Sur les espaces complets,* Fund. Math. 15 (1930), p. 303. D'après un théorème du Chapitre IV, l'ensemble $A_1 \cdot A_2 \cdot ...$ est *compact.*

Supposons d'abord que la suite $\{A_n\}$ ne satisfasse pas à la condition de Cauchy. Il existe alors un $\epsilon > 0$ et une suite d'entiers croissants $\{k_n\}$ tels que $\text{dist}(A_n, A_{k_n}) > \epsilon$. On en conclut qu'il existe une suite de points $\{p_n\}$ telle que $p_n \in A_n$ et $\rho(p_n, A_{k_n}) > \epsilon$, car l'inclusion $A_n \supset A_{k_n}$ entraîne $\rho(A_n, x) = 0$ pour chaque $x \in A_{k_n}$.

Soit m un entier tel que $\alpha(A_m) < \epsilon$. Posons

$$A_m = Z_1 + \dots + Z_l \quad \text{et} \quad \delta(Z_i) < \epsilon.$$

Les points $p_m, p_{m+1}, p_{m+2}, \dots$ appartenant à A_m, il existe parmi les ensembles $Z_1, \dots, Z_l$ un (on peut admettre que ce soit Z_1) qui en contient une sous-suite infinie $p_{i_1}, p_{i_2}, \dots$ Soit j un indice tel que $i_j > k_{i_1}$. Donc $A_{k_{i_1}} \supset A_{i_j}$ et $p_{i_j} \in A_{k_{i_1}}$. Les formules $p_{i_1} \in Z_1$, $p_{i_j} \in Z_1$ et $\delta(Z_1) < \epsilon$ entraînent $|p_{i_1} - p_{i_j}| < \epsilon$, d'où $\rho(p_{i_1}, A_{k_{i_1}}) < \epsilon$, contrairement à la définition de la suite $\{p_n\}$.

Cette contradiction montre que la suite $\{A_n\}$ satisfait à la condition de Cauchy, donc (selon § 29, IV) qu'elle converge vers l'ensemble $\text{Lim}\, A_n$, qui coïncide avec le produit $A_1 \cdot A_2 \cdot \dots$, puisque la suite est décroissante (§ 25, VI, 8).

Corollaire. Etant donnée une famille (dénombrable ou non) d'ensembles fermés $\{F_\iota\}$ tels que 1° le produit de chaque système fini d'ensembles F_ι est non vide et 2° il existe des ensembles F_ι avec $\alpha(F_\iota)$ aussi petit que l'on veut, — le produit de t o u s les ensembles F_ι est non vide.

Soit $\varkappa_n$ un indice tel que $\alpha(F_{\varkappa_n}) < 1/n$. Posons $P = F_{\varkappa_1} \cdot F_{\varkappa_2} \cdot \dots$ Il vient $\alpha(P) = 0$, c. à. d. que P est totalement borné, donc séparable (p. 91). D'après le théorème de M. L i n d e l ö f (p. 102) appliqué à l'ensemble P, considéré comme l'espace, il existe une suite d'indices $\iota_1, \iota_2, \dots$ telle que $\sum_{n=1}^{\infty} P - F_{\iota_n} = \sum_{\iota} P - F_\iota$, donc que $\prod_{n=1}^{\infty} PF_{\iota_n} = \prod_{\iota} PF_\iota = \prod_{\iota} F_\iota$. Posons $A_n = F_{\varkappa_1} \cdot \dots \cdot F_{\varkappa_n} \cdot F_{\iota_1} \cdot \dots \cdot F_{\iota_n}$. Il résulte du théorème précédent que $\prod_{n=1}^{\infty} PF_{\iota_n} = \prod_{n=1}^{\infty} A_n \neq 0$, d'où $\prod_{\iota} F_\iota \neq 0$.

II. Théorème de Cantor[1]. *Pour toute suite* $A_1 \supset A_2 \supset \ldots$ *d'ensembles fermés, non vides et tels que* $\lim_{n=\infty} \delta(A_n) = 0$, *l'ensemble* $A_1 \cdot A_2 \cdot \ldots$ *se compose d'un seul point.*

C'est une conséquence immédiate du théorème N⁰ I et de l'inégalité $\alpha(A_n) \leqslant \delta(A_n)$.

Le théorème de Cantor peut être démontré plus directement. Notamment, en extrayant un point p_n de chaque A_n, on définit une suite satisfaisant à la condition de Cauchy. La limite de cette suite étant un point de chaque A_n (puisque A_n est fermé), elle appartient à $A_1 \cdot A_2 \cdot \ldots$

Il est à remarquer que ce théorème *caractérise* les espaces complets (parmi les espaces métriques). Considérons, en effet, une suite $p_1, p_2, \ldots$ satisfaisant à la condition de Cauchy; en posant $E_n = (p_n, p_{n+1}, \ldots)$, il vient $\lim_{n=\infty} \delta(E_n) = 0$. D'après le théorème de Cantor, il existe un point $p \varepsilon \overline{E}_1 \cdot \overline{E}_2 \cdot \ldots$, d'où $|p - p_n| \leqslant \delta(\overline{E}_n) = \delta(E_n)$, donc $p = \lim_{n=\infty} p_n$.

III. Application aux fonctions continues. *Soit $f(x)$ une fonction continue définie sur l'espace $\mathcal{X}$ et soit $F_1 \supset F_2 \supset \ldots$ une suite d'ensembles fermés, non vides et tels que* $\lim_{n=\infty} \alpha(F_n) = 0$ (en particulier, tels que $\lim_{n=\infty} \delta(F_n) = 0$). *On a alors* $f\left(\prod_{n=1}^{\infty} F_n\right) = \prod_{n=1}^{\infty} f(F_n)$.

En effet, on a toujours (§ 3, II, 2a): $f(F_1 \cdot F_2 \cdot \ldots) \subset f(F_1) \cdot f(F_2) \cdot \ldots$ Réciproquement, considérons un point $y \varepsilon f(F_1) \cdot f(F_2) \cdot \ldots$ et posons $A_n = F_n \cdot f^{-1}(y)$. Il vient, selon N⁰ I, $A_1 \cdot A_2 \cdot \ldots \neq 0$, d'où $f^{-1}(y) \cdot F_1 \cdot F_2 \cdot \ldots \neq 0$, donc $y \varepsilon f(F_1 \cdot F_2 \cdot \ldots)$, c. q. f. d.

IV. Théorème de Baire[2]. *Chaque ensemble de première catégorie est un ensemble frontière.*

Soit, en effet, $E = N_1 + N_2 + \ldots$ une série d'ensembles non-denses. Soit S_0 une sphère arbitraire (fermée). Il s'agit de prouver que $S_0 - E \neq 0$.

Considérons la suite $S_0 \supset S_1 \supset \ldots \supset S_n \supset \ldots$ de sphères fermées, définie (par induction) comme suit: l'ensemble N_n étant non-dense, il existe une sphère fermée, désignons la par S_n, telle que $S_n \subset S_{n-1} - N_n$ et $\delta(S_n) < 1/n$. D'après le théorème de Cantor, il

[1] Cf. G. Cantor, Math. Ann. 17 (1880) et F. Hausdorff, *Grundzüge*, p. 318, où on trouve ce théorème dans la forme énoncée ici.

[2] Thèse, Ann. di Mat. 1899, p. 65.

existe un point $p \varepsilon \prod_{n=0}^{\infty} S_n$. Comme $\prod_{n=0}^{\infty} S_n \subset \prod_{n=1}^{\infty}(1-N_n) = 1 - \sum_{n=1}^{\infty} N_n$, il vient $p \varepsilon S_0 - E$.

Corollaire 1. Le complémentaire d'un ensemble de I-re catégorie n'est pas de I-re catégorie (pourvu que l'espace soit non vide).

Corollaire 2. L'espace n'est de I-re catégorie en aucun point.

Car, en cas contraire, il existerait un ensemble ouvert non vide de I-re catégorie.

Corollaire 3. Chaque point d'un espace complet dense en soi en est un point de condensation.

Car, en cas contraire, il existerait un ensemble ouvert dénombrable et, chaque point individuel formant un ensemble non-dense, l'ensemble ouvert serait de I-re catégorie.

Corollaire 4. Chaque espace complet dénombrable est clairsemé [1]).

Car un espace non clairsemé contient un sous-ensemble parfait non vide (§ 9, VI, 3). Cet ensemble parfait, considéré comme l'espace, est complet et dense en soi, donc indénombrable d'après le corollaire précédent.

Corollaire 5. Etant donnée une décomposition d'un espace complet en une série d'ensembles fermés: $1 = Z_1 + Z_2 + \dots$, *si l'ensemble* EZ_n *est clairsemé pour chaque* n, *l'ensemble* E *l'est également.*

Soit D un sous-ensemble dense en soi de E. Comme ensemble clairsemé, DZ_n est un ensemble frontière dans D (§ 9, VI, 1). On a donc $\overline{D - Z_n} = \overline{D}$, d'où $\overline{D} \cdot Z_n \subset \overline{D} = \overline{D - Z_n} \subset \overline{D} - Z_n$, ce qui prouve que $\overline{D} \cdot Z_n$ est un ensemble frontière dans $\overline{D}$ (p. 34, VI); comme ensemble fermé, il est donc non-dense dans $\overline{D}$.

L'identité $\overline{D} = \overline{D} \cdot Z_1 + \overline{D} \cdot Z_2 + \dots$ implique par conséquent que $\overline{D}$, comme ensemble de I-re catégorie sur lui-même, est vide (d'après le cor. 1, l'ensemble $\overline{D}$ étant considéré comme un espace complet). Donc $D = 0$.

Corollaire 6. E *étant un ensemble dense en soi (non vide) situé dans un espace complet* 1 *et* $f(x)$ *étant une fonction définie sur cet espace, continue et telle que la fonction partielle* $f(x|E)$ *est biunivoque, l'ensemble* V *des valeurs de la fonction* f *est indénombrable.*

Supposons, par contre, que $V = (y_1, y_2, \dots)$. Posons $Z_n = f^{-1}(y_n)$. Il vient $1 = Z_1 + Z_2 + \dots$ et les ensembles Z_n sont fermés. En outre, EZ_n ne contient qu'un seul point au plus, puisque les conditions $x \varepsilon EZ_n$ et $x' \varepsilon EZ_n$ entraînent $f(x) = y_n = f(x')$, d'où $x = x'$ (la fonction $f(x|E)$ étant biunivoque). D'après le cor. 5, l'ensemble E serait donc clairsemé, contrairement à l'hypothèse.

---

[1]) Voir dans cet ordre d'idées § 32, V, théorème.

Remarques. 1. La démonstration du théorème de Baire peut être rendue *effective* dans ce sens (cf. p. 108) qu'étant données: 1⁰ la base $R_1, R_2, \ldots$ de l'espace, 2⁰ une suite $N_1, N_2, \ldots$ d'ensembles non-denses et 3⁰ une sphère S_0, on peut *définir* un point p qui appartient à $S_0 - (N_1 + N_2 + \ldots)$. On pose notamment, pour $n > 0$, $S_n = \overline{R}_{k_n}$ où k_n est le plus petit indice tel que $\overline{R}_{k_n} \subset R_{k_{n-1}} - N_n$ et $\delta(R_{k_n}) < 1/n$. Le produit $S_0 \cdot S_1 \cdot S_2 \cdot \ldots$ se compose alors d'un seul point, que l'on désigne par p.

2. *Le théorème de Baire équivaut à l'hypothèse que chaque suite X_n d'ensembles arbitraires remplit l'égalité* $1 - \sum_{n=1}^{\infty} X_n \cdot \overline{1 - \overline{X}_n} = 1$.

Car les ensembles non-denses peuvent être définis comme ensembles de la forme $X \cdot \overline{1 - \overline{X}}$ (puisque $X \cdot \overline{1 - \overline{X}} \subset \overline{X} \cdot \overline{1 - X}$, cf. p. 33, IV).

V. Applications aux ensembles G_δ.

1). *$Q_1, Q_2, \ldots$ étant des G_δ denses, l'ensemble $Q_1 \cdot Q_2 \cdot \ldots$ l'est aussi.*

Car, chacun des ensembles $1 - Q_n$, comme un F_σ frontière, est de I-re catégorie. La somme $(1 - Q_1) + (1 - Q_2) + \ldots$ l'est donc également et le complémentaire de cette somme, c. à d. l'ensemble $Q_1 \cdot Q_2 \cdot \ldots$, est dense.

2). *Chaque G_δ de I-re catégorie est non-dense.*

En effet, si Q n'est pas non-dense, il existe un ensemble ouvert $G \neq 0$ tel que l'ensemble QG est dense dans G. Par conséquent, si Q est un G_δ, $G - Q$ est un F_σ frontière, donc un ensemble de I-re catégorie. Si l'on supposait Q de I-re catégorie, l'ensemble ouvert G, comme somme de deux ensembles de I-re catégorie, le serait aussi, contrairement au corollaire 2.

Chaque ensemble G_δ situé dans un espace complet étant homéomorphe à un espace complet (§ 29, VII), tous les énoncés du N⁰ V se laissent *relativiser* par rapport aux ensembles G_δ. En particulier:

3). *Etant donné un ensemble Q qui est un G_δ, chaque sous-ensemble qui est de I-re catégorie dans Q est un ensemble frontière dans Q. Chaque ensemble G_δ dénombrable est clairsemé.*

VI. Applications aux ensembles F_σ et G_δ.

Théorème[1]). *Chaque ensemble F_σ et G_δ est développable en série alternée (transfinie) d'ensembles fermés décroissants.*

---

[1]) F. Hausdorff, *Grundzüge der Mengenlehre*, p. 462.

Soit, en effet, E un ensemble $\boldsymbol{F}_\sigma$ et $\boldsymbol{G}_\delta$ et X un ensemble fermé arbitraire non vide. Il s'agit de démontrer (p. 61, N° V, 1°) que soit XE, soit $X-E$ n'est pas un ensemble frontière dans X. Or dans le cas contraire les ensembles XE et $X-E$, comme des $\boldsymbol{F}_\sigma$ frontières, seraient de I-re catégorie dans X (p. 44, N° II) et leur somme $X = XE + X - E$ serait par conséquent de I-re catégorie sur elle-même, contrairement au corollaire 1 du N° IV (X étant considéré comme l'espace).

En tenant compte du théorème inverse (p. 112, III (1)), on voit que *dans les espaces complets séparables les ensembles* $\boldsymbol{F}_\sigma$ *et* $\boldsymbol{G}_\delta$ *coïncident avec les ensembles développables.*

On en conclut (cf. § 12, V et IX) que, pour qu'un ensemble E situé dans un espace complet séparable soit un $\boldsymbol{F}_\sigma$ et $\boldsymbol{G}_\delta$, il faut et il suffit que, quel que soit l'ensemble F fermé et non vide:

1° la frontière de FE relative à F soit non-dense dans F (ou encore: qu'elle soit $\neq F$),

2° que FE soit une somme d'un ensemble ouvert et d'un ensemble non-dense dans F (ou encore: une différence d'un ensemble fermé et d'un ensemble non-dense dans F),

3° que FE soit localement fermé dans un de ses points (ou vide).

Il résulte de 3° que *tout ensemble* $\boldsymbol{F}_\sigma$ *et* $\boldsymbol{G}_\delta$ *homogène dans l'espace est une différence de deux ensembles fermés* (comme ensemble localement fermé en chacun de ses points, cf. p. 65, N° IX, 2°).

Dans les espaces complets séparables *chaque famille bien ordonnée d'ensembles* $\boldsymbol{F}_\sigma$ *et* $\boldsymbol{G}_\delta$ *croissants (ou décroissants) est dénombrable* [1]) (cf. p. 113 (2)).

Problèmes de l'effectivité. 1. Chaque ensemble $\boldsymbol{F}_\sigma$ et $\boldsymbol{G}_\delta$ est un $\boldsymbol{F}_\sigma$ et un $\boldsymbol{G}_\delta$ *effectif* (cf. p. 112, remarque 1).

2. Dans le domaine des ensembles qui sont à la fois des $\boldsymbol{F}_\sigma$ et des $\boldsymbol{G}_\delta$ *l'axiome du choix* se laisse réaliser effectivement, c. à d. que l'on sait nommer une fonction $f(X)$, définie pour chaque X qui est un $\boldsymbol{F}_\sigma$ et $\boldsymbol{G}_\delta$ non vide, de façon que l'on ait $f(X) \varepsilon X$.

En vertu de l'énoncé précédent, il suffit de démontrer cette proposition pour les $\boldsymbol{G}_\delta$ effectifs. Autrement dit, il s'agit de faire correspondre à chaque suite d'ensembles ouverts $G_1, G_2, \ldots$ tels que $G_1 \cdot G_2 \cdot \ldots \neq 0$ un point p qui appartienne à chaque G_n, $n = 1, 2, \ldots$ Or, $R_1, R_2, \ldots$ étant la base de l'espace, soit k_1 le plus petit indice tel que $\overline{R}_{k_1} \subset G_1$, $R_{k_1} \cdot \prod_{n=1}^{\infty} G_n \neq 0$ et $\delta(R_{k_1}) < 1$;

---

[1]) Cet énoncé ne s'étend pas sur les ensembles $\boldsymbol{G}_\delta$. On ne peut non plus omettre l'hypothèse que l'espace est complet. Voir § 36, III.

d'une façon générale, soit k_m le plus petit indice tel que $\overline{R_{k_m}} \subset G_m \cdot R_{k_{m-1}}$, $R_{k_m} \cdot \prod_{n=1}^{\infty} G_n \neq 0$ et $\delta(R_{k_m}) < 1/m$. D'après le théorème de Cantor, le produit $\overline{R}_{k_1} \cdot \overline{R}_{k_2} \cdot \ldots$ se réduit à un seul point; c'est bien le point p demandé.

3. Chaque famille dénombrable d'ensembles F_σ disjoints qui couvre l'espace tout entier est *effectivement dénombrable*.

En effet, le complémentaire de chacun de ces ensembles étant un F_σ, chacun d'eux est à la fois un F_σ et un G_δ. En appliquant l'énoncé précédent, on leur fait correspondre un point choisi; l'ensemble E de ces points, comme clairsemé (N^0 IV, cor. 5), est effectivement dénombrable (p. 115, IV), d'où la conclusion demandée.

VII. Applications aux fonctions de I-re classe. D'après le théorème p. 189, si $f(x)$ est une fonction mesurable B de I-re classe qui transforme un espace métrique $\mathcal{X}$ en sous-ensemble d'un espace séparable $\mathcal{Y}$, l'ensemble de ses points de discontinuité est de I-re catégorie dans $\mathcal{X}$. Si $\mathcal{X}$ est complet, cet ensemble est donc un ensemble frontière; autrement dit, *la fonction $f(x)$ est ponctuellement discontinue*. En rapprochant cet énoncé du théorème 2, p. 190, on parvient au théorème suivant:

Théorème[1]. *$\mathcal{X}$ étant complet et $\mathcal{Y}$ séparable, la condition nécessaire et suffisante pour que la fonction $f(x)$ soit mesurable B de I-re classe est qu'elle soit ponctuellement discontinue sur tout ensemble fermé.*

On voit aussitôt que la discontinuité ponctuelle peut être remplacée par l'existence d'un point de continuité sur tout ensemble fermé non vide et que le terme *fermé* peut être remplacé par *parfait* (voir p. 190, remarques 1 et 2).

Corollaire 1. Dans les mêmes hypothèses, si l'ensemble des points de discontinuité de la fonction $f(x)$ est dénombrable, f est de I-re classe.

Car tout ensemble parfait, comme indénombrable (N^0 V, cor. 3), contient un point de continuité de la fonction.

Corollaire 2. Chaque famille bien ordonnée de fonctions de I-re classe (à valeurs réelles) définies sur un espace complet: $f_1(x) \leqslant f_2(x) \leqslant \ldots \leqslant f_\xi(x) \leqslant f_{\xi+1}(x) \leqslant \ldots$, est dénombrable.

---

[1]) R. Baire, Thèse, Ann. di Mat. 1899.

C'est une conséquence directe du théorème p. 113.

VIII. Applications aux théorèmes d'existence. L'importance du théorème de Baire tient aussi au fait, qu'il permet souvent de démontrer *l'existence* des éléments jouissant d'une propriété **P** donnée: notamment, si dans un espace complet l'ensemble des éléments qui ne jouissent pas de la propriété **P** se décompose en une série d'ensembles non-denses, cet ensemble, comme ensemble de I-re catégorie, n'épuise pas l'espace; c. à d. qu'il existe un élément qui possède la propriété **P** (et même un ensemble dense de tels éléments).

Ce procédé s'est montré surtout applicable à des problèmes d'existence des fonctions (de variable réelle) jouissant de certaines singularités [1]).

Considérons comme exemple la démonstration de *l'existence d'une fonction continue sans dérivée* [2]). Nous allons établir en effet l'existence d'une fonction plus singulière encore, à savoir d'une fonction continue qui n'admet dans aucun point les deux nombres dérivés droits finis; c'est bien cette dernière propriété des fonctions continues que nous désignerons par **P**.

Envisageons à ce but l'espace $\mathcal{E}^{\mathcal{I}}$ des fonctions continues $y=f(x)$, $0 \leqslant x \leqslant 1$ (cf. § 29, V). La condition que la fonction f ne jouisse pas de la propriété **P**, c. à d. qu'elle possède en un point (au moins) les deux nombres dérivés droits finis, équivaut à l'existence d'un entier positif n et d'un point x tels qu'on ait

$$(1) \qquad \left|\frac{f(x+h)-f(x)}{h}\right| \leqslant n, \quad \text{quel que soit } h>0.$$

L'ensemble des fonctions f dépourvues de la propriété **P** est donc égal à la somme $N_1+N_2+\ldots$, où N_n désigne l'ensemble des fonctions f pour lesquelles il existe un x assujetti à la condition (1).

Tout revient donc à démontrer que l'ensemble N_n est non-dense (dans l'espace $\mathcal{E}^{\mathcal{I}}$). Or, l'ensemble N_n est fermé, car f_k étant une suite de fonctions et x_k une suite de points satisfaisant à la condition (1), on prouve facilement que, si la suite f_k converge uniformément, sa limite appartient à N_n [3]).

---

[1]) Voir plusieurs ouvrages des MM. Auerbach, Banach, Kaczmarz, Mazurkiewicz dans Studia Math. 3 (1931), de M. Steinhaus, ibid. vol. 1 (1929), p. 51—83, de M. Saks, Fund. Math. 10 (1927), p. 186—196 et 19 (1932), p. 211—219, de M. Orlicz, Bull. Acad. Polon. 1932, p. 221—228.

Plusieurs applications topologiques du procédé considéré seront traitées dans *Topologie II.*

[2]) S. Banach, *Ueber die Baire'sche Kategorie gewisser Funktionenmengen*, Studia Math. 3 (1931), p. 174.

[3]) Le fait que N_n est fermé est d'ailleurs évident, si l'on se sert des symboles logiques; on a notamment:

$$N_n = \mathop{E}_{f} \sum_{x} \prod_{h>0} \left\{ \left| \frac{f(x+h)-f(x)}{h} \right| \leqslant n \right\},$$

Donc, pour prouver que N_n est non-dense, il suffit de démontrer que N_n est un ensemble frontière; ou encore: l'ensemble des polynômes étant dense dans $\mathcal{E}^{\mathcal{I}}$, il suffit de démontrer que, f étant un polynôme, il existe une fonction continue qui en diffère aussi peu qu'on le veut et qui n'appartient pas à N_n; ceci est un fait élémentaire.

L'existence des fonctions continues sans dérivée finie se trouve ainsi établie; plus encore: les fonctions qui ne jouissent pas de cette singularité constituent un ensemble de I-re catégorie (elles présentent donc des „exceptions" dans la totalité des fonctions continues).

§ 31. Prolongement des fonctions.

I. Prolongement des fonctions continues. *Etant donnée une fonction $y = f(x)$ définie sur un sous-ensemble A d'un espace (métrique) $\mathcal{X}$, continue et dont les valeurs appartiennent à un espace complet $\mathcal{Y}$, la fonction f se laisse prolonger d'une façon continue sur un ensemble $\boldsymbol{G}_\delta$.*

Soit A^* l'ensemble des points p de $\bar{A}$ tels que $\omega(p) = 0$, c. à d. que l'oscillation de f s'annule au point p (voir p. 85). Faisons correspondre à chaque point p de A^* une suite $\{p_n\}$ telle que $p_n \varepsilon A$ et $\lim p_n = p$. En désignant par E_n l'ensemble $(p_n, p_{n+1}, \ldots)$, on déduit de l'égalité $\omega(p) = 0$ que $\lim\limits_{n=\infty} \delta[f(E_n)] = 0$, donc que la suite $f(p_1), f(p_2), \ldots$ satisfait à la condition de Cauchy. L'espace $\mathcal{Y}$ étant complet, posons $f^*(p) = \lim f(p_n)$[1]. La fonction f^* se trouve ainsi définie sur l'ensemble A^*, qui est un $\boldsymbol{G}_\delta$ (p. 85). Pour $x \varepsilon A$ on a $f(x) = f^*(x)$. Reste à démontrer que la fonction f^* est continue pour $p \varepsilon A^*$, c. à d. que $\omega^*(p) = 0$, où ω^* désigne l'oscillation de f^*.

Or, G étant un sous-ensemble ouvert de $\mathcal{X}$, on a $f^*(G) \subset \overline{f(G)}$, d'où $\delta[f^*(G)] \leqslant \delta[\overline{f(G)}] = \delta[f(G)]$. Donc (p. 85): $\omega^*(p) = \min \delta[f^*(G)] \leqslant \min \delta[f(G)] = \omega(p) = 0$, où G parcourt les ensembles ouverts contenant p.

---

ce qui prouve que N_n est la projection (parallèle à l'axe $\mathcal{I}$) de l'ensemble fermé

$$\underset{fx}{E} \prod_{h>0} \left\{ \left| \frac{f(x+h) - f(x)}{h} \right| \leqslant n \right\} = \prod_{h>0} \underset{fx}{E} \left\{ \left| \frac{f(x+h) - f(x)}{h} \right| \leqslant n \right\}.$$

L'axe $\mathcal{I}$ étant compact, la projection d'un ensemble fermé est fermée (voir ma note de Fund. Math. 17, p. 271).

[1]) c. à d. que $f^*(p) = \prod\limits_G \overline{f(G)}$, G étant un entourage variable de p (cf. p. 203, corollaire).

Remarques. 1. L'hypothèse que l'espace $\mathcal{Y}$ est complet est *essentielle.* Pour s'en convaincre on pose: $\mathcal{X}$ = intervalle 01, $A = \mathcal{Y}$ = ensemble des nombres rationnels de $\mathcal{X}$ et $f(x) = x$ pour $x \varepsilon A$.

2. Nous déduirons du théorème précédent que $\mathcal{X}$ *étant un espace métrique séparable de puissance* $\mathfrak{c}$, *il existe une fonction* $g(x)$, $x \varepsilon \mathcal{X}$, *à valeurs réelles qui est discontinue sur chaque ensemble de puissance* $\mathfrak{c}$ [1]).

La démonstration s'appuie sur le lemme suivant de la Théorie générale des ensembles: *Soit* Φ *une famille de transformations de sous-ensembles d'un ensemble donné* $\mathcal{X}$ *en sous-ensembles d'un ensemble donné* $\mathcal{Y}$. *Si* $\mathcal{X}$, $\mathcal{Y}$ *et* Φ *sont de puissance* $\mathfrak{m}$, *il existe une transformation* $g(x)$ *de* $\mathcal{X}$ *en sous-ensemble de* $\mathcal{Y}$ *qui ne coïncide sur aucun ensemble de la puissance* $\mathfrak{m}$ *avec aucune transformation appartenant à* Φ.

Pour démontrer ce lemme, on range les éléments de $\mathcal{X}$ et ceux de Φ en deux suites transfinies $\{x_\alpha\}$ et $\{f_\alpha\}$ ayant le plus petit type d'ordre possible et on définit la fonction $g(x)$ par l'induction transfinie, en convenant que $g(x_\alpha) \neq f_\xi(x_\alpha)$, quel que soit $\xi < \alpha$.

Substituons à Φ la famille de toutes les fonctions réelles définies sur des sous-ensembles G_δ de l'espace $\mathcal{X}$. D'après § 19, I et VI, la famille Φ est de puissance $\mathfrak{c}$. La fonction $g(x)$ est la fonction demandée. En effet, si elle était continue sur un ensemble E de la puissance $\mathfrak{c}$, il existerait une fonction continue $f(x)$ définie sur un G_δ contenant E et telle que $f(x) = g(x)$ pour $x \varepsilon E$. Mais ceci est impossible, puisque $f \varepsilon \Phi$.

3. Citons sans démonstration le théorème suivant [2]), qui rentre dans un ordre d'idées analogue au théorème du N° I: $\mathcal{X}$ *et* $\mathcal{Y}$ *étant deux espaces complets séparables, toute fonction* $y = f(x)$ *définie sur un ensemble* $A \subset \mathcal{X}$, *continue et telle que pour chaque ensemble ouvert* G *l'ensemble* $f(G)$ *est ouvert dans* $f(A)$, *se laisse prolonger sur un ensemble* G_δ *de façon que la fonction prolongée soit continue et jouisse de la propriété considérée par rapport à lui.*

Théorème de M. Tietze [3]). *Etant donnée une fonction* $y = f(x)$, *définie sur un sous-ensemble fermé* F *d'un espace (métrique)* $\mathcal{X}$, *con-*

---

[1]) Théorème de MM. Sierpiński et Zygmund, Fund. Math. 4 (1923), p. 316.

[2]) Voir S. Mazurkiewicz, *Sur les transformations intérieures,* Fund. Math. 19 (1932), p. 198.

[3]) H. Tietze, *Ueber Funktionen, die auf einer abgeschlossenen Menge stetig sind,* Journ. f. Math. 145 (1915), p. 9—14. La démonstration du texte est due à M. Hausdorff, Math. Zft. 5 (1919), p. 296 (où l'on trouvera d'autres indications bibliographiques). Cf. aussi P. Urysohn, Math. Ann. 94 (1925), p. 293 et K. Borsuk, Bull. Acad. Pol. 1933 (où il s'agit de prolonger la fonction f de façon que le „prolongement" soit une opération *linéaire* sur les fonctions prolongées).

tinue et dont les valeurs appartiennent à l'espace $\mathcal{I}^n$ (où n est un entier positif ou $\aleph_0$), la fonction f se laisse prolonger d'une façon continue sur l'espace $\mathcal{X}$ tout entier.

D'après § 14, IV, la condition pour qu'un point variable de l'espace $\mathcal{I}^n$ varie d'une façon continue, est que chacune de ses coordonnées varie de la même façon. Le théorème se réduit donc au cas où l'on remplace l'espace $\mathcal{I}^n$ par l'intervalle $\mathcal{I}$, c. à d. où $0 \leqslant f(x) \leqslant 1$.

Posons $f(p) = \min\limits_{x \varepsilon F} \{f(x) + \dfrac{|p-x|}{\rho(p, F)} - 1\}$ pour $p \varepsilon \mathcal{X} - F$.

Il vient $f(p) \geqslant 0$, car $|p-x| \geqslant \rho(p, F)$. D'autre part, $f(p) \leqslant 1$, car $\min\limits_{x \varepsilon F} \{f(x) + \dfrac{|p-x|}{\rho(p, F)} - 1\} \leqslant \max\limits_{x \varepsilon F} [f(x) - 1] + \min\limits_{x \varepsilon F} \dfrac{|p-x|}{\rho(p, F)} \leqslant 1$.

Afin d'établir la continuité de la fonction f sur l'espace $\mathcal{X}$ tout entier, remarquons que $f(p)$ étant le minimum de l'expression entre crochets $\{\ \}$, on peut (pour p fixe) restreindre la variabilité de x aux points tels que $f(x) + \dfrac{|p-x|}{\rho(p, F)} - 1 < f(p) + 1$, donc tels que $\dfrac{|p-x|}{\rho(p, F)} < f(p) - f(x) + 2 \leqslant 3$.

Soient $p \neq q$ deux points de $\mathcal{X} - F$. Il existe donc un $x \varepsilon F$ tel que

$$(1) \qquad f(x) + \frac{|p-x|}{\rho(p, F)} - 1 < f(p) + |p-q| \quad \text{et} \quad |p-x| \leqslant 3\rho(p, F).$$

Par définition de $f(q)$ on a $f(q) \leqslant f(x) + \dfrac{|q-x|}{\rho(q, F)} - 1$, d'où $f(q) < f(p) + |p-q| + \dfrac{|q-x|}{\rho(q, F)} - \dfrac{|p-x|}{\rho(p, F)}$ et comme, en outre, $\dfrac{|q-x|}{\rho(q, F)} - \dfrac{|p-x|}{\rho(p, F)} = \dfrac{|q-x| - |p-x|}{\rho(q, F)} + |p-x| \dfrac{\rho(p, F) - \rho(q, F)}{\rho(q, F) \cdot \rho(p, F)} \leqslant$ $\leqslant \dfrac{|p-q|}{\rho(q, F)} + \dfrac{3}{\rho(q, F)} [\rho(p, F) - \rho(q, F)]$, on en déduit l'inégalité $f(q) - f(p) < |p-q| + \dfrac{|p-q|}{\rho(q, F)} + \dfrac{3}{\rho(q, F)} [\rho(p, F) - \rho(q, F)]$. Une formule symétrique subsiste pour $f(p) - f(q)$. On en conclut aussitôt que, si le point p tend vers q, la différence $|f(p) - f(q)|$ tend vers 0. Cela prouve la continuité de la fonction f aux points de $\mathcal{X} - F$.

Reste à considérer le cas où le point p appartenant à $\mathcal{X}-F$ tend vers $q \varepsilon F$. Soit (pour p fixe) x' un point de F tel que $\dfrac{|p-x'|}{\rho(p,F)} < 1 + |p-q|$. En vertu de la définition de $f(p)$ on a
donc $f(p) \leqslant f(x') + \dfrac{|p-x'|}{\rho(p,F)} - 1 < f(x') + |p-q|$.

D'autre part, x satisfaisant à la condition (1), on a

$$f(x) - |p-q| < f(p) - \left[\frac{|p-x|}{\rho(p,F)} - 1\right] \leqslant f(p),$$

d'où

$$(2) \qquad f(x) - |p-q| < f(p) < f(x') + |p-q|.$$

Or, lorsque p tend vers q, $\rho(p,F)$ tend vers 0 (puisque $q \varepsilon F$), donc, d'après (1), $|p-x|$ tend vers 0 et, par définition de x', $|p-x'|$ tend vers 0. Ainsi x et x' tendent vers p, donc vers q et, la fonction f étant continue sur F, $f(x)$ et $f(x')$ tendent vers $f(q)$. En vertu de (2), $f(p)$ tend donc vers $f(q)$.

Dans le même ordre d'idées citons le théorème suivant [1]): *chaque fonction continue f, définie sur un sous-ensemble fermé F d'un espace métrique séparable $\mathcal{X}$ à n dimensions, se laisse prolonger sur l'espace $\mathcal{X}$ tout entier de façon que $f(F) = f(\mathcal{X})$ et que l'ensemble de ses points de discontinuité soit de dimension $< n$.*

En particulier, *chaque sous-ensemble fermé (non vide) F d'un espace $\mathcal{X}$ de dimension 0 en est une image continue* [2]) (on n'a qu'à poser $f(x) = x$ pour $x \varepsilon F$).

Il en résulte qu'*à chaque famille (de la puissance $\mathfrak{c}$) d'ensembles arbitraires $E_{\mathfrak{z}}$ où $\mathfrak{z} \varepsilon \mathcal{N}$ correspond un ensemble $Z \subset \mathcal{N}$ dont chaque $E_{\mathfrak{z}}$ est une image continue* [3]). Soit, en effet, $N_{\mathfrak{z}}$ l'ensemble des nombres irrationnels $\mathfrak{y}$ tels que $\mathfrak{y}^{(1)} = \mathfrak{z}^{(1)}$, $\mathfrak{y}^{(3)} = \mathfrak{z}^{(2)}$, $\mathfrak{y}^{(5)} = \mathfrak{z}^{(3)}, \ldots$ Comme homéomorphe à $\mathcal{N}$, l'ensemble $N_{\mathfrak{z}}$ contient un ensemble $A_{\mathfrak{z}}$ dont $E_{\mathfrak{z}}$ est une image continue (p. 149, cor. 1). La somme de tous les ensembles $A_{\mathfrak{z}}$ où $\mathfrak{z} \varepsilon \mathcal{N}$, constitue l'ensemble Z demandé. Car les ensembles $N_{\mathfrak{z}}$ étant disjoints et fermés dans $\mathcal{N}$, $A_{\mathfrak{z}}$ est fermé dans Z et en est par conséquent une image continue.

---

[1]) Voir G. Poprougenko, *Sur la dimension de l'espace et l'extension des fonctions continues*, Mon. f. Math. u. Phys. 38 (1931), p. 129. D'après une remarque de M. Otto, on peut se débarrasser de l'hypothèse que les valeurs de f soient réelles.

[2]) W. Sierpiński, Fund. Math. 11 (1928), p. 118.

[3]) W. Sierpiński, Fund. Math. 14 (1929), p. 234.

II. Prolongement des fonctions bicontinues.

Théorème de M. Lavrentieff[1]. *Toute homéomorphie entre deux ensembles A et B situés dans deux espaces complets $\mathcal{X}$ et $\mathcal{Y}$ se laisse prolonger sur deux ensembles G_δ situés dans ces espaces.*

Soit, en effet, $y = f(x)$ une fonction bicontinue, définie sur A et telle que $f(A) = B$. Soit $x = g(y)$ la fonction inverse. Prolongeons (cf. N° I) la fonction f d'une façon continue à une fonction f^* définie sur un ensemble A^* qui est un G_δ. Attribuons un sens analogue aux symboles g^* et B^* par rapport à la fonction g. Posons $I = \underset{xy}{E}[y = f^*(x)]$ et $J = \underset{xy}{E}[x = g^*(y)]$. Désignons par A_1 et B_1 respectivement les projections de $I \cdot J$ sur l'axe $\mathcal{X}$ et sur l'axe $\mathcal{Y}$. La fonction f^* est évidemment une homéomorphie entre A_1 et B_1.

Reste à démontrer que A_1 et B_1 sont des G_δ. Or, en posant $h(x) = [x, f^*(x)]$, on a $A_1 = h^{-1}(J)$. La fonction $h(x)$ étant continue et l'ensemble J étant fermé dans $\mathcal{X} \times B^*$ (p. 144), donc un G_δ dans $\mathcal{X} \times \mathcal{Y}$, l'ensemble $h^{-1}(J)$ est un G_δ dans A^* (p. 68 (5)), donc dans $\mathcal{X}$. De même, B_1 est un G_δ dans $\mathcal{Y}$.

On rapprochera le corollaire suivant du théorème du N° I:

Corollaire. Etant donnée une fonction $y = f(x)$, définie sur un sous-ensemble A d'un espace métrique $\mathcal{X}$ (complet ou non), *bicontinue et dont les valeurs appartiennent à un espace complet $\mathcal{Y}$, la fonction f se laisse prolonger d'une façon bicontinue sur un ensemble G_δ.*

Désignons, en effet, par $\widetilde{\mathcal{X}}$ l'espace complet qui contient topologiquement $\mathcal{X}$ (voir p. 200, VII). L'homéomorphie f se laisse prolonger sur un ensemble A_1 qui est un G_δ relativement à $\widetilde{\mathcal{X}}$. On a donc $A \subset A_1 \subset \widetilde{\mathcal{X}}$. L'ensemble $A_2 = A_1 \cdot \mathcal{X}$ est l'ensemble demandé: il est un G_δ (dans $\mathcal{X}$), il contient A et la fonction prolongée est bicontinue sur lui.

Remarques. 1. L'ensemble $f(A_2)$ peut ne pas être un G_δ. Soient, en effet, $\mathcal{X} = A =$ ensemble des nombres rationnels de l'intervalle 01, $\mathcal{Y} =$ intervalle 01 et $f(x) = x$.

---

[1]) C. R. Paris t. 178 (1924), p. 187 et *Contribution à la théorie des ensembles homéomorphes*, Fund. Math. 6 (1924), p. 149.

2. Le théorème de M. Lavrentieff permet d'établir le théorème suivant, qui a été démontré par une autre voie au § 22, IV (théor. 5): *chaque ensemble n-dimensionnel* (situé dans un espace métrique séparable) *est contenu dans un ensemble* G_δ *n-dimensionnel*[1]).

La démonstration[2]) se ramène au cas où $n=0$ (cf. p. 132, th. 5). Or, A étant un ensemble 0-dimensionnel, il existe une homéomorphie entre A et un sous-ensemble de l'ensemble $\mathcal{C}$ de Cantor (p. 124, th. VI). Cette homéomorphie se laisse prolonger, en vertu du corollaire, à un ensemble G_δ. Ce dernier ensemble est 0-dimensionnel comme homéomorphe à un sous-ensemble de $\mathcal{C}$, donc à un ensemble 0-dimensionnel.

III. Caractérisation des espaces topologiquement complets.

Tout ensemble (situé dans un espace métrique arbitraire $\mathcal{X}$) *homéomorphe à un espace complet* $\mathcal{Y}$ *est un* G_δ[3]).

Car, en supposant dans le corollaire précédent que les valeurs de la fonction f remplissent l'espace $\mathcal{Y}$, le prolongement f^* de f coïncide avec f (puisque la fonction f^* est biunivoque): le domaine des arguments de f (c. à d. l'ensemble A) est donc identique à celui de f^* et ce dernier est un G_δ[4]).

En rapprochant ce corollaire du théorème du § 29, VI, on en conclut que, *pour qu'un sous-ensemble d'un espace complet soit homéomorphe à un espace complet* (c. à d. qu'il soit *topologiquement complet), il faut et il suffit qu'il soit un* G_δ[5]). Il en résulte que *tout ensemble homéomorphe à un* G_δ *contenu dans un espace complet est un* G_δ[6]).

---

1) donc contenu *topologiquement* dans un espace *complet n-dimensionnel.* Comme on verra dans le Chap. IV, le terme *complet* peut être remplacé par *compact.*

2) L. Tumarkin, Math. Ann. 98 (1928), p. 653.

3) Cet énoncé présente un cas particulier de *l'invariance de la classe borelienne* (voir N° IV).

4) Pour une démonstration plus directe, voir W. Sierpiński, *Sur les ensembles complets d'un espace* (*D*), Fund. Math. 11 (1928), p. 203.

5) C'est en particulier à ce fait que tient l'importance et l'utilité de la notion d'ensemble G_δ.

6) Théorème de M. Mazurkiewicz, *Ueber Borelsche Mengen,* Bull. Acad. Cracovie 1916, p. 490—494. Voir aussi W. Sierpiński, *Sur l'invariance topologique des ensembles* G_δ, Fund. Math. 8 (1926), p. 135. Le théorème peut aussi être déduit directement du théorème de M. Lavrentieff sans avoir recours au théor. § 29, VI, voir M. Lavrentieff, l. cit.

Les espaces complets séparables ne sont autre chose—au point de vue topologique — *que des ensembles* G_δ *situés dans le cube fondamental* $\mathcal{I}^{\aleph_0}$ *de Hilbert*. Car, d'après le théorème d'Urysohn, chaque espace métrique séparable est homéomorphe à un sous-ensemble de $\mathcal{I}^{\aleph_0}$ (p. 104); si cet espace est en outre complet, le sous-ensemble en question est, comme nous venons de démontrer, un G_δ.

IV. Invariance intrinsèque des différentes familles d'ensembles. Une propriété d'ensembles **P** est dite *invariant intrinsèque*, lorsque chaque ensemble (situé dans un espace complet) homéomorphe à un ensemble jouissant de la propriété **P** (et situé dans le même ou dans un autre espace complet) jouit également de la propriété **P** [1]).

Théorème [2]). *Soit* **P** *un invariant intrinsèque tel que, X jouissant de la propriété* **P**, *chaque ensemble qui est un* G_δ *dans X en jouit également. Dans ces hypothèses les propriétés suivantes sont des invariants intrinsèques:*

1°: propriété $\mathbf{P}_\sigma$ *d'être la somme d'une famille dénombrable d'ensembles à propriété* **P**,

2°: propriété $\mathbf{P}_\delta$ *d'être le produit d'une famille dénombrable d'ensembles à propriété* **P**,

3°: propriété $\mathbf{P}_\rho$ *d'être la différence de deux ensembles à propriété* **P**,

4°: propriété $\mathbf{P}_c$ *d'être le complémentaire d'un ensemble à propriété* **P**, *dans l'hypothèse supplémentaire qu'un ensemble à propriété* **P** *ne cesse pas de la posséder, lorsqu'on lui ajoute un ensemble* F_σ.

L'invariance de la propriété $\mathbf{P}_\sigma$ est évidente (elle ne dépend guère de l'hypothèse que les G_δ relatifs jouissent de la propriété **P**).

Pour établir 2°, posons: $A = A_1 \cdot A_2 \cdot \ldots$ où A_n jouit de la propriété **P** et A est homéomorphe à B. D'après le théorème de M. Lavrentieff, l'homéomorphie f entre A et B se laisse prolonger à un ensemble G_δ; désignons le par A^*. Il vient donc

---

1) Il est à remarquer qu'il s'agit ici d'une homéomorphie entre *sous-ensembles* de deux espaces. Bien entendu, dans le cas d'une homéomorphie entre *espaces*, chaque propriété exprimée en termes topologiques est invariante.

2) M. Lavrentieff, Fund. Math. 6, op. cit.

$A = A \cdot A^*$, d'où $A = \prod_{n=1}^{\infty} (A_n \cdot A^*)$ et $B = f(A) = \prod_{n=1}^{\infty} f(A_n \cdot A^*)$, puisque la fonction f est biunivoque. A^* étant un $\boldsymbol{G}_\delta$, l'ensemble $A_n \cdot A^*$ jouit de la propriété **P** et il en est de même de l'ensemble $f(A_n \cdot A^*)$. Donc B jouit de la propriété $\mathbf{P}_\delta$.

La démonstration de 3⁰ et 4⁰ est analogue. Soit $A = A_1 - A_2$, les symboles B, f et A^* ayant le même sens qu'auparavant. Il vient $A = A \cdot A^* = A_1 \cdot A^* - A_2 \cdot A^*$, d'où $B = f(A) = f(A_1 \cdot A^*) - f(A_2 \cdot A^*)$, ce qui achève la démonstration de 3⁰.

Soit enfin $A = A_1'$ (complémentaire de A_1). Il vient $A = A^* \cdot A_1' = A^* - A_1 \cdot A^*$ et $B = f(A) = f(A^*) - f(A_1 \cdot A^*)\} = \{[f(A^*)]' + f(A_1 \cdot A^*)\}'$. L'ensemble $f(A^*)$ étant un $\boldsymbol{G}_\delta$, $[f(A^*)]'$ est un $\boldsymbol{F}_\sigma$. L'ensemble entre crochets { } jouit donc de la propriété **P** et B jouit de la propriété $\mathbf{P}_c$.

On déduit de 1⁰, 2⁰, 4⁰ et de l'invariance intrinsèque de la notion d'ensemble $\boldsymbol{G}_\delta$ (établie au N⁰ précédent) le

Corollaire 1[1]). *Les propriétés d'être un ensemble borelien de classe* $\boldsymbol{G}_\alpha$ *avec* $\alpha > 0$ ($\boldsymbol{G}_\delta$, $\boldsymbol{G}_{\delta\sigma}$ *etc.*) *et celle d'être de classe* $\boldsymbol{F}_\alpha$ *avec* $\alpha > 1$ ($\boldsymbol{F}_{\sigma\delta}$, $\boldsymbol{F}_{\sigma\delta\sigma}$ *etc.*) *sont des invariants intrinsèques.*

Il suffit d'ailleurs de supposer que A est situé dans un espace complet, tandis que B (qui est homéomorphe à A) peut être supposé situé dans un espace métrique arbitraire $\mathcal{X}$. Car, $\widetilde{\mathcal{X}}$ désignant l'espace $\mathcal{X}$ „complété" (cf. p. 200, VII), B est — d'après le corollaire 1 — de classe $\boldsymbol{G}_\alpha$ (de classe $\boldsymbol{F}_\alpha$) relativement à l'espace $\widetilde{\mathcal{X}}$, donc relativement à $\mathcal{X}$, qui contient B.

Corollaire 2. La propriété de Baire au sens restreint est un invariant intrinsèque.

Car la condition nécessaire et suffisante pour qu'un ensemble A jouisse de cette propriété est que chaque ensemble Z fermé dans A soit une somme d'un ensemble borelien et d'un ensemble de I-re catégorie dans Z (p. 55, VI).

[1]) Sans l'emploi du théorème de M. L a v r e n t i e f f ce corollaire a été établi pour quelques cas particuliers (d'ailleurs dans des hypothèses supplémentaires sur l'espace); voir outre le renvoi [6]) p. 215: W. S i e r p i ń s k i, *Sur une propriété des ensembles* $\boldsymbol{F}_{\sigma\delta}$ et *Sur une définition topologique des ensembles* $\boldsymbol{F}_{\sigma\delta}$, Fund. Math. 6 (1924), p. 21—29, du même auteur: C. R. Paris t. 171 (1920), p. 24 (cas des ensembles $\boldsymbol{G}_{\delta\sigma}, \boldsymbol{G}_{\delta\sigma\delta}, \ldots$) et S. M a z u r k i e w i c z, *Sur l'invariance de la notion d'ensemble* $\boldsymbol{F}_{\sigma\delta}$, Fund. Math. 2 (1921), p. 104.

L'invariance de la propriété $\mathbf{P}_\rho$ peut servir pour démontrer l'invariance intrinsèque des *développements en séries alternées* (finies ou transfinies) des ensembles de classe G_α (ou de classe F_α) [1]. Par exemple, la propriété d'être une différence de deux ensembles G_δ est un invariant intrinsèque [2].

V. Applications aux rangs topologiques. *Dans chaque espace complet séparable de la puissance $\mathfrak{c}$ il existe une famille composée de $2^{\mathfrak{c}}$ ensembles dont les rangs topologiques sont incomparables deux à deux* [3].

Nous établirons d'abord un théorème de la Théorie générale des ensembles.

Φ étant une famille de transformations des sous-ensembles d'un ensemble donné $\mathcal{X}$ en sous-ensembles de $\mathcal{X}$, convenons d'appeler deux ensembles X et Y (contenus dans $\mathcal{X}$) *incomparables* (par rapport à Φ), lorsqu'il n'existe dans Φ aucune transformation d'un de ces ensembles en sous-ensemble de l'autre.

Si les transformations appartenant à Φ sont biunivoques et $\overline{\overline{\mathcal{X}}} = \overline{\overline{\Phi}} = \mathfrak{m}$, il existe une famille $\boldsymbol{F}$ composée de $2^{\mathfrak{m}}$ sous-ensembles de $\mathcal{X}$ qui sont incomparables deux à deux.

Rangeons l'ensemble $\mathcal{X}$, ainsi que la famille Φ augmentée de toutes les fonctions inverses aux fonctions qu'elle contient, en deux suites transfinies $\{x_\alpha\}$ et $\{f_\alpha\}$ ayant le plus petit type d'ordre possible. Soit $P = \{p_\alpha\}$ une suite transfinie définie par induction de manière que p_α soit différent de tous les p_ξ et de tous les $f_\xi(p_\eta)$ avec $\xi < \alpha$ et $\eta < \alpha$. Soit $\boldsymbol{F}$ une famille de sous-ensembles de P telle que $\overline{\overline{\boldsymbol{F}}} = 2^{\mathfrak{m}}$ et que $\overline{\overline{X - Y}} = \mathfrak{m}$ pour chaque couple d'ensembles distincts appartenant à $\boldsymbol{F}$ [4]).

[1]) Cf. les „petites classes" de Borel, § 33.

[2]) W. Sierpiński, *Sur quelques invariants d'Analysis Situs*, Fund. Math. 3 (1922), p. 119.

[3]) Voir ma note *Sur la puissance de l'ensemble des „nombres de dimension" au sens de M. Fréchet*, Fund. Math. 8 (1926), p. 201. Cf. aussi: W. Sierpiński, *Sur un problème concernant les types de dimensions*, Fund. Math. 19 (1932), p. 70, S. Banach, ibid. p. 10 et l'extrait d'une communication de M. Lindenbaum (Ann. Soc. Pol. Math. X, 1932, p. 114), d'après lequel on peut remplacer l'incomparabilité des rangs topologiques par l'incomparabilité relative aux transformations continues (non nécessairement bicontinues).

[4]) L'existence d'une famille $\boldsymbol{F}$ de ce genre est une conséquence de l'identité $\mathfrak{m} = 2\mathfrak{m}^2$, qui permet de faire correspondre à chaque élément p de P

Supposons par impossible qu'une fonction $f_\gamma \varepsilon \Phi$ transforme X en Y_1 où $X \varepsilon \boldsymbol{F}$ et $Y_1 \subset Y \varepsilon \boldsymbol{F}$. Soit $f_\gamma^{-1} = f_\xi$. Nous allons démontrer que les formules $p_\alpha \varepsilon X - Y$ et $\xi < \alpha$ entraînent $\alpha < \gamma$, d'où on conclura que $\overline{\overline{X - Y}} < \mathfrak{m}$, contrairement à l'hypothèse.

Posons $f_\gamma(p_\alpha) = p_\eta$, donc $p_\alpha = f_\xi(p_\eta)$. Il vient $\eta \geqslant \alpha$ par définition de p_α. D'autre part, $\eta \neq \alpha$, car $p_\eta \varepsilon Y$ et p_α *non*-εY. Les formules $\alpha < \eta$ et $p_\eta = f_\gamma(p_\alpha)$ entraînent $\eta \leqslant \gamma$, d'où $\alpha < \gamma$.

Ceci établi, substituons à Φ la famille de toutes les fonctions bicontinues, définies sur des sous-ensembles $\boldsymbol{G}_\delta$ de l'espace $\mathcal{X}$. Si l'on suppose que $X \varepsilon \boldsymbol{F}$, que $X \neq Y \varepsilon \boldsymbol{F}$ et que X est topologiquement contenu dans Y, il existe d'après le théor. de M. Lavrentieff une homéomorphie $f(x)$ définie sur un $\boldsymbol{G}_\delta$ contenant X et telle que $f(X) \subset Y$. Mais ceci est impossible, puisque $f \varepsilon \Phi$ et X et Y sont incomparables par rapport à Φ.

Dans un ordre d'idées analogue on établit *l'existence d'une suite transfinie de puissance* $> \mathfrak{c}$ *d'ensembles dont le rang topologique augmente*, ainsi que *d'une suite transfinie de puissance* $\mathfrak{c}$ *d'ensembles dont le rang topologique diminue* [1]).

VI. Prolongement des fonctions mesurables B.

Théorème [2]). *Soient* $\mathcal{X}$ *un espace métrique arbitraire,* $\mathcal{Y}$ *un espace complet séparable, A un sous-ensemble de* $\mathcal{X}$. *Chaque fonction* $f(x)$ *de classe* α, *définie sur A, se laisse prolonger (sans altérer sa classe) sur un ensemble* A^* *de classe* $\alpha + 1$ *multiplicative.*

Si, en particulier, l'ensemble A est de classe $\alpha > 0$ *multiplicative, la fonction peut être prolongée sur l'espace* $\mathcal{X}$ *tout entier* [3]).

Le théorème étant établi au N°I pour $\alpha = 0$, posons $\alpha > 0$. D'après p. 136, 3, il existe une suite de fonctions $f_n(x)$ de classe α,

---

(où $\overline{\overline{P}} = \mathfrak{m}$) deux sous-ensembles A_p et B_p de P de façon que $\overline{\overline{A_p}} = \mathfrak{m} = \overline{\overline{B_p}}$ et que les ensembles $A_p, B_p, A_{p'}$ et $B_{p'}$ soient disjoints deux à deux pour $p \neq p'$. La famille $\boldsymbol{F}$ a pour éléments tous les ensembles $F(X)$, où $X \subset P$ et où $F(X)$ est la somme des ensembles A_p avec $p \varepsilon X$ et des ensembles $B_{p'}$ avec $p' \varepsilon P - X$.

[1]) Voir W. Sierpiński, l. c. et la note de M. Sierpiński et de moi *Sur un problème de M. Fréchet concernant les dimensions des ensembles linéaires*, Fund. Math. 8 (1926), p. 193.

[2]) Voir ma note *Sur les théorèmes topologiques de la théorie des fonctions de variables réelles*, C. R. Paris, t. 197 (1933), p. 19.

[3]) Pour la deuxième partie du théorème, restreinte aux fonctions à valeurs réelles, voir F. Hausdorff, *Mengenlehre*, p. 244.

définies sur A, qui approchent uniformément $f(x)$ et pour lesquelles les ensembles $f_n(A)$ sont isolés. On peut donc poser:

$$(1) \qquad |f_n(x) - f_k(x)| < \frac{1}{2^k}, \quad \text{quel que soit } n \geqslant k,$$

$f_n(A) = [y_n^1, y_n^2, \dots, y_n^i, \dots]$ suite finie ou infinie d'éléments distincts.

Soit $B_{i_1 \dots i_n} = [f_1^{-1}(y_1^{i_1})] \cdot \dots \cdot [f_n^{-1}(y_n^{i_n})]$.

Chacun des ensembles $f_k^{-1}(y_k^i)$ étant ambigu de classe α par rapport à A (puisque le point y_k^i, comme point isolé de l'ensemble $f_k(A)$, constitue dans cet ensemble un ensemble ouvert et fermé), les hypothèses du théorème p. 165, VIII, 2 se trouvent vérifiées.

Il existe par conséquent pour chaque n un ensemble A_n de classe $\alpha+1$ multiplicative et un système $\{C_{i_1 \dots i_n}\}$ d'ensembles ambigus de classe α par rapport à A_n, tels que:

1⁰ $C_{i_1 \dots i_n} \cdot C_{j_1 \dots j_k} = 0$ pour $(i_1 \dots i_k) \neq (j_1 \dots j_k)$ et $k \leqslant n$

2⁰ $A_n = \sum C_{i_1 \dots i_n}$ 3⁰ $A \cdot C_{i_1 \dots i_n} = B_{i_1 \dots i_n}$

4⁰ Si $B_{i_1 \dots i_n} = 0$, on a $C_{i_1 \dots i_n} = 0$.

De plus (en vertu de la deuxième partie du théorème précité), si A est de classe α multiplicative, on a $A_n = \mathcal{X}$ (puisque l'égalité $A = f_k^{-1} f_k(A) = f_k^{-1}(y_k^1) + f_k^{-1}(y_k^2) + \dots$, valable pour chaque k, entraîne $A = \sum B_{i_1 \dots i_n}$, quel que soit n).

L'ensemble $A^* = A_1 \cdot A_2 \cdot \dots$ est donc de classe $\alpha+1$ multiplicative; en outre, dans le cas où A est de classe α multiplicative (donc où $A_n = \mathcal{X}$) on a $A^* = \mathcal{X}$.

Prolongeons chacune des fonctions f_n sur l'ensemble A_n, en convenant que $f_n(x) = y_n^{i_n}$, si $x \in C_{i_1 \dots i_n}$. L'ensemble des valeurs de la fonction f_n ainsi définie étant dénombrable, il suffit — pour prouver que cette fonction est de classe α (sur A_n) — de démontrer que l'ensemble $f_n^{-1}(y_n^i)$ est de classe α additive par rapport à A_n pour n et i fixes. Or, cela résulte directement de la formule $f_n^{-1}(y_n^i) = \sum C_{i_1 \dots i_{n-1} i}$, la sommation étant étendue à tous les systèmes de $n-1$ indices.

Ceci établi, nous allons démontrer que les fonctions f_n (prolongées) convergent uniformément sur l'ensemble A^*, notamment que l'inégalité (1) est valable, quel que soit $x_0 \in A^*$.

Soit, en effet, $x_0 \varepsilon C_{i_1 \dots i_n}$ et $x_0 \varepsilon C_{j_1 \dots j_k}$, $k \leqslant n$. D'après 1° il vient $i_1 = j_1, \dots, i_k = j_k$. Soit $x \varepsilon B_{i_1 \dots i_n}$, donc $x \varepsilon f_n^{-1}(y_n^{i_n})$, d'où $f_n(x) = y_n^{i_n} = f_n(x_0)$. L'égalité $i_k = j_k$ implique de même que $x \varepsilon f_k^{-1}(y_k^{j_k})$, d'où $f_k(x) = y_k^{j_k} = f_k(x_0)$. Comme point de A, x satisfait à la formule (1). Il en est de même de x_0, puisque $f_n(x) = f_n(x_0)$ et $f_k(x) = f_k(x_0)$.

L'espace $\mathcal{Y}$ étant complet, posons $f(x) = \lim f_n(x)$. La fonction $f(x)$ se trouve définie ainsi pour chaque $x \varepsilon A^*$ et, comme limite d'une suite uniformément convergente de fonctions de classe α, elle est encore de classe α (p. 185, 2).

Corollaire[1]). *Dans les mêmes hypothèses sur les espaces $\mathcal{X}$ et $\mathcal{Y}$, chaque fonction $f(x)$ de classe α, définie sur A, se laisse prolonger sur l'espace tout entier de façon qu'elle devienne une fonction de classe $\alpha + 1$.*

En effet, d'après la première partie du théorème précédent, il existe un ensemble E de classe $\alpha + 1$ multiplicative sur lequel la fonction f se laisse prolonger sans altérer sa classe (pour $\alpha = 0$, voir N° I) et d'après la deuxième partie du même théorème, la fonction f, ainsi prolongée, peut être étendue à l'espace tout entier comme fonction de classe $\alpha + 1$.

VII. Prolongement de l'homéomorphie de classe α, β.

Une transformation $y = f(x)$ de classe α dont la transformation inverse $x = f^{-1}(y)$ est de classe β est dite une *homéomorphie de classe* α, β[2]).

Les énoncés qui suivent permettent de généraliser ceux des NN° II—IV dans l'hypothèse que les espaces considérés sont séparables.

Théorème. Toute homéomorphie de classe α, β entre deux ensembles arbitraires A et B situés dans deux espaces complets séparables $\mathcal{X}$ et $\mathcal{Y}$ se laisse prolonger sur deux ensembles respectivement de classes $\alpha + \beta + 1$ et $\beta + \alpha + 1$ situés dans ces espaces.

---

[1]) Pour le cas où $\mathcal{Y}$ est l'espace des nombres réels, voir W. Sierpiński, *Sur l'extension des fonctions de Baire définies sur les ensembles linéaires quelconques*, Fund. Math. 16 (1930), p. 81 et G. v. Alexits, *Ueber die Erweiterung einer Baireschen Funktion*, Fund. Math. 15 (1930), p. 51.

[2]) Cf. W. Sierpiński, Fund. Math. 21 (1933), p. 66.

Reprenons la démonstration du théorème de M. Lavrentieff. Soient: $y = f(x)$ une homéomorphie de classe α, β entre A et B, A^* un ensemble de classe $\alpha + 1$ multiplicative, $A \subset A^*$, $y = f^*(x)$ une fonction de classe α définie sur A^* et qui coïncide avec $f(x)$ sur A (cf. N° VI), $I = \underset{xy}{E}\,[y = f^*(x)]$. Attribuons un sens analogue aux symboles B^*, g^* et J par rapport à la fonction $x = g(y)$, inverse de $y = f(x)$. Soient enfin A_1 et B_1 les projections de l'ensemble $I \cdot J$ sur les axes $\mathcal{X}$ et $\mathcal{Y}$ respectivement. L'ensemble J étant de classe $\beta + 1$ multiplicative (p. 183, VIII, 1), l'ensemble A_1 est de classe $\alpha + \beta + 1$ multiplicative par rapport à A^* (p. 183, VII, 2), donc par rapport à $\mathcal{X}$, c. q. f. d.

Le théorème établi, considérons le cas particulier où A est de classe $\alpha > 0$ multiplicative. Posons $A^* = A$ et $f^* = f$. Il vient $A_1 = A$ et $B_1 = B$. L'ensemble I étant à présent de classe α multiplicative, B_1 est de classe $\beta + \alpha$ multiplicative par rapport à B^*, donc par rapport à $\mathcal{Y}$. On parvient ainsi au

Corollaire. La propriété d'être un ensemble de classe $\alpha > 0$ multiplicative est invariante par rapport aux homéomorphies de classe $\alpha, 0$.

B. Espaces complets séparables (§§ 32—35).

L'espace $\mathcal{X}$ sera supposé complet et séparable.

§ 32. Rapports à l'espace $\mathcal{N}$ des nombres irrationnels.

I. Opération $(\mathcal{A})$. Admettons qu'à chaque système $n_1 \dots n_k$ d'entiers positifs corresponde un sous-ensemble fermé (vide ou non) $F_{n_1 \dots n_k}$ d'un espace complet $\mathcal{X}$.

Nous supposerons dans la suite que [1]):

$$(1) \quad F_{\mathfrak{z}^1 \dots \mathfrak{z}^k \mathfrak{z}^{k+1}} \subset F_{\mathfrak{z}^1 \dots \mathfrak{z}^k} \qquad (2) \quad \lim_{k=\infty} \delta(F_{\mathfrak{z}^1 \dots \mathfrak{z}^k}) = 0.$$

Soit Z l'ensemble des $\mathfrak{z}$ tels que $F_{\mathfrak{z}^1 \dots \mathfrak{z}^k} \neq 0$, quel que soit k. L'ensemble $F_{\mathfrak{z}^1} \cdot F_{\mathfrak{z}^1 \mathfrak{z}^2} \cdot F_{\mathfrak{z}^1 \mathfrak{z}^2 \mathfrak{z}^3} \cdot \dots$ se réduit alors (§ 30, II) à un seul point, que nous désignons par $f(\mathfrak{z})$. Par conséquent

[1]) Nous désignons, comme d'habitude, par $\mathfrak{z}$ une suite variable $[\mathfrak{z}^{(1)}, \mathfrak{z}^{(2)}, \dots]$ d'entiers positifs. En identifiant cette suite avec le nombre irrationnel $\dfrac{1|}{|\mathfrak{z}^{(1)}} + \dfrac{1|}{|\mathfrak{z}^{(2)}} + \dots$, on peut admettre que $\mathfrak{z}$ parcourt l'ensemble $\mathcal{N}$ (cf. p. 5 et 80).

$$f(Z) = \sum_{\mathfrak{z}} \prod_{k=1}^{\infty} F_{\mathfrak{z}^1 \dots \mathfrak{z}^k}, \tag{3}$$

de sorte que $f(Z)$ est le résultat de l'opération $(\mathcal{A})$ effectuée sur le système $\{F_{n_1 \dots n_k}\}$.

(a) *L'ensemble Z est fermé dans $\mathcal{N}$.*

En effet, si $\mathfrak{z}$ *non-*$\varepsilon\, Z$, il existe un k tel que $F_{\mathfrak{z}^1 \dots \mathfrak{z}^k} = 0$. On a donc $F_{\mathfrak{y}^1 \dots \mathfrak{y}^k} = 0$ pour chaque $\mathfrak{y}$ tel que $\mathfrak{y}^1 = \mathfrak{z}^1, \dots, \mathfrak{y}^k = \mathfrak{z}^k$, de sorte que $\mathfrak{y}$ *non-*$\varepsilon\, Z$. L'ensemble $\mathcal{N}_{\mathfrak{z}^1 \dots \mathfrak{z}^k}$ des $\mathfrak{y}$ considérés étant, comme on vérifie facilement, ouvert, on en conclut que $\mathfrak{z}$ est un point intérieur du complémentaire de Z, donc que Z est fermé.

(b) *La fonction $f(\mathfrak{z})$ est continue* (sur l'ensemble Z).

Soient, en effet, $\mathfrak{z}\, \varepsilon\, Z$ et k un indice tel que $\delta(F_{\mathfrak{z}^1 \dots \mathfrak{z}^k}) < \epsilon$. $\mathcal{N}_{\mathfrak{z}^1 \dots \mathfrak{z}^k}$ désignant le même ensemble qu'auparavant, la condition $\mathfrak{z}_1\, \varepsilon\, Z \cdot \mathcal{N}_{\mathfrak{z}^1 \dots \mathfrak{z}^k}$ entraîne $f(\mathfrak{z}_1)\, \varepsilon\, F_{\mathfrak{z}^1 \dots \mathfrak{z}^k}$, donc $|f(\mathfrak{z}) - f(\mathfrak{z}_1)| < \epsilon$. $\mathcal{N}_{\mathfrak{z}^1 \dots \mathfrak{z}^k}$ étant un entourage de $\mathfrak{z}$, on en conclut que la fonction f est continue au point $\mathfrak{z}$.

La proposition suivante est évidente:

(c) *Si $F_{\mathfrak{z}^1 \dots \mathfrak{z}^k} \neq 0$, quels que soient $\mathfrak{z}$ et k, alors $Z = \mathcal{N}$.*

(d) *Si le système $\{F_{\mathfrak{z}^1 \dots \mathfrak{z}^k}\}$ est diadique,* c. à d. si l'ensemble $F_{\mathfrak{z}^1 \dots \mathfrak{z}^k}$ s'annule toujours sauf quand le système $\mathfrak{z}^1 \dots \mathfrak{z}^k$ se compose de chiffres 1 et 2, — *l'ensemble Z est homéomorphe à l'ensemble $\mathcal{C}$ de Cantor.*

Car, dans ces hypothèses, Z est l'ensemble des suites composées de chiffres 1 et 2.

(e) *Si deux ensembles $F_{\mathfrak{z}^1 \dots \mathfrak{z}^k}$* et *$F_{\mathfrak{y}^1 \dots \mathfrak{y}^k}$ pourvus de différents systèmes de k indices sont toujours disjoints, la fonction f est biunivoque.* En outre,

$$f(Z) = \prod_{k=1}^{\infty} \sum_{\mathfrak{z}} F_{\mathfrak{z}^1 \dots \mathfrak{z}^k}$$

(de sorte que l'ensemble $f(Z)$ est alors un $\boldsymbol{F}_{\sigma\delta}$).

En effet, si $\mathfrak{z} \neq \mathfrak{y}$, il existe un indice k tel que $\mathfrak{z}^k \neq \mathfrak{y}^k$. Comme $f(\mathfrak{y})\, \varepsilon\, F_{\mathfrak{y}^1 \dots \mathfrak{y}^k}$, il vient $f(\mathfrak{y})$ *non-*$\varepsilon\, F_{\mathfrak{z}^1 \dots \mathfrak{z}^k}$, d'où $f(\mathfrak{z}) \neq f(\mathfrak{y})$.

Pour le reste de l'énoncé (e) voir § 1, VI, 5.

(f) *Si l'on ajoute à l'hypothèse de l'énoncé précédent celle que les ensembles $F_{\mathfrak{z}^1 \dots \mathfrak{z}^k}$ soient ouverts (tout en étant fermés), la fonction $f(\mathfrak{z})$ établit une homéomorphie entre Z et $f(Z)$.*

Soit, en effet, $\lim_{m=\infty} f(\mathfrak{z}_m) = f(\mathfrak{z})$. Il s'agit de prouver que $\lim_{m=\infty} \mathfrak{z}_m = \mathfrak{z}$, c. à d. que $\lim_{m=\infty} \mathfrak{z}_m^k = \mathfrak{z}^k$, quel que soit k, ou encore que, k étant fixe, on a $\mathfrak{z}_m^k = \mathfrak{z}^k$ pour m suffisamment grand.

Or, l'ensemble $F_{\mathfrak{z}^1 \dots \mathfrak{z}^k}$ étant ouvert, on conclut de la formule $\lim_{m=\infty} f(\mathfrak{z}_m) = f(\mathfrak{z}) \in F_{\mathfrak{z}^1 \dots \mathfrak{z}^k}$ que $f(\mathfrak{z}_m) \in F_{\mathfrak{z}^1 \dots \mathfrak{z}^k}$ pour m suffisamment grand. D'autre part $f(\mathfrak{z}_m) \in F_{\mathfrak{z}_m^1 \dots \mathfrak{z}_m^k}$. L'hypothèse de l'énoncé (e) entraîne donc $\mathfrak{z}_m^1 = \mathfrak{z}^1, \dots, \mathfrak{z}_m^k = \mathfrak{z}^k$.

(g) *Si* $\mathcal{X} = \sum_{i=1}^{\infty} F_i$ *et* $F_{\mathfrak{z}^1 \dots \mathfrak{z}^k} = \sum_{i=1}^{\infty} F_{\mathfrak{z}^1 \dots \mathfrak{z}^k i}$, *quels que soient* $\mathfrak{z}$ *et* k, *on a* $f(Z) = \mathcal{X}$.

En effet, p étant un point donné, il existe un indice n_1 tel que $p \in F_{n_1}$. Procédons par induction. Supposons que $p \in F_{n_1 \dots n_k}$. Il existe par hypothèse un indice n_{k+1} tel que $p \in F_{n_1 \dots n_k n_{k+1}}$. En désignant par $\mathfrak{z}$ la suite $n_1, n_2, n_3, \dots$, il vient $p = f(\mathfrak{z})$.

II. Transformations de l'ensemble $\mathcal{N}$ en espaces complets.

Théorème 1[1]. *Chaque espace complet séparable est (effectivement*[2]*) une image continue de l'espace* $\mathcal{N}$.

Soit, en effet, $R_1, R_2, \dots$ une base de l'espace $\mathcal{X}$ telle que $R_i \neq 0$ et $\delta(R_i) < 1$ (cf. § 17, I et II). Posons $F_i = \overline{R_i}$. Il vient

$$\mathcal{X} = \sum_{i=1}^{\infty} R_i = \sum_{i=1}^{\infty} F_i \quad \text{et} \quad \delta(F_i) \leqslant 1.$$

Procédons par induction. L'ensemble fermé non vide $F_{n_1 \dots n_k}$ supposé défini et considéré comme l'espace, il existe une suite infinie d'ensembles fermés et non vides $F_{n_1 \dots n_k i}$, $i = 1, 2, \dots$, telle que

$$F_{n_1 \dots n_k} = \sum_{i=1}^{\infty} F_{n_1 \dots n_k i} \quad \text{et} \quad \delta(F_{n_1 \dots n_k i}) \leqslant 1/_{k+1}.$$

D'après (b), (c) et (g), $\mathcal{X}$ est une image continue de $\mathcal{N}$.

Théorème 2. Chaque espace complet séparable de dimension 0 *est homéomorphe à un sous-ensemble fermé de l'espace* $\mathcal{N}$.

En effet, l'espace $\mathcal{X}$ étant 0-dimensionnel, chaque ensemble ouvert est la somme d'une suite infinie d'ensembles disjoints (vides

---

[1]) Ce théorème sera étendu dans le § 33 sur les ensembles boreliens.

[2]) c. à d. que la démonstration qui suit permet de n o m m e r une fonction continue f qui transforme $\mathcal{N}$ en $\mathcal{X}$ (cf. § 18, VIII).

ou non) qui sont à la fois fermés et ouverts et de diamètre aussi petit que l'on veut (p. 120, cor. 1). Il vient donc, comme dans la démonstration précédente:

$$\mathcal{X}=\sum_{i=1}^{\infty} F_i, \qquad F_{n_1 \dots n_k}=\sum_{i=1}^{\infty} F_{n_1 \dots n_k i}, \qquad \delta(F_{n_1 \dots n_k i}) \leqslant 1/_{k+1},$$

les ensembles $F_{n_1 \dots n_k}$ étant fermés, ouverts et disjoints pour k fixe.

D'après (a), (f) et (g), $\mathcal{X}$ est homéomorphe à un ensemble Z fermé dans $\mathcal{N}$.

Corollaire. Dans l'espace $\mathcal{N}$ *chaque ensemble* $\boldsymbol{G}_\delta$ *est homéomorphe à un ensemble fermé.*

Car, en vertu de § 29, VII, chaque ensemble $\boldsymbol{G}_\delta$ contenu dans $\mathcal{N}$ est homéomorphe à un espace complet de dimension 0.

Théorème 3 (de M. Mazurkiewicz)[1]. *Chaque ensemble* $\boldsymbol{G}_\delta$, *dense et frontière dans un espace complet, séparable et* 0-*dimensionnel est homéomorphe à l'espace* $\mathcal{N}$.

En effet, d'après le théor. I', p. 120, l'ensemble $\boldsymbol{G}_\delta$ en question est le résultat de l'opération $(\mathcal{A})$ effectuée sur un système d'ensembles $\{F_{n_1 \dots n_k}\}$ non vides, fermés, ouverts, disjoints pour k fixe et satisfaisant aux conditions (1) et (2) du N°I. D'après (3), (c) et (f), cet ensemble est donc homéomorphe à $\mathcal{N}$.

Corollaire. Chaque ensemble $\boldsymbol{G}_\delta$ *dense et frontière dans l'espace* $\mathcal{E}$ *des nombres réels est homéomorphe à* $\mathcal{N}$.

Soit Q l'ensemble $\boldsymbol{G}_\delta$ considéré et soit D un sous-ensemble dénombrable de $\mathcal{E}-Q$, dense et tel que l'ensemble $\mathcal{E}-Q-D$ soit dense (un ensemble D de ce genre existe, car l'ensemble $\mathcal{E}-Q$ est dense et dense en soi). L'ensemble Q est par conséquent dense et frontière dans $\mathcal{E}-D$. De plus, comme ensemble $\boldsymbol{G}_\delta$, $\mathcal{E}-D$ est un espace topologiquement complet de dimension 0 (§ 29, VII). Q est donc homéomorphe à $\mathcal{N}$ en vertu du théor. 3.

---

[1]) *Teorja zbiorów* G_δ, Wektor 1918. Cf. dans cet ordre d'idées L. E. J. Brouwer, *On linear inner limiting sets*, Proc. Akad. Amsterdam 20 (1917), p. 1191; P. Alexandroff et P. Urysohn, *Ueber nulldimensionale Mengen*, Math. Ann. 98 (1927), p. 89 (cas de l'ensemble F_σ homogène).

III. Transformations biunivoques.

Théorème. L'intervalle $\mathcal{I}$, ainsi que le cube n-dimensionnel $\mathcal{I}^n$ (n fini ou $\aleph_0$) [1]), se laissent obtenir de $\mathcal{N}$ par une homéomorphie de classe 0,1, c. à d. par une transformation biunivoque et continue $y = f(x)$, dont la transformation inverse $x = f^{-1}(y)$ est de I-re classe.

Soit N l'ensemble $\mathcal{C}$ de Cantor dépourvu des extrémités gauches des intervalles contigus. La fonction $t(x)$ qui fait correspondre au nombre $x = \dfrac{c_1}{3^1} + \dfrac{c_2}{3^2} + \ldots + \dfrac{c_m}{3^m} + \ldots (c_m = 0$ ou $2)$ le nombre

$t(x) = \dfrac{c_1}{2^2} + \dfrac{c_2}{2^3} + \ldots + \dfrac{c_m}{2^{m+1}} + \ldots$ transforme N en $\mathcal{I}$ d'une façon biunivoque et continue (p. 149).

La fonction inverse t^{-1} n'admet qu'un ensemble dénombrable des points de discontinuité (notamment, les points qui sont représentés par des fractions diadiques finies); elle est donc de I-re classe (§ 30, VII, cor. 1).

N étant dense et frontière dans $\mathcal{C}$, les ensembles N et $\mathcal{N}$ sont homéomorphes (théor. 3, N° II); soit $s(x)$ une homéomorphie telle que $s(\mathcal{N}) = N$. La fonction $f(x) = ts(x)$ satisfait au théorème pour $n = 1$.

En faisant correspondre à la suite (finie ou infinie); composée de nombres irrationnels $x_1, x_2, \ldots$ la suite $f(x_1), f(x_2), \ldots$, on définit une transformation continue g de $\mathcal{N}^n$ en $\mathcal{I}^n$ (p. 149, VI).

La transformation inverse $f^{-1}(y_1), f^{-1}(y_2) \ldots$ fait correspondre à chaque point $y_1, y_2, \ldots$ de l'espace $\mathcal{I}^n$ un point de $\mathcal{N}^n$; la transformation g^{-1} est donc de I-re classe, puisque f^{-1} est de I-re classe (p. 183, 3). $\mathcal{N}^n$ étant homéomorphe à $\mathcal{N}$ (p. 148, remarque), désignons par h une homéomorphie telle que $h(\mathcal{N}) = \mathcal{N}^n$. La fonction superposée $gh(x)$ est bien la fonction demandée.

Corollaire [2]). Chaque espace métrique séparable $\mathcal{X}$ se laisse obtenir d'un sous-ensemble E de $\mathcal{N}$ par une homéomorphie de classe 0,1. En outre, si $\mathcal{X}$ est complet, E est fermé (c. à d. *est topologiquement complet, séparable, et 0-dimensionnel*).

En effet, $\mathcal{X}$ peut être considéré comme un sous-ensemble Q de

---

[1]) et d'une façon plus générale *chaque espace complet séparable et dense en soi*; voir ma note sur ce sujet, qui paraîtra dans Fund. Math. 22 (1934).

[2]) Dans le § suivant ce corollaire sera étendu sur les ensembles boreliens.

$\mathcal{F}_{\aleph_0}$ (p. 104, IV). En outre, si l'espace $\mathcal{X}$ est complet, Q est un G_δ (cf. p. 215, III). Or, f étant la fonction considérée dans le théorème précédent (pour $n = \aleph_0$), l'ensemble $f^{-1}(Q)$ est un G_δ dans $\mathcal{N}$; il est donc homéomorphe à un sous-ensemble fermé de $\mathcal{N}$ (corollaire du théor. 2, N° II).

IV. Théorèmes de décomposition.

1. *Chaque espace complet, séparable,* 0*-dimensionnel et indénombrable se compose d'un ensemble dénombrable et d'un ensemble homéomorphe à* $\mathcal{N}$.

En effet, d'après le théorème de Cantor-Bendixson (p. 108), l'espace se compose d'un ensemble dénombrable et d'un ensemble P parfait et non vide. Soit D un ensemble dénombrable dense dans P. L'ensemble P, considéré comme l'espace, est complet, séparable et 0-dimensionnel. En outre, chaque point en est un point de condensation (§ 30, IV, cor. 3); l'ensemble $P - D$ est donc dense dans P. Comme un G_δ dense et frontière dans P, l'ensemble $P-D$ est homéomorphe à $\mathcal{N}$ selon le théor. 3 du N° II.

On en conclut que *chaque ensemble* G_δ *indénombrable situé dans* $\mathcal{E}$ *devient homéomorphe à* $\mathcal{N}$, *lorsqu'on supprime un ensemble dénombrable convenablement choisi*[1]. Car en enlevant les points rationnels, on parvient à un ensemble G_δ de dimension 0, qui devient — comme nous venons de démontrer — homéomorphe à $\mathcal{N}$, lorsqu'on enlève un ensemble dénombrable.

2. *Chaque espace complet, séparable et indénombrable se compose d'un ensemble dénombrable et d'un ensemble qui s'obtient de* $\mathcal{N}$ *par une homéomorphie de classe* 0,1.

Soient, en effet, $\mathcal{Y}$ l'espace considéré et $\mathcal{X}$ un espace complet, séparable, 0-dimensionnel et tel que $\mathcal{Y}$ s'en obtienne par une homéomorphie f de classe 0,1 (N° III, corollaire). D'après le théorème précédent, on a $\mathcal{X} = D + N$, où D est dénombrable et N homéomorphe à $\mathcal{N}$. La formule $\mathcal{Y} = f(D) + f(N)$ représente la décomposition demandée.

V. Rapports à l'ensemble $\mathcal{C}$ de Cantor.

Théorème. Chaque transformation continue d'un espace complet séparable $\mathcal{X}$ *est une homéomorphie sur un ensemble A homéomorphe à l'ensemble* $\mathcal{C}$ *de Cantor, pourvu que cette transformation admette une infinité indénombrable des valeurs différentes.*

---

[1]) Théorème de M. Mazurkiewicz, l. cit.

En outre [1]), *chaque espace complet, dense en soi et non vide* (qu'il soit séparable ou non) *contient* $\mathcal{C}$ *topologiquement.*

Faisons correspondre à chaque valeur y de la fonction f considérée un point x_y tel que $y = f(x_y)$. L'espace $\mathcal{X}$ étant séparable et l'ensemble des x_y indénombrable, soit D un sous-ensemble dense en soi (non vide) de cet ensemble (cf. § 18, V).

Soient $p_0 \neq p_2$ deux points de l'ensemble D et soient F_0 et F_2 deux sphères (fermées) de centre p_0 et p_2 telles que: 1° $\delta(F_0) < 1$, $\delta(F_2) < 1$, 2° $f(F_0) \cdot f(F_2) = 0$. L'existence des sphères F_0 et F_2 résulte de la continuité de la fonction f: si elles n'existaient pas, on pourrait définir (en considérant des sphères de plus en plus petites) deux suites $\{r_n\}$ et $\{s_n\}$ telles que $\lim r_n = p_0$, $\lim s_n = p_2$ et $f(r_n) = f(s_n)$; mais on aurait alors $\lim f(r_n) = \lim f(s_n)$, d'où $f(p_0) = f(p_2)$ et $p_0 = p_2$, car la fonction f est biunivoque sur D.

L'ensemble D étant dense en soi, il existe à l'intérieur de F_0 deux points p_{00} et p_{02} de D et deux sphères F_{00} et F_{02} telles que $\delta(F_{00}) < 1/2$, $\delta(F_{02}) < 1/2$, $f(F_{00}) \cdot f(F_{02}) = 0$ et $F_{00} + F_{02} \subset F_0$. En attribuant un sens analogue aux symboles F_{20} et F_{22} et en procédant ainsi de proche en proche, on parvient à un système diadique d'ensembles fermés non vides $\{F_{c_1 \dots c_k}\}$ qui satisfait aux conditions (1) et (2) du N° I. On a en outre

$$\text{(i)} \qquad f(F_{c_1 \dots c_k}) \cdot f(F_{d_1 \dots d_k}) = 0, \quad \text{si } (c_1 \dots c_k) \neq (d_1 \dots d_k),$$

ce qui implique que $F_{c_1 \dots c_k} \cdot F_{d_1 \dots d_k} = 0$.

Il en résulte en vertu de N° I, (d) et (e), que l'ensemble $A = \prod_{k=1}^{\infty} \sum F_{c_1 \dots c_k}$, où la sommation s'étend à tous les systèmes de k chiffres $c_1 \dots c_k$, est une image biunivoque et continue de $\mathcal{C}$: $A = g(\mathcal{C})$ [2]).

La fonction $g(c), c \in \mathcal{C}$, est b i c o n t i n u e [3]). Soit, en effet, $\lim_{n=\infty} g(c_n) = g(c)$. Il s'agit de démontrer que $\lim_{n=\infty} c_n = c$, donc—en

---

[1]) Cf. W. H. Y o u n g, Leipz. Ber. 55 (1903), p. 287.

[2]) La fonction $g(c)$ peut être définie directement, en convenant que $g(c) = F_{c_1} \cdot F_{c_1 c_2} \cdot F_{c_1 c_2 c_3} \cdot \dots$ pour $c = \frac{c_1}{3} + \frac{c_2}{9} + \frac{c_3}{27} + \dots$ Cf. F. H a u s d o r f f, *Mengenlehre*, p. 134.

[3]) C'est un cas particulier d'un théorème sur les espaces compacts.

vertu du théor. de Bolzano-Weierstrass—que la condition $\lim_{n=\infty} c_{k_n} = c'$ entraîne $c' = c$. Or, la fonction g étant continue, on a l'égalité $\lim_{n=\infty} g(c_{k_n}) = g(c')$, d'où $g(c') = g(c)$ et $c' = c$, puisque la fonction g est biunivoque.

Il est ainsi établi que A est homéomorphe à $\mathcal{C}$. Enfin, pour prouver que la fonction partielle $f(x|A)$ est bicontinue, il suffit de démontrer—comme nous venons de voir—que cette fonction est biunivoque. Or, étant donnés deux points $x_1 \neq x_2$ de A, il existe deux systèmes différents d'indices $c_1 \dots c_k$ et $d_1 \dots d_k$ tels que $x_1 \varepsilon F_{c_1 \dots c_k}$ et $x_2 \varepsilon F_{d_1 \dots d_k}$. Il vient selon (i): $f(x_1) \neq f(x_2)$, c. q. f. d.

Pour établir la deuxième partie du théorème, il suffit de poser dans le raisonnement précédent $D = \mathcal{X}$ et $f(x) = x$.

Corollaire 1. Toute image continue indénombrable d'un espace complet séparable contient $\mathcal{C}$ topologiquement. Elle est donc de la puissance du continu.

Corollaire 2. Tout espace complet, séparable et indénombrable contient un G_δ (homéomorphe à $\mathcal{N}$) dont chaque espace complet séparable est une image continue.

C'est une conséquence du corollaire précédent, du théor. 1 (N° II) et du fait que l'ensemble $\mathcal{C}$ dépourvu des extrémités des intervalles contigus est homéomorphe à $\mathcal{N}$.

Corollaire 3. Etant donnée une fonction continue $f(x)$, définie sur un espace complet séparable, la condition nécessaire et suffisante pour que l'ensemble des valeurs de cette fonction soit indénombrable est qu'il existe un ensemble dense en soi E (situé dans cet espace) tel que la fonction partielle $f(x|E)$ soit biunivoque.

La condition est nécessaire en vertu du théorème de ce N°. Elle est suffisante d'après le corollaire 6, p. 206.

§ 33. Ensembles boreliens dans les espaces complets séparables.

I. Ensembles ambigus[1]. *A chaque ensemble ambigu A de classe $\alpha + 1 > 1$, situé dans $\mathcal{X}$, correspondent: un espace complet séparable C de dimension* 0 (autrement dit, un sous-ensemble fermé

[1]) Cf. N. Lusin, *Ensembles analytiques*, chap. II.

de $\mathcal{N}$) *et une homéomorphie f de classe* $0,\alpha$ *qui transforme C en* $\mathcal{X}$ *de façon que l'ensemble* $f^{-1}(A)$ *soit un* $\boldsymbol{F}_\sigma$ *et* $\boldsymbol{G}_\delta$ *(dans C).*

Supposons que le théorème soit vrai pour chaque ensemble ambigu de classe $< \beta$ ($\beta > 1$). Nous allons démontrer qu'il en est encore ainsi, quand A est un ensemble ambigu de classe β.

D'après p. 166, IX, l'ensemble A est de la forme:

$$A = \sum_{n=1}^{\infty}(A_n \cdot A_{n+1} \cdot ...) = \prod_{n=1}^{\infty}(A_n + A_{n+1} + ...)$$

où A_n est ambigu de classe α_n et $0 < \alpha_n < \beta$.

Si $\beta > 2$, il existe par hypothèse un ensemble C_n fermé dans $\mathcal{N}$ et une homéomorphie f_n de classe $0,\alpha_n$, définie sur C_n, telle que $f_n(C_n) = A_n$. Si $\beta = 2$, on parvient à la même conclusion en vertu du corollaire § 32, III (où l'espace $\mathcal{X}$ peut être remplacé par l'ensemble A_n, car celui-ci est un $\boldsymbol{G}_\delta$).

L'ensemble $\mathcal{X} - A_n$ étant aussi ambigu de classe α_n, il existe un ensemble D_n fermé dans l'ensemble des nombres irrationnels de l'intervalle (1,2) et dont le rapport à $\mathcal{X} - A_n$ est identique à celui de C_n à A_n; de sorte qu'en posant $E_n = C_n + D_n$, la fonction f_n définie sur l'ensemble E_n tout entier, est continue, biunivoque et remplit les formules $f_n(C_n) = A_n$ et $f_n(D_n) = \mathcal{X} - A_n$. La fonction f_n^{-1} est de classe α_n, car les fonctions partielles $f_n^{-1} | A_n$ et $f_n^{-1} | (\mathcal{X} - A_n)$ sont par hypothèse de classe α_n et l'ensemble A_n est ambigu de classe α_n (cf. p. 179, IV, 2).

Remarquons que E_n est topologiquement complet, séparable, 0-dimensionnel et que les ensembles C_n et D_n sont fermés et ouverts dans cet espace. Soit $E = E_1 \times E_2 \times ...$ le produit cartésien des espaces E_n, c. à d. l'espace des suites $\mathfrak{z} = [\mathfrak{z}^1, \mathfrak{z}^2, ...]$ où $\mathfrak{z}^n \varepsilon E_n$. Soit C l'ensemble des $\mathfrak{z}$ tels que $f_1(\mathfrak{z}^1) = f_2(\mathfrak{z}^2) = ...$ Posons $f(\mathfrak{z}) = f_1(\mathfrak{z}^1)$ pour $\mathfrak{z} \varepsilon C$.

Les fonctions f_n étant continues, C est fermé dans E. L'espace E étant topologiquement complet, séparable et 0-dimensionnel (§ 29, III, § 14, VI, § 24, V), il en est de même de C.

On a $f(C) = \mathcal{X}$. Car x étant un point de $\mathcal{X}$, il existe, pour chaque n, un $t_n \varepsilon E_n$ tel que $x = f_n(t_n)$. En posant $\mathfrak{z} = [t_1, t_2, ...]$, il vient $x = f(\mathfrak{z})$ et $\mathfrak{z} \varepsilon C$.

La fonction $f(\mathfrak{z})$ est *biunivoque*. En effet, si $\mathfrak{z} \neq \mathfrak{y}$, il existe un n tel que $\mathfrak{z}^n \neq \mathfrak{y}^n$, d'où $f(\mathfrak{z}) = f_n(\mathfrak{z}^n) \neq f_n(\mathfrak{y}^n) = f(\mathfrak{y})$, puisque la fonction f_n est biunivoque.

La fonction $f(\mathfrak{z})$ est *continue*, car la fonction $f_1(\mathfrak{z}^1)$ est continue.

La fonction $\mathfrak{z} = f^{-1}(x)$ est de classe β, si β est un nombre limite, et de classe $< \beta$ dans le cas contraire. Car en vertu des équivalences:

$$\{\mathfrak{z} = f^{-1}(x)\} \equiv \{f(\mathfrak{z}) = x\} \equiv \{x = f_1(\mathfrak{z}^1) = f_2(\mathfrak{z}^2) = ...\} \equiv$$
$$\equiv \{\mathfrak{z}^1 = f_1^{-1}(x),\ \mathfrak{z}^2 = f_2^{-1}(x), ...\}$$

chaque coordonnée du point $\mathfrak{z} = f^{-1}(x)$ est une fonction de classe $< \beta$ (p. 183, VI, 1).

L'ensemble $f^{-1}(A)$ *est un* $\boldsymbol{F}_\sigma$ *et* $\boldsymbol{G}_\delta$. On a, en effet,

$$f^{-1}(A) = \sum_{n=1}^{\infty} [f^{-1}(A_n) \cdot f^{-1}(A_{n+1}) \cdot ...] = \prod_{n=1}^{\infty} [f^{-1}(A_n) + f^{-1}(A_{n+1}) + ...].$$

La fonction f étant continue, il suffit donc de démontrer que l'ensemble $f^{-1}(A_n)$ est fermé et ouvert dans C. Or, on a pour $\mathfrak{z} \varepsilon C$: $\{f(\mathfrak{z}) \varepsilon A_n\} \equiv \{f_n(\mathfrak{z}^n) \varepsilon A_n\} \equiv \{\mathfrak{z}^n \varepsilon C_n\}$ et l'ensemble C_n étant fermé et ouvert dans E_n, l'ensemble $f^{-1}(A_n) = C \cdot \underset{\mathfrak{z}}{E} \{\mathfrak{z}^n \varepsilon C_n\}$ est fermé et ouvert dans C, puisque $\underset{\mathfrak{z}}{E} \{\mathfrak{z}^n \varepsilon C_n\} = E_1 \times ... \times E_{n-1} \times C_n \times E_{n+1} \times ...$

Remarque. La classe de la fonction $f^{-1}(x)$ ne peut pas être *réduite*. Car f^{-1} étant de classe ξ, l'ensemble $A = ff^{-1}(A)$ est ambigu de classe $\xi + 1$, puisque $f^{-1}(A)$ est ambigu de classe 1 (§ 27, III). Par conséquent, si A est de classe $\alpha + 1$ sans être de classe α, on a $\xi \geqslant \alpha$.

II. Ensembles boreliens arbitraires[1]).

Corollaire 1. Chaque ensemble borelien B de classe $\alpha > 0$ se laisse obtenir d'un espace complet, 0-dimensionnel et séparable (autrement dit: d'un sous-ensemble fermé de $\mathfrak{N}$) à l'aide d'une homéomorphie de classe $0, \alpha$.

En effet, B étant ambigu de classe $\alpha + 1$, on considère l'ensemble $\boldsymbol{F}_\sigma$ et $\boldsymbol{G}_\delta$ du théorème précédent comme l'espace complet et on restreint à cet espace le domaine des arguments de la fonction f.

Il est en outre à remarquer que, *si B est de classe α additive (multiplicative), l'ensemble $f(X)$ l'est également, quel que soit l'ensemble X ouvert (fermé).*

---

[1]) Cf. N. Lusin, ibid. Pour des énoncés plus précis, cf. ma note sur ce sujet, qui paraîtra dans Fund. Math. 22 (1934).

Corollaire 2. Dans chaque ensemble borelien indénombrable B de classe $\alpha > 0$ il existe un ensemble dénombrable D tel que l'ensemble $B - D$ se laisse obtenir de $\mathcal{N}$ à l'aide d'une homéomorphie de classe $0,\alpha$.

Soient, conformément au cor. 1, C un espace complet, séparable, 0-dimensionnel et f une homéomorphie de classe $0,\alpha$ telle que $f(C) = B$. E étant un sous-ensemble dénombrable de C tel que l'ensemble $C - E$ est homéomorphe à $\mathcal{N}$ (p. 227, IV, 1), on pose $D = f(E)$.

Corollaire 3. Chaque ensemble borelien est une image continue de l'ensemble $\mathcal{N}$ des nombres irrationnels.

Supposons d'abord l'ensemble B indénombrable et soit $D = p_1, p_2, \ldots$ l'ensemble dénombrable (fini ou infini) considéré dans le cor. 2. Soit $f(t)$, $t \in \mathcal{N}$, une fonction continue telle que $f(\mathcal{N}) = B - D$. Désignons par $\mathcal{N}_n$ l'ensemble des nombres irrationnels de l'intervalle $(n, n+1)$ et posons $f(\mathcal{N}_n) = p_n$. L'ensemble $\mathcal{N} + \mathcal{N}_1 + \mathcal{N}_2 + \ldots$, qui est évidemment homéomorphe à $\mathcal{N}$, se trouve ainsi transformé en B d'une façon continue.

Dans le cas où B est dénombrable, on pose $B = D$. La fonction f transforme alors l'ensemble $\mathcal{N}_1 + \mathcal{N}_2 + \ldots$ en B.

Corollaire 4. (théor. de M.M. Alexandroff-Hausdorff) [1]. *Chaque ensemble borelien indénombrable contient topologiquement l'ensemble $\mathcal{C}$ de Cantor. Sa puissance est donc $\mathfrak{c}$.*

C'est une conséquence du cor. 3 et du cor. 1, p. 229.

III. Développement des ensembles ambigus en séries alternées [2]. *La condition nécessaire et suffisante pour qu'un ensemble E soit ambigu de classe $\alpha + 1$ est qu'il soit développable en série alternée dénombrable (transfinie) d'ensembles décroissants de classe α multiplicative*:

$$(1) \qquad E = B_1 - B_2 + B_3 - B_4 + \ldots + B_\omega - B_{\omega+1} + \ldots$$

La suffisance de cette condition a été démontrée p. 164, 3. Pour en prouver la nécessité, considérons, conformément au théor. du N⁰ I, un espace complet séparable C et une homéomorphie f de

[1] P. Alexandroff, C. R. Paris t. 162 (1916), p. 323, F. Hausdorff, Math. Ann. 77 (1916), p. 430.

[2] N. Lusin, l. cit.

classe 0,α qui transforme C en l'espace $\mathcal{X}$ (qui contient E) de façon que l'ensemble $f^{-1}(E)$ soit un $\boldsymbol{F}_\sigma$ et $\boldsymbol{G}_\delta$. En vertu du théorème p. 207, VI, l'ensemble $f^{-1}(E)$ est de la forme

$$f^{-1}(E) = F_1 - F_2 + F_3 - F_4 + \ldots + F_\omega - F_{\omega+1} + \ldots,$$

où les ensembles F_ξ sont fermés et décroissants.

La fonction f étant biunivoque, il vient:

$$E = ff^{-1}(E) = f(F_1) - f(F_2) + \ldots + f(F_\omega) - f(F_{\omega+1}) + \ldots$$

et les ensembles décroissants $B_\xi = f(F_\xi)$ sont de classe α multiplicative, puisque la fonction f^{-1} est de classe α.

IV. Petites classes de Borel. Le théorème précédent conduit d'une façon naturelle à une classification des ensembles ambigus d'une classe α donnée (où α n'est pas un nombre limite). Notamment, la série (1) étant du type β, nous dirons que E appartient à la *petite classe* $\boldsymbol{F}_\alpha^\beta$. D'une façon analogue, si le complémentaire de E est développable en une série du type β, E est dit de *petite classe* $\boldsymbol{G}_\alpha^\beta$ [1]).

On voit ainsi que la classification des ensembles ambigus de classe α (α fixe) en „petites classes" est tout-à-fait analogue à celle des ensembles boreliens en classes $\boldsymbol{F}_\alpha$ (ou $\boldsymbol{G}_\alpha$).

Ainsi, par exemple, les ensembles des petites classes $\boldsymbol{F}_1^1, \boldsymbol{F}_1^2, \boldsymbol{F}_1^3 \ldots$, $\boldsymbol{G}_1^1, \boldsymbol{G}_1^2, \boldsymbol{G}_1^3, \ldots$ sont respectivement de la forme:

$$F, \quad F_1 - F_2, \quad F_1 - F_2 + F_3, \ldots$$
$$\mathcal{X} - F, \quad \mathcal{X} - F_1 + F_2, \quad \mathcal{X} - F_1 + F_2 - F_3, \ldots$$

Par une méthode analogue à celle qui nous a servi pour démontrer qu'à chaque α correspond (dans l'espace des nombres irrationnels) un ensemble borelien qui est de classe α sans être de classe $< \alpha$ (p. 175) on établit l'exis-

---

1) Cette condition s'exprime d'une façon plus naturelle, lorsqu'on emploie la *division* des ensembles, en posant par définition $X : Y = X + Y'$ (où Y' = complémentaire de Y). $\boldsymbol{G}_\alpha^\beta$ est alors la classe des ensembles qui se laissent développer en un „produit alterné" du type β d'ensembles croissants de classe α additive:

$$E = (G_1 : G_2) \cdot (G_3 : G_4) \cdot \ldots \cdot (G_\omega : G_{\omega+1}) \cdot \ldots \quad \text{où} \quad G_1 \subset G_2 \subset \ldots \subset G_\omega \subset \ldots$$

En effet, la formule $E' = B_1 - B_2 + \ldots + B_\omega - B_{\omega+1} + \ldots$ entraîne

$$E = (B_1 - B_2)' \cdot \ldots \cdot (B_\omega - B_{\omega+1})' \cdot \ldots = (B_1' : B_2') \cdot \ldots \cdot (B_\omega' : B_{\omega+1}') \cdot \ldots$$

tence des ensembles qui appartiennent à une petite classe donnée sans appartenir aux petites classes à indices inférieurs [1]).

§ 34. Ensembles projectifs.

I. Définitions. On appelle *ensembles projectifs de classe* 0 les ensembles boreliens. Les *ensembles projectifs de classe* $2n+1$ sont les images continues des ensembles projectifs de classe $2n$ (situés dans le même espace); les *ensembles projectifs de classe* $2n$ sont les complémentaires des ensembles projectifs de classe $2n-1$ [2]).

En particulier, les ensembles projectifs de classe 1, c. à d. les images continues des ensembles boreliens sont appelés *analytiques* ou *ensembles* A [3]), leur complémentaires, c. à d. les ensembles projectifs de classe 2, sont nommés *complémentaires analytiques* ou *ensembles* CA [4]).

Comme on verra dans la suite, il y a de nombreux problèmes d'un caractère élémentaire qui conduisent aux ensembles A et aux ensembles CA. Il y a aussi des exemples importants d'ensembles qui sont analytiques sans être boreliens; tel est, dans l'espace des sous-ensembles fermés de l'intervalle, l'ensemble des ensembles fermés indénombrables [5]).

L'importance de la théorie des ensembles projectifs (surtout des ensembles analytiques) tient aussi à ses applications aux autres branches de la

---

[1]) M. Lavrentieff, *Sur les sous-classes de la classification de M. Baire*, C. R. Paris 1925. Cf. aussi N. Lusin, op. cit. p. 123, et W. Sierpiński, *Sur l'existence de diverses classes d'ensembles*, Fund. Math. 14 (1929), p. 82.

[2]) Avec les opérations dénombrables $\sum_{n=1}^{\infty}$ et $\prod_{n=1}^{\infty}$ il n'y aurait aucune difficulté de prolonger cette classification dans le transfini ($<\Omega$), en imitant la classification des ensembles boreliens.

[3]) ou „ensembles de Souslin" (F. Hausdorff, *Mengenlehre*, p. 177).

[4]) La notion d'ensemble analytique a été introduite par MM. Souslin et Lusin; voir *Sur une définition des ensembles mesurables B sans nombres transfinis*, C. R. Paris t. 164, 1917, p. 88 et suiv. La théorie des ensembles analytiques a été développée surtout par MM. Lusin et Sierpiński. La notion d'ensemble projectif est due à M. Lusin; voir *Sur les ensembles projectifs de M. Henri Lebesgue*, C. R. Paris t. 180 (1925), p. 1570. Cf. L. Kantorovitch et E. Livenson, *Memoir on the analytical operations and projective sets*, Fund. Math. t. 18 (1932), p. 214 et t. 20 (1933), p. 54.

[5]) W. Hurewicz, *Zur Theorie der analytischen Mengen*, Fund. Math. 15 (1930), pp. 4—17. Nous reviendrons sur ce point dans le Chap. IV.

Topologie; ainsi, par exemple, la démonstration du théorème sur l'inversion des fonctions continues (§ 35, V) repose sur cette théorie.

Nous allons voir que les ensembles analytiques jouissent de la propriété de Baire (même au sens restreint) et qu'ils sont mesurables (dans le cas de l'espace des nombres réels, cf. § 35, II). Le problème si ces deux propriétés appartiennent aux ensembles projectifs en général, n'est pas résolu [1]); en conséquence, les ensembles projectifs de classes $n > 2$ sont — à l'état actuel de leur théorie — moins susceptibles d'applications. Néanmoins, on est conduit à la notion d'ensemble projectif d'une façon tout-à-fait naturelle, surtout lorsqu'on se sert des notations logiques et lorsqu'on tient compte du fait que l'opérateur logique $\sum\limits_x$ correspond à la projection (p. 8) et que la négation correspond au passage au complémentaire d'un ensemble.

II. Relations entre les classes projectives. Désignons, d'une façon générale, par CX la famille des complémentaires des ensembles appartenant à une famille donnée X et par PX la famille des images continues des ensembles appartenant à X. On a les formules évidentes:

1. $CCX = X$ 2. $X \subset PX = PPX$

3. $X \subset Y$ *entraîne* $CX \subset CY$ *et* $PX \subset PY$.

En outre, L_n désignant la n-ième classe projective, on a:

4. $L_{2n+1} = PL_{2n}$ 5. $L_{2n} = CL_{2n-1}$

6. $CL_0 = L_0$ *et* $PL_0 = L_1 = A$.

Nous allons démontrer que

7. $L_{2n} \subset L_{2n+k}$ *et* $L_{2n+1} \subset L_{2n+2+k}$ *pour* $n \geqslant 0$ *et* $k = 1, 2, \ldots$

Il suffit évidemment de prouver que:

(i) $L_{2n} \subset L_{2n+1}$, (ii) $L_n \subset L_{n+2}$, (iii) $L_{2n+1} \subset L_{2n+4}$.

L'inclusion (i) est une conséquence directe de 2 et 4.

---

[1]) La solution de ce problème (même dans le cas de $n = 3$ et de l'espace des nombres réels) semble présenter des difficultés très profondes; d'après M. Lusin, qui a posé ce problème, „on ne saura jamais" (!) si la solution est positive ou négative. Il en est de même du problème si la puissance d'un ensemble CA indénombrable est celle du continu. Voir N. Lusin, *Les propriétés des ensembles projectifs*, C. R. Paris t. 180 (1925), p. 1817.

L'inclusion (ii) est satisfaite pour $n=0$ en vertu de 3 et 6. Pour $n>0$ on a soit $\boldsymbol{L}_n = \boldsymbol{PCL}_{n-2}$, soit $\boldsymbol{L}_n = \boldsymbol{CPL}_{n-2}$ (où l'on pose $\boldsymbol{L}_{-1} = \boldsymbol{L}_0$). Si l'on admet (en raisonnant par induction) l'inclusion $\boldsymbol{L}_{2n-2} \subset \boldsymbol{L}_n$, il vient selon 3: $\boldsymbol{PCL}_{n-2} \subset \boldsymbol{PCL}_n$ et $\boldsymbol{CPL}_{n-2} \subset \boldsymbol{CPL}_n$, d'où l'inclusion (ii).

Enfin, l'inclusion (i) donne $\boldsymbol{CL}_{2n+1} = \boldsymbol{L}_{2n+2} \subset \boldsymbol{L}_{2n+3}$, d'où selon 3 et 1: $\boldsymbol{L}_{2n+1} = \boldsymbol{CCL}_{2n+1} \subset \boldsymbol{CL}_{2n+3} = \boldsymbol{L}_{2n+4}$.

III. Propriétés des ensembles projectifs.

1. *P_k étant un ensemble projectif de classe n situé dans un espace complet séparable $\mathcal{X}_k$, $k = 1, 2, \dots$, le produit cartésien (fini ou infini) $P_1 \times P_2 \times \dots$ est un ensemble projectif de classe n dans l'espace $\mathcal{X}_1 \times \mathcal{X}_2 \times \dots$*

2. *P et Q étant deux ensembles projectifs de classe n, situés respectivement dans les espaces complets séparables $\mathcal{X}$ et $\mathcal{Y}$, et $y=f(x)$ étant une fonction continue définie sur P, l'ensemble $f^{-1}(Q)$ est de classe n. En outre, si n est impair, $f(P)$ est de classe n; si n est pair, $f(P)$ est de classe $n+1$.*

3 [1]). *La propriété d'être un ensemble projectif de classe n est additive et multiplicative au sens dénombrable; autrement dit, si les ensembles $P_1, P_2, \dots$ sont des ensembles projectifs de classe n, les ensembles $P_1 + P_2 + \dots$ et $P_1 \cdot P_2 \cdot \dots$ le sont également.*

Nous établirons ces propriétés par l'induction finie.

Pour $n = 0$ (cas des ensembles boreliens), les propriétés 1, 3 et la première partie de 2 sont satisfaites (§ 26, III). La deuxième partie de 2 l'est également. Car $\mathcal{Y}$ étant supposé indénombrable (ce qui est légitime, puisque autrement $f(P)$ est dénombrable, donc de classe 1), il existe un sous-ensemble borelien N de $\mathcal{Y}$ dont P est une image continue: $P = g(N)$ (cf. p. 229, cor. 2 et p. 232, cor. 3). L'ensemble $f(P) = fg(N)$ est donc de classe 1.

Admettons donc que $n > 0$ et que les trois propriétés soient réalisées pour $n-1$ (nous les désignerons par 1_{n-1}, 2_{n-1}, 3_{n-1}).

a) *Cas de n impair.* Posons $P_k = p_k(R_k)$, l'ensemble R_k étant un sous-ensemble de $\mathcal{X}_k$ de classe $n-1$ et p_k une fonction continue définie sur R_k.

---

[1]) Cf. W. Sierpiński, *Sur les familles inductives et projectives d'ensembles*, Fund. Math. 13 (1929), pp. 228—239.

ad 1). En faisant correspondre au point $(x_1, x_2, ...)$ de l'ensemble $R_1 \times R_2 \times ...$ le point $[p_1(x_1), p_2(x_2), ...]$ de l'ensemble $P_1 \times P_2 \times ...$, premier ensemble se trouve transformé d'une façon continue en deuxième (voir p. 149, VI). Le premier étant de classe $n-1$ en vertu de 1_{n-1}, le deuxième est de classe n en vertu de la dernière partie de 2_{n-1}.

ad 2). Soit, comme auparavant, $P = p(R)$ où $R \subset \mathcal{X}$. Soit, en outre, $Q = q(T)$, l'ensemble T étant un sous-ensemble de $\mathcal{Y}$ de classe $n-1$ et q une fonction continue définie sur T.

On a les équivalences évidentes (où $x \varepsilon \mathcal{X}$, $x^* \varepsilon \mathcal{X}$ et $y \varepsilon \mathcal{Y}$):

$$\{x \varepsilon f^{-1}(Q)\} \equiv \{f(x) \varepsilon Q\} \equiv \sum_{x^*} \{[x = p(x^*)] \cdot [fp(x^*) \varepsilon Q]\} \equiv$$

$$\equiv \sum_{x^* y} \{[x = p(x^*)] \cdot [fp(x^*) = q(y)]\},$$

d'où

$$f^{-1}(Q) = \underset{x}{E} \sum_{x^* y} \{[x = p(x^*)] \cdot [fp(x^*) = q(y)]\}.$$

L'ensemble $f^{-1}(Q)$ est par conséquent une projection (§ 2, V, 3), donc une image continue, de l'ensemble M des points (x, x^*, y) qui satisfont à la condition entre crochets $\{\ \}$. Les fonctions p, fp et q étant continues, et les deux premières ayant R et la troisième T pour ensemble des arguments, l'ensemble M est fermé dans le produit $\mathcal{X} \times R \times T$. Celui-ci étant selon 1_{n-1} de classe $n-1$, M est la partie commune d'un ensemble fermé (donc de classe $n-1$) et d'un ensemble de classe $n-1$. Selon 3_{n-1}, M est par conséquent de classe $n-1$ dans $\mathcal{X} \times \mathcal{X} \times \mathcal{Y}$ et $f^{-1}(Q)$, comme image continue de M, est de classe n selon le dernière partie de 2_{n-1}.

En outre, l'identité $f(P) = fp(R)$ implique selon 2_{n-1} que l'ensemble $f(P)$ est de classe n dans $\mathcal{Y}$, comme image continue de R.

ad 3). Soit, à présent, $P_k = p_k(R_k)$ et $R_k \subset \mathcal{X}$. On a

$$\left\{x \varepsilon \sum_{k=1}^{\infty} P_k\right\} \equiv \left\{x \varepsilon \sum_{k=1}^{\infty} p_k(R_k)\right\} \equiv \sum_k \{x \varepsilon p_k(R_k)\} \equiv \sum_k \sum_{x^*} \{x = p_k(x^*)\} \equiv$$

$$\equiv \sum_{x^*} \sum_k \{x = p_k(x^*)\}.$$

Donc $\sum_{k=1}^{\infty} P_k = \underset{x}{E} \sum_{x^*} \sum_k \{x = p_k(x^*)\}$, ce qui prouve que $\sum_{k=1}^{\infty} P_k$ est la projection de $M = \underset{xx^*}{E} \sum_k \{x = p_k(x^*)\} = \sum_{k=1}^{\infty} \underset{xx^*}{E} \{x = p_k(x^*)\}$.

Or, la fonction p_k, définie sur R_k, étant continue, l'ensemble $M_k = \underset{xx^*}{E}\{x = p_k(x^*)\}$ est fermé dans le produit $\mathcal{X} \times R_k$, qui est de classe $n-1$ selon 1_{n-1}; donc, comme partie commune d'un ensemble fermé et d'un ensemble de classe $n-1$, l'ensemble M_k est, en raison de 3_{n-1}, de classe $n-1$; en vertu de la même proposition, l'ensemble $M = \sum_{k=1}^{\infty} M_k$ est de classe $n-1$ et, d'après 2_{n-1}, $\sum_{k=1}^{\infty} P_k$ est de classe n comme image continue (projection) de M.

D'autre part, la condition $x \in \prod_{k=1}^{\infty} P_k$ veut dire qu'il existe une suite de points $x_1, x_2, \ldots$ telle que $x = p_k(x_k)$. En désignant, comme d'habitude, par $\mathfrak{z} = [\mathfrak{z}^1, \mathfrak{z}^2, \ldots]$ une variable qui parcourt $\mathcal{X}^{\aleph_0}$, on a

$$\left\{x \in \prod_{k=1}^{\infty} P_k\right\} = \sum_{\mathfrak{z}} \prod_{k} \{x = p_k(\mathfrak{z}^k)\}.$$

$\prod_{k=1}^{\infty} P_k$ est par conséquent la projection de l'ensemble

$$\underset{x\mathfrak{z}}{E} \prod_{k} \{x = p_k(\mathfrak{z}^k)\} = \prod_{k=1}^{\infty} \underset{x\mathfrak{z}}{E} \{x = p_k(\mathfrak{z}^k)\}.$$

Il suffit donc (en raison de 3_{n-1}) de démontrer que l'ensemble $\underset{x\mathfrak{z}}{E}\{x = p_k(\mathfrak{z}^k)\}$ est de classe $n-1$ (dans l'espace $\mathcal{X} \times \mathcal{X}^{\aleph_0}$). Or, cela résulte, comme auparavant, du fait que la fonction $p_k(\mathfrak{z}^k)$, considérée comme fonction de $\mathfrak{z}$, est continue (puisque $\mathfrak{z}^k$ est une fonction continue de $\mathfrak{z}$ pour k fixe; p. 145, I) et définie sur l'ensemble $\underset{\mathfrak{z}}{E}\{\mathfrak{z}^k \in R_k\} = \mathcal{X} \times \ldots \times \mathcal{X} \times R_k \times \mathcal{X} \times \mathcal{X} \times \ldots$, qui est de classe $n-1$ selon 1_{n-1}.

b) *Cas de $n > 0$ pair.* L'ensemble P étant de classe n, l'ensemble P' (le complémentaire de P) est de classe $n-1$ impaire.

La proposition 3 résulte directement de 3_{n-1} et des formules de de Morgan: $\left(\sum_k P_k\right)' = \prod_k P'_k$ et $\left(\prod_k P_k\right)' = \sum_k P'_k$.

En vertu de l'identité (cf. p. 8, 3): $P \times \mathcal{Y} = \mathcal{X} \times \mathcal{Y} - (P' \times \mathcal{Y})$ et de 1_{n-1}, l'ensemble $P \times \mathcal{Y}$ est de classe n et il en est encore de même de l'ensemble $\mathcal{X}_1 \times \ldots \times \mathcal{X}_{k-1} \times P_k \times \mathcal{X}_{k+1} \times \ldots$ On en déduit la proposition 1_n, en tenant compte de 3_n et de l'identité (cf. p. 8, 6a): $P_1 \times P_2 \times \ldots = (P_1 \times \mathcal{X}_2 \times \mathcal{X}_3 \times \ldots) \cdot (\mathcal{X}_1 \times P_2 \times \mathcal{X}_3 \times \ldots) \cdot \ldots$

Passons enfin à la proposition 2. D'après le théorème sur le prolongement des fonctions continues (p. 210, I), il existe un ensemble P^* qui est un G_δ contenant P et une fonction continue f_1 définie sur P^* et identique à f aux points de P; ceci peut être exprimé par l'égalité $f = f_1 | P$. Il vient (p. 12, 14): $f^{-1}(Q) = P \cdot f_1^{-1}(Q)$ et $f_1^{-1}(Q) = f_1^{-1}(\mathcal{Y} - Q') = P^* - f_1^{-1}(Q')$.

D'après 2_{n-1}, $f_1^{-1}(Q')$ est de classe $n-1$; selon 3_n, l'ensemble $f_1^{-1}(Q) = P^* \cdot [\mathcal{X} - f_1^{-1}(Q')]$ est donc de classe n. En multipliant cet ensemble par P et en appliquant 3_n, on en conclut que $f^{-1}(Q)$ est un ensemble projectif de classe n.

En outre, N désignant (comme dans le cas $n = 0$) un sous-ensemble borelien de $\mathcal{Y}$ dont $\mathcal{X}$ est une image continue: $\mathcal{X} = g(N)$, l'ensemble $g^{-1}(P)$ est de classe n dans $\mathcal{Y}$ et par conséquent l'ensemble $f(P) = fg\,[g^{-1}(P)]$ y est de classe $n+1$.

Les propositions 1—3 se trouvent établies complètement.

4. *$f(x)$ étant une fonction mesurable B définie sur un ensemble P de classe n, l'ensemble $I = \underset{xy}{E}\,\{y = f(x)\}$ est de classe n.*

En effet, I est borelien relativement au produit cartésien $P \times \mathcal{Y}$ (§ 27, VII). Comme partie commune d'un ensemble borelien et de l'ensemble $P \times \mathcal{Y}$, qui est de classe n (selon 1), I est donc de classe n (d'après 3).

5. *La proposition 2 reste vraie, lorsqu'on admet que $f(x)$ est une fonction mesurable B arbitraire.*

En effet, il existe d'après p. 219, VI, une fonction f_1 mesurable B, définie sur l'espace $\mathcal{X}$ tout entier et telle que $f = f_1 | P$. Il vient (p. 12, 14): $f^{-1}(Q) = P \cdot f_1^{-1}(Q)$. Il suffit donc de démontrer que $f_1^{-1}(Q)$ est de classe n. Or, il en est ainsi, si n est impair, car en posant $J = \underset{xy}{E}\,\{y = f_1(x)\}$, l'ensemble $f_1^{-1}(Q)$ est la projection de $J \cdot (\mathcal{X} \times Q)$ sur l'axe $\mathcal{X}$. Si n est pair, il en est de même en vertu de l'identité: $f_1^{-1}(\mathcal{Y} - Q) = \mathcal{X} - f_1^{-1}(Q)$.

En outre, $f(P)$ est la projection de l'ensemble $\underset{xy}{E}\,\{y = f(x)\}$ sur l'axe $\mathcal{Y}$.

Remarque. On voit ainsi qu'on n'altère pas la notion de classe projective, en admettant dans sa définition qu'un ensemble P situé dans l'espace $\mathcal{X}$ est de classe $2n+1$, lorsqu'il existe (dans $\mathcal{X}$ ou dans un autre espace complet séparable) un ensemble R de classe $2n$ et une fonction f définie sur R, mesurable B et telle que $P = f(R)$.

6. *Le résultat de l'opération* ($\mathcal{A}$) *effectuée sur des ensembles de classe n impaire est un ensemble de classe n.*

Soit, en effet, (cf. p. 5): $P = \sum_{\mathfrak{z}} \prod_{k=1}^{\infty} P_{\mathfrak{z}^1 \ldots \mathfrak{z}^k}$ où $P_{\mathfrak{z}^1 \ldots \mathfrak{z}^k}$ est un ensemble de classe n et $\mathfrak{z} \varepsilon \mathcal{N}$. P étant la projection de l'ensemble

$$\underset{\mathfrak{z}x}{E}\left\{x \varepsilon \prod_{k=1}^{\infty} P_{\mathfrak{z}^1 \ldots \mathfrak{z}^k}\right\} = \prod_{k=1}^{\infty} \underset{\mathfrak{z}x}{E} \{x \varepsilon P_{\mathfrak{z}^1 \ldots \mathfrak{z}^k}\},$$

tout revient à démontrer que l'ensemble $Z_k = \underset{\mathfrak{z}x}{E} \{x \varepsilon P_{\mathfrak{z}^1 \ldots \mathfrak{z}^k}\}$ est de classe n (dans l'espace $\mathcal{N} \times \mathcal{X}$). Or, l'équivalence évidente

$$\{x \varepsilon P_{\mathfrak{z}^1 \ldots \mathfrak{z}^k}\} \equiv \sum_{n_1} \ldots \sum_{n_k} \{(x \varepsilon P_{n_1 \ldots n_k})\,(n_1 = \mathfrak{z}^1) \ldots (n_k = \mathfrak{z}^k)\}$$

donne

$$Z_k = \sum_{n_1=1}^{\infty} \ldots \sum_{n_k=1}^{\infty} \left\{\underset{\mathfrak{z}x}{E}\,(x \varepsilon P_{n_1 \ldots n_k}) \cdot \underset{\mathfrak{z}x}{E}\,(n_1 = \mathfrak{z}^1) \cdot \ldots \cdot \underset{\mathfrak{z}x}{E}\,(n_k = \mathfrak{z}^k)\right\}.$$

Le premier des $k+1$ ensembles entre crochets $\{\ \}$ étant de classe n (comme identique à $\mathcal{N} \times P_{n_1 \ldots n_k}$) et les autres étant fermés (puisque $\mathfrak{z}^1, \mathfrak{z}^2$ etc. sont des fonctions continues de $\mathfrak{z}$), on conclut aussitôt de 3 que l'ensemble Z_k est de classe n.

IV. Projections. *Les ensembles projectifs de classe n impaire situés dans l'espace $\mathcal{X}$ coïncident avec les projections des ensembles de classe $n-1$ situés dans le produit $\mathcal{X} \times \mathcal{X}$* [1]).

En effet, d'une part, les projections des ensembles de classe $n-1$ sont de classe n (d'après 2). D'autre part, tout ensemble P de classe n est une image continue d'un ensemble R de classe $n-1$: $f(R) = P$ où $R \subset \mathcal{X}$. P est donc une projection de l'ensemble $\underset{xx^*}{E} \{x^* = f(x)\}$, qui est, d'après 4, de classe $n-1$ (dans $\mathcal{X} \times \mathcal{X}$).

La proposition que nous venons de démontrer reste vraie, *lorsqu'on remplace l'espace $\mathcal{X} \times \mathcal{X}$ par $\mathcal{X} \times \mathcal{N}$.*

En effet, d'après le théorème 1, p. 224, l'espace $\mathcal{X}$ est une image continue de $\mathcal{N}$: $\mathcal{X} = f(\mathcal{N})$. P étant de classe n (paire ou impaire), l'ensemble $P_1 = f^{-1}(P)$ l'est également (selon III, 2). Par conséquent, P est une image continue d'un ensemble de classe n

---

1) Cette proposition justifie l'emploi du terme „ensemble projectif".

situé dans $\mathcal{N}$, et celui-ci est—pour n impair—une image continue d'un sous-ensemble de $\mathcal{N}$ de classe $n-1$. Par conséquent P est la projection sur l'axe $\mathcal{X}$ d'un ensemble de classe $n-1$ situé dans le produit $\mathcal{X} \times \mathcal{N}$.

En particulier, *les ensembles analytiques coïncident avec les projections (sur l'axe $\mathcal{X}$) des ensembles fermés situés dans* $\mathcal{X} \times \mathcal{N}$ [1]).

En effet, d'après le corollaire 3, p. 232, chaque ensemble borelien est une image continue de $\mathcal{N}$; il en est donc de même de chaque ensemble analytique. Par conséquent, A étant un ensemble analytique, il existe une fonction continue f définie sur $\mathcal{N}$ et telle que A est la projection sur l'axe $\mathcal{X}$ de l'ensemble fermé $\underset{x\mathfrak{z}}{E}\{x=f(\mathfrak{z})\}$, situé dans l'espace $\mathcal{X} \times \mathcal{N}$ (la variable $\mathfrak{z}$ parcourant l'ensemble $\mathcal{N}$).

Inversement, la projection d'un ensemble fermé est un ensemble analytique (d'après N°III, 2).

V. Fonctions universelles. Conformément à la définition p. 172, XIII, une fonction $L_n(\mathfrak{z})$ qui fait correspondre à chaque nombre irrationnel $\mathfrak{z}$ un ensemble projectif de classe n (situé dans un espace $\mathcal{X}$) est dite universelle relativement à la classe $\boldsymbol{L}_n$, lorsque $\boldsymbol{L}_n$ coïncide avec la famille des valeurs de la fonction $L_n(\mathfrak{z})$. Nous allons prouver qu'*à chaque $n>0$ correspond une fonction universelle $L_n(\mathfrak{z})$ telle que l'ensemble $\underset{x\mathfrak{z}}{E}\{x \varepsilon L_n(\mathfrak{z})\}$ est de classe n* [2]).

Soit, conformément à l'énoncé final de la p. 174, $F(\mathfrak{z})$ une fonction universelle relativement à la famille des sous-ensembles fermés de l'espace $\mathcal{X} \times \mathcal{N}$ et telle que l'ensemble $\underset{x\mathfrak{z}\mathfrak{z}^*}{E}\{(x\mathfrak{z}^*) \varepsilon F(\mathfrak{z})\}$ soit fermé dans l'espace $\mathcal{X} \times \mathcal{N} \times \mathcal{N}$ ($\mathfrak{z}$ et $\mathfrak{z}^*$ parcourant $\mathcal{N}$).

Chaque sous-ensemble analytique de $\mathcal{X}$ étant une projection d'un ensemble fermé situé dans $\mathcal{X} \times \mathcal{N}$, on obtient une fonction $L_1(\mathfrak{z})$ universelle relativement à $\boldsymbol{L}_1 (= \boldsymbol{A})$ lorsqu'on fait correspondre à $\mathfrak{z}$ la projection de $F(\mathfrak{z})$ sur $\mathcal{X}$. En symboles: $\{x \varepsilon L_1(\mathfrak{z})\} = \sum_{\mathfrak{z}^*} \{(x\,\mathfrak{z}^*) \varepsilon F(\mathfrak{z})\}$. L'ensemble $\underset{x\mathfrak{z}}{E}\{x \varepsilon L_1(\mathfrak{z})\} = \underset{x\mathfrak{z}}{E} \sum_{\mathfrak{z}^*} \{(x\,\mathfrak{z}^*) \varepsilon F(\mathfrak{z})\}$ est analytique, comme projection de l'ensemble fermé $\underset{x\mathfrak{z}\mathfrak{z}^*}{E}\{(x\mathfrak{z}^*) \varepsilon F(\mathfrak{z})\}$.

---

[1]) Cf. la note de M. Szpilrajn et de moi *Sur les cribles fermés et leurs applications*, Fund. Math. 18 (1931), p. 160.

[2]) Cf. N. Lusin, *Ensembles analytiques*, p. 290.

Procédons par induction. Posons pour n pair $L_n(\mathfrak{z}) = \mathcal{X} - L_{n-1}(\mathfrak{z})$. La fonction $L_n(\mathfrak{z})$ est universelle relativement à $\boldsymbol{L}_n$ et l'ensemble $\underset{x\mathfrak{z}}{E}\{x \varepsilon L_n(\mathfrak{z})\} = \underset{x\mathfrak{z}}{E}\{x \text{ non-}\varepsilon\, L_{n-1}(\mathfrak{z})\} = \mathcal{X}\times\mathcal{N} - \underset{x\mathfrak{z}}{E}\{x \varepsilon L_{n-1}(\mathfrak{z})\}$ est de classe n.

Pour $n > 1$ impair, désignons par $L^*_{n-1}(\mathfrak{z})$ une fonction universelle relativement à la famille des ensembles de classe $n-1$ situés dans $\mathcal{X}\times\mathcal{N}$ et telle que l'ensemble $\underset{x\mathfrak{z}\mathfrak{z}^*}{E}\{(x\mathfrak{z}^*) \varepsilon L^*_{n-1}(\mathfrak{z})\}$ soit de classe $n-1$ (dans $\mathcal{X}\times\mathcal{N}\times\mathcal{N}$). En raisonnant comme pour $n=1$, on prouve que la fonction $L_n(\mathfrak{z})$, définie par l'équivalence $\{x \varepsilon L_n(\mathfrak{z})\} \equiv \sum_{\mathfrak{z}^*}\{(x\mathfrak{z}^*) \varepsilon L^*_{n-1}(\mathfrak{z})\}$, est bien la fonction demandée.

VI. Théorème d'existence[1]. *L'espace $\mathcal{N}$ des nombres irrationnels contient, pour chaque $n > 0$, un ensemble projectif de classe n qui n'est pas de classe $< n$. $\mathcal{N}$ contient aussi des ensembles non projectifs.*

Considérons la fonction universelle $L_n(\mathfrak{z})$ du N°V (en y posant $\mathcal{X} = \mathcal{N}$). L'indice $n \geqslant 1$ étant impair, soient

$$E_n = \underset{\mathfrak{z}}{E}\{\mathfrak{z} \varepsilon L_n(\mathfrak{z})\} \quad \text{et} \quad E_{n+1} = \mathcal{N} - E_n = \underset{\mathfrak{z}}{E}\{\mathfrak{z} \text{ non-}\varepsilon\, L_n(\mathfrak{z})\}.$$

Comme projection de l'ensemble $\underset{x\mathfrak{z}}{E}\{x \varepsilon L_n(\mathfrak{z})\}\cdot\underset{x\mathfrak{z}}{E}(x = \mathfrak{z})$, qui est de classe n, E_n est aussi de classe n. Donc E_{n+1} est de classe $n+1$.

D'autre part, d'après le théorème de la diagonale (p. 175, XIV), E_{n+1} n'est pas de classe n, ni—à plus forte raison—de classe $< n$ (puisque n est impair). Il en résulte que E_n n'est pas de classe $< n$, car dans le cas contraire E_{n+1} serait de classe $< n+1$.

Imaginons à présent chacun des ensembles E_n placé dans l'intervalle $(n-1, n)$. L'ensemble $E_\infty = E_1 + E_2 + \ldots$ est non projectif.

---

[1] Ibidem. Voir aussi la note de M. Banach et de moi *Sur la structure des ensembles linéaires*, Studia Math. 4 (1933), p. 95, où il est établi qu'il existe dans l'espace $\mathcal{I}^{\mathcal{I}}$ (des fonctions continues) un ensemble *linéaire* de classe $2n$ qui n'est pas de classe inférieure (un ensemble est dit linéaire, s'il contient, avec $f(x)$ et $g(x)$, chaque fonction de la forme $\lambda f(x) + \mu g(x)$).

Remarque. Le procédé employé dans les NN°V et VI permet de définir *effectivement* (cf. § 18, VIII) les ensembles E_n et E_∞ [1]).

L'existence des ensembles non projectifs peut d'ailleurs être établie (non effectivement) d'une façon plus simple. Notamment, la famille des ensembles boreliens étant de la puissance du continu et la famille de toutes les images continues d'un ensemble étant également de cette puissance (p. 116), on voit aussitôt que, quel que soit n, *la classe* L_n *est de puissance* $\mathfrak{c}$. Il en est donc de même de la somme $L_1 + L_2 + \ldots$ La famille de tous les sous-ensembles d'un espace complet séparable et indénombrable ayant la puissance $2^\mathfrak{c} > \mathfrak{c}$, l'existence des ensembles non-projectifs en résulte directement.

VII. Invariance. *P étant un ensemble projectif de classe n, chaque ensemble homéomorphe à P* (qu'il soit situé dans le même espace ou dans un autre espace complet séparable) *l'est également.*

Le théorème est évident dans le cas où n est impair, car dans ce cas chaque image continue de P est de classe n. Dans le cas où $n = 0$ (cas des ensembles boreliens) le théorème est vrai d'après p. 217, cor. 1. Si $n > 0$ est pair, la propriété L_{n-1} satisfait aux hypothèses du théorème p. 216; c. à d. qu'elle est un invariant de l'homéomorphie et qu'en outre: 1) chaque G_δ relatif à un ensemble de classe $n-1$ est de classe $n-1$, 2) la somme d'un ensemble de classe $n-1$ et d'un F_σ et de classe $n-1$. On en conclut que la propriété d'être le complémentaire d'un ensemble de classe $n-1$, c. à d. d'être de classe n, est un invariant intrinsèque [2]).

VIII. Fonctions propositionnelles projectives [3]). Une fonction propositionnelle $\varphi(x)$ est dite *fonction de classe* L_n, lorsque l'ensemble $\underset{x}{E}\,\varphi(x)$ est de classe L_n. Nous établirons les règles suivantes du „calcul projectif“:

1. *Si* $\varphi(x)$ *est de classe* L_n, *sa négation* $\varphi'(x)$ *est de classe* CL_n.

Car $\underset{x}{E}\,\varphi'(x) = \left[\underset{x}{E}\,\varphi(x)\right]'$.

---

[1]) Dans le cas de l'espace des nombres réels, la mesurabilité lebesguienne de l'ensemble E_3 ainsi défini semble présenter des grandes difficultés, bien que cet ensemble soit *nommé* explicitement. Voir à ce sujet ma note *Sur le problème de la mesurabilité des ensembles définissables*, Congr. Int. Math. Zürich 1932, vol. II, p. 117.

[2]) Pour l'invariance de la classe CA voir P. Alexandroff, *Sur les ensembles complémentaires aux ensembles* (*A*), Fund. Math. 5 (1924), pp. 160—165.

[3]) Cf. §§ 1, 2, et 26, IX. Voir sur ce sujet les notes de M. Tarski et de moi dans Fund. Math. 17 (1931), pp. 241—272.

2. *Si* $\varphi(x)$ *est de classe* $\boldsymbol{L_n}$ *dans l'espace* $\mathcal{X}$, $\varphi(x)$ *est de classe* $\boldsymbol{L_n}$ *dans l'espace* $\mathcal{X}\times\mathcal{Y}$.

Car (N⁰ III, 1): $\underset{xy}{E}\,\varphi(x)=\left[\underset{x}{E}\,\varphi(x)\right]\times\mathcal{Y}$.

3. $\varphi_1(x), \varphi_2(x), \ldots$ *étant une suite finie ou infinie de fonctions de classe* $\boldsymbol{L_n}$ *(n fixe* [1]*), les fonctions* $\sum_k \varphi_k(x)$ *et* $\prod_k \varphi_k(x)$ *sont aussi de classe* $\boldsymbol{L_n}$.

C'est une conséquence directe de l'énoncé N⁰ III, 3.

4. $\psi(x,y)$ *étant de classe* $\boldsymbol{L_n}$ *(dans* $\mathcal{X}\times\mathcal{Y}$*), la fonction propositionnelle* $\sum_y \psi(x,y)$ *est de classe* $\boldsymbol{PL_n}$ *et* $\prod_y \psi(x,y)$ *est de classe* $\boldsymbol{CPCL_n}$ (*dans* $\mathcal{X}$).

Car l'ensemble $\underset{x}{E}\sum_y \psi(x,y)$ est la projection (cf. p. 10, V, 3) de l'ensemble $\underset{xy}{E}\,\psi(x,y)$; il est donc de classe $\boldsymbol{PL_n}$ (N⁰ IV). En outre: $\prod_y \psi(x,y)=\left[\sum_y \psi'(x,y)\right]'$.

Les règles précédentes montrent que *les opérations logiques:* $', +, \cdot, \sum_x, \prod_x$, *effectuées sur des fonctions propositionnelles projectives conduisent toujours à des fonctions propositionnelles projectives.* Rapprochées des règles du § 26, XI, elles permettent, en même temps, d'*évaluer* la classe borelienne ou projective d'une fonction propositionnelle, donc de l'ensemble qu'elle définit.

Remarques. (1) Etant donnée une fonction propositionnelle de deux variables $\psi(x,y)$, on peut se servir pour évaluer la classe de $\sum_y \psi(x,y)$, tantôt de la règle 4, d'après laquelle l'ensemble $\underset{x}{E}\sum_y \psi(x,y)$ est la *projection* de $\underset{xy}{E}\,\psi(x,y)$, tantôt de la règle p. 10, 1, d'après laquelle $\underset{x}{E}\sum_y \psi(x,y)$ est la *somme* $\sum_y \underset{x}{E}\,\psi(x,y)$. La deuxième règle — où y est considéré comme *indice* — est plus avantageuse dans le cas où y parcourt un ensemble dénombrable, ainsi que dans le cas particulier où l'ensemble $\underset{x}{E}\,\psi(x,y)$ est ouvert (pour y fixe), puisque la somme d'une famille (de puissance *arbitraire*) d'ensembles ouverts est ouverte.

Des remarques analogues concernent l'opérateur $\prod$ [2]).

---

[1]) On pourrait se débarrasser de cette hypothèse, en prolongeant les classes L_n au-delà des indices finis (cf. p. 234, renvoi [2])).

[2]) C'est ainsi, par exemple, que dans le renvoi [3]), p. 209, h est considéré comme indice et non comme point d'un espace.

(2) Dans le cas où $\mathcal{Y}$ est un espace *compact*, la projection parallèle à l'axe $\mathcal{Y}$ d'un ensemble fermé est un ensemble fermé[1]). En conséquence, on tiendra compte dans ce cas de la règle suivante:

5. *Si* $\psi(x,y)$ *est de classe* F (*ou de classe* F_σ), $\sum_y \psi(x,y)$ *l'est également. Si* $\psi(x,y)$ *est de classe* G (*ou de classe* G_δ), $\prod_y \psi(x,y)$ *l'est également.*

IX. Applications[2]). 1) *Accessibilité rectilinéaire.* Le point x est dit rectilinéairement accessible par rapport à M, en symboles $x \varepsilon M_a$, lorsqu'il existe dans l'espace $\mathcal{X}$ un segment rectiligne xy qui n'a avec M que le point x en commun (et qui ne se réduit pas à un seul point). La condition pour que le point z appartienne au segment xy s'exprimant par l'égalité: $|x-z|+|z-y| = |x-y|$, on en conclut que (les variables x,y,z parcourant l'espace $\mathcal{X}$):

$$\{x \varepsilon M_a\} \equiv (x \varepsilon M)\cdot \sum_y \{(y\neq x)\cdot \prod_z [(|x-z|+|z-y|=|x-y|)\cdot(z\neq x)\rightarrow(z\varepsilon M)']\} \equiv$$
$$\equiv (x\varepsilon M)\cdot \sum_y \{(y\neq x)\cdot \prod_z [(|x-z|+|z-y|\neq|x-y|)+(z=x)+(z\varepsilon M)']\}.$$

La fonction propositionnelle $\varphi(x) \equiv \{x \varepsilon M_a\}$ s'obtient ainsi à l'aide des opérations logiques effectuées sur les fonctions:

$$\beta(x) \equiv \{x \varepsilon M\}, \quad \gamma(x,y) \equiv \{x=y\}, \quad \delta(x,y,z) \equiv \{|x-z|+|z-y|=|x-y|\}.$$

La deuxième et troisième sont évidemment de classe F. Quant à la première, elle dépend des hypothèses faites sur l'ensemble M. Si M est un F_σ, on voit aussitôt, en appliquant les règles du § 26, XI, que la fonction entre crochets [ ] est de classe G_δ. Si l'espace est compact, l'opération $\prod_z$ effectuée sur cette fonction donne encore une fonction de classe G_δ (selon 5); en multipliant cette dernière par la fonction $(y\neq x)$, qui est de classe G, on n'altère pas sa classe; puis, en appliquant l'opération $\sum_y$, on parvient à une fonction de classe A (règle 4); en la multipliant par la fonction $(x\varepsilon M)$, qui est de classe F_σ, on obtient finalement la fonction $\varphi(x)$, qui est donc de classe A.

Autrement dit: *M étant un ensemble F_σ situé dans un espace compact, l'ensemble de ses points rectilinéairement accessibles est analytique*[3]).

---

[1]) Nous reviendrons sur cette proposition — dont la démonstration est d'ailleurs très facile — dans le Chap. IV. Voir aussi ma note de Fund. Math. 17, p. 253.

[2]) On trouvera de nombreuses applications de la méthode exposée tout-à-l'heure dans les notes citées de Fund. Math. 17, dans Fund. Math. 18, p. 148—159, 61—170 (note de M. Szpilrajn et moi), chez M. Saks, Fund. Math. 19, p. 218.

[3]) Théorème de Nikodym-Urysohn. Il importe de remarquer que la classe de l'ensemble M_a ne peut être réduite; il existe notamment (dans

D'une façon générale, M étant un ensemble de classe L_{2n+1} situé dans un espace complet, M_a est de classe L_{2n+3}.

2) *Opérations de Hausdorff* [1]). Etant donnés: une suite d'ensembles $A_1, A_2, \ldots$ et un sous-ensemble B de l'espace $\mathcal{N}$ des nombres irrationnels, on considère l'ensemble H tel que

$$\{x \, \varepsilon \, H\} \equiv \sum_{\mathfrak{z}} \big\{ (\mathfrak{z} \, \varepsilon \, B) \cdot \prod_{mn} [(m = \mathfrak{z}^n) \to (x \, \varepsilon \, A_m)] \big\}.$$

Si les ensembles A_n et B sont projectifs (de classe bornée), H est projectif. Si ces ensembles sont analytiques, H l'est également.

§ 35. Ensembles analytiques.

I. Généralités. Rappelons d'abord quelques propriétés des ensembles analytiques établies au § 34. Par définition, les ensembles analytiques coïncident avec les images continues des ensembles boreliens (§ 34, I). Chaque ensemble borelien étant une image continue de l'ensemble $\mathcal{N}$ des nombres irrationnels, on peut définir les ensembles analytiques comme les *images continues de l'ensemble* $\mathcal{N}$ (§ 34, IV).

La propriété d'être un ensemble analytique est *invariante* par rapport aux opérations dénombrables: d'addition, de multiplication et de multiplication cartésienne, par rapport à l'opération $(\mathcal{A})$ et par rapport aux transformations mesurables B (qu'elles transforment l'ensemble considéré en sous-ensemble du même espace ou d'un autre).

D'après le corollaire 1, p. 229, chaque ensemble analytique indénombrable contient un ensemble parfait [2]). Les ensembles ana-

---

le plan euclidien) un·ensemble fermé M pour lequel l'ensemble M_a est non borelien. Voir: O. N i k o d y m, Fund. Math. 7 (1925), p. 250 et 11 (1928), ainsi que Ann. Soc. Pol. Math. 7 (1929), p. 79, P. U r y s o h n, Proc. Acad. Amsterdam 28 (1925), p. 984 et N. L u s i n, Fund. Math. 12 (1928), p. 158.

[1]) F. H a u s d o r f f, *Mengenlehre*, p. 87 et A. K o l m o g o r o f f, *Opérations sur des ensembles*, Rec. Math. Moscou 25, p. 418. Voir aussi L. K a n t o r o v i t c h et E. L i v e n s o h n, *Memoir on the Analytical Operations and Projective Sets (I)*, Fund. Math. 18 (1932), p. 214, où l'on trouve de nombreux renvois bibliographiques.

[2]) Voir M. S o u s l i n, C. R. Paris t. 164 (1917). Un théorème plus général (en raison du N° II) est celui de M. H u r e w i c z: chaque ensemble qui s'obtient des ensembles fermés à l'aide de l'opération $(\mathcal{A})$ contient un ensemble parfait, pourvu que l'espace soit séparable (complet ou non). Voir *Relativ perfekte Teile von Punktmengen und Mengen (A)*, Fund. Math. 12 (1928), p. 78—109.

lytiques „réalisent" donc l'hypothèse du continu: leur puissance est soit finie, soit $\aleph_0$, soit $\mathfrak{c}$.

Nous allons établir à présent le théorème suivant:

A étant un ensemble analytique indénombrable, chaque ensemble analytique A^* s'en obtient par une transformation de I-re classe [1]).

Il suffit évidemment de démontrer qu'il en est ainsi pour $A^*=\mathcal{N}$.

Or, comme ensemble analytique et indénombrable, A contient un ensemble homéomorphe à $\mathcal{C}$, donc un ensemble N homéomorphe à $\mathcal{N}$. Posons $f(x)=x$ pour $x \in N$. L'ensemble N étant un G_δ dans l'espace $\mathcal{X}$ (qui contient A, cf. p. 215, III), donc un espace topologiquement complet, il existe une fonction $f^*(x)$ de I-re classe définie sur l'espace $\mathcal{X}$ tout entier, dont les valeurs appartiennent à N et qui coïncide sur N avec $f(x)$ (p. 221, corollaire). Par conséquent $f^*(A)=N$, c. q. f. d.

Dans le même ordre d'idées citons les théorèmes suivants:

1. *Etant donnés deux ensembles analytiques indénombrables de dimension* 0, *un de ces ensembles est une image continue de l'autre* [2]).

2. *Chaque ensemble analytique est une image biunivoque et continue d'un ensemble* **CA** [3]).

Plus précisément, $x=f(\mathfrak{z})$ *étant une fonction continue, définie sur un sous-ensemble fermé F de $\mathcal{N}$, l'ensemble F contient un complémentaire analytique C tel que $f(C)=f(F)$ et que la fonction partielle $f(\mathfrak{z}\,|\,C)$ est biunivoque* [4]).

Afin d'établir ce dernier énoncé, rangeons d'abord les nombres irrationnels $\mathfrak{z}=[\mathfrak{z}^1, \mathfrak{z}^2, \ldots]$ dans l'ordre „lexicographique"; en symboles:

$$(1) \qquad [\mathfrak{z} < \mathfrak{y}] \equiv (\mathfrak{z}^1 \leqslant \mathfrak{y}^1) \cdot \prod_k \left[(\mathfrak{z}^k \leqslant \mathfrak{y}^k) + \sum_{i<k} (\mathfrak{z}^i < \mathfrak{y}^i) \right].$$

On voit aussitôt que la fonction propositionnelle $[\mathfrak{z} < \mathfrak{y}]$ est de classe **F**. En outre, il existe dans chaque ensemble fermé $X(\neq 0)$ le *premier* élément. C'est notamment le point $\mathfrak{p}(X)=X_1 \cdot X_2 \cdot \ldots$ où X_1 désigne l'ensemble des $\mathfrak{z} \in X$ pour lesquels $\mathfrak{z}^1$ admet la valeur minima et où X_n, avec $n>1$, est l'ensemble des $\mathfrak{z} \in X_{n-1}$ pour lesquels $\mathfrak{z}^n$ admet la valeur minima. En vertu du th. de Cantor (p. 205) le produit des ensembles X_n se réduit à un seul point.

---

[1]) W. Sierpiński, *Sur les images de Baire des ensembles linéaires*, Fund. Math. 15 (1930) p. 195.

[2]) Pour la démonstration voir W. Sierpiński, *Sur les images continues des ensembles analytiques linéaires ponctiformes*, Fund. Math. 14 (1929), p. 345.

[3]) S. Mazurkiewicz, *Sur une propriété des ensembles* $C(A)$, Fund. Math. 10 (1927), p. 172.

[4]) Pour une généralisation de cet énoncé voir N° V, 5 (p. 254).

Ceci établi, soit C l'ensemble des points $\mathfrak{p}[f^{-1}(x)]$ où x parcourt l'ensemble $f(F)$; en symboles:

$$(2) \qquad [\mathfrak{z} \varepsilon C] \equiv [\mathfrak{z} \varepsilon F] \cdot \prod_{\mathfrak{y}} \{[f(\mathfrak{z}) = f(\mathfrak{y})] \rightarrow [\mathfrak{z} \prec \mathfrak{y}]\}.$$

L'ensemble C est un ***CA***, car la fonction propositionnelle entre crochets $\{\ \}$ est borelienne. En outre, la fonction partielle $f(\mathfrak{z} \mid C)$ est biunivoque, car les conditions $\mathfrak{z} \varepsilon C$, $\mathfrak{y} \varepsilon C$ et $f(\mathfrak{z}) = f(\mathfrak{y})$ entraînent $\mathfrak{z} \prec \mathfrak{y} \prec \mathfrak{z}$ d'où $\mathfrak{z} = \mathfrak{y}$. On a enfin $f(C) = f(F)$, car $\mathfrak{p}[f^{-1}(x)]$ peut être substitué à $\mathfrak{z}$ dans le membre gauche de l'équivalence (2).

II. Opération ($\mathcal{A}$). Désignons par $\mathcal{N}_{n_1 \dots n_k}$ l'ensemble des nombres irrationnels $\mathfrak{z} = \frac{1|}{|\mathfrak{z}^1} + \frac{1|}{|\mathfrak{z}^2} + \dots$ tels que: $\mathfrak{z}^1 = n_1, \dots, \mathfrak{z}^k = n_k$. Cet ensemble est fermé et ouvert. On vérifie facilement les propositions suivantes:

$$(1) \qquad \mathcal{N} = \sum_{n=1}^{\infty} \mathcal{N}_n \qquad \mathcal{N}_{n_1 \dots n_k} = \sum_{n=1}^{\infty} \mathcal{N}_{n_1 \dots n_k n}$$

(2) *on a* $\mathcal{N}_{n_1 \dots n_k} \cdot \mathcal{N}_{m_1 \dots m_k} = 0$ *pour* $(n_1 \dots n_k) \neq (m_1 \dots m_k)$

$$(3) \qquad \mathfrak{z} = \prod_{k=1}^{\infty} \mathcal{N}_{\mathfrak{z}^1 \dots \mathfrak{z}^k}$$

$$(4) \qquad \mathcal{N} = \sum_{\mathfrak{z}} \prod_{k=1}^{\infty} \mathcal{N}_{\mathfrak{z}^1 \dots \mathfrak{z}^k} = \prod_{k=1}^{\infty} \sum_{\mathfrak{z}} \mathcal{N}_{\mathfrak{z}^1 \dots \mathfrak{z}^k}.$$

La formule (4) montre que l'ensemble $\mathcal{N}$ est le résultat de l'opération ($\mathcal{A}$) effectuée sur le système des ensembles $\mathcal{N}_{n_1 \dots n_k}$.

$$(5) \qquad \lim_{k=\infty} \delta(\mathcal{N}_{\mathfrak{z}^1 \dots \mathfrak{z}^k}) = 0.$$

(6) $f(\mathfrak{z})$ *étant une fonction continue définie sur* $\mathcal{N}$, *on a*

$$f(\mathfrak{z}) = \prod_{k=1}^{\infty} f(\mathcal{N}_{\mathfrak{z}^1 \dots \mathfrak{z}^k}) = \prod_{k=1}^{\infty} \overline{f(\mathcal{N}_{\mathfrak{z}^1 \dots \mathfrak{z}^k})}.$$

Car $f(\mathfrak{z}) = f\left(\prod_{k=1}^{\infty} \mathcal{N}_{\mathfrak{z}^1 \dots \mathfrak{z}^k}\right) \subset \prod_{k=1}^{\infty} f(\mathcal{N}_{\mathfrak{z}^1 \dots \mathfrak{z}^k}) \subset \prod_{k=1}^{\infty} \overline{f(\mathcal{N}_{\mathfrak{z}^1 \dots \mathfrak{z}^k})}$ selon (3) et l'ensemble $\prod_{k=1}^{\infty} \overline{f(\mathcal{N}_{\mathfrak{z}^1 \dots \mathfrak{z}^k})}$ se réduit à un seul point, puisque la continuité de la fonction f implique en vertu de (5) que $\lim_{k=\infty} \delta[f(\mathcal{N}_{\mathfrak{z}^1 \dots \mathfrak{z}^k})] = 0$, d'où $\lim_{k=\infty} \delta[\overline{f(\mathcal{N}_{\mathfrak{z}^1 \dots \mathfrak{z}^k})}] = 0$ et $\delta\left(\prod_{k=1}^{\infty} \overline{f(\mathcal{N}_{\mathfrak{z}^1 \dots \mathfrak{z}^k})}\right) = 0$.

Théorème. Pour qu'un ensemble soit analytique, il faut et il suffit qu'il soit le résultat de l'opération ($\mathcal{A}$) *effectuée sur un système régulier d'ensembles fermés.*

En effet, A étant analytique, il existe une fonction continue $f(\mathfrak{z})$ telle que $A = f(\mathfrak{N})$. L'ensemble A est le résultat de l'opération ($\mathcal{A}$) effectuée sur les ensembles $\overline{f(\mathfrak{N}_{n_1 \dots n_k})}$, car on a d'après (6):

$$A = f(\mathfrak{N}) = \sum_{\mathfrak{z}} f(\mathfrak{z}) = \sum_{\mathfrak{z}} \prod_{k=1}^{\infty} \overline{f(\mathfrak{N}_{\mathfrak{z}^1 \dots \mathfrak{z}^k})}.$$

Inversement l'opération ($\mathcal{A}$) effectuée sur des ensembles fermés (même sur des ensembles analytiques) conduit toujours à des ensembles analytiques (p. 240, 6).

Corollaire. Les ensembles analytiques jouissent de la propriété de Baire au sens restreint [1]).

Car chaque ensemble fermé jouit de cette propriété et elle est un invariant de l'opération ($\mathcal{A}$) (selon p. 58, corollaire).

Pour la même raison *les ensembles analytiques sont mesurables au sens de Lebesgue* (dans le cas de l'espace des nombres réels, complexes etc).

La propriété de Baire, ainsi que la mesurabilité, appartenant au complémentaire de tout ensemble qui la possède, il en résulte que les ensembles ***CA*** en jouissent également. Il en est encore de même des ensembles qui s'obtiennent à l'aide de la soustraction et de l'opération ($\mathcal{A}$) effectuées à partir des ensembles fermés [2]).

III. Premier théorème de séparation. *A et B étant deux ensembles analytiques disjoints, il existe un ensemble borelien E tel que*

$$A \subset E \quad \text{et} \quad E \cdot B = 0$$

---

[1]) Ainsi l'ensemble E_1, p. 242, VI, qui est analytique et non borelien, répond au problème de M. Lebesgue (Journ. de Math. 1905, p. 188) sur l'existence des ensembles non boreliens à propriété de Baire au sens restreint. Voir N. Lusin et W. Sierpiński, *Sur un ensemble non mesurable B*, Journ. de Math. 1923, p. 53.

[2]) L'étude des ensembles de ce genre, qui présentent une généralisation très naturelle des ensembles *A* et *CA*, a été proposée par M. Lusin (voir Fund. Math. 5, 1924, p. 165, renvoi [3])). Cf. O. Nikodym, Fund. Math. 14 (1929), p. 145.

(tout couple d'ensembles A, B satisfaisant à la thèse du théorème est dit *séparable* B) [1]).

Lemme [2]). *Les ensembles* $P = P_1 + P_2 + \dots$ *et* $Q = Q_1 + Q_2 + \dots$ *étant non séparables* B, *il existe un couple* P_n, Q_m *non séparable* B.

Supposons, en effet, que Z_{nm} soit un ensemble borelien tel que $P_n \subset Z_{nm} \subset Q'_m (= \mathcal{X} - Q_m)$. Il vient

$$P_n \subset \prod_{m=1}^{\infty} Z_{nm} \subset \prod_{m=1}^{\infty} Q'_m = \left(\sum_{m=1}^{\infty} Q_m\right) = Q',$$

donc

$$P = \sum_{n=1}^{\infty} P_n \subset \sum_{n=1}^{\infty} \prod_{m=1}^{\infty} Z_{nm} \subset Q',$$

ce qui prouve que l'ensemble borelien $\sum_{n=1}^{\infty} \prod_{m=1}^{\infty} Z_{nm}$ sépare les ensembles P et Q.

Le lemme établi, supposons par impossible que les ensembles analytiques disjoints A et B ne soient pas séparables B. Soient f et g deux fonctions continues qui transforment $\mathcal{N}$ en A et en B: $A = f(\mathcal{N})$, $B = g(\mathcal{N})$. Il vient (N° II, 1): $A = f(\mathcal{N}_1) + f(\mathcal{N}_2) + \dots$ et $B = g(\mathcal{N}_1) + g(\mathcal{N}_2) + \dots$ Il existe donc, d'après le lemme précédent, deux ensembles $f(\mathcal{N}_{n_1})$ et $g(\mathcal{N}_{m_1})$ non séparables B. Comme on a, en outre, selon N° II (1): $f(\mathcal{N}_{n_1 \dots n_k}) = \sum_{n=1}^{\infty} f(\mathcal{N}_{n_1 \dots n_k n})$ et $g(\mathcal{N}_{m_1 \dots m_k}) = \sum_{m=1}^{\infty} g(\mathcal{N}_{m_1 \dots m_k m})$, on en déduit par induction l'existence de deux suites infinies: $n_1, n_2, \dots$ et $m_1, m_2, \dots$ telles que les ensembles $f(\mathcal{N}_{n_1 \dots n_k})$ et $g(\mathcal{N}_{m_1 \dots m_k})$ sont non séparables B, quel que soit k.

Posons $\mathfrak{z} = \dfrac{1|}{|n_1} + \dfrac{1|}{|n_2} + \dots$ et $\mathfrak{y} = \dfrac{1|}{|m_1} + \dfrac{1|}{|m_2} + \dots$

[1]) Théorème de M. Lusin, *Sur les ensembles analytiques*, Fund. Math. 10 (1927), p. 52. Il importe de remarquer qu'un théorème analogue pour les ensembles ***CA*** serait en défaut. Voir un simple exemple de M. Sierpiński, *Sur deux complémentaires analytiques non séparables B*, Fund. Math. 17 (1931), p. 298, de même que N. Lusin, *Ensembles analytiques*, pp. 220, 260, 263 et P. Novikoff, Fund. Math. 17, p. 25.

[2]) Sierpiński, *Zarys teorji mnogości II*, p. 180.

Comme $f(\mathfrak{z}) \varepsilon A$, $g(\mathfrak{y}) \varepsilon B$ et $AB = 0$, il vient $|f(\mathfrak{z}) - g(\mathfrak{y})| > 0$. Les fonctions f et g étant continues, on a (N⁰ II, 5) pour k suffisamment grand: $\delta[f(\mathcal{N}_{n_1 \dots n_k})] + \delta[g(\mathcal{N}_{m_1 \dots m_k})] < |f(\mathfrak{z}) - g(\mathfrak{y})|$ et comme (N⁰ II, 3): $f(\mathfrak{z}) \varepsilon \overline{f(\mathcal{N}_{n_1 \dots n_k})}$ et $g(\mathfrak{y}) \varepsilon \overline{g(\mathcal{N}_{m_1 \dots m_k})}$, il vient: $\overline{f(\mathcal{N}_{n_1 \dots n_k})} \cdot \overline{g(\mathcal{N}_{m_1 \dots m_k})} = 0$.

Cette dernière formule montre, en raison de l'inclusion $f(\mathcal{N}_{n_1 \dots n_k}) \subset \overline{f(\mathcal{N}_{n_1 \dots n_k})}$, que les ensembles $f(\mathcal{N}_{n_1 \dots n_k})$ et $g(\mathcal{N}_{m_1 \dots m_k})$ sont séparables B, contrairement à l'hypothèse.

Corollaire 1[1]. *Si les ensembles A et $\mathcal{X} - A$ sont analytiques, A est borelien.*

Car, en posant dans le théorème précédent $B = \mathcal{X} - A$, il vient $E = A$.

Le corollaire 1 implique que *la famille des ensembles qui sont simultanément* **A** *et* **CA** *coïncide avec celle des ensembles boreliens.*

Corollaire 2 (séparation simultanée). Etant donnée une suite d'ensembles analytiques disjoints $A_1, A_2, \dots$, il existe une suite d'ensembles boreliens disjoints $B_1, B_2, \dots$ tels que $A_n \subset B_n$.

D'après le théorème, il existe, en effet, un système d'ensembles boreliens E_{nm} tels que $A_n \subset E_{nm}$ et $E_{nm} \cdot A_m = 0$ (pour $n \neq m$).

Posons: $B_1 = \prod_{m=2}^{\infty} E_{1m}$ et $B_n = \prod_{m \neq n} E_{nm} - (B_1 + \dots + B_{n-1})$. L'inclusion $B_m \subset E_{mn}$ entraîne $A_n \cdot B_m \subset A_n \cdot E_{mn} = 0$ pour $m < n$. Donc $A_n \subset B_n$.

IV. Applications aux ensembles boreliens.

Théorème[2]. *Toute image biunivoque et continue d'un ensemble borelien est un ensemble borelien.*

Chaque ensemble borelien étant composé d'un ensemble dénombrable et d'une image biunivoque et continue de l'ensemble $\mathcal{N}$ (p. 232, cor. 2), il suffit de démontrer que f étant une fonction biunivoque et continue, définie sur $\mathcal{N}$, l'ensemble $f(\mathcal{N})$ est borelien.

La fonction f étant biunivoque, on conclut de N⁰ II (2) que, pour k fixe, les ensembles du système $\{f(\mathcal{N}_{n_1 \dots n_k})\}$ sont disjoints.

---

[1] M. Souslin, l. cit.

[2] M. Souslin, l. cit. Pour des généralisations de ce théorème voir N⁰ V et N⁰ VIII.

D'après le cor. 2 du N^0 III, il existe pour chaque k un système d'ensembles boreliens disjoints $B_{n_1 \dots n_k}$ tels que $f(\mathcal{N}_{n_1 \dots n_k}) \subset B_{n_1 \dots n_k}$.

Posons $B^*_{n_1} = B_{n_1} \cdot \overline{f(\mathcal{N}_{n_1})}$ et, d'une façon générale,

$$B^*_{n_1 \dots n_k} = B_{n_1 \dots n_k} \cdot \overline{f(\mathcal{N}_{n_1 \dots n_k})} \cdot B^*_{n_1 \dots n_{k-1}}.$$

On a l'inclusion

$$(1) \qquad f(\mathcal{N}_{n_1 \dots n_k}) \subset B^*_{n_1 \dots n_k} \subset \overline{f(\mathcal{N}_{n_1 \dots n_k})}.$$

En effet, cette formule étant évidente pour $k=1$, admettons la pour $k-1$; selon N^0 II (1): $f(\mathcal{N}_{n_1 \dots n_k}) \subset f(\mathcal{N}_{n_1 \dots n_{k-1}}) \subset B^*_{n_1 \dots n_{k-1}}$, d'où la formule (1).

La formule (1) implique en vertu de N^0 II (6) que

$$\prod_{k=1}^{\infty} f(\mathcal{N}_{\mathfrak{z}^1 \dots \mathfrak{z}^k}) = \prod_{k=1}^{\infty} B^*_{\mathfrak{z}^1 \dots \mathfrak{z}^k} = \prod_{k=1}^{\infty} \overline{f(\mathcal{N}_{\mathfrak{z}^1 \dots \mathfrak{z}^k})}, \text{ d'où } f(\mathcal{N}) = \sum_{\mathfrak{z}} \prod_{k=1}^{\infty} B^*_{\mathfrak{z}^1 \dots \mathfrak{z}^k},$$

car $f(\mathcal{N}) = \sum_{\mathfrak{z}} \prod_{k=1}^{\infty} f(\mathcal{N}_{\mathfrak{z}^1 \dots \mathfrak{z}^k})$ selon N^0 II (6).

En outre, le système $\{B^*_{n_1 \dots n_k}\}$ étant régulier (c. à d. que $B^*_{n_1 \dots n_k} \subset B^*_{n_1 \dots n_{k-1}}$) et composé, pour k fixe, d'ensembles disjoints, il vient (p. 6, 5): $\sum_{\mathfrak{z}} \prod_{k=1}^{\infty} B^*_{\mathfrak{z}^1 \dots \mathfrak{z}^k} = \prod_{k=1}^{\infty} \sum_{\mathfrak{z}} B^*_{\mathfrak{z}^1 \dots \mathfrak{z}^k}$.

La sommation $\sum_{\mathfrak{z}} B^*_{\mathfrak{z}^1 \dots \mathfrak{z}^k}$ étant étendue (pour k fixe) sur un système dénombrable d'ensembles boreliens, l'ensemble $\sum_{\mathfrak{z}} B^*_{\mathfrak{z}^1 \dots \mathfrak{z}^k}$ est borelien. L'ensemble $f(\mathcal{N})$ l'est donc également, c. q. f. d.

En rapprochant le théorème précédent du corollaire 1, p. 231, on voit que *les sous-ensembles boreliens des espaces complets séparables coïncident avec les images biunivoques et continues des espaces complets séparables* 0-*dimensionnels.*

Remarque. B étant un ensemble borelien et g une transformation biunivoque et continue, l'espace $\mathcal{Y}$ qui contient $g(B)$ peut être supposé métrique arbitraire *(complet séparable ou non).* En effet, comme image continue d'un ensemble séparable, $g(B)$ est séparable. Complétons l'ensemble $\overline{g(B)}$, qui est aussi séparable, à un espace $\widetilde{\overline{g(B)}}$ (voir p. 200, VII). D'après le théorème qui vient d'être démontré, $g(B)$ est borelien dans $\overline{\widetilde{g(B)}}$, donc dans $\overline{g(B)}$, c. à d. que $g(B)$ est la partie commune de $\overline{g(B)}$ et d'un ensemble borelien dans $\mathcal{Y}$. L'ensemble $g(B)$ est donc borelien dans $\mathcal{Y}$.

D'autre part, les hypothèses que l'espace $\mathcal{X}$ (contenant B) est *complet* et *séparable* sont essentielles. Admettons, en effet, que $B =$ un ensemble non borelien situé dans l'intervalle $\mathcal{I} = \mathcal{Y}$ et 1° que $\mathcal{X} = B$ (cas où $\mathcal{X}$ est non complet) 2° que $\mathcal{X}$ se compose de points de l'intervalle $\mathcal{I}$, la distance entre chaque couple de points étant définie comme égale à l'unité (cas où $\mathcal{X}$ est non séparable). Dans les deux cas l'ensemble B (borelien dans $\mathcal{X}$) se transforme par l'identité en un ensemble non borelien (dans $\mathcal{Y}$).

V. Applications aux fonctions mesurables B.

1. *$y = f(x)$ étant une fonction définie sur un ensemble borelien E, biunivoque et mesurable B, l'ensemble $f(E)$ est borelien.*

En effet, la fonction f étant biunivoque, on transforme l'ensemble $I = \underset{xy}{E}\{y = f(x)\}$ en $f(E)$ d'une façon biunivoque et continue, en le projetant sur l'axe $\mathcal{Y}$. L'ensemble I étant borelien selon p. 239, 4, $f(E)$ l'est également en vertu du théor. N° IV.

2. *Chaque fonction $y = f(x)$ définie sur un ensemble analytique A et telle que l'ensemble $I = \underset{xy}{E}\{y = f(x)\}$ est analytique, est mesurable B.* Par conséquent (p. 239, 4) *si A est borelien, l'hypothèse que l'ensemble I est analytique implique qu'il est borelien.*

Il s'agit de prouver que l'ensemble $f^{-1}(F)$ est borelien dans A, quel que soit l'ensemble fermé $F \subset \mathcal{Y}$. Or, comme projection de l'ensemble analytique $I \cdot (\mathcal{X} \times F)$, $f^{-1}(F)$ est analytique. Pour la même raison l'ensemble $f^{-1}(\mathcal{Y} - F) = A - f^{-1}(F)$ est analytique. D'après le théorème de séparation (N° III), il existe un ensemble borelien E tel que $f^{-1}(F) \subset E$ et $EA - f^{-1}(F) = 0$, d'où $f^{-1}(F) = EA$. Ceci prouve que $f^{-1}(F)$ est borelien dans A.

3. *$y = f(x)$ étant une fonction définie sur un ensemble analytique A, biunivoque et mesurable B, la fonction inverse $x = f^{-1}(y)$ est mesurable B sur l'ensemble $f(A)$* [1]).

---

[1]) Ce théorème remonte (pour le cas où A est un intervalle) à M. Lebesgue (Journ. de Math. 1905, op. cit.). L'analyse de la démonstration de M. Lebesgue, qui n'était pas exacte, a suggéré à Souslin l'introduction des ensembles analytiques. La démonstration correcte est due à MM. Lusin et Souslin.

C'est une conséquence de l'énoncé précédent (en y remplaçant x par y, y par x et A par $f(A)$), en raison de l'identité $\underset{xy}{E}\{x=f^{-1}(y)\}=\underset{xy}{E}\{y=f(x)\}=I$ et du fait que les ensembles I et $f(A)$ sont analytiques (p. 239, 4 et 5).

4. *$y=f(x)$ étant une fonction définie sur un ensemble borelien E, biunivoque et mesurable B, si P est un sous-ensemble projectif de E de classe $\boldsymbol{L}_n$ $(n \geqslant 0)$, l'ensemble $f(P)$ est aussi de classe $\boldsymbol{L}_n$.*

Car, la fonction $x=f^{-1}(y)$ étant selon 3 et 1 mesurable B sur $f(E)$, l'ensemble $f(P)=(f^{-1})^{-1}(P)$ est de classe $\boldsymbol{L}_n$ selon p. 239, III, 5.

5. *$y=f(x)$ étant une fonction continue sur un ensemble borelien E, il existe un sous-ensemble C de E de classe* **CA** *tel que $f(C)=f(E)$ et que la fonction partielle $f(x|C)$ est biunivoque.*

Comme ensemble borelien, E est une image biunivoque et continue d'un ensemble fermé $F \subset \mathcal{N}$ (voir p. 231, cor. 1): $E=g(F)$. Posons $h(\mathfrak{z})=fg(\mathfrak{z})$ où $\mathfrak{z} \varepsilon F$. Selon p. 247, 2, F contient un ensemble H de classe **CA** tel que $h(H)=h(F)$ et que la fonction $h(\mathfrak{z}|H)$ est biunivoque. La fonction $g(\mathfrak{z})$ étant biunivoque et continue, l'ensemble $C=g(H)$ est un **CA** d'après 4. En outre, $f(C)=fg(H)=$ $=h(H)=h(F)=fg(F)=f(E)$. Enfin, si $x \neq x'$, $x \varepsilon C$ et $x' \varepsilon C$, il vient $x=g(\mathfrak{z})$, $x'=g(\mathfrak{z}')$, $\mathfrak{z} \neq \mathfrak{z}'$, $\mathfrak{z} \varepsilon H$ et $\mathfrak{z}' \varepsilon H$. L'inégalité $\mathfrak{z} \neq \mathfrak{z}'$ entraîne $f(x)=h(\mathfrak{z}) \neq h(\mathfrak{z}')=f(x')$, de sorte que la fonction $f(x|C)$ est biunivoque.

Remarques. 1. Pour chaque α il existe une fonction f continue, biunivoque et telle que la fonction inverse f^{-1} *n'est pas de classe* α (voir p. 231, remarque) [1].

2. L'hypothèse que l'espace $\mathcal{X}$ (de la proposition 3) est *complet séparable* est essentielle. Soient, en effet, Z un ensemble non borelien situé dans l'intervalle $\mathcal{I}=0,1$, Z^* son complémentaire placé dans l'intervalle 1,2, $\mathcal{X}=Z+Z^*$, $\mathcal{Y}=\mathcal{I}$, $f(x)=x$ pour $x \varepsilon Z$ et $f(x)=x-1$ pour $x \varepsilon Z^*$. La fonction f^{-1} est non mesurable B (elle est même dépourvue de la propriété de Baire, si Z en est dépourvu).

La séparabilité est essentielle d'après l'exemple 2° du N° IV (remarque).

3. Il serait intéressant, d'autre part, de reconnaître, si l'on peut omettre dans l'énoncé 1 l'hypothèse de la séparabilité de *l'espace* $\mathcal{Y}$ (cf. la remarque du N° IV). Cette question est liée au problème de l'invariance de la sépara-

[1]) Cf. W. Sierpiński, *Sur l'inversion des fonctions représentables analytiquement*, Fund. Math. 3 (1922), p. 26.

bilité par rapport aux transformations mesurables B. La réponse est affirmative si l'on admet l'hypothèse du continu. En effet, dans chaque espace métrique $\mathcal{Y}$ il existe une suite $F_1, F_2, \dots$ d'ensembles fermés, isolés et tels que $\rho(y, F_n) < 1/n$, quel que soit y (p. 91, remarque 1). Si $\mathcal{Y}$ est non séparable, un des ensembles F_n est indénombrable. En entourant chaque point de cet ensemble d'un ensemble ouvert de diamètre suffisamment petit, on obtient une famille indénombrable d'ensembles ouverts disjoints. La famille des sommes de ces ensembles ouverts est donc de puissance $\geqslant 2^{\aleph_1} > \mathfrak{c}$ (en vertu de l'hypothèse du continu). Si l'on suppose que $\mathcal{Y} = f(\mathcal{X})$ et que f est mesurable B, les ensembles $f^{-1}(G)$ sont boreliens pour G ouvert. Mais alors l'espace $\mathcal{X}$ contient une famille de puissance $> \mathfrak{c}$ d'ensembles boreliens, ce qui implique qu'il est non séparable (p. 162, III).

4. *Application aux groupes métriques.* Soient $\mathcal{X}$ et $\mathcal{Y}$ deux espaces complets qui constituent des groupes topologiques (cf. p. 75, XII). Soit $f(x)$ une fonction additive (c. à d. que $f(x+x') = f(x) + f(x')$) qui transforme l'espace $\mathcal{X}$ en $\mathcal{Y}$. On prouve que, si la fonction f jouit de la propriété de Baire (en particulier, si elle est mesurable B), elle est continue [1]). Il en résulte que *si les groupes $\mathcal{X}$ et $\mathcal{Y}$ sont complets séparables, toute fonction f additive, continue, biunivoque et telle que $f(\mathcal{X}) = \mathcal{Y}$ est bicontinue* [2]). Car $y = f(x)$ étant une fonction additive, la fonction inverse $x = f^{-1}(y)$ l'est également; comme la fonction f^{-1} est, en outre, mesurable B selon 3, elle est continue.

VI. L'opération $(\mathcal{A})$ et les nombres rationnels.

Soit $\mathcal{R}$ l'ensemble des fractions binaires finies $0 < r < 1$:

$$r = \frac{1}{2^{m_1}} + \frac{1}{2^{m_2}} + \dots + \frac{1}{2^{m_k}} \quad \text{où} \quad 1 \leqslant m_1 < m_2 < \dots < m_k.$$

La fonction $I(r) = [m_1, m_2 - m_1, \dots, m_k - m_{k-1}]$ établit une correspondance biunivoque entre l'ensemble $\mathcal{R}$ et la famille de tous les systèmes finis d'entiers positifs; au système $n_1, \dots, n_k$ correspond en effet le nombre $r = \dfrac{1}{2^{n_1}} + \dfrac{1}{2^{n_1+n_2}} + \dots + \dfrac{1}{2^{n_1+\dots+n_k}}$.

---

[1]) S. Banach, *Théorie des opérations linéaires,* cette collection t. I, p. 23.

[2]) S. Banach, *Über metrische Gruppen,* Studia Math. 3 (1931), p. 111. Pour les nombreuses applications de ce théorème à l'Analyse (en particulier aux équations différentielles), on consultera le livre précité de M. Banach, chap. III. Cf. du même auteur, *Sur les fonctionnelles linéaires II,* Studia Math. 1 (1929), p. 238 et J. Schauder, *Ueber die Umkehrung linearer, stetiger Funktionaloperationen,* Studia Math. 2 (1930), p. 1.

Lemme[1]). *A étant le résultat de l'opération* ($\mathcal{A}$) *effectuée sur un système régulier* $\{Z_{n_1 \dots n_k}\}$, *la formule* $x \varepsilon A$ *équivaut à l'existence d'une suite infinie de nombres rationnels* $\{r_k\}$ *tels que*

$$(1) \qquad r_1 < r_2 < \dots \quad et \quad x \varepsilon Z_{I(r_1)} \cdot Z_{I(r_2)} \cdot \dots$$

En effet, si $x \varepsilon A$, il existe une suite infinie $n_1, n_2, \dots$ telle que $x \varepsilon Z_{n_1} \cdot Z_{n_1 n_2} \cdot \dots$ Les nombres $r_k = \frac{1}{2^{n_1}} + \frac{1}{2^{n_1+n_2}} + \dots + \frac{1}{2^{n_1+\dots+n_k}}$ satisfont donc à (1).

Admettons inversement que la formule (1) soit remplie. Posons $\lim_{k=\infty} r_k = \sum_{k=1}^{\infty} \frac{1}{2^{m_k}}$ où $1 \leqslant m_1 < m_2 < \dots$ Soient $n_1 = m_1$ et $n_k = m_k - m_{k-1}$ pour $k > 1$. Il existe un r_{j_k} tel que $\sum_{i=1}^{k} \frac{1}{2^{m_i}} < r_{j_k} < \sum_{i=1}^{\infty} \frac{1}{2^{m_i}}$. Dans le développement de $r_{j_k} = \frac{1}{2^{l_1}} + \dots + \frac{1}{2^{l_s}}$ où $1 \leqslant l_1 < \dots < l_s$, on a donc $l_1 = m_1, \dots, l_k = m_k$. Il en résulte que les k premiers termes du système $I(r_{j_k})$ coïncident respectivement avec les nombres $n_1, \dots, n_k$. Le système d'ensembles $\{Z_{n_1 \dots n_k}\}$ étant régulier, on a l'inclusion $Z_{I(r_{j_k})} \subset Z_{n_1 \dots n_k}$, d'où $x \varepsilon Z_{n_1 \dots n_k}$, quel que soit k. Donc $x \varepsilon A$.

Théorème. A étant un ensemble analytique, il existe une famille d'ensembles fermés W_r, *où* $r \varepsilon \mathcal{R}$, *telle que la formule* $x \varepsilon A$ *équivaut à l'existence d'une suite infinie de nombres rationnels qui satisfont aux conditions* $r_1 < r_2 < \dots$ *et* $x \varepsilon W_{r_1} \cdot W_{r_2} \cdot \dots$

En effet, A étant le résultat de l'opération ($\mathcal{A}$) effectuée sur un système régulier d'ensembles fermés $Z_{n_1 \dots n_k}$ (N° II), on pose $W_r = Z_{I(r)}$.

---

[1]) Ce lemme appartient à la Théorie générale des ensembles. Dans le cas où $\mathcal{X} = \mathcal{E}$, on imagine l'ensemble $Z_{I(r)}$ placé sur la droite $y = r$; le point x_0 appartient alors à A, si l'intersection de l'ensemble-somme des $Z_{I(r)}$ où $r \varepsilon \mathcal{R}$ avec la droite $x = x_0$ contient une suite infinie de nombres croissants. Voir N. Lusin et W. Sierpiński, Journ. de math. II (1923), p. 65 — 68. Cf. W. Sierpiński, *Le crible de M. Lusin et l'opération* ($\mathcal{A}$) *dans les espaces abstraits*, Fund. Math. 11 (1928), p. 16, N. Lusin, Fund. Math. 10 (1927), p. 20 et E. Sélivanowski, C. R. Paris t. 184 (1927), p. 1311.

Le *théorème inverse* est aussi vrai; plus encore: si les ensembles W_r sont analytiques, l'ensemble A des x pour lesquels il existe une suite de nombres rationnels $r_1 < r_2 < \dots$ tels que $x \varepsilon W_{r_1} \cdot W_{r_2} \cdot \dots$ est analytique. Pour s'en convaincre, on n'a qu'à mettre en termes logiques la définition de A:

$$\{x \varepsilon A\} \equiv \sum_{\xi} \prod_{n} \sum_{r} (x \varepsilon W_r)(r = \xi^n)(\xi^n < \xi^{n+1}) \quad \text{où } \xi \varepsilon \mathcal{I}^{\aleph_0} \text{ et } r \varepsilon \mathcal{R}.$$

VII. Deuxième théorème de séparation[1]). *A et B étant deux ensembles analytiques, il existe deux ensembles* **CA**: *D et H tels que*

$$(1) \qquad A - B \subset D, \quad B - A \subset H, \quad DH = 0.$$

Les ensembles W_r ayant le même sens que dans le théorème du N⁰ VI, ordonnons l'ensemble $M_x = \underset{r}{E}\,(x \varepsilon W_r)$ selon la relation $r > s$. On a donc l'équivalence suivante:

$$\{x \varepsilon A\} \equiv \{\text{l'ensemble } M_x = \underset{r}{E}\,(x \varepsilon W_r) \text{ n'est pas bien ordonné}\}.$$

D'une façon analogue, il existe une famille d'ensembles fermés Z_r, $r \varepsilon \mathcal{R}$, telle que l'on a:

$$\{x \varepsilon B\} \equiv \{\text{l'ensemble } N_x = \underset{r}{E}\,(x \varepsilon Z_r) \text{ n'est pas bien ordonné}\}.$$

Posons $M_x \prec N_x$, lorsque l'ensemble M_x est semblable à une partie de N_x. Soient:

$$D = B' \cdot \big[\underset{x}{E}\,(M_x \prec N_x)\big]' \quad \text{et} \quad H = A' \cdot \big[\underset{x}{E}\,(N_x \prec M_x)\big]'$$

(X' désignant, comme toujours, le complémentaire de X).

La formule (1) est vérifiée. En effet, si $x \varepsilon A - B$, M_x n'est pas un ensemble bien ordonné, tandis que N_x en est un; on ne peut donc avoir $M_x \prec N_x$. Par conséquent, $x \varepsilon \big[\underset{x}{E}\,(M_x \prec N_x)\big]'$ et comme $x \varepsilon B'$, il vient $x \varepsilon D$. Donc $A - B \subset D$ et par raison de symétrie $B - A \subset H$.

D'autre part, si $x \varepsilon B' \cdot A'$, les deux ensembles M_x et N_x sont bien ordonnés. Ils sont donc comparables, c. à d. que l'on a soit $M_x \prec N_x$, soit $N_x \prec M_x$. Par conséquent on ne peut avoir $x \varepsilon \big[\underset{x}{E}\,(M_x \prec N_x)\big]' \cdot \big[\underset{x}{E}\,(N_x \prec M_x)\big]'$. Il en résulte que $DH = 0$.

---

[1]) Voir N. Lusin, *Ensembles analytiques*, p. 210 („deuxième principe").

Pour prouver que D et H sont des ensembles **CA**, il suffit de démontrer que l'ensemble $\underset{x}{E}(M_x \prec N_x)$ est analytique. Or, M et N étant deux sous-ensembles de $\mathcal{R}$, la condition $M \prec N$ équivaut évidemment à l'existence des deux suites de nombres réels (dans l'intervalle $\mathcal{I} = 01$) $\xi = [\xi^1, \xi^2, ...]$ et $\eta = [\eta^1, \eta^2, ...]$ telles que 1⁰: la suite $\xi^1, \xi^2, ...$ contient tous les éléments de l'ensemble M, 2⁰: la suite $\eta^1, \eta^2, ...$ est entièrement contenue dans N, 3⁰: l'inégalité $\xi^i > \xi^j$ entraîne $\eta^i > \eta^j$ pour chaque couple d'indices i, j. En symboles logiques:

$$\{M \prec N\} \equiv \sum_{\xi\eta} \Big\{ \prod_r [(r \varepsilon M) \rightarrow \sum_n (r = \xi^n)] \cdot \prod_k [\eta^k \varepsilon N] \cdot \prod_{ij} [(\xi^i > \xi^j) \rightarrow (\eta^i > \eta^j)] \Big\}.$$

Substituons M_x à M et N_x à N et remarquons que (par définition de M et de N) on a les équivalences:

$$(r \varepsilon M_x) \equiv (x \varepsilon W_r) \quad \text{et} \quad [\eta^k \varepsilon N_x] \equiv [x \varepsilon Z_{\eta^k}] \equiv \sum_r [(r = \eta^k)(x \varepsilon Z_r)].$$

En remplaçant (§ 1, I): $(\alpha \rightarrow \beta)$ par $(\alpha' + \beta)$, il vient en définitive:

$$\{M_x \prec N_x\} \equiv \sum_{\xi\eta} \Big\{ \prod_r [(x \varepsilon W_r') + \sum_n (r = \xi^n)] \cdot \prod_k \sum_r [(r = \eta^k)(x \varepsilon Z_r)] \cdot \prod_{ij} [(\xi^i \leqslant \xi^j) + (\eta^i > \eta^j)] \Big\}.$$

Les ensembles $\underset{\xi}{E}(r = \xi^n)$, $\underset{\eta}{E}(r = \eta^k)$, $\underset{x}{E}(x \varepsilon Z_r)$ et $\underset{\xi}{E}(\xi^i \leqslant \xi^j)$ étant fermés (puisque Z_r est fermé et la fonction ξ^n est une fonction continue de l'argument ξ), les ensembles $\underset{x}{E}(x \varepsilon W_r')$ et $\underset{\eta}{E}(\eta^i > \eta^j)$ étant ouverts et les opérations $\prod_r, \sum_n, \prod_k, \sum_r$ et $\prod_{ij}$ étant dénombrables, l'ensemble Q des points (x, ξ, η) qui satisfont à la condition entre crochets $\{\ \}$ est un ensemble borelien (un $\boldsymbol{F_{\sigma\delta}}$) dans l'espace complet $\mathcal{X} \times \mathcal{I} \times \mathcal{I}$ (voir § 26, XI). Comme projection de Q, l'ensemble $\underset{x}{E}\{M_x \prec N_x\}$ est donc analytique.

Corollaire 1 (séparation simultanée). Etant donnée une suite d'ensembles analytiques $A_1, A_2, ...$, il existe une suite d'ensembles **CA** *disjoints $C_1, C_2, ...$ tels que*

$$A_n - (A_1 + ... + A_{n-1} + A_{n+1} + ...) \subset C_n.$$

Soit, en effet, conformément au théorème précédent:

$$A_n - \sum_{k \neq n} A_k \subset D_n, \quad \sum_{k \neq n} A_k - A_n \subset H_n, \quad D_n \cdot H_n = 0.$$

Posons: $C_n = D_n \cdot \prod_{k \neq n} H_k$. Les ensembles C_n sont donc des ensembles $\boldsymbol{CA}$ disjoints. En outre:

$$A_n - \sum_{k \neq n} A_k \subset A_n - A_k \subset \sum_{n \neq k} A_n - A_k \subset H_k,$$

quel que soit $k \neq n$. Donc $A_n - \sum_{k \neq n} A_k \subset \prod_{k \neq n} H_k$, d'où l'inclusion demandée.

Corollaire 2. Etant donné un système d'ensembles analytiques $A_{n_1 \dots n_k}$ *tels que* $A_{n_1 \dots n_k} = A_{n_1 \dots n_k 1} + A_{n_1 \dots n_k 2} + \dots$, *il existe un système régulier* $\{C_{n_1 \dots n_k}\}$ *d'ensembles* $\boldsymbol{CA}$, *disjoints pour k fixe et tels que*

(i) $$A_{n_1 \dots n_k} - \sum{}' A_{m_1 \dots m_k} \subset C_{n_1 \dots n_k},$$

la sommation $\sum'$ *s'étendant aux systèmes* $(m_1 \dots m_k) \neq (n_1 \dots n_k)$.

Soit, pour k fixe, $\{D_{n_1 \dots n_k}\}$ un système d'ensembles $\boldsymbol{CA}$ disjoints et tels que $A_{n_1 \dots n_k} - \sum' A_{m_1 \dots m_k} \subset D_{n_1 \dots n_k}$ (conformément au cor. 1). Posons $C_{n_1} = D_{n_1}$ et $C_{n_1 \dots n_k} = D_{n_1 \dots n_k} \cdot C_{n_1 \dots n_{k-1}}$ pour $k > 1$. Il s'agit de prouver que $A_{n_1 \dots n_k} - \sum' A_{m_1 \dots m_k} \subset C_{n_1 \dots n_{k-1}}$. Or cela résulte de l'inclusion (i) admise pour $k-1$ et des formules suivantes admises par hypothèse: $A_{n_1 \dots n_k} \subset A_{n_1 \dots n_{k-1}}$ et $A_{m_1 \dots m_{k-1}} = A_{m_1 \dots m_{k-1} 1} + A_{m_1 \dots m_{k-1} 2} + \dots \subset \sum' A_{m_1 \dots m_k}$.

VIII. Ordre de valeur d'une fonction mesurable B.

y est dit valeur *d'ordre* 1 de f, en symboles $y \in Z_f$, lorsqu'il existe un et un seul x tel que $y = f(x)$. Le théorème suivant présente une généralisation de celui du N° IV.

Théorème 1[1]. *Les valeurs d'ordre* 1 *d'une fonction f mesurable B définie sur un ensemble borelien constituent un ensemble* $\boldsymbol{CA}$.

Le théorème va être établi d'abord pour le cas d'une fonction continue. Chaque ensemble borelien (indénombrable) dépourvu d'un ensemble dénombrable convenablement choisi étant une

[1]) N. Lusin, op. cit., p. 257.

image biunivoque et continue de l'ensemble $\mathcal{N}$ (p. 232, cor. 2), il suffit de démontrer que, $f(\mathfrak{z})$ étant une fonction continue définie sur $\mathcal{N}$, l'ensemble Z de ses valeurs d'ordre 1 est un CA.

On a par définition[1] $Z = \sum_{\mathfrak{z}} [f(\mathfrak{z}) - f(\mathcal{N} - \mathfrak{z})]$. Selon N° II et p. 204, III, on a $\mathfrak{z} = \prod_{k=1}^{\infty} \mathcal{N}_{\mathfrak{z}^1 \dots \mathfrak{z}^k}$ et $f\left[\prod_{k=1}^{\infty} \mathcal{N}_{\mathfrak{z}^1 \dots \mathfrak{z}^k}\right] = \prod_{k=1}^{\infty} f(\mathcal{N}_{\mathfrak{z}^1 \dots \mathfrak{z}^k})$. Il en résulte que $f(\mathfrak{z}) - f(\mathcal{N} - \mathfrak{z}) = \prod_{k=1}^{\infty} f(\mathcal{N}_{\mathfrak{z}^1 \dots \mathfrak{z}^k}) - f\left[\sum_{k=1}^{\infty} (\mathcal{N} - \mathcal{N}_{\mathfrak{z}^1 \dots \mathfrak{z}^k})\right] =$ $= \prod_{k=1}^{\infty} [f(\mathcal{N}_{\mathfrak{z}^1 \dots \mathfrak{z}^k}) - f(\mathcal{N} - \mathcal{N}_{\mathfrak{z}^1 \dots \mathfrak{z}^k})]$. Posons $A_{n_1 \dots n_k} = f(\mathcal{N}_{n_1 \dots n_k})$ et $B_{n_1 \dots n_k} = f(\mathcal{N} - \mathcal{N}_{n_1 \dots n_k})$. Donc $Z = \sum_{\mathfrak{z}} \prod_{k=1}^{\infty} (A_{\mathfrak{z}^1 \dots \mathfrak{z}^k} - B_{\mathfrak{z}^1 \dots \mathfrak{z}^k})$.

D'après II (1) et (2) on a $B_{n_1 \dots n_k} = \sum' A_{m_1 \dots m_k}$, la sommation $\sum'$ s'étendant aux systèmes $(m_1 \dots m_k) \neq (n_1 \dots n_k)$. D'autre part, selon II (1), $A_{n_1 \dots n_{k+1}} = A_{n_1 \dots n_k 1} + A_{n_1 \dots n_k 2} + \dots$ Le cor. 2 du N° VII est donc applicable. Posons $\overset{*}{C}_{n_1 \dots n_k} = C_{n_1 \dots n_k} \cdot \bar{A}_{n_1 \dots n_k} - B_{n_1 \dots n_k}$, $C_{n_1 \dots n_k}$ ayant le même sens que dans le cor. 2. On a par conséquent

$$(1) \qquad A_{n_1 \dots n_k} - B_{n_1 \dots n_k} \subset \overset{*}{C}_{n_1 \dots n_k} \subset \bar{A}_{n_1 \dots n_k} - B_{n_1 \dots n_k}$$

et les ensembles $\overset{*}{C}_{n_1 \dots n_k}$ sont des CA disjoints pour k fixe. En outre, le système $\{\overset{*}{C}_{n_1 \dots n_k}\}$ est régulier, car $\{C_{n_1 \dots n_k}\}$ est régulier et l'inclusion $\mathcal{N}_{n_1 \dots n_k} \subset \mathcal{N}_{n_1 \dots n_{k-1}}$ (cf. N° II (1)) donne:

$$A_{n_1 \dots n_k} = f(\mathcal{N}_{n_1 \dots n_k}) \subset f(\mathcal{N}_{n_1 \dots n_{k-1}}) = A_{n_1 \dots n_{k-1}} \subset \bar{A}_{n_1 \dots n_{k-1}},$$

$$B_{n_1 \dots n_k} = f(\mathcal{N} - \mathcal{N}_{n_1 \dots n_k}) \supset f(\mathcal{N} - \mathcal{N}_{n_1 \dots n_{k-1}}) = B_{n_1 \dots n_{k-1}},$$

d'où on déduit la formule $\overset{*}{C}_{n_1 \dots n_k} = C_{n_1 \dots n_k} \cdot \bar{A}_{n_1 \dots n_k} - B_{n_1 \dots n_k} \subset$ $\subset C_{n_1 \dots n_{k-1}} \cdot \bar{A}_{n_1 \dots n_{k-1}} - B_{n_1 \dots n_{k-1}} = \overset{*}{C}_{n_1 \dots n_{k-1}}$.

---

[1] La formule $\{y \in Z_f\} \equiv \sum_x [y = f(x)] \cdot \prod_{xx'} \{[y = f(x) = f(x')] \rightarrow (x = x')\}$ conduirait, dans le cas considéré ici, à un résultat moins précis. Cependant on en déduit que, si f est définie sur un F_σ d'un espace compact, Z_f est une différence de deux F_σ (ce qui est un résultat précis).

La double inclusion (1) implique que

$$(2) \qquad Z \subset \sum_{\mathfrak{z}} \prod_{k=1}^{\infty} C^*_{\mathfrak{z}^1 \ldots \mathfrak{z}^k} \subset \sum_{\mathfrak{z}} \prod_{k=1}^{\infty} (\bar{A}_{\mathfrak{z}^1 \ldots \mathfrak{z}^k} - B_{\mathfrak{z}^1 \ldots \mathfrak{z}^k}).$$

D'après N° II (6) et § 1, V il vient

$$\prod_{k=1}^{\infty} (\bar{A}_{\mathfrak{z}^1 \ldots \mathfrak{z}^k} - B_{\mathfrak{z}^1 \ldots \mathfrak{z}^k}) = \prod_{k=1}^{\infty} \overline{f(\mathcal{N}_{\mathfrak{z}^1 \ldots \mathfrak{z}^k})} \cdot \prod_{k=1}^{\infty} B'_{\mathfrak{z}^1 \ldots \mathfrak{z}^k} =$$

$$= \prod_{k=1}^{\infty} f(\mathcal{N}_{\mathfrak{z}^1 \ldots \mathfrak{z}^k}) \cdot \prod_{k=1}^{\infty} B'_{\mathfrak{z}^1 \ldots \mathfrak{z}^k} = \prod_{k=1}^{\infty} (A_{\mathfrak{z}^1 \ldots \mathfrak{z}^k} - B_{\mathfrak{z}^1 \ldots \mathfrak{z}^k}),$$

d'où $\sum_{\mathfrak{z}} \prod_{k=1}^{\infty} (\bar{A}_{\mathfrak{z}^1 \ldots \mathfrak{z}^k} - B_{\mathfrak{z}^1 \ldots \mathfrak{z}^k}) = \sum_{\mathfrak{z}} \prod_{k=1}^{\infty} (A_{\mathfrak{z}^1 \ldots \mathfrak{z}^k} - B_{\mathfrak{z}^1 \ldots \mathfrak{z}^k}) = Z.$

Par conséquent les trois membres de la double inclusion (2) sont identiques. Le système $\{C^*_{n_1 \ldots n_k}\}$ étant régulier et disjoint pour k fixe, la formule § 1, VI, 5 implique donc que l'ensemble

$$Z = \sum_{\mathfrak{z}} \prod_{k=1}^{\infty} C^*_{\mathfrak{z}^1 \ldots \mathfrak{z}^k} = \prod_{k=1}^{\infty} \sum_{\mathfrak{z}} C^*_{\mathfrak{z}^1 \ldots \mathfrak{z}^k} = \prod_{k=1}^{\infty} \sum_{n_1 \ldots n_k} C^*_{n_1 \ldots n_k} \text{ est un } \boldsymbol{CA}.$$

Passons à présent au cas où $g(x)$ est une fonction mesurable B définie sur un ensemble borelien E. Les ensembles E et $g(E)$ étant situés dans les espaces (complets séparables) $\mathcal{X}$ et $\mathcal{Y}$, l'ensemble $I = \underset{xy}{E}\{y = g(x)\}$ est borelien dans l'espace $\mathcal{X} \times \mathcal{Y}$. Evidemment l'ensemble des valeurs d'ordre 1 de la fonction g coïncide avec celui des valeurs d'ordre 1 de la projection sur l'axe $\mathcal{Y}$ (considérée comme fonction continue définie sur l'ensemble I) et ce dernier est — comme nous venons de démontrer — un ensemble ***CA***.

Remarque. *Inversement, C étant un* ***CA*** *contenu dans $\mathcal{X}$, il existe une fonction continue $f(\mathfrak{z})$ définie sur un sous-ensemble fermé de $\mathcal{N}$ et telle que $C = Z_f$.*

Soient, en effet, F un sous-ensemble fermé de $\mathcal{N}$ contenu dans l'intervalle $0, \frac{1}{2}$ et $f(\mathfrak{z})$, $\mathfrak{z} \in F$, une fonction biunivoque et continue telle que $f(F) = \mathcal{X}$ (cf. p. 226, corollaire). On définit la fonction $f(\mathfrak{z})$ pour $\frac{1}{2} < \mathfrak{z} < 1$ de façon que la partie commune de $\mathcal{N}$ et de l'intervalle $\frac{1}{2}, 1$ soit transformée en $\mathcal{X} - C$.

La valeur y de la fonction f est dite *d'ordre indénombrable*, en symboles: $y \in A_f$, lorsque l'ensemble $f^{-1}(y)$ est indénombrable.

Théorème 2[1]. *Les valeurs d'ordre indénombrable d'une fonction f mesurable B, définie sur un ensemble analytique, constituent un ensemble analytique*[2].

Posons, en effet, $I = \underset{xy}{E}\,[y = f(x)]$. L'ensemble I étant analytique (p. 239, 4), tout revient à démontrer qu'*étant donné dans le produit $\mathcal{X} \times \mathcal{Y}$ de deux espaces complets séparables un ensemble analytique I, l'ensemble A des y tels que l'ensemble $\underset{x}{E}\,[(xy) \varepsilon I]$ est indénombrable est analytique*[3].

Or l'ensemble I, comme analytique, admet une représentation paramétrique sur l'ensemble $\mathcal{N}$ des nombres irrationnels, c. à d. qu'il existe deux fonctions continues $g(\mathfrak{z})$ et $h(\mathfrak{z})$ définies sur $\mathcal{N}$ et telles qu'à chaque point xy de I correspond un $\mathfrak{z}$ remplissant les égalités $x = g(\mathfrak{z})$ et $y = h(\mathfrak{z})$. La condition que l'ensemble $\underset{x}{E}\,[(xy) \varepsilon I]$ soit indénombrable équivaut donc (p. 229, cor. 3) à l'existence dans $\mathcal{N}$ d'une suite dense en soi sur laquelle: 1° la fonction $h(\mathfrak{z})$ est identiquement égale à y, 2° la fonction $g(\mathfrak{z})$ est biunivoque.

En symboles:

$$\{y \varepsilon A\} \equiv \sum_{\xi} \prod_{n} \{[y = h(\xi^n)] \cdot \prod_{m \neq n} [g(\xi^n) \neq g(\xi^m)]\},$$

---

[1]) Cf. S. Mazurkiewicz et W. Sierpiński, *Sur un problème concernant les fonctions continues*, Fund. Math. 6 (1924), p. 161, ma note de Fund. Math. 17, p. 261 et S. Saks, Fund. Math. 19 (1932).

[2]) qui peut d'ailleurs ne pas être borelien même dans le cas où la fonction f est continue et où $\mathcal{X} = \mathcal{Y} =$ un intervalle.

[3]) M. Saks (loc. cit.) déduit de cet énoncé l'intéressante application suivante. Soient: $\mathcal{X} =$ intervalle 01, $\mathcal{Y} =$ espace des fonctions réelles continues $y(x)$, $0 \leqslant x \leqslant 1$, $I =$ l'ensemble des „points" xy du produit $\mathcal{X} \times \mathcal{Y}$ tels que la dérivée droite de la fonction y est égale à $+\infty$ au point x. L'ensemble I est analytique (il est un $F_{\sigma\delta}$), car

$$\{(xy) \varepsilon I\} \equiv \prod_{n} \sum_{m} \prod_{0 < h \leqslant \frac{1}{m}} \left\{\frac{y(x+h) - y(x)}{h} \geqslant n\right\}.$$

L'énoncé précité implique donc que *l'ensemble des fonctions continues qui possèdent la dérivée droite infinie dans une infinité indénombrable de points est analytique* (dans l'espace $\mathcal{Y}$).

En outre, cet ensemble n'est en aucun point de I-re catégorie (ibid. p. 215), donc—en vertu de la propriété de Baire (p. 53, cor. 2)—*son complémentaire est de I-re catégorie* (et non vide d'après un théorème de M. Besicovitch, ibid. p. 212). On rapprochera cet énoncé de § 30, VIII (p. 210).

où ξ parcourt l'ensemble des suites denses en soi extraites de $\mathcal{N}$. Cet ensemble de suites est topologiquement complet, comme un G_δ dans l'espace complet $\mathcal{N}^{\aleph_0}$ (p. 170, 2). Il en résulte que l'ensemble $\underset{y\xi}{E} \underset{n}{\Pi} \{[y = h(\xi^n)] \cdot \underset{m \neq n}{\Pi} [g(\xi^n) \neq g(\xi^m)]\}$ est un G_δ. Comme projection de ce dernier, A est analytique.

Remarque. Inversement, *à chaque ensemble analytique A correspond une fonction continue $f(\mathfrak{z})$, $\mathfrak{z} \in \mathcal{N}$, telle que $A = A_f$.*

Posons, en effet, $g\left(\frac{1|}{|\mathfrak{z}^1} + \frac{1|}{|\mathfrak{z}^2} + \frac{1|}{|\mathfrak{z}^3} + \ldots\right) = \frac{1|}{|\mathfrak{z}^1} + \frac{1|}{|\mathfrak{z}^3} + \frac{1|}{|\mathfrak{z}^5} + \ldots$ Par conséquent $g(\mathcal{N}) = \mathcal{N}$ et l'ensemble $g^{-1}(\mathfrak{z})$ est indénombrable pour chaque $\mathfrak{z}$. Soit $h(\mathfrak{z})$ une fonction continue qui transforme $\mathcal{N}$ en A. On pose $f(\mathfrak{z}) = hg(\mathfrak{z})$.

Désignons respectivement par I_f, D_f et C_f l'ensemble des y tels que 1° $f^{-1}(y)$ contient un point isolé, 2° $f^{-1}(y)$ est dénombrable (fini ou infini) et non vide, 3° $f^{-1}(y)$ contient un point qui n'en est pas un point de condensation.

Corollaires 1—3 [1]. *Si la fonction $f(x)$ définie sur un ensemble borelien est mesurable B, les ensembles I_f, D_f et C_f sont des* ***CA***.

ad 1. Soit $R_1, R_2, \ldots$ la base de l'espace $\mathcal{X}$. Désignons par f_n la fonction partielle $f(x \mid R_n)$. Il vient $I_f = Z_{f_1} + Z_{f_2} + \ldots$

ad 2. La démonstration se ramène, comme celle du théor. 1, au cas où $f(x)$ est une fonction continue définie sur l'espace $\mathcal{N}$. Parmi les ensembles fermés F, les ensembles dénombrables et non vides (situés dans l'espace $\mathcal{N}$ complet) sont caractérisés par les deux conditions suivantes: 1° F contient un point isolé, 2° F n'est pas indénombrable. Il vient $D_f = I_f - A_f$.

ad 3. f_n ayant le même sens que dans 1, on a $C_f = D_{f_1} + D_{f_2} + \ldots$

Corollaire 4 [2]. *Si la fonction f est mesurable B et l'ensemble E est borelien, tandis que l'ensemble $f(E)$ ne l'est pas, l'ensemble $f(E) - C_f$ ne l'est non plus.*

Car dans le cas contraire l'ensemble $f(E) = C_f + f(E) - C_f$ est un ***CA*** selon cor. 3. Comme ensemble analytique (N° V, 1), $f(E)$ est donc (N° III, cor. 1) un ensemble borelien.

Il en résulte, en particulier, que $f(x)$ étant une fonction continue sur un espace $\mathcal{X}$ complet séparable et telle que $f(\mathcal{X}) = D_f$ (c. à d. telle que toutes les valeurs de f sont d'ordre dénombrable), l'ensemble $f(\mathcal{X})$ est borelien. Plus encore, *$\mathcal{X}$ est somme d'une série d'ensembles boreliens: $\mathcal{X} = B_1 + B_2 + \ldots$, tels que les fonctions partielles $f(x|B_n)$ sont bicontinues* [3].

---

[1]) S. Braun, *Quelques théorèmes sur les cribles boreliens,* Fund. Math. 20 (1933), p. 168—172.

[2]) Ibid. Cf. aussi N. Lusin, l. cit. p. 171. Les corollaires 1—4 présentent des généralisations du théorème du N°IV.

[3]) Pour la démonstration voir N. Lusin, l. cit. p. 237 et H. Hahn, *Reelle Funktionen,* p. 381 (42.5.3).

IX. Décomposition en $\aleph_1$ ensembles boreliens.

1. *Chaque ensemble* ***PCA*** (donc, en particulier, chaque ensemble A et chaque ensemble ***CA***) *est une somme de* $\aleph_1$ *ensembles boreliens.*

Cette proposition résulte du théorème suivant, qui appartient à la Théorie générale des ensembles [1]): E étant un ensemble qui s'obtient des ensembles $\{A_{n_1 \dots n_k}\}$ par l'opération $(\mathscr{A})$, posons

$$A^0_{n_1 \dots n_k} = A_{n_1 \dots n_k}, \quad A^{\alpha+1}_{n_1 \dots n_k} = A^\alpha_{n_1 \dots n_k} \cdot \sum_{n=1}^{\infty} A^\alpha_{n_1 \dots n_k n}$$

et pour λ limite: $A^\lambda_{n_1 \dots n_k} = \prod_{\xi<\lambda} A^\xi_{n_1 \dots n_k}$. Posons en outre:

$$E_\alpha = \sum_{n=1}^{\infty} A^\alpha_n \quad \text{et} \quad K_\alpha = E_\alpha - \sum_{n_1 \dots n_k} \left\{ A^\alpha_{n_1 \dots n_k} - A^{\alpha+1}_{n_1 \dots n_k} \right\}.$$

On a alors $E = \prod_{\alpha<\Omega} E_\alpha = \sum_{\alpha<\Omega} K_\alpha$.

Dans le cas où les ensembles $A_{n_1 \dots n_k}$ sont boreliens, on constate facilement par induction que les ensembles E_α et K_α le sont également. On en conclut que chaque ensemble analytique, ainsi que chaque complémentaire analytique, est une somme de $\aleph_1$ ensembles boreliens.

Or, soit P un ensemble ***PCA***: $P = f(C)$, f une fonction continue, C un ensemble ***CA***. Par conséquent

$$C = \sum_{\alpha<\Omega} B_\alpha, \quad \text{donc} \quad P = f(C) = \sum_{\alpha<\Omega} f(B_\alpha).$$

B_α étant borelien, l'ensemble $f(B_\alpha)$ est analytique; il est donc une somme de $\aleph_1$ ensembles boreliens. Par conséquent P l'est également.

2. *Chaque ensemble* ***PCA*** *de puissance* $> \aleph_1$ *contient un ensemble parfait* [2]).

Car, parmi les $\aleph_1$ sommandes boreliens en lesquels cet ensemble se décompose, il existe au moins un qui est indénombrable; comme ensemble borelien, il contient donc topologiquement l'ensemble $\mathcal{C}$.

On voit ainsi que parmi les ensembles ***PCA*** indénombrables il n'y a que deux puissances qui peuvent se présenter: à savoir $\aleph_1$ et $\mathfrak{c}$ (d'ailleurs, on ne sait pas s'il existe des ensembles ***PCA*** ou, plus généralement, des ensembles projectifs de la puissance $\aleph_1$). Quant aux ensembles ***CPCA***, on ne connaît pas d'énoncé analogue.

---

[1]) W. Sierpiński, *Sur une propriété des ensembles* (A), Fund. Math. 8 (1926); on y trouve d'autres citations sur ce sujet.

[2]) Rappelons que dans le cas des ensembles ***A*** le signe $>$ peut être remplacé par $\geqslant$. Mais on ne sait pas s'il en est ainsi dans le cas des ensembles ***CA***.

3 [1]). *Si les ensembles $A_{n_1 \ldots n_k}$ jouissent de la propriété de Baire, il existe un indice $\mu < \Omega$ tel que l'ensemble $E - K_\mu$ est de I-re catégorie.*

En effet, chaque famille $\{X_\iota\}$ d'ensembles disjoints, jouissant de la propriété de Baire et dont aucun n'est de I-re catégorie est dénombrable; car selon p. 51, IV, 4, les ensembles $\mathrm{Int}\,[D(X_\iota)]$ sont disjoints, ouverts et non vides.

Par conséquent, à chaque système $n_1 \ldots n_k$ correspond un nombre $\lambda < \Omega$ tel que l'ensemble $A^\lambda_{n_1 \ldots n_k} - A^{\lambda+1}_{n \ldots n_k}$ est de I-re catégorie. La famille des systèmes finis $\{n_1 \ldots n_k\}$ étant dénombrable, il existe un indice μ tel que $A^\mu_{n_1 \ldots n_k} - A^{\mu+1}_{n_1 \ldots n_k}$ est de I-re catégorie, quel que soit le système $n_1 \ldots n_k$. Comme $E - K_\mu \subset E_\mu - K_\mu \subset \sum\limits_{n_1 \ldots n_k} \{A^\mu_{n_1 \ldots n_k} - A^{\mu+1}_{n_1 \ldots n_k}\}$, l'ensemble $E - K_\mu$ est de I-re catégorie, c. q. f. d.

On en conclut que, si Z contient un point (au plus) de chaque différence $K_\alpha - \sum\limits_{\xi<\alpha} K_\xi$, Z est la somme d'un ensemble dénombrable et d'un ensemble de I-re catégorie. Par conséquent, si les ensembles $A_{n_1 \ldots n_k}$ jouissent de la propriété de Baire au sens restreint, Z est de I-re catégorie sur chaque ensemble parfait (on peut relativiser, en effet, le raisonnement précédent par rapport à un ensemble parfait donné).

Il en résulte que *E étant analytique et non borelien et $A_{n_1 \ldots n_k}$ fermé, Z est un ensemble indénombrable qui est de I-re catégorie sur tout ensemble parfait.*

Car on a $E \neq \sum\limits_{\xi<\alpha} K_\xi$, quel que soit $\alpha < \Omega$.

4. *$\{A_{n_1 \ldots n_k}\}$ étant un système régulier d'ensembles fermés et B étant un ensemble borelien disjoint de E, il existe un α tel que $B \subset D_\alpha = \mathcal{X} - E_\alpha$* [2]). Il en résulte que *tout ensemble Z qui contient un seul point de chaque différence (non vide) $D_{\xi+1} - D_\xi$ est de I-re catégorie sur tout ensemble parfait P* [3]). Car $\mathcal{X} - E$ jouissant de la propriété de Baire au sens restreint, on a $P - E = U + V$, où U est un G_δ est V est de I-re catégorie sur P. Soit α un indice tel que

---

[1]) Voir E. Sélivanowski, *Sur les propriétés des constituantes des ensembles analytiques,* Fund. Math. 21 (1933), p. 20, W. Sierpiński, ibid. p. 29, E. Szpilrajn, ibid. p. 234. L'énoncé 3 reste valable, si l'on remplace la propriété de Baire par la mesurabilité et les ensembles de I-re catégorie par les ensembles de mesure nulle.

[2]) Pour la démonstration voir N. Lusin et W. Sierpiński, Bull. Acad. Cracovie 1918, p. 39.

[3]) Voir N. Lusin et W. Sierpiński, R. Accad. Lincei 6, v. VII (1928), p. 214.

$U \subset D_\alpha$. L'inclusion $PZ - D_\alpha \subset P - E - D_\alpha \subset V$ montre que $PZ - D_\alpha$ est de I-re catégorie sur P; il en est donc de même de PZ, puisque PZD_α est dénombrable.

X. Fonctions A et CA. Appelons une fonction $f(x)$ à valeurs réelles *fonction* $\boldsymbol{A}$ (fonction $\boldsymbol{CA}$), lorsque l'ensemble $\underset{x}{E}[f(x) > c]$ est un ensemble $\boldsymbol{A}$ (ensemble $\boldsymbol{CA}$), quel que soit c [1]).

On voit aussitôt que les fonctions $\boldsymbol{A}$ et les fonctions $\boldsymbol{CA}$ sont *mesurables* au sens de Lebesgue (lorsque x est réel) et *jouissent de la propriété de Baire au sens restreint*. Les fonctions qui sont *simultanément* $\boldsymbol{A}$ *et* $\boldsymbol{CA}$ coïncident avec les fonctions mesurables B. La *fonction caractéristique* d'un ensemble $\boldsymbol{A}$ (ou $\boldsymbol{CA}$) est une fonction $\boldsymbol{A}$ (ou $\boldsymbol{CA}$).

La limite d'une suite convergente de fonctions $\boldsymbol{A}$ (ou $\boldsymbol{CA}$) *est une fonction* $\boldsymbol{A}$ (ou $\boldsymbol{CA}$). Car la condition $f(x) = \lim f_n(x)$ entraîne l'équivalence

$$\{f(x) > c\} \equiv \sum_n \prod_k [f_{n+k}(x) > c + {}^1/_n],$$

d'où

$$\underset{x}{E}\{f(x) > c\} = \sum_n \prod_k \underset{x}{E}[f_{n+k}(x) > c + {}^1/_n].$$

$f(x)$ étant une fonction $\boldsymbol{A}$ ou $\boldsymbol{CA}$, l'ensemble $\underset{xy}{E}[y = f(x)]$ est une différence de deux ensembles analytiques. Car $\{r_n\}$ désignant la suite des nombres rationnels, on a l'équivalence $[y \neq f(x)] \equiv \sum_n \{[y < r_n < f(x)] + [f(x) < r_n < y]\}$.

$f(x, t)$ étant une fonction (bornée) *mesurable B, la fonction $g(x) = \max_t f(x, t)$ est une fonction $\boldsymbol{A}$ et $h(x) = \min_t f(x, t)$ est une fonction $\boldsymbol{CA}$* [2]).

En effet, l'équivalence $[\max_t f(t) \leqslant c] \equiv \prod_t [f(t) \leqslant c]$ entraîne $[g(x) \leqslant c] \equiv \prod_t [f(x, t) \leqslant c]$, c. à d. $[g(x) > c] \equiv \sum_t [f(x, t) > c]$, ce qui prouve que l'ensemble $\underset{x}{E}[g(x) > c]$ est analytique comme projection de l'ensemble borelien $\underset{xt}{E}[f(x,t) > c]$. D'une façon analogue, l'équivalence $[h(x) < c] \equiv \sum_t [f(x, t) < c]$ entraîne $[h(x) \leqslant c] \equiv \prod_n [h(x) < c + {}^1/_n] \equiv \prod_n \sum_t [f(x, t) < c + {}^1/_n]$, d'où on conclut que l'ensemble $\underset{x}{E}[h(x) \leqslant c]$ est analytique.

---

[1]) On n'a pas entrepris jusqu'à présent une étude systématique des fonctions $\boldsymbol{A}$ et $\boldsymbol{CA}$. Cf. L. Kantorovitch, *Sur les fonctions du type* (U), C. R. Paris, t. 192, p. 1267. Bien entendu, on peut définir les fonctions d'une classe projective arbitraire.

[2]) F. Hausdorff, *Mengenlehre*, p. 274.

Dans les mêmes hypothèses, *la fonction* $\limsup_{t=a} f(x,t)$ *est une fonction* $\boldsymbol{A}$ *et* $\liminf_{t=a} f(x,t)$ *est une fonction* $\boldsymbol{CA}$. Car on a $\limsup_{t=a} f(t) = \lim_{n=\infty} m_n$ où $m_n = \max f(t)$ pour $0 < |a-t| < 1/n$. Par conséquent $\limsup_{t=a} f(x,t)$ est une fonction $\boldsymbol{A}$ comme limite d'une suite de fonctions $\boldsymbol{A}$.

Exemple. Les dérivées partielles supérieures (ou inférieures) de Dini d'une fonction $g(x,y)$ *mesurable* B *sont des fonctions* $\boldsymbol{A}$ *(ou* $\boldsymbol{CA}$*)* (qui peuvent d'ailleurs admettre des valeurs infinies) [1]. Car en posant $f(x,y,t) = \frac{g(x+t.y)-g(x,y)}{t}$, on a $\limsup_{t=+0} \frac{g(x+t.y)-g(x,y)}{t} = \limsup_{t=0} f(x,y,t)$, où $f(x,y,t)$ est une fonction mesurable B (on admet que $t>0$).

§ 36. Espaces totalement imparfaits.

Les espaces considérés dans ce § sont supposés métriques séparables.

I. Définition. Existence. Un espace qui ne contient aucun ensemble homéomorphe à l'ensemble parfait $\mathcal{C}$ de Cantor est dit *totalement imparfait.*

Dans un espace complet séparable la propriété d'un ensemble E d'être totalement imparfait signifie que E ne contient aucun ensemble parfait non vide ou, ce qui revient au même, aucun ensemble analytique indénombrable, car chaque ensemble analytique indénombrable contient $\mathcal{C}$ topologiquement (§ 35, I).

Théorème de M. F. Bernstein [2]. *Il existe dans chaque espace complet séparable et indénombrable un ensemble* Z *qui—de même que son complémentaire — est totalement imparfait et de puissance du continu.*

Ce théorème résulte directement du lemme suivant, qui appartient à la Théorie générale des ensembles:

Soient R *un ensemble de puissance* $\mathfrak{c}$, $\boldsymbol{M}$ *une famille de puissance* $\leqslant \mathfrak{c}$ *de sous-ensembles de* R *dont chacun est de puissance* $\mathfrak{c}$. R *renferme alors un ensemble* Z *qui, de même que* $R-Z$, *est de puissance* $\mathfrak{c}$ *et contient au moins un élément de tout ensemble appartenant à la famille* $\boldsymbol{M}$.

---

[1] M. Neubauer, *Über die partiellen Derivierten unstetiger Funktionen*, Mon. f. Math. u. Phys. 38 (1931), p. 139.

[2] Leipz. Ber. 60 (1908), p. 329. Cf. P. Mahlo, ibid. 63 (1911), p. 346 et A. Schönflies, *Entwickelung der Mengenlehre I*, Leipzig 1913, p. 361. Pour la démonstration, cf. la note de M. Sierpiński et de moi, Fund. Math. 8 (1926), p. 193.

Le problème de l'existence des espaces séparables totalement imparfaits remonte à L. Scheeffer, Acta Math. 5 (1884), p. 287.

Nous appuyons la démonstration de ce lemme sur le théorème du „bon ordre“: $\Omega_{\mathfrak{c}}$ désignant le plus petit nombre ordinal de puissance $\mathfrak{c}$, nous imaginons les ensembles-éléments de $\boldsymbol{M}$ rangés en une suite transfinie du type $\Omega_{\mathfrak{c}}$:

(1) $$M_1, M_2, \dots, M_\omega, M_{\omega+1}, \dots$$

à termes différents ou non.

Soit, d'une façon analogue:

(2) $$x_1, x_2, \dots, x_\omega, x_{\omega+1}, \dots$$

une suite du type $\Omega_{\mathfrak{c}}$, à termes distincts, composée de tous les éléments de R.

On définit par l'induction transfinie deux suites $\{p_\alpha\}$ et $\{q_\alpha\}$ $(\alpha < \Omega_{\mathfrak{c}})$, en admettant que 1⁰: p_1 est le premier terme de la suite (2) contenu dans M_1 et q_1 est le premier terme de la suite (2) tel que $p_1 \neq q_1 \in M_1$, 2⁰: S_α désignant pour $\alpha > 1$ l'ensemble de tous les p_ξ et q_ξ avec $\xi < \alpha$, p_α est le premier terme de la suite (2) contenu dans $M_\alpha - S_\alpha$ (un terme de ce genre existe, puisque l'ensemble S_α est de puissance $< \mathfrak{c}$) et, d'une façon analogue, q_α est le premier terme de la suite (2) contenu dans $M_\alpha - S_\alpha - p_\alpha$.

Z est l'ensemble de tous les points p_α avec $\alpha < \Omega_{\mathfrak{c}}$.

Remarques. 1) Dans le cas où l'espace R est un intervalle, *l'ensemble Z est non mesurable au sens de Lebesgue.* Car Z, ainsi que le complémentaire de Z, sont de mesure intérieure nulle, comme ensembles totalement imparfaits.

2) La démonstration de l'existence des ensembles indénombrables totalement imparfaits, qui vient d'être exposée, n'est pas *effective,* c. à d. que l'existence en a été démontrée sans *nommer* aucun ensemble Z individuel (on remarquera que les suites (1) et (2) n'ont pas été définies). On n'en connaît aucune démonstration effective (même dans le cas de l'espace des nombres réels). C'est là un des problèmes fondamentaux liés avec la notion de l'effectivité [1]).

II. Rapports avec la propriété de Baire. 1. *Z étant totalement imparfait dans un espace $\mathcal{X}$ complet, séparable et dense en soi, $\mathcal{X} - Z$ n'est de I-re catégorie en aucun point.*

Supposons, en effet, que G soit un ensemble ouvert non vide tel que $G - Z$ est de I-re catégorie. Soit B un $\boldsymbol{F}_\sigma$ de I-re catégorie tel que $G - Z \subset B$. L'ensemble $G - B$ est donc dense dans G (p. 204, IV), donc dense en soi (p. 41, V, 3). Comme ensemble $\boldsymbol{G}_\delta$ dense en soi, $G - B$ est indénombrable (p. 206, V, 3) et contient par conséquent un ensemble parfait non vide (p. 232, II, cor. 4). Mais alors l'ensemble $Z \supset G - B$ n'est pas totalement imparfait.

2. *Dans un espace $\mathcal{X}$ complet séparable et dense en soi chaque ensemble totalement imparfait à propriété de Baire est de I-re catégorie.* Par conséquent,

---

[1]) Cf. à ce propos les remarques de M. Bernstein, l. cit.

si les ensembles Z et $\mathcal{X}-Z$ sont totalement imparfaits, ils sont dépourvus de la propriété de Baire.

C'est une conséquence directe de 1 et de p. 53, cor. 2.

3. *Dans un espace complet séparable les quatre propriétés suivantes sont équivalentes:*

(i) *d'être un $\boldsymbol{B}_r$* (c. à d. *un ensemble à propriété de Baire au sens restreint) totalement imparfait,*

(ii) *d'être de I-re catégorie sur tout ensemble parfait,*

(iii) *d'être un ensemble dont tout sous-ensemble dense en soi est de I-re catégorie sur lui-même,*

(iv) *d'être un ensemble dont tout sous-ensemble est un $\boldsymbol{B}_r$.*

Démonstrations: (i)$\rightarrow$(ii). C'est une conséquence de 2.

(ii)$\rightarrow$(iii). Si E jouit de la propriété (ii) et si X est un sous-ensemble dense en soi de E, l'ensemble $E\cdot\overline{X}$ est de I-re catégorie sur $\overline{X}$. L'ensemble $X=EX$ est donc (p. 45, IV, 2) de I-re catégorie sur lui-même.

(iii)$\rightarrow$(iv). Car la propriété (iii) implique évidemment la propriété $\boldsymbol{B}_r$ et appartient à chaque sous-ensemble d'un ensemble qui la possède.

(iv)$\rightarrow$(i). Car d'après 2 et selon le théorème du N⁰ I, chaque ensemble parfait non vide contient un ensemble dépourvu de la propriété de Baire.

L'existence des ensembles indénombrables jouissant des propriétés (i)—(iv) a été signalée au § 35, IX (p. 265). Nous l'établirons d'une façon plus directe au N⁰ suivant.

III. Espaces λ[1]. Nous appelons ainsi un espace *dont chaque sous-ensemble dénombrable est un $\boldsymbol{G}_\delta$.*

1. *Chaque espace λ satisfait à la condition* (iii)[2].

Soient, en effet, W un ensemble dense en soi et D un ensemble dénombrable dense dans W, c. à d. $D\subset W\subset\overline{D}$. Comme un $\boldsymbol{F}_\sigma$ frontière dans $\overline{W}$, l'ensemble $\overline{W}-D$ est de I-re catégorie sur $\overline{W}$. Il en est donc de même de la somme $W=\overline{W}-D+D$. L'ensemble W est par conséquent de I-re catégorie sur lui-même (p. 45, IV, 2).

2. *Chaque espace complet séparable et indénombrable contient un ensemble λ indénombrable,* donc *une infinité de la puissance $2^{\aleph_1}$ d'ensembles de ce genre* (puisque chaque sous-ensemble d'un ensemble λ est un ensemble λ).

Il suffit d'établir cet énoncé pour l'espace $\mathcal{N}$, puisque chaque espace complet séparable et indénombrable contient $\mathcal{N}$ topologiquement.

---

[1]) Voir ma note *Sur une famille d'ensembles singuliers,* Fund. Math. 21 (1933), p. 127.

[2]) L'implication inverse n'a pas lieu (si l'on admet l'hypothèse du continu). Voir N. Lusin, Fund. Math. 21 (1933), p. 119.

Or, nous allons démontrer d'abord que *l'espace* $\mathcal{N}$ *contient une suite transfinie indénombrable d'ensembles* G_δ *croissants (et distincts)*:

$$(1) \qquad Q_0 \subset Q_1 \subset \ldots \subset Q_\omega \subset Q_{\omega+1} \subset \ldots\ ^{1})$$

Soit, en effet, $Q_0 = 0$. Pour $\alpha > 0$, supposons que tous les ensembles Q_ξ avec $\xi < \alpha$ soient des G_δ de mesure (lebesguienne) nulle. Donc $\sum\limits_{\xi<\alpha} Q_\xi$ est encore de mesure nulle et comme (d'après un théorème de la théorie de la mesure) chaque ensemble de mesure nulle est contenu dans un G_δ de mesure nulle, il existe un ensemble Q_α qui est un G_δ tel que $Q_\alpha \supset \sum\limits_{\xi<\alpha} Q_\xi$ et $Q_\alpha \neq \sum\limits_{\xi<\alpha} Q_\xi$. On peut évidemment supposer que les ensembles Q_α sont contenus dans $\mathcal{N}$.

L'existence de la suite (1) se trouve ainsi établie. L'ensemble E des points $p_1, p_2, \ldots, p_{\omega+1}, p_{\omega+2}, \ldots$ tels que $p_{\alpha+1} \in Q_{\alpha+1} - Q_\alpha$ est un espace λ. Soit, en effet, D un sous-ensemble dénombrable de E. Posons $D = (p_{\xi_1}, p_{\xi_2}, \ldots, p_{\xi_n}, \ldots)$. Soit α un nombre transfini supérieur à tous les indices ξ_n. Par conséquent $D \subset Q_\alpha \cdot E$, d'où $D = Q_\alpha \cdot E \cdot D = E \cdot [Q_\alpha - (Q_\alpha \cdot E - D)]$ et, l'ensemble $Q_\alpha \cdot E$ étant dénombrable (car, pour $\beta > \alpha$, p_β n'appartient pas à Q_α), $Q_\alpha - (Q_\alpha \cdot E - D)$ est un G_δ. Cela prouve que D est un G_δ relativement à E [2]).

Remarque. On est conduit aux espaces λ dans l'étude de *l'ordre de croissance* des suites d'entiers positifs. Notamment, $\mathfrak{z} = [\mathfrak{z}^1, \mathfrak{z}^2, \ldots]$ et $\mathfrak{y} = [\mathfrak{y}^1, \mathfrak{y}^2, \ldots]$ étant deux nombres irrationnels ou, ce qui revient au même, deux suites d'entiers positifs, posons $\mathfrak{z} \prec \mathfrak{y}$, lorsqu'on a $\mathfrak{z}^i < \mathfrak{y}^i$ à partir d'un indice i:

$$\{\mathfrak{z} \prec \mathfrak{y}\} = \sum_n \prod_k \{\mathfrak{z}^{n+k} < \mathfrak{y}^{n+k}\}.$$

Chaque ensemble $\mathfrak{E}$ *de suites* (considéré comme sous-ensemble de $\mathcal{N}$), *bien ordonné selon la relation* $\mathfrak{z} \prec \mathfrak{y}$ *et du type* Ω [3]) *est un ensemble* λ.

Soit, en effet, $\mathfrak{D}$ un sous-ensemble dénombrable de $\mathfrak{E}$:

$$\mathfrak{E} = [\mathfrak{z}_0, \mathfrak{z}_1, \ldots, \mathfrak{z}_\omega, \mathfrak{z}_{\omega+1}, \ldots], \quad \mathfrak{D} = [\mathfrak{z}_{\xi_1}, \mathfrak{z}_{\xi_2}, \ldots \mathfrak{z}_{\xi_n}, \ldots].$$

---

[1]) Cette proposition est due à M. Zalcwasser. Pour une démonstration qui n'utilise pas la théorie de la mesure voir W. Sierpiński, C. R. Soc. Sc. de Varsovie 1934.

[2]) Ce raisonnement est dû à M. Sierpiński, *Sur un ensemble linéaire non dénombrable qui est de première catégorie sur tout ensemble parfait*, C. R. Soc. Sc. de Varsovie, 1933, p. 102.

[3]) L'existence d'une *échelle* de ce genre résulte facilement du théorème de M. Zermelo.

Soient α un nombre supérieur à tous les ξ_n et $\mathfrak{H}$ l'ensemble $(\mathfrak{z}_0, \mathfrak{z}_1, \dots, \mathfrak{z}_\alpha)$. L'ensemble $\mathfrak{H}$ contenant $\mathfrak{D}$ et la différence $\mathfrak{H} - \mathfrak{D}$ étant dénombrable, il suffit de démontrer que $\mathfrak{H}$ est un G_δ dans $\mathfrak{E}$, ou encore, que $\mathfrak{E} - \mathfrak{H}$ est un F_σ dans $\mathfrak{E}$.

On a les équivalences évidentes: $\{\mathfrak{z} \varepsilon (\mathfrak{E} - \mathfrak{H})\} \equiv \{(\mathfrak{z} \varepsilon \mathfrak{E}) (\mathfrak{z}_\alpha < \mathfrak{z})\}$ et $\{\mathfrak{z}_\alpha < \mathfrak{z}\} \equiv \sum\limits_n \prod\limits_k \{\mathfrak{z}_\alpha^{n+k} < \mathfrak{z}^{n+k}\}$, d'où $\mathfrak{E} - \mathfrak{H} = \mathfrak{E} \cdot \sum\limits_n \prod\limits_k \underset{\mathfrak{z}}{E} \{\mathfrak{z}_\alpha^{n+k} < \mathfrak{z}^{n+k}\}$.

L'ensemble $\underset{\mathfrak{z}}{E} \{m < \mathfrak{z}^i\} = \underset{\mathfrak{z}}{E} \{m + 1 \leqslant \mathfrak{z}^i\}$ étant fermé (pour i et m fixes), il en est de même de $\underset{\mathfrak{z}}{E} \{\mathfrak{z}_\alpha^{n+k} < \mathfrak{z}^{n+k}\}$. Cela implique aussitôt que $\mathfrak{E} - \mathfrak{H}$ est un F_σ dans $\mathfrak{E}$ [1]).

IV. Transformations. 1. *La propriété d'être totalement imparfait et celle d'être un espace λ sont des invariants de toute transformation biunivoque $y = f(x)$ dont la transformation inverse $x = f^{-1}(y)$ est continue.*

En effet, si l'espace $\mathcal{Y} = f(\mathcal{X})$ renferme un ensemble C homéomorphe à $\mathcal{C}$, l'espace $\mathcal{X}$ contient l'ensemble $f^{-1}(C)$, qui contient $\mathcal{C}$ topologiquement (p. 227, V).

D'autre part, si $\mathcal{X}$ est un espace λ et P est un sous-ensemble dénombrable de $\mathcal{Y}$, l'ensemble $f^{-1}(P)$, comme dénombrable, est un G_δ dans $\mathcal{X}$ et l'ensemble $P = ff^{-1}(P)$ est un G_δ, car la fonction f^{-1} est continue. $\mathcal{Y}$ est donc un espace λ.

2. *$y = f(x)$ étant une fonction* a r b i t r a i r e *définie sur un espace $\mathcal{X}$ qui est soit totalement imparfait, soit un espace λ, l'ensemble $I = \underset{xy}{E} \{y = f(x)\}$ l'est également.*

Car la projection parallèle à l'axe $\mathcal{Y}$ transforme I en $\mathcal{X}$ d'une façon biunivoque et continue.

3. *Chaque ensemble Z de puissance $\aleph_1$ situé dans un espace complet séparable $\mathcal{Y}$ est une image biunivoque et continue d'un espace λ contenu dans $\mathcal{N} \times \mathcal{Y}$,* donc, *d'un ensemble jouissant de la propriété de Baire au sens restreint.*

En effet, conformément à N⁰ III, 2, l'espace $\mathcal{N}$ contient un ensemble E de puissance $\aleph_1$ et qui est un espace λ. Soit $y = f(x)$ une transformation biunivoque de E en Z. L'ensemble $I = \underset{xy}{E} \{y = f(x)\}$ est un ensemble λ (d'après 2) et Z en est une image biunivoque et continue.

---

[1]) C'est au fond la marche du raisonnement qui a servi à M. Lusin pour établir l'existence des ensembles indénombrables à propriété (ii). Voir *Sur l'existence d'un ensemble non dénombrable qui est de première catégorie sur tout ensemble parfait*, Fund. Math. II (1921), p. 155—157.

4. *Une fonction arbitraire $y = f(x)$, définie sur un espace jouissant de la propriété* (iii) *du* N° II, *possède la propriété de Baire au sens restreint.*

Plus encore: *A étant un ensemble arbitraire, l'ensemble D des points de discontinuité de la fonction partielle $f|A$ est de I-re catégorie sur A*[1].

En effet, il existe dans A un ensemble dénombrable E tel que $A - E$ est dense en soi (p. 108, V). Comme, en outre, D ne contient aucun point isolé de A (p. 67, III), il vient $D \subset (A - E) + E \cdot A'$. L'ensemble $E \cdot A'$, comme formé d'une suite de points d'accumulation, est de I-re catégorie dans A; l'ensemble $A - E$ l'étant également par hypothèse, il en est de même de D.

Remarques. 1. *L'ensemble $I = \underset{xy}{E} \{y = f(x)\}$ peut jouir de la propriété de Baire au sens restreint sans que la fonction f en jouisse, même au sens large*[2]. Cela résulte de 2 en vertu de l'hypothèse du continu. Notamment, soient A un ensemble dépourvu de la propriété de Baire dans l'intervalle $\mathcal{I} = 01$, E un espace λ indénombrable, F un sous-ensemble fermé de E et tel que les ensembles F et $E - F$ sont indénombrables et enfin $y = f(x)$ une fonction biunivoque telle que $f(\mathcal{I}) = E$ et que $f(A) = F$.

2. *Ni la propriété de Baire au sens restreint, ni celle d'être un espace λ n'est un invariant des transformations biunivoques et continues.* Cela résulte de 3 en vertu de l'hypothèse du continu. Car A étant un ensemble dépourvu de la propriété de Baire (au sens large, cf. p. 53, IVa), il existe un ensemble λ dont A est une image biunivoque et continue.

V. Autres espaces singuliers. *Espaces σ.* Nous appelons ainsi un espace *dont chaque sous-ensemble borelien est un G_δ*[3].

Evidemment *chaque espace σ est un espace λ; chaque fonction mesurable B définie sur un espace σ est de I-re classe.*

L'existence des espaces σ indénombrables (contenus dans $\mathcal{N}$) résulte de l'hypothèse du continu. La démonstration en est tout-à-fait analogue à celle de l'existence d'un espace λ (N° III). On imagine d'abord, en vertu de l'hypothèse du continu, la famille de tous les ensembles G_δ de mesure nulle rangée en une suite transfinie du type Ω:

$$(1) \qquad K_0, K_1, \ldots, K_\omega, K_{\omega+1}, \ldots$$

Parmi les différences $K_\alpha - \sum_{\xi<\alpha} K_\xi$ il y a une infinité indénombrable de différences non vides. En effet, dans le cas contraire il existerait un in-

---

[1]) Cf. la remarque 3 du § 27, X (p. 191).

[2]) Cf. § 28, III, remarque 1 (p. 194). Voir W. Sierpiński, *La propriété de Baire des fonctions et de leurs images*, Fund. Math. 11 (1928), p. 306.

[3]) Voir W. Sierpiński, *Sur l'hypothèse du continu*, Fund. Math. 5 (1924), p. 184 et E. Szpilrajn, *Sur un problème de M. Banach*, Fund. Math. 15 (1930), p. 212.

dice α à partir duquel on aurait $\sum_{\xi<\alpha} K_\xi = \sum_{\xi<\alpha+1} K_\xi = \sum_{\xi<\alpha+2} K_\xi = \dots$ Comme chaque ensemble G_δ composé d'un point individuel appartient à la suite (1), on obtiendrait $\sum_{\xi<\alpha} K_\xi = \mathcal{N}$, ce qui est impossible, la somme $\sum_{\xi<\alpha} K_\xi$ étant de mesure nulle.

Tout ensemble E qui contient un seul point de chaque ensemble $K_\alpha - \sum_{\xi<\alpha} K_\xi$ *non vide est un ensemble* σ *indénombrable.* Nous allons prouver d'abord que *chaque ensemble H contenu dans E et mesurable au sens de Lebesgue est dénombrable.*

En effet, l'ensemble EK_α étant dénombrable, quel que soit α, il n'existe aucun G_δ indénombrable de mesure nulle qui soit contenu dans E. L'ensemble E est donc de mesure intérieure nulle et par suite H est de mesure nulle. Il existe par conséquent un K_α tel que $H \subset K_\alpha$, d'où $H \subset EK_\alpha$. L'ensemble EK_α étant dénombrable, il en est de même de H.

Ceci établi, soit B un ensemble borelien arbitraire contenu dans l'intervalle $\mathcal{I} = 01$. Il s'agit de prouver que BE est un G_δ relativement à E. Posons $\mathcal{I} - B = U + V$, où U est un F_σ et V est de mesure nulle. Il vient $E - B = UE + VE$. Comme ensemble de mesure nulle, VE est dénombrable, par conséquent $E-B$ est un F_σ dans E et BE y est un G_δ, c. q. f. d.

Il est à remarquer que *l'ensemble E est non mesurable au sens de Lebesgue et jouit cependant de la propriété de Baire au sens restreint* [1]) (qui est une conséquence de λ donc de σ).

2) *Espace* ν. Nous appelons ainsi un espace dont *chaque sous-ensemble non-dense est dénombrable* [2]).

L'existence des espaces ν indénombrables (contenus dans $\mathcal{N}$) résulte de l'hypothèse du continu.

Imaginons, en effet, les sous-ensembles fermés non-denses de $\mathcal{N}$ rangés en une suite transfinie du type Ω:

$$F_0, F_1, \dots, F_\omega, F_{\omega+1}, \dots$$

---

[1]) C'est d'ailleurs un fait général qu'un ensemble dont chaque sous-ensemble mesurable au sens de Lebesgue est dénombrable jouit de la propriété de Baire au sens restreint. Voir S. Saks, *Sur un ensemble non mesurable jouissant de la propriété de Baire*, Fund. Math. 11 (1928), p. 277. Cf. N. Lusin, *Sur une question concernant la propriété de Baire*, Fund. Math. 9 (1927), p. 117. Ajoutons que le problème inverse, à savoir, celui de l'existence d'un ensemble mesurable (de mesure 0) dépourvu de la propriété de Baire (même au sens large) se résout facilement sans l'hypothèse du continu.

[2]) N. Lusin, C. R. Paris, t. 158 (1914), p. 1259.

Comme espace complet, $\mathcal{N}$ n'est pas de I-re catégorie. Il en résulte (comme dans la démonstration précédente) qu'il existe une infinité indénombrable de différences $F_\alpha - \sum_{\xi<\alpha} F_\xi$ non vides. *Tout ensemble* E *contenant un seul point de chacune d'elles est un espace* ν *indénombrable.* Plus encore: tout sous-ensemble N de E qui est non-dense dans $\mathcal{N}$ est dénombrable. Car $\overline{N}$ étant non-dense dans $\mathcal{N}$, il existe un indice α tel que $F_\alpha = \overline{N}$, d'où $N \subset EF_\alpha$. L'ensemble EF_α étant dénombrable (par définition de E), l'ensemble N l'est également.

Propriétés des espaces ν. 1. *Tout espace* ν *est totalement imparfait.*

Car l'ensemble $\mathcal{C}$ de Cantor contient un sous-ensemble parfait non-dense dans $\mathcal{C}$.

2. *Chaque sous-ensemble à propriété de Baire d'un espace* ν *est la somme d'un ensemble* G_δ *et d'un ensemble dénombrable.*

Car il est la somme d'un ensemble G_δ et d'un ensemble de I-re catégorie (p. 51, IV, 2) et ce dernier est dénombrable. Il en résulte que

3. *Chaque fonction jouissant de la propriété de Baire et définie sur un espace* ν *est de deuxième classe* [1]).

4. $f(x)$ *étant une fonction à valeurs réelles, jouissant de la propriété de Baire et définie sur un espace* E *à propriété* ν, *l'ensemble* $f(E)$ *est de mesure lebesguienne nulle:* $mf(E) = 0$ [2]).

En effet, d'après le théorème p. 195, V, il existe dans E un ensemble Z tel que $mf(Z) = 0$ et que $E - Z$ est de I-re catégorie. $E - Z$ étant dénombrable par hypothèse, il vient $mf(E - Z) = 0$, d'où $mf(E) = 0$.

5. E *étant un espace* ν, *à chaque suite* $\{c_n\}$ *de nombres positifs correspond une décomposition* $E = E_1 + E_2 + \dots$ *telle que* $\delta(E_n) < c_n$ [3]).

En effet, $\{p_n\}$ étant une suite dense dans E et E_{2n} étant une sphère ouverte de centre p_n et telle que $\delta(E_{2n}) < c_{2n}$, l'ensemble ouvert $G = E_2 + E_4 + E_6 + \dots$ est dense dans E. L'ensemble $E - G$ est par conséquent non-dense, donc dénombrable: $E - G = [q_1, q_2, \dots]$. On pose $E_{2n-1} = (q_n)$.

---

[1]) G. Poprougénko, *Sur un problème de M. Mazurkiewicz*, Fund. Math. 15 (1930), p. 285.

[2]) Cf. W. Sierpiński, *Sur un ensemble non dénombrable dont toute image continue est de mesure nulle*, Fund. Math. 11 (1928), p. 302.

[3]) Cf. W. Sierpiński ibid., p. 304. Le problème de l'existence des ensembles indénombrables satisfaisant à la thèse du théorème 5 provient de M. Borel. On ne sait pas l'établir sans l'hypothèse du continu. Voir E. Borel, *Sur la classification des ensembles de mesure nulle*, Bull. Soc. math. de France 47 (1919), p. 1 et E. Szpilrajn, *Sur une hypothèse de M. Borel*, Fund. Math. 15 (1930), p. 126.

INDEX TERMINOLOGIQUE.

Symboles de la Logique et de la Théorie des ensembles.

Symboles topologiques et métriques.

Termes.

AUTEURS CITÉS.

TABLE DES MATIÈRES.

D. **Produits cartésiens. Suites d'ensembles.**

E. **Ensembles boreliens. Fonctions mesurables B.**

TROISIÈME CHAPITRE. **Espaces complets.**